Gedichte und Interpretationen 1

Gedichte und Interpretationen

Band 1 Renaissance und Barock
Band 2 Aufklärung und Sturm und Drang
Band 3 Klassik und Romantik
Band 4 Vom Biedermeier zum Bürgerlichen Realismus
Band 5 Vom Naturalismus bis zur Jahrhundertmitte
Band 6 Gegenwart

Philipp Reclam jun. Stuttgart

Gedichte und Interpretationen

Band 1

Renaissance und Barock

Herausgegeben von
Volker Meid

Philipp Reclam jun. Stuttgart

Universal-Bibliothek Nr. 7890 [5]

Gesamtherstellung: Reclam, Ditzingen. Printed in Germany 1982
ISBN 3-15-007890-3

Inhalt

Volker Meid

Einleitung

Vom Standpunkt der Poeten des 17. Jahrhunderts, die sich als Erneuerer der deutschen Dichtkunst verstanden, boten die unmittelbar vorhergehenden Jahrhunderte wenig Bemerkenswertes. Martin Opitz suchte zwar mit einem Gedicht Walthers von der Vogelweide das ehrwürdige Alter der deutschen »Poeterey« zu belegen, malte jedoch zugleich – als Folie für seinen reformerischen Neuansatz – ein düsteres Bild der dem hohen Mittelalter folgenden Epoche, einer Zeit, in der die einstigen Errungenschaften »in vergessen gestellt« worden seien,[1] während sich im Ausland die nationalsprachlichen Literaturen herausgebildet hätten. Petrarca, Sannazaro, Ronsard, Sidney, Heinsius – und mit ihnen die Literaturen Italiens, Frankreichs, Englands und der Niederlande – werden der deutschen Misere gegenübergestellt:

Wir Teutschen allein vndanckbar gegen vnserm Lande, vndanckbar gegen vnserer alten Sprache, haben jhr noch zur Zeit die Ehr nicht angethan, daß die angenehme Poësie auch durch sie hette reden mögen. Vnd weren nicht etliche wenig Bücher vor vilen hundert Jahren in Teutschen reimen geschrieben, mir zu handen kommen, dörffte ich zweiffeln, ob jemahls dergleichen bey vns vblich gewesen. Dann was ins gemein von jetzigen Versen herumb getragen wirdt, weiß ich warlich nicht, ob es mehr vnserer Sprache zu Ehren, als schanden angezogen werden könne.[2]

Mit der Ablehnung der deutschsprachigen Dichtung des 15. und 16. Jahrhunderts steht Opitz nicht allein, doch setzt er sich zielstrebig an die Spitze der Reformbewegung. Da die weiter zurückliegenden deutschen Traditionen verschüttet

1 Martin Opitz, *Buch von der Deutschen Poeterey (1624)*, hrsg. von Cornelius Sommer, Stuttgart 1970 [u. ö.], S. 23.
2 Martin Opitz, *Teutsche Poemata*, Abdr. der Ausg. von 1624 [. . .], hrsg. von Georg Witkowski, Halle 1902, S. 5 f.

sind und die unmittelbaren Vorgänger als so unbedeutend gelten, daß sie nicht einmal bei Namen genannt werden, braucht es keiner weiteren Rechtfertigung für den Vorsatz, die deutsche Dichtung auf humanistischer Grundlage zu erneuern. Vorbild mußte vor allem die Renaissancepoesie in den fortgeschritteneren Ländern West- und Südeuropas sein, war es doch hier nach Opitz' Meinung gelungen, die Höhe der griechischen und römischen Dichtung zu erreichen. Für Dichter wie Hans Sachs, die bekannteste Gestalt der deutschen Literatur des 16. Jahrhunderts, war in einem derartigen Programm kein Platz, und wo er nicht stillschweigend übergangen wurde, galt er den Gelehrtendichtern des 17. Jahrhunderts als geistloser Vielschreiber:

Hans Sachs ist stets Hans Sachs mit den sechstausent Stücken
die in die Luft er streut, Apollo kehrt den Rücken,
ihm doch verächtlich zu.[3]

Dieses Gefühl der Überlegenheit, das sich in Stielers Versen ausdrückt, gründete sich auf eine Auffassung von Dichtung, die den meisten in deutscher Sprache schreibenden Dichtern des 15. und 16. Jahrhunderts fremd sein mußte. Voraussetzung für die neue deutsche Dichtung war der humanistisch gebildete Poeta doctus. Nur ihm konnte der Nachweis gelingen, daß auch in deutscher Sprache bedeutende dichterische Leistungen möglich seien und die Vorbilder aus Antike und Renaissance nicht nur eingeholt, sondern übertroffen werden könnten. Es dauerte nicht lange, bis man, in übersteigerter Selbsteinschätzung, dieses Ziel erreicht zu haben meinte. Ein Jahr nach Opitz' Tod heißt es bei dem experimentierfreudigen Philipp von Zesen:

Nun möcht jhr klugen Griechen
Vnd jhr aus Latien euch ingesambt verkriechen /
Es geht euch allen vor die deütsche Nachtigall /

3 Kaspar Stieler, *Die Dichtkunst des Spaten. 1685*, hrsg. von Herbert Zeman, Wien 1975, S. 127 (V. 4585–87).

Die nun so lieblich singt / daß auch jhr süßer schall
Die andern übertrift.[4]

Es ist keine Frage, daß die deutsche Dichtung des 15. oder 16. Jahrhunderts solchen hochgeschraubten Ansprüchen nicht gerecht werden konnte, daß sie mit Maßstäben beurteilt wurde, die ihr wenig angemessen waren und ihre besonderen literatur- und sozialgeschichtlichen Voraussetzungen ignorierten. Verantwortlich für die geringe Wertschätzung der deutschen Dichtung des 16. Jahrhunderts war in hohem Maß die Kunst der Meistersinger, die von den gelehrten Dichtern der folgenden Zeit geradezu als Musterbeispiel dichterischer Rückständigkeit und Stümperei angesehen wurde. In der Verachtung des Meistersangs drückt sich zugleich ein sozialer Sachverhalt aus: Eine geistige Elite, die sich weitgehend mit der fürstlich-höfischen Kultur identifizierte und in ihrem Bereich Aufstiegschancen suchte (und fand), distanzierte sich bewußt von den Kunstübungen einer niedrig eingestuften Gruppe von kleinbürgerlichen Handwerkerdichtern. Andreas Gryphius' *Absurda Comica oder Herr Peter Squentz* mit ihrer Gegenüberstellung von höfischer Gesellschaft und dilettierenden Kleinbürgern und Handwerkern, von denen einer sicherlich nicht zufällig als »Leinweber und Meistersänger« aufgeführt wird, gibt dieser Haltung beredten Ausdruck.

Die Diskrepanz zwischen den Auffassungen beider Epochen läßt sich unschwer erkennen, wenn man Adam Puschmanns Meisterlied *Ein kurze Beschreibung des Schönen Minsters zu Strasburg* aus dem letzten Drittel des 16. Jahrhunderts mit motivgleichen Gedichten von Opitz (*Sonnet vber den Thurn zu Straßburg*) und Julius Wilhelm Zincgref (*Epigramma Vom Thurn zu Straßburg / warumb der andere darneben nit auffgebawet worden*) kontrastiert. Gegenüber der Konzentration und der auf sinnreiche Pointierung hinzielenden epigrammatischen Form der im übri-

4 Philipp von Zesen, *Deutscher Helicon (1640)*, zit. nach: *Gedichte des Barock*, hrsg. von Ulrich Maché und Volker Meid, Stuttgart 1980, S. 355.

gen keineswegs meisterhaften Verse der Barockpoeten treten die Schwächen durchschnittlicher Meistersingerproduktion deutlich hervor. In breitem Erzählton führt die »kurze Beschreibung« Puschmanns (immerhin dreimal 21 Verse!) aufzählungsartig von Turm und Dach zu Kirchentür und farbigen Glasfenstern, von der Kanzel zu den Geistlichen, die Gottes Lob verkünden und – wie der Rat der Stadt Straßburg – die »alt singer kunst« zu schätzen wissen. Mit einem Hinweis auf seinen *Gründlichen Bericht des deutschen Meistergesangs* (1571) und den persönlichen Anlaß des Meisterlieds schließt Puschmann:

Das Lied hab ich allhie getícht
Zur danckbarkeit dem Senat, wist;
Zu Straßburg, weil mir worden ist
Gut Verehrung des Büchleins mein,
Das ich in offerit gemein,
Von der alt Singekunst der grunt.
Undanckbar mich man kein mal funt.
Den Ton vnd lied hab ich gemacht
Allebeid zu Straßburg verricht.[5]

Puschmanns »Lied« ist ein Kunstprodukt, in dem die äußere Form, in dem Reim- und Strophenschemata ohne Beziehung zum Sinngehalt der Verse stehen. Und der Schluß mit seiner treuherzigen Biederkeit verrät eine Denkweise, die den humanistischen Vorstellungen von der Würde des Dichteramts diametral entgegengesetzt ist: Von der »alt Singekunst« führt kein Weg in die Zukunft. Programmatische Äußerungen der Barockpoetiker – und vergebliche Mahnungen, sich von würdeloser Gelegenheitspoesie fernzuhalten – machen den Abstand zu einem derartigen Dichterselbstverständnis bewußt.[6] Die hohe Einschätzung der Dichtkunst ergibt sich

5 *Meistersang. Meisterlieder und Singschulzeugnisse*, Ausw. und Einf. von Bert Nagel, Stuttgart 1965 [u. ö.], S. 136.
6 Vgl. z. B. das 3. Kapitel von Martin Opitz' *Buch von der Deutschen Poeterey*; ferner die Beiträge von van Ingen und Kühlmann (über Flemings *Grabschrifft*).

schon daraus, daß sie »alle andere künste vnd wissenschafften in sich helt«,[7] daß ein rechter »Dichtmeister« im Gegensatz zum bloßen Reimschmied und Pritschmeister »zugleich auch ein volkomner Gelehrter« und noch dazu eines »göttlichen gemühtes« sein muß.[8] Er muß, schreibt Opitz, »von sinnreichen einfällen vnd erfindungen sein / muß ein grosses vnverzagtes gemüte haben / muß hohe sachen bey sich erdencken können / soll anders seine rede eine art kriegen / vnd von der erden empor steigen«.[9] Den Lohn nennt Ronsard im Schlußterzett eines Sonetts, das in der Übertragung von Opitz so lautet:

Drumm geh' es wie es wil / vnd muß ich schon darvon /
So vberschreit' ich doch des lebens enge schrancken:
Der name der mir folgt ist meiner sorgen lohn.[10]

Wenn auch gewiß nicht Beispiele eines großen, unverzagten Gemütes oder durchdringender Gelehrsamkeit, so geben die beiden Barockgedichte auf das Straßburger Münster – im Vergleich mit Puschmanns Werk – durchaus einen Eindruck von dem, was die Poetiker der Zeit mit »scharfsinnigkeit« und »sinnreichen einfällen vnd erfindungen« meinen.[11] Schon die gewählten Formen – Epigramm und Sonett – machen eine beschaulich-beschreibende Darbietung, eine Aneinanderreihung einzelner Elemente unmöglich. Ihre Knappheit und strenge Gliederung verlangen vielmehr gedankliche Disziplin, die Unterordnung einzelner Momente unter einen übergreifenden Gedanken. So handelt es sich in Opitz' *Sonnet vber den Thurn zu Straßburg* (1624), um nur dieses Beispiel herauszugreifen, nicht um eine

7 Opitz, *Buch von der Deutschen Poeterey* (Anm. 1), S. 15.
8 Philipp von Zesen, *Hochdeutsche Helikonische Hechel. 1668,* in: Ph. v. Z., *Sämtliche Werke*, Bd. 11, hrsg. von Ulrich Maché, Berlin / New York 1974, S. 297.
9 Opitz, *Buch von der Deutschen Poeterey* (Anm. 1), S. 16.
10 Ebd., S. 20.
11 Zesen (Anm. 8), S. 298; Opitz, *Buch von der Deutschen Poeterey* (Anm. 1), S. 16.

Beschreibung des Straßburger Münsterturms, vielmehr wird seine Vollkommenheit (»Du rechtes Wunderwerck«) zum Anlaß eines Vergleichs mit der Vortrefflichkeit der politischen Ordnung Straßburgs (»Der feinen Policey«) und den Tugenden seiner Einwohner (»Güt' und Freundligkeit«), die – so Opitz in der im Barock beliebten Technik der ›Überbietung‹ – ein höheres Lob verdienen als der »Printz aller hohen Thürn«. Die ›sinnreiche‹ Schlußpointe nennt den dem Vergleich zugrunde liegenden ›Einfall‹:

Wie wohl gibt die Natur hiemit vns zuverstehen,
Daß, ob gleich die Gebew mehr steinern sind, als Stein,
Der Menschen Hertzen doch nicht sollen steinern sein.[12]

Auch das Meisterlied Puschmanns spricht von der Schönheit des Bauwerks und der von ihm ausgehenden geistigen Wirkung, aber es bleibt bei einem bloßen Nebeneinander der verschiedenen Aspekte, während es Opitz mit einem Kunstgriff gelingt, die Vollkommenheit des Turms und den Preis der bürgerlichen und menschlichen Tugenden Straßburgs und seiner Einwohner ›scharfsinnig‹ aufeinander zu beziehen, so daß gerade darin der eigentliche dichterische ›Einfall‹ des Gedichts besteht.

Mit dem zünftigen Meistersang ist jedoch nur ein Teilbereich der deutschsprachigen Lyrik des 15. und 16. Jahrhunderts beschrieben, und sicherlich nicht der wichtigste. Wenn er auch mancherorts bis ins 18. Jahrhundert hinein gepflegt wurde,[13] lebensfähig war er nicht. Anders das Volkslied und das Kirchenlied, denen die gelehrten Kunstrichter nichts anzuhaben vermochten, da diese Gattungen in einem anderen sozialen Kontext lebten und überlebten, anders auch die deutsche Psalmendichtung des 16. Jahrhunderts, die mit der Übersetzung Lobwassers bis weit ins 17. Jahrhundert hinein wirkte.

12 Opitz, *Teutsche Poemata* (Anm. 2), S. 76. Das Epigramm von Zincgref ist abgedruckt in: *Gedichte des Barock* (Anm. 4), S. 37.
13 Vgl. *Meistersang* (Anm. 5), S. 163 ff.

Das Kirchenlied verdankte seinen Aufstieg zu einer der fruchtbarsten Liedformen des 16. und 17. Jahrhunderts der Reformation. Martin Luther setzte mit seinen Liedern Maßstäbe, die auch von den katholischen Kirchenlieddichtern nicht ignoriert werden konnten. Die deutschen Lieder, bisher von der Kirche kaum gefördert und ohne liturgische Funktion, wurden nun zum festen Bestandteil des evangelischen Gottesdienstes, fanden aber auch über den engeren kirchlichen Bereich hinaus Verwendung in Haus und Schule. Gesangbücher sammelten die Bestände, sorgten für Kontinuität, wurden ständig erweitert, ergänzt, verändert. Wie das Volkslied verdankt das Kirchenlied seine Lebenskraft vor allem der Melodie, und nicht selten machten sich Dichter geistlicher Gesänge die Popularität weltlicher Lieder zunutze (Kontrafakturen). Dies war um so leichter möglich, als um die Wende zum 16. Jahrhundert das volkstümliche Lied (Volks- und Gesellschaftslied) eine große Verbreitung gefunden hatte, in zahlreichen Liederbüchern gesammelt vorlag und in mannigfachen Arrangements gesungen und gespielt wurde. Selbst die lateinische Dichtung des 16. Jahrhunderts konnte sich nicht ganz den Einflüssen des Volkslieds entziehen.[14]

Die Lyrik des 16. Jahrhunderts bietet kein einheitliches Bild, ihr Kennzeichen ist vielmehr das Nebeneinander verschiedener Strömungen, von Altem und Neuem, von volkstümlichen und elitären Äußerungen. Trotz Humanismus und Renaissance bestanden mittelalterliche Traditionen in der volkssprachlichen Dichtung weiter: Der deutsche Frühhumanismus mit seinen Versuchen, maßgebliche Texte der italienischen Renaissance zu verdeutschen und damit die Erneuerung der deutschen Literatur im Geist der Renaissance zu bewirken, war nur ein kurzes Zwischenspiel.[15] Die Sprache der humanistischen Gelehrten und Dichter blieb das

14 Vgl. den Beitrag von Schäfer über Schede.
15 Zum deutschen Frühhumanismus vgl. Eckhard Bernstein, *Die Literatur des deutschen Frühhumanismus*, Stuttgart 1978.

Lateinische, und als eine Persönlichkeit wie Ulrich von Hutten einen gemäßen deutschen Ausdruck für seine persönlichen und politischen Äußerungen suchte, mußte er auf mittelalterliche Formen zurückgreifen.[16] Auch Volkslied und Meistersang, so entschiedene Gegensätze sie darstellen, weisen Beziehungen zur mittelalterlichen Dichtung auf – der Meistersang schafft sich sogar mit seinen zwölf alten Meistern eine ins Mittelalter zurückreichende Ahnenreihe. Und das Kirchenlied der Reformation stützt sich nicht nur auf ältere Vorlagen (etwa auf die mittelalterliche lateinische Kirchendichtung), sondern hängt auch als religiöse Zweckdichtung, als kultische Form, noch »mehr mit dem Mittelalter als mit der Neuzeit«.[17] Erst gegen Ende des Jahrhunderts öffnet sich die deutschsprachige Lyrik, freilich nur zögernd, Einflüssen aus den weiter fortgeschrittenen romanischen Literaturen und versucht sich an einigen neuen Formen (Madrigal, Sonett, Alexandriner), doch von einer entschiedenen Neuorientierung kann noch keine Rede sein. Von deutscher (d. h. deutschsprachiger) Renaissancelyrik läßt sich im 16. Jahrhundert nur bedingt sprechen.[18]

Nicht nur die italienischen Humanisten, die sich ohnehin von Barbarenländern umgeben wähnten, hielten die Deutschen für ›Barbaren‹ und das Deutsche für eine ›barbarische‹ Sprache, auch die deutschen Humanisten hegten ähnliche Gefühle.[19] Latein war die Sprache der bedeutenden deutschen Lyriker im 16. Jahrhundert, in lateinischer Sprache wurden Leistungen von europäischem Rang erreicht, Leistungen, wie sie im Deutschen noch lange nicht möglich waren. Produzenten und Rezipienten dieser neulateinischen

16 Vgl. den Beitrag von Ukena über Hutten.

17 Rudolf Haller, *Geschichte der deutschen Lyrik vom Ausgang des Mittelalters bis zu Goethes Tod*, Bern/München 1967, S. 25.

18 Vgl. Hans Joachim Moser, *Renaissancelyrik deutscher Musiker um 1500*, in: *Deutsche Vierteljahrsschrift für Literaturwissenschaft und Geistesgeschichte* 5 (1927) S. 381–412.

19 *Lateinische Gedichte deutscher Humanisten*, lat. und dt., ausgew., übers. und erl. von Harry C. Schnur, Stuttgart 1966 [u. ö.], S. 491 f.

Dichtung waren weitgehend identisch. Die gelehrte Humanistenschicht, die Nobilitas literaria, verstand sich als geistige Elite, suchte sich aber auch als eigener sozialer ›Stand‹ zu etablieren und bestand daher auf deutlicher Abgrenzung nach unten, zur Masse der nicht humanistisch Gebildeten. Die Abspaltung der Gelehrtenschicht vom ›Volk‹ wurde so bald nicht überwunden: »[...] lateinisch-gelehrtes Bildungsgut und deutsch-volkstümliche Bürgerkultur [gingen] auch um 1600, mehr als 100 Jahre nach dem Aufkommen des deutschen Humanismus, noch getrennt nebeneinander her.«[20]

Diese Kluft verringerte sich auch im 17. Jahrhundert nicht, und obwohl eine neue Kunstdichtung in deutscher Sprache mit ›kulturpatriotischem‹ Enthusiasmus propagiert und entwickelt wurde, versiegte die lateinische Dichtung nur langsam. Opitz, Fleming, Balde, Gryphius und viele andere dichteten auch in lateinischer Sprache, und die ersten Angriffe auf die Vorrangstellung des Lateinischen wurden noch in lateinischer Sprache vorgetragen (Opitz, *Aristarchus sive De Contemptu Linguae Teutonicae*, 1617). Für Opitz und die anderen Reformer war es selbstverständlich, daß die Neuorientierung der deutschen Dichtung auf humanistischem Fundament zu geschehen habe, daß die Wendung zur deutschen Sprache keine Rückkehr zu den Formen und Inhalten der deutschsprachigen Dichtung des 16. Jahrhunderts bedeuten dürfe:

Vnd muß ich nur bey hiesiger gelegenheit ohne schew dieses erinnern / das ich es für eine verlorene arbeit halte / im fall sich jemand an vnsere deutsche Poeterey machen wolte / der / nebenst dem das er ein Poete von natur sein muß / in den griechischen vnd Lateinischen büchern nicht wol durchtrieben ist / vnd von jhnen den rechten grieff erlernet hat; das auch alle die lehren / welche sonsten zue der Poesie erfodert werden [...] / bey jhm nichts verfangen können.[21]

20 Erich Trunz, *Der deutsche Späthumanismus um 1600 als Standeskultur*, in: *Barockforschung. Dokumentation einer Epoche*, hrsg. von Richard Alewyn, Köln/Berlin 1965, S. 154.
21 Opitz, *Buch von der Deutschen Poeterey* (Anm. 1), S. 23.

Die deutschsprachige Kunstdichtung des 17. Jahrhunderts orientiert sich am Niveau, das in der lateinischen Dichtung und in den volkssprachlichen Renaissanceliteraturen weiter fortgeschrittener europäischer Länder erreicht worden war. Die lateinische Dichtungstradition gehört zu ihren unabdingbaren Voraussetzungen, sie ist »eine wesentliche Basis, auf der die deutschsprachige Lyrik des sog. Barockjahrhunderts ruht«. Wenn man »die vorangehende Gebildetendichtung in lateinischer Sprache als organisch zugehörigen Teil der deutschen Dichtungsgeschichte« begreift, nimmt sich die deutsche Kunstdichtung des 17. Jahrhunderts entschieden weniger ›neu‹ aus.[22] Es ist durchaus eine Kontinuität vorhanden, sie ist allerdings nicht an die Sprache gebunden. »Die Entwicklung der deutschen Poesie«, schreibt Schnur, »geht vom höfischen Minnesang nicht über die zu leblosen Machwerken und Künsteleien herabgesunkenen Reimereien der Meistersinger, sondern von Celtis, Cordus, Hessus über Heinsius zu Opitz und Fleming.«[23]
Kontinuität und Diskontinuität bestimmen so die Geschichte der deutschen Lyrik im 16. und 17. Jahrhundert. Es führt ein direkter Weg von Lyrikern wie Celtis, Lotichius und Melissus zu Opitz oder Fleming. Die Sprachen ändern sich zwar – das Deutsche tritt an die Stelle des Lateinischen –, doch das humanistisch-gelehrte Arsenal der Dichtersprache und die poetologischen Voraussetzungen bleiben die gleichen. In diesem Prozeß wird die deutschsprachige Literatur des vorigen Jahrhunderts ausgeklammert, und auch für die durchaus vorhandene ›ungelehrte‹ Dichtung der Gegenwart ist in dem vorherrschenden, humanistisch geprägten Dichtungsverständnis kein Platz. Nur insofern, im Rahmen einer rein nationalsprachlich orientierten Literaturgeschichtsschreibung, mag man einen ›Bruch‹ erkennen. Im 17. Jahrhundert war man sich jedenfalls darüber einig, daß eine neue

22 Karl Otto Conrady, *Lateinische Dichtungstradition und deutsche Lyrik des 17. Jahrhunderts*, Bonn 1962, S. 243.
23 Nachwort zu: *Lateinische Gedichte deutscher Humanisten* (Anm. 19), S. 494; vgl. Conrady (Anm. 22), S. 267.

Phase der deutschen Dichtung begonnen hatte. Rückblikkend schreibt Daniel Georg Morhof in einem Abriß der Geschichte der deutschen Dichtung: »Wir müssen endlich auff die dritte Zeit der Teutschen Poeterey kommen / da dieselbe gleichsam aus dem Grabe wieder erwecket worden / und viel herrlicher / als jemahls / hervorkommen / unter des Herrn Opitzens Anführung.«[24] Auch Benjamin Neukirch erkennt einen Neubeginn und verbindet ihn, wie im 17. Jahrhundert üblich, mit dem Namen von Martin Opitz, der der erste gewesen sei, »welcher den deutschen Poeten die bahn gebrochen« habe. Allerdings fehlt Neukirch der Enthusiasmus, mit dem zuvor die Leistungen und Fortschritte der deutschen Poesie gefeiert worden waren. Er sieht sich – wohl durchaus zu Recht – in einer Periode der »verfallenden Poesie« in Deutschland und relativiert – bei aller Anerkennung und Bewunderung für Opitz, Gryphius, Hoffmannswaldau oder Lohenstein – das bisher Erreichte. Der Weg zur Vollkommenheit ist weit und steil: »[...] wir haben noch einen grossen berg vor uns / und werden noch lange klettern müssen / ehe wir auff den gipfel kommen / auff welchem von denen Griechen Homerus und Sophocles, von denen Römern Horatius und Maro gesessen.«[25]

In dieser Sammlung werden 32 Gedichte interpretiert.[26] Die ältesten stammen noch aus dem Spätmittelalter, die letzten, die Johann Christian Günthers, aus dem ersten Viertel des 18. Jahrhunderts. Deuten die anonymen Gedichte noch zurück ins Mittelalter, so weist der unzeitgemäße Günther schon über das Barock hinaus. – Über die Auswahl der

24 Daniel Georg Morhof, *Unterricht von der teutschen Sprache und Poesie*, hrsg. von Henning Boetius, Bad Homburg / Berlin / Zürich 1969, S. 212.
25 Benjamin Neukirch, Vorrede zu: *Benjamin Neukirchs Anthologie. Herrn von Hoffmannswaldau und andrer Deutschen auserlesener und bißher ungedruckter Gedichte erster theil*, hrsg. von Angelo George de Capua und Ernst Alfred Philippson, Tübingen 1961, S. 9, 17, 6.
26 Die symbolisch bedeutsamen Zahlen 33 bzw. 34 wurden verfehlt, da zwei Beiträge (über eine Kontrafaktur des 16. Jahrhunderts und über Quirinus Kuhlmann) nicht rechtzeitig vorlagen.

Gedichte kann man, wie bei allen derartigen Unternehmungen, verschiedener Meinung sein. Sie ist jedoch keineswegs zufällig, wenn auch die Interessen und Vorlieben von Herausgeber und Interpreten nicht unberücksichtigt blieben. An repräsentativen Beispielen wurde versucht, den Leser mit den verschiedenen Möglichkeiten – und Interpretationsmöglichkeiten – lyrischer Dichtung in ›Renaissance‹ und ›Barock‹ und ihren geschichtlichen Bedingungen vertraut zu machen. Selbstverständlich mußten die wichtigsten Traditionsstränge und Gattungen vertreten sein – Volkslied, Meistersang, Kirchenlied, geistliches und weltliches Epigramm, religiöse und politische Lyrik, Gelegenheitsdichtung ... –, waren die bedeutendsten Lyriker besonders hervorzuheben, galt es, die neulateinische Dichtungstradition wenigstens andeutungsweise zu berücksichtigen. Gerade in der Vielfalt der Formen, Themen und Methoden, dem Beziehungsreichtum der Gedichte und ihrer Interpretationen, dem Umstand, daß es nicht nur um das einzelne ›schöne‹ Gedicht geht (obwohl ›schöne‹ Gedichte nicht gerade selten vertreten sind) – gerade hierin mag der Gewinn für den Leser liegen, der in diese fremde Welt einzudringen sucht.

Die Königskinder

1. Zwischen zweyen burgen
da ist ein tieffer See;
auff der einen burge
da sitzet ein edler Herr.

2. Auff der andern burge
da wont ein Junckfraw fein;
sie weren gern zusammen,
ach Gott, möcht es gesein!

3. Da schreib er jr herüber,
er künd wol schwimmen,
und bat sie da herwider,
sie solt jm wol zünden.

4. Da schreib sie jm hinwider
ein freundlichen gruß
und bot jm da herwider,
sie wolt es gern thun.

5. Sie gieng in schneller eyle,
da sie ein Kertzenliecht fandt,
sie steckt es gar wunderbalde
an ein steinen wandt.

6. »Stell ichs dir zu hoche,
so löschet mirs der windt;
stell ichs dirs zu nider,
so löschen dirs die Kindt.«

7. Das merckt ein wunderböses weib:
»das liecht dunckt mich nit gut;
ich förcht, das vnser Tochter
nit wol sey behüt.«

8. Sie nam es von der wände
30 vnd löschet es zu derselben stundt;
da gieng dem Edlen Ritter
das wasser in den mundt.

9. »Ach Mutter, liebe Mutter,
erlaub mir an den See
35 ein wunderkleine weile,
mir thut mein häuptlein wee.«

10. »Ach Tochter, liebe Tochter,
wilt du nun an den See,
so nimb dein Jüngste schwester
40 mit dir spacieren an den See!«

11. »Mutter, liebe Mutter,
mein schwester ist noch ein kindt;
sie bricht die roten Rößlein ab,
die auff der heyden sind.«

45 12. »Ach Vatter, lieber Vatter,
erlaub mir an den See
ein wunderkleine weile,
mir thut mein häuptlein wee.«

13. »Ach Tochter, liebe Tochter,
50 thut dir dein häuptlein wee,
so nimm dein jungsten Bruder
mit dir spacieren an den See!«

14. »Ach Vatter, lieber Vatter,
mein bruder ist noch ein kindt;
55 er scheußt die kleinen waldfögelein,
die auff der heyden sind.«

15. Die Junckfraw war behende,
sie thet ein abentgang,

sie lieff gar wunderbalde,
da sie ein Fischer fandt.

16. »Ach Fischer, lieber Fischer,
vnnd schlag dein hacken zu grundt!
Es ertranck sich nächten spate
ein Ritter hübsch vnd jung.«

17. Der Fischer was behende,
er thet, was man jn hieß;
er schlug den edlen Ritter
den hacken in seine füß.

18. Er nam jn bey der mitten,
er leyt jrn in die schoß;
mit heissen trähenen
sie den Ritter vbergoß.

19. Was zog sie ab der hende?
von Gold ein fingerlein:
»sch hin, Fischergeselle,
das sol dein eigen sein.«

20. »Nun gesegen dich, Vatter vnnd Mutter,
ich spring auch in den See;
es sol vmb meinetwillen
ertrincken kein Ritter mee!«

Abdruck nach: Deutsche Volkslieder. Texte und Melodien. Hrsg. von Lutz Röhrich und Rolf Wilhelm Brednich. Bd. 1. Düsseldorf: Schwann, 1965. S. 81–83.
Erstdruck: Ein Hüpsch New Lied / zwischen zweyen burgen / da ist ein tieffer See / etc. [. . .] Gedruckt zu Nürnberg / bey Valentin Fuhrmann [nach 1563].

Ingeborg Springer-Strand

Tradition und Variation. Die Ballade von den Königskindern

Ein Hüpsch New Lied / zwischen zweyen burgen, unter diesem Titel erschien bald nach 1563 bei Valentin Fuhrmann in Nürnberg die älteste vollständige Form der Volksballade von den Königskindern, eine Liebesgeschichte mit tragischem Schluß, eine alte Geschichte. Die antike Sage von Hero und Leander und ihre ersten literarischen Gestaltungen durch Ovid und Musaios berichten von der Liebe eines Jünglings zu einer Priesterin der Aphrodite, von der – verschieden begründeten – Notwendigkeit, ihre Begegnungen geheimzuhalten, von dem Erlöschen der Fackel im Sturm und dem Tod Leanders und Heros. Durch Ovids *Heroiden* wurde die Sage im Mittelalter bekannt. Die ausführlichere Darstellung bei Musaios aus dem späten 5. Jahrhundert n. Chr. hat dagegen erst später gewirkt, in Deutschland etwa auf Hans Sachsens *Historia Die unglückhafft Lieb Leandri mit Fraw Ehron* (1541).
Die Grundzüge des Geschehens blieben über die Jahrhunderte erhalten, manche Details gingen verloren, andere wurden hinzugefügt. So tragen die Personen in der Volksballade keine Namen mehr, und daß Hero Priesterin war, ist nicht mehr bekannt. Statt dessen handelt die Geschichte, in einen mittelalterlichen Kontext versetzt, von einem »Edlen Ritter« (Str. 8) und einer »Junckfraw fein« (Str. 2), die auf ihren »burgen« wohnen. Ein verhängnisvolles »wunderböses weib« tritt an die Stelle der Naturgewalten (Str. 7), und das Geschehen wird um die Fischerepisode am Ende erweitert (Str. 15–19). An Ovids Heldenbriefe, die den Stoff letztlich vermittelten, erinnert allenfalls noch der Briefwechsel zwischen den beiden Liebenden (Str. 3 f.).
Wie andere erzählende Lieder ist auch die Ballade von den Königskindern noch im Zeichen der ritterlich-höfischen

Kultur des Mittelalters entstanden, scheint in ihr »eine ritterlich-höfische Ballade (umgebildet) nachzuklingen« (Danckert, S. 39). Greifbar werden die Volksballaden jedoch erst in dem Augenblick, in dem sie aus der ritterlich-adligen Welt in den Bereich bürgerlicher Schichten übergehen. Dieser Prozeß der ›Verbürgerlichung‹, der im 13. Jahrhundert einsetzt, erreicht seinen Höhepunkt im 15. und 16. Jahrhundert, der Periode, die als Blütezeit der Volksballade gilt, in der Volks- und Kunstdichtung in enger Beziehung zueinander stehen und Elemente der Volksmusik in die Sphäre der Kunstmusik hineinwirken. Den neuen Trägerschichten entsprechen neue Publikumserwartungen, insbesondere besteht »ein Verlangen nach Rührung, eine besondere Empfänglichkeit für gemütsbewegende Stimmungen« (Hinck, S. 81) – und die Volksballade kommt diesen Erwartungen entgegen. Das gilt für die Heldenballaden, die den heroischen Charakter der alten Heldenlieder verlieren und mit ihrer milderen Stimmung und der Darstellung von ›allgemein menschlichen‹ Schicksalen den Bedürfnissen eines unheroischen, ›bürgerlichen‹ Publikums entsprechen (Beispiel: das *Jüngere Hildebrandslied*), das gilt auch für die große Gruppe der novellistischen Balladen, die von treuer und unglücklicher Liebe, von Entführungen und tragischen Familienschicksalen (Kindesmord, Totschlag, Notzucht, Blutschande usw.) handeln. Zu dieser Gruppe gehört die Ballade von den Königskindern.

Auch diese Ballade hatte, als sie zum erstenmal im Druck fixiert wurde, bereits eine längere Geschichte hinter sich, die sich freilich nicht mehr genau rekonstruieren läßt. Erst später greifen mündliche und schriftliche Überlieferung ineinander. Ludwig Uhland verweist in diesem Zusammenhang auf die zwiespältige Rolle des Buchdrucks, der einerseits »die Herrschaft des mündlichen [Worts] in Sang und Sage zuletzt gebrochen«, andererseits »alten und neuen Liedern den raschesten und weitesten Umlauf« ermöglicht habe:

Fliegende Blätter, gleich Bienenschwärmen, und wohlfeile Liederbüchlein giengen von den Druckanstalten der gewerbsamen Städte in alles Land hinaus; was die Flugblätter brachten, wurde zu Büchern gesammelt; was die Bücher enthielten, in Blätter verspreitet. Wirklich ist der größere Theil der vorhandenen Lieder nur noch im Druck erhalten. (S. 5.)

Doch die frühen Drucke beendeten keineswegs die Geschichte der Ballade als lebendiger Volksdichtung. Auch nach Fuhrmanns ›fliegendem Blatt‹ bleibt die mündliche Tradition der Königskinder-Ballade ungebrochen, von der zahlreiche Aufzeichnungen des 18. und 19. Jahrhunderts erhalten sind. Erfaßt wird die mündliche Überlieferung freilich immer nur punktuell, ebenso wie der hier abgedruckte Text nur die »Augenblicksform« (John Meier) der Ballade festhält, denn eine feste oder endgültige Form eines Volksliedes kann es nicht geben (Suppan, S. 18). So darf es nicht verwundern, daß die verschiedenen Aufzeichnungen der Königskinder-Ballade z. T. beträchtliche Abweichungen aufweisen, daß auch die Überlieferung dieser Ballade den Prozeß des ›Umsingens‹ – gelegentlich auch des ›Zersingens‹ – erkennen läßt. Dabei zeigt sich die Variabilität des Textes (von der Melodie kann an dieser Stelle nicht die Rede sein) nicht nur in sprachlichen Varianten, sondern auch in der Austauschbarkeit bestimmter Teile. Äußerlich zu erkennen ist das schon daran, daß die Länge der Ballade beträchtlich variiert, daß es Fassungen mit oder ohne Eingangsstrophe gibt, daß Strophen überliefert sind, die sich als Wanderstrophen nur gelegentlich der Ballade angeschlossen haben.
Volkslieder unterliegen eigenen Gesetzmäßigkeiten. Wenn jemand Maßstäbe der Kunstdichtung an die Königskinder-Ballade anlegte und nach ›Kunstfehlern‹ suchte, er hätte es leicht. Es ist keine logische Entfaltung des Geschehens zu erkennen, sondern es bleibt bei einem Nebeneinander einzelner Szenen. So fehlt etwa die Begründung, warum die Liebenden einander nicht treffen können, und es wird nicht klar, wer die wunderböse Frau ist und was sie motiviert. Zudem sind da die ›fehlerhaften‹ Reime, die unregelmäßigen

Verse, die stereotypen Formeln und Wiederholungen. Dies alles sind jedoch nicht einfach ›Kunstfehler‹, sondern Merkmale der Volkspoesie, der mündlich überlieferten Dichtung, die natürlich auch in der im Druck überlieferten Augenblicksform der Ballade erhalten bleiben.

Die parallele Anordnung der Strophen 1 und 2 bzw. 3 und 4, die Wiederholungen, die formelhaften Adjektive und das Vorwiegen der Parataxe geben einen ersten Eindruck dieses ›mündlichen‹ Stils, der Improvisation ermöglicht, ohne die Grundstruktur des überlieferten Materials anzutasten. Entfaltet werden die Techniken mündlich überlieferter Dichtung im Kernstück der Ballade, den Dialogen. Hier leitet eine stereotype Anredeformel sieben Strophen ein (Str. 9–13, 16), eine Formel, in die nur der jeweilige Adressat eingefügt werden muß (»Ach Mutter, liebe Mutter«, »Ach Tochter ...«), hier werden jeweils Sätze aus der vorigen Strophe wiederholt oder geringfügig abgewandelt (Str. 9 f.: »erlaub mir an den See« – »wilt du nun an den See«; Str. 12 f.: »mir thut mein häuptlein wee« – »thut dir dein häuptlein wee«). Selbst ganze Strophen werden beinahe wörtlich wiederholt, sieht man von dem Unterschied in der Anrede ab (vgl. Str. 9, 12). Überdies sind die Dialoge zwischen Tochter und Mutter und Tochter und Vater (Str. 9–11 bzw. 12–14) völlig parallel gebaut, die Argumentation ist jeweils die gleiche (der einzige inhaltliche Unterschied besteht darin, daß einmal von der Schwester, einmal von dem Bruder die Rede ist). Auch die Reime wiederholen sich (dreimal »See«/»wee«, einmal »See«/»See«, zweimal »kindt«/ »sind«).

In der Strophe der Königskinder-Ballade wirken ältere Formen nach. Im Druckbild erscheint sie zwar als Vierzeiler mit einem ›Waisenanvers‹, d. h. die erste Zeile – und damit die korrespondierende dritte – bleibt reimlos (Schema: xaya), doch an der Reimbindung und der durchgehenden Zweiteiligkeit der Strophen läßt sich erkennen, daß alte Langzeilen weiterleben, die hier wie in anderen Volksliedern zu vierzeiligen Strophen aufgelöst worden sind. Die Reimbehandlung

ist sehr frei. Manchmal korrespondieren nur die Vokale (Assonanzen), manchmal nur die Konsonanten (konsonantischer Halbreim), manchmal stimmen weder Konsonanten noch Vokale völlig überein. So reimen »gruß« und »thun« (Str. 4) oder »grundt« und »jung« (Str. 16), »gut« und »behüt« (Str. 7) oder »hieß« und »füß« (Str. 17), aber auch »See« und »Herr« (Str. 1) und »schwimmen« und »zünden« (Str. 3), während sich die ›richtigen‹ Reime durch große Simplizität auszeichnen. Dieser Freiheit im Umgang mit den Reimen entsprechen andere Freiheiten der Versbehandlung. Es sind Verse mit drei, gelegentlich vier realisierten Hebungen und den bekannten Merkmalen des Volksliedstils – freie Versfüllung im Innern der Zeile, Verwendung von Versen mit und ohne Auftakt –, die der Sprache der Ballade eine Flexibilität und rhythmische Variabilität verleihen, die den metrisch strenger gebauten Gebilden der Kunstdichtung dieser Zeit versagt bleiben mußte.
Bei der Überlieferung der Königskinder-Ballade fällt auf, daß die Anfänge besonders stark variieren, während die Dialogpartien eine relative Stabilität aufweisen. In Georg Forsters *Frischen Teutschen Liedlein* (2. Teil, 1540) sind z. B. die folgenden zwei Strophen überliefert:

Es warb ein schöner jüngling
über ein braiten see
vmb eines königes tochter
nach laid geschach jm wee.

»Ach elßlein lieber bule
wie gern wer ich bey dir!
so fliessen zwey tieffe wasser
wol zwischen mir vnd dir.« (Nr. 49, S. 97.)

Die erste Strophe stellt eine Variation des Eingangs der Königskinder-Ballade dar, während die zweite wohl als ›Wanderstrophe‹ in sie eingetreten ist, also ursprünglich nicht Teil der Ballade war. Die Widersprüche zwischen den beiden Strophen sind offensichtlich (»über ein braiten see« – »zwey tieffe wasser«), und daß sie nicht zusammengehörten, wird auch dadurch bestätigt, daß Liederbücher des 15. und 16. Jahrhunderts ein eigenes Elslein-Lied kennen (vgl. z. B. *Liederbuch aus dem 16. Jahrhundert*, S. 87). Durchgesetzt hat sich ein erst später überlieferter Eingang, der der Ballade den Namen gegeben hat. In der Aufzeichnung von Annette von Droste-Hülshoff heißt es:

Et wassen twee Künigeskinner,
De hadden eenander so leef,
De konnen ton anner nich kummen:
Dat Water was vil to breed.
(*Balladen*, Bd. 2, S. 52.)

Oder in der hochdeutschen Fassung von Arnims und Brentanos *Wunderhorn*:

Es waren zwei Edelkönigs-Kinder,
Die beiden die hatten sich lieb,
Beisammen konten sie dir nit kommen,
Das Wasser war viel zu tief. (S. 249.)

Auch ein dem Anfang entsprechender Schluß, der das Motiv von den Königskindern wieder aufnimmt, kommt gelegentlich hinzu:

Da hört man Glöcklein läuten,
Da hört man Jammer und Noth,
Hier liegen zwei Königskinder,
Die sind alle beide todt!
(Zuerst gedruckt 1807; *Deutscher Liederhort*, S. 293.)

In dieser Fassung, Anfang des 19. Jahrhunderts aufgezeichnet, läuten nicht nur die »Glöcklein« am Ende, Versatzstücke aus dem Bereich der Religion spielen überhaupt eine größere Rolle. So ist hier wie in anderen Fassungen aus dem »wunderbösen weib« des 16. Jahrhunderts, das seinerseits auf dem ›Merker‹ der höfischen Dichtung des Mittelalters basiert, ein »falsches Nönnchen« geworden; und es ist ein Sonntagmorgen (»Die Leut waren alle so froh«), an dem die Tochter ihren Geliebten sucht, während die Mutter in die Kirche geht, deren Geläute zum Läuten der Totenglocke wird.

Die Zusätze und Veränderungen machen nicht nur deutlich, daß mündlich tradiertes Liedgut »grundsätzlich als Variante« existiert (Bausinger, S. 253), sondern verweisen mit ihrer Verstärkung der gefühlsbetonten Elemente auch auf die Geschichtlichkeit des Volkslieds. Es sind Beispiele dafür, daß die Umformungen nicht bei formalen Variationen, bei der Abwandlung von Motiven, der Addition oder dem Wegfallen von Strophen oder Motivkomplexen stehenbleiben, sondern auch Veränderungen im sozialen und historischen Kontext, in dem die Balladen gesungen und rezipiert wurden, erkennen lassen. Beispiele auch dafür, daß sich bei diesem Prozeß merkwürdige Verspätungseffekte einstellen und mit der Wandlungsfähigkeit der Texte ein gewisses Beharrungsvermögen einhergeht.

Zitierte Literatur: Ludwig Achim von ARNIM / Clemens BRENTANO: Des Knaben Wunderhorn. Alte deutsche Lieder. Studienausg. Hrsg. von Heinz Rölleke. T. 2. Bd. 2. Stuttgart/Köln/Berlin/Mainz 1979. – Balladen. Hrsg. von John Meier. 2 Tle. Leipzig 1935/36. – Hermann BAUSINGER: Formen der »Volkspoesie«. Berlin [West] 1968. S. 247–275. – Werner DANCKERT: Das Volkslied im Abendland. Bern/München 1966. – Deutscher Liederhort. Hrsg. von Ludwig Erk und Franz M. Böhme. Bd. 1. Leipzig 1893. Repr. Hildesheim 1972. – Georg FORSTER: Frische Teutsche Liedlein. Hrsg. von M. Elizabeth Marriage. Halle a. S. 1903. – Walter HINCK: Volksballade – Kunstballade – Bänkelsang. In: Weltliteratur und Volksliteratur. Hrsg. von Albert Schaefer. München 1972. S. 80–101. – Liederbuch aus dem 16. Jahrhundert. Hrsg. von Karl Goedeke und Julius Tittmann. Leipzig 1867. – Wolfgang SUPPAN: Volkslied. Seine Sammlung und Erforschung. Stuttgart 1966. – Ludwig UHLAND: Alte hoch- und niederdeutsche Volkslieder. Bd. 2: Abhandlung. Stuttgart 1866.
Weitere Literatur: Heinrich DITTMAIER: Der Widersacher in der Königskinderballade. In: Mitteilungsblatt der Rheinischen Vereinigung für Volkskunde 8 (1949) S. 5–9. – Handbuch des Volksliedes. Hrsg. von Rolf Wilhelm Brednich, Lutz Röhrich, Wolfgang Suppan. 2 Bde. München 1973–75. – Wilhelm HEISKE: Königskinder und Elsleinstrophe. In: Jahrbuch für Volksliedforschung 3 (1932) S. 35–53. – Hilde KOMMERELL: Das Volkslied »Es waren zwei

Königskinder«. Diss. Tübingen 1931. – L. MALTEN: Motivgeschichtliche Untersuchungen zur Sagenforschung III: Hero und Leander. In: Rheinisches Museum für Philologie. N. F. 93 (1949/50) S. 65–81. – Ernst ROSENMÜLLER: Das Volkslied: Es waren zwei Königskinder. Ein Beitrag zur Geschichte des Volksliedes überhaupt. Diss. Leipzig 1917. – Hermann STROBACH: Deutsches Volkslied in Geschichte und Gegenwart. Berlin [Ost] 1980.

Wol auff, meines herczen traut geselle

(Tagelied A)

I

Wol auff, meines herczen traut geselle,
der tag wil uns verdringen,
hüt dich und mich vor ungefell,
ich hör den wachter singen.
5 der kundet uns den liehten tag,
der mir mein hercz verseret.
ob uns jemant gemeldet hat,
so ist mein leid gemeret.

Hie ist betrubt mein states hercz,
10 der tag wil uns ersleichen,
des leidet mein hercz solchen smercz,
mein freud wil mir entweichen.

II

Sie sprach: awe der leidigen mer,
muß ich mich von dir scheiden.
15 des liehten tag ich wol enper,
der tut mir vil zu layde,
wann ich doch liebers nie gewan
und tu ouch noch ze ende.
das nimet mir der liehte tag,
20 des stan ich hie ellende.

Hie ist betrubt mein states hercz,
der tag wil uns ersleichen,
des leidet mein hercz solchen smercz,
mein freud wil mir entweichen.

III

Sie truckt jn gar lieplich an ir brust
mit weyssen armen umslossen.
das was ir bayder will und lust
gar freuntlich unverdrossen.
Sy sprach: var hin, traut geselle mein,
dein scheiden tut mich krencken,
und nim mit dir das hercze mein,
das kan von dir nit wencken.

Hie ist betrubt mein states hercz,
der tag wil uns ersleichen,
des leidet mein hercz solchen smercz,
mein freud wil mir entweichen.

Lig still, meins herczen traut gespil

(Tagelied B)

I

Lig still, meins herczen traut gespil,
wann es ist noch nit morgen.
der wachter uns betriegen wil,
der mon hat sich verporgen.
man sicht noch vil der sterne glast
her durch die wolken tringen.
lig stil bey mir ein weil und rast
und la den wachter singen.

Hie ist erfreuet mein stetes hercze,
unmut muß jm entweichen.
der sich nit kert an solchen smerczen,
der muß an freuden reichen.

II

Sie sprach: wol mir der lieben mer,
muß ich bey dir beleiben,
15 zergangen so ist all mein swer.
mir müssen kurczweil treiben,
die mich und dich erfreuen mag,
dar ein wil ich mich seczen.
und wann ist es noch niendert tag,
20 wir wollen uns leides ergeczen.

Hie ist erfreuet mein stetes hercze,
unmut muß jm entweichen.
der sich nit kert an solchen smerczen,
der muß an freuden reichen.

III

25 Sie truckt ir prustlein an das mein,
mein hercz wolt mir zuspringen.
sie sprach: laß dir enpfolhen sein
mein er vor allen dingen.
nu sleuß auff deine ermlein planck,
30 dar jnn so wil ich rasten.
zehant der wachter aber sang:
jch sich des tages glasten.

Hie ist erfreuet mein stetes hercze,
unmut muß jm entweichen.
35 der sich nit kert an solchen smerczen,
der muß an freuden reichen.

Beide Tagelieder stehen hintereinander auf Blatt 10 der Sterzinger Miscellaneen-Handschrift aus dem Ende des 14. Jahrhunderts. Abdruck und textkritische Anmerkungen bei Zingerle, S. 303 f., sowie bei Zimmermann, S. 92 f., 256 ff. Die Lieder sind mehrfach, einzeln oder gemeinsam, teilweise stark abweichend überliefert (vgl. Zimmermann). Die Eingriffe des hier wiedergege-

benen Textes beruhen auf den Vorschlägen Zingerles und Zimmermanns sowie auf den Lesarten des cgm. 379 (Fischer, S. 251 f.) und des *Liederbuchs der Clara Hätzlerin* (S. 2). An folgenden Stellen wurde in den Text der Sterzinger Handschrift eingegriffen: *Tagelied A:* 2 tag wil] tag 10, 22, 34 ersleichen] entsleichen 11, 23, 35 smercz] smerczen 18 tu ouch] tu 25 truckt] truck *Tagelied B:* 1 herczen] hczen 7 mir ein weil] mir 19 niendert] nit 20 wir] wil 29 deine] deiner 32 glasten] glaste
Die Grapheme u, v, w sind phonetisch normalisiert worden; die Interpunktion wurde vom Herausgeber vorgenommen. Der Refrain beider Lieder steht in der Handschrift wie üblich nur im Anschluß an die erste Strophe.

Peter Ukena

»Ewig währ' uns die Nacht!« Zwei spätmittelalterliche Tagelieder

Zunächst soll eine – gelegentlich paraphrasierende – Übersetzung das Verstehen der Gedichte erleichtern und das der Interpretation zugrunde liegende Textverständnis dokumentieren:

(Tagelied A)

I. [Die Frau spricht:] »Wohl auf, geliebter Gefährte meines Herzens, der Tag will uns verdrängen. Behüte dich und mich vor dem Unglück (der Entdeckung): ich höre den Wächter singen. Er kündet uns den hellen Tag, der meinem Herzen Schmerz bereitet. Wenn uns jemand verraten hat, dann wird mein Leid noch größer.«
[Der Mann spricht den Refrain:] »Nun ist mein treues Herz betrübt, der Tag will uns erschleichen (überraschen). Dadurch erleidet mein Herz solchen Schmerz, all meine Freude verläßt mich.«
II. Sie sprach: »O weh, leidbringende Kunde, daß ich von dir scheiden muß. Auf den hellen Tag, der mir so viel Leid bringt, will ich gerne verzichten, denn niemals widerfuhr mir größere Freude, und bis zum Ende meines Lebens werde ich nichts Vergleichbares finden. Das raubt mir der helle Tag, und ich bleibe unglücklich zurück.«
[Der Mann spricht den Refrain:] . . .

III. Sie drückt ihn liebevoll an ihre Brust und schließt ihn in ihre nackten Arme. Es war ihr beider Wille und Lust, einander leidenschaftlich zu lieben. Sie sprach: »Nun geh, geliebter Gefährte, dein Scheiden nimmt mir die Freude am Leben. Nimm mein Herz mit dir, ohne dich kann es nicht sein.«
[Der Mann spricht den Refrain:] ...

(Tagelied B)

I. [Die Frau spricht:] »Lieg still, Geliebter meines Herzens, denn es ist noch nicht Morgen. Der Wächter will uns betrügen, der Mond hat sich (nur) verborgen. Man sieht den Glanz der Sterne noch deutlich durch die Wolken dringen. Lieg noch etwas bei mir, ruhe und laß den Wächter singen.«
[Der Mann spricht den Refrain:] »Nun ist mein treues Herz erfreut, und der Unmut weicht. Wer den Trennungsschmerz ignoriert, hat um so mehr Freude.«
II. Sie sprach: »Wohl mir, freudebringende Kunde, daß ich noch bei dir bleiben darf; geschwunden ist meine Traurigkeit. Wir wollen uns in der Liebe aneinander freuen, das soll geschehen. Und solange es noch nicht Tag ist, wollen wir das Leid vergessen.«
[Der Mann spricht den Refrain:] ...
III. Sie schmiegte sich an meine Brust, das Herz wollte mir zerspringen. Sie sprach: »Preise mich vor allem anderen. Nun öffne deine nackten Arme, darin möchte ich ruhen.« Abermals sang der Wächter: »Ich sehe den Tag heraufdämmern.«
[Der Mann spricht den Refrain:] ...

Situation und Thema definieren das Tagelied: Abschied, Trennung zweier Liebender am Morgen nach einer Liebesnacht. Mit dem Anbrechen des Tages, dem Symbol des Lebens, endet das Zusammensein in Liebe. Und so ist das Tagelied ein Klagelied über den Tag, dessen unausweichliches Aufdämmern die Liebenden wie ein Ungeheuer, das »seine Klauen durch die Wolken schlägt« (Wolfram von Eschenbach), bedroht. Formal ist das Tagelied meist episch-dialogisch gestaltet, seltener reflektierend. Es ist Bestandteil der Literatur aller Zeiten und Kulturen; die schriftliche Überlieferung, die ja nicht Endpunkt, sondern Ergebnis und Fortführung einer viel älteren mündlichen Tradition ist,

beginnt vor fast 3500 Jahren in der altägyptischen Literatur und reicht bis in unsere Gegenwart (vgl. *Eos*). Zu Recht bezeichnet Theodor Frings das Tagelied als »eine Grundform der Lyrik der Menschheit« (*Anfänge*, S. 10). Mit Dietmar von Aist, Heinrich von Morungen, Walther von der Vogelweide u. a., vor allem aber Wolfram von Eschenbach ist in der deutschen Literatur aus dem hohen Mittelalter eine reiche Tagelied-Produktion überliefert, in der sich ältere volkstümliche mit höfischen, aus den Albas der Troubadours übernommenen Elementen mischen und in den Liedern Wolframs zu einzigartigen Höhepunkten geraten. In unserem Jahrhundert haben Rilke und Celan meisterhafte Tagelieder verfaßt, und Namen wie Rudolf Borchardt, Hugo von Hofmannsthal, Stefan George oder – aus jüngster Zeit – Hans Magnus Enzensberger, Bernd Jentzsch und Peter Rühmkorf bezeugen das weitgefächerte Interesse an dieser zu immer neuen Versuchen anregenden lyrischen Form. Die vielfältigen Transponierungen der Tagelied-Situation in andere Gattungen können hier nur mit einem Hinweis auf Shakespeares *Romeo und Julia* (III,5) und Wagners *Tristan und Isolde* (II) erwähnt werden.
Die weltliterarische Reichweite wie die historische Kontinuität in einer 3500 Jahre währenden Tradition sind wohl nur erklärbar aus der Konstanz des Spannungsverhältnisses zwischen individueller Emotionalität und normierender, d. h. beschneidender, von der Ratio gebotener gesellschaftlicher Ordnung. Der Normenwandel in der geschichtlichen Entwicklung hebt dieses Spannungsverhältnis nicht auf, sondern verändert es lediglich und läßt den Versuch, Gefühle zu leben, in unterschiedlichen Epochen und Kulturen anders erscheinen. Das Tagelied ist Zeugnis des sich immer wieder neu gestaltenden Antagonismus von Emotionalität und Rationalität. Die Zweisamkeit der Nacht wird zum Symbol emotionaler Selbstverwirklichung, die der vom Verstand zum Leben in einer Gesellschaft geordnete Tag zerstören muß. Indem Tag und Nacht, unveränderbar naturgegebene Voraussetzungen des Lebens, die Doppelexi-

stenz des Menschen symbolisieren, ist der Traum von der ewig währenden Liebesnacht eine Utopie, deren Konsequenz zur Verneinung des Lebens führen muß. Insofern läßt sich das fast allen Tageliedern innewohnende Moment der Gefahr für die Liebenden unabhängig von realer Gefährdung (Ehemann, Eltern, untreuer Wächter usw.) auch im Sinne übergeordneter Bedeutung verstehen.

In der Tagelied-Situation erfährt das skizzierte Problem eine genial-vereinfachende, verdeutlichende Zuspitzung: im Augenblick des Abschieds, im Bewußtwerden der Notwendigkeit der Trennung entstehen Gefühle von höchster Intensität, in denen menschliche Existenz in bitterer Süße schmerzlich-lustvoll erfahren wird. Der Dialog, das Reden über Unsagbares, ist nicht nur der Versuch, den Zeitpunkt der Trennung zu verzögern, er ist viel mehr ein Akt der Rationalisierung, der Bewußtmachung und Bewältigung von Gefühlen, die den Tag bestehen müssen. »Et ades sera l'alba« (»Sogleich wird das Morgenlicht erscheinen«): unerbittlich wie der täglich aufdämmernde Tag kontrapunktiert dieser Refrain eines provenzalischen Tageliedes aus dem 12. Jahrhundert (*Eos*, S. 359) die Gefühlswelt der zum Abschied verurteilten Liebenden.

Im Gegensatz zu den formal und sprachlich höchst artifiziellen hochmittelalterlichen Tageliedern entstehen im späten Mittelalter und in der frühen Neuzeit einfache, volksliedhafte Gedichte, die durch verändernde Improvisation häufig in verschiedenen Fassungen überliefert sind. Die hier vorgestellten Lieder stehen exemplarisch für eine Vielzahl bis in die Neuzeit tradierter Lieder. Beide Gedichte weisen eine einfache, aber relativ strenge Form aus: drei Strophen zu acht Versen, durch Kreuzreimbindung in Vierzeiler geteilt, ein vierzeiliger, ebenfalls kreuzgereimter Refrain, männliche und klingende Kadenzen im analogen Wechsel, durchgehend vierhebige Verse. Der formalen Übereinstimmung entspricht der parallele Aufbau: in der ersten und zweiten Strophe spricht die Frau, der Mann antwortet mit dem Refrain, Strophe 3 ist zunächst episch (vier bzw. zwei Verse) und setzt

dann mit der Rede der Frau fort (je vier Verse), die in Lied A diese Strophe beschließt, während in B der epische Vers 31 den abschließenden Wächtergesang einleitet.
Inhaltlich wird das Thema komplementär variiert, was auch den Bruch der Parallelität in der dritten Strophe erklärt. Die »Leidmotive« (Wapnewski) des ersten Liedes werden ersetzt durch Motive der Freude (9, 12, 13, 15 f.), Gegensatzpaare kennzeichnen das Verhältnis der Texte zueinander: »Wol auff« – »Lig still« (1); »liehte(r) tag« – »sterne glast« (5); »betrubt« – »erfreuet« (9); »ersleichen« – »entweichen« (10); »awe der leidigen mer« – »wol mir der lieben mer« (13); »scheiden« – »beleiben« (14) usf. Und doch ist B kein Lied erfüllter Liebe, denn die Voraussetzung für das weitere Zusammensein ist Selbsttäuschung. Im Gegensatz zu A, wo der Wächterruf – wenn auch schmerzlich – akzeptiert wird, verdrängt ihn die Frau des anderen Liedes, und diese Flucht vor der Realität wird von ihrem Geliebten freudig angenommen (Refrain). Ein Zurück gibt es nicht mehr, so daß sich am Schluß die Vereinigung der Liebenden kontrapunktisch mit dem Ruf des Wächters verbindet. Der Wächter, die versinnlichte Vernunft (Hans Sachs: »Der wachter an der zinen / ist die vernunfft mit sinen«, in: *Eos*, S. 471), versucht mit seinem Ruf, die die Wirklichkeit der Vernunft ignorierende Gefühlswelt zu erreichen: der Antagonismus von Emotionalität und Rationalität wird zum situativen Bild. Der auf Täuschung beruhenden Freude steht die Traurigkeit des ersten Liedes, die ihren Grund in der Akzeptanz der Vernunft hat, gegenüber.
Beide wahrscheinlich vom gleichen Verfasser stammenden Lieder setzen beim Rezipienten Kenntnis der Situation und des Personals voraus: heimliches Treffen der Liebenden, Gefahr der Entdeckung und des Verrats, Wächter, notwendige Trennung. Dieses Szenarium entspricht dem mittelalterlichen deutschen Tagelied und ist ebenso traditionell wie der schematisierte Ablauf: Tagesbeginn, Wächterruf, Erwachen, Klage, Gespräch, körperliche Vereinigung, Trennung (Lied A). Auch das Verfahren, Leid, Klage, Angst, Sehn-

sucht und Hoffnung des Abschieds vorzugsweise aus der Perspektive der Frau zu vermitteln, ist archetypisch vorgeprägt in der monologischen Frauenklage, in der Theodor Frings (vgl. *Minnesinger und Troubadours*) die Urform lyrischen Sprechens vermutet, deren Erweiterung zur Szene mit Gespräch zum Tagelied führt, das Begegnung voraussetzt und dessen Struktur nicht nur Reflexion, sondern auch Dialog und Handlung ermöglicht.

Abweichend von der mittelalterlichen Tradition signalisieren die Bezeichnungen, mit denen die Frau ihren Geliebten anredet, eine neue literarische Trägerschicht. Der »Herr« oder »Ritter«, der in die höfische Gesellschaft weist, wo die spiritualisierte Liebe des Minnesangs in der Sinnlichkeit des Tagelieds gebrochen wird, weicht dem »traut geselle«, dem geliebten Gefährten, dem »traut gespil«, dem geliebten Gespielen, dem Freund. Der Wandel von der adeligen zur bürgerlichen Gesellschaft und Kultur spiegelt sich in diesen Bezeichnungen (vgl. Frings, *Anfänge*, S. 21 f.). Das aus der dem Ideal der Spiritualisierung der Liebe verpflichteten höfischen Welt transponierte Tagelied erfährt als Form bürgerlicher Aneignungspoesie Reduktionen, die die gesellschaftlichen und kulturellen Rahmenbedingungen, die in volkstümliche Schlichtheit übergehende formale und inhaltliche Gestaltung, nicht aber die thematische Grundsituation des Konflikts von Rationalität und Emotionalität betreffen.

Zitierte Literatur: Eos. An Enquiry into the Theme of Lovers' Meetings and Partings at Dawn in Poetry. Hrsg. von Arthur T. Hatto. London / The Hague / Paris 1965. – Hanns Fischer: Eine vergessene schwäbische Liedersammlung des 15. Jahrhunderts. In: Zeitschrift für deutsches Altertum 91 (1961/62) S. 236–254. – Theodor Frings: Die Anfänge der europäischen Liebesdichtung im 11. und 12. Jahrhundert. München 1960. In: Sitzungsberichte der Bayerischen Akademie der Wissenschaften. Phil.-Hist. Klasse. 1960. H. 2. – Theodor Frings: Minnesinger und Troubadours. In: Der deutsche Minnesang. Hrsg. von Hans Fromm. Darmstadt [3]1966. S. 1–57. – Liederbuch der Clara Hätzlerin. Hrsg. von Carl Haltaus. Quedlinburg/Leipzig 1840. – Peter Wapnewski: Die Lyrik Wolframs von Eschenbach. München 1972. – Manfred Zimmermann: Die Sterzinger Miscellaneen-Handschrift. Komm. Edition der deutschen Dichtungen. Innsbruck 1980. – Ignaz V. Zingerle: Bericht über die

Sterzinger Miscellaneen-Handschrift. In: Sitzungsberichte der Kaiserlichen Akademie der Wissenschaften Wien. Phil.-hist. Classe 54 (1867) S. 293 bis 340.

Weitere Literatur: Karl BARTSCH: Die romanischen und deutschen Tagelieder. In: K. B.: Gesammelte Vorträge und Aufsätze. Freiburg/Tübingen 1883. S. 250–317. – Arthur T. HATTO: Das Tagelied in der Weltliteratur. In: Deutsche Vierteljahrsschrift für Literaturwissenschaft und Geistesgeschichte 36 (1962) S. 489–506. – Herbert KOLB: Der Begriff der Minne und das Entstehen der höfischen Lyrik. Tübingen 1958. – Ulrich MÜLLER: Ovid ›Amores‹ – alba – tageliet. Typ und Gegentyp des ›Tageliedes‹ in der Liebesdichtung der Antike und des Mittelalters. In: Deutsche Vierteljahrsschrift für Literaturwissenschaft und Geistesgeschichte 45 (1971) S. 451–480. – Friedrich NICKLAS: Untersuchungen über Stil und Geschichte des deutschen Tageliedes. Berlin 1929. – Alois WOLF: Variation und Integration. Beobachtungen zu hochmittelalterlichen Tageliedern. Darmstadt 1979.

Ulrich von Hutten

Ain new lied herr Vlrichs von Hutten

Ich habs gewagt mit sinnen
  vnd trag des noch kain rew
Mag ich nit dran gewinnen
  noch můß man spüren trew
5 Dar mit ich main
  nit aim allain
Wen man es wolt erkennen
  dem land zů gůt
Wie wol man thůt
10 ain pfaffen feyndt mich nennen.

Da laß ich yeden liegen
  vnd reden was er wil
Het warhait ich geschwigen
  Mir weren hulder vil
15 Nun hab ichs gsagt
  Bin drumb veriagt
Das klag ich allen frummen
  Wie wol noch ich
Nit weyter fleich
20 Vileycht werd wyder kummen.

Vmb gnad wil ich nit bitten
  Die weyl ich bin on schult
Ich het das recht gelitten
  So hindert vngedult
25 Das man mich nit
  Nach altem sit
Zů ghőr hat kummen lassen
  Vileycht wils got
Vnnd zwingt sie not
30 Zů handlen diser massen.

Nun ist offt diser gleychen
Geschehen auch hie vor
Das ainer von den reychen
Ain gûtes spil verlor
Offt grosser flam
Von füncklin kam
Wer wais ob ichs werd rechen
Stat schon im lauff
So setz ich drauff
Mûß gan oder brechen.

Dar neben mich zû trösten
Mit gûtem gwissen hab
Das kainer von den bösten
Mir eer mag brechen ab
Noch sagen das
Vff ainig maß
Ich anders sey gegangen
Dan Eren nach
Hab dyse sach
In gûtem angefangen.

Wil nun yr selbs nit raten
Dyß frumme Nation
Irs schadens sich ergatten
Als ich vermanet han
So ist mir layd
Hie mit ich schayd
Wil mengen baß die karten
Byn vnuerzagt
Ich habs gewagt
Vnd wil des ends erwarten.

Ob dan mir nach thût dencken
Der Curtisanen list
Ain hertz last sich nit krencken
Das rechter maynung ist

65 Ich wais noch vil
Wo̊ln auch yns spil
Vnd soltens drüber sterben
Auff landßknecht gůt
Vnd reutters můt
70 Last Hutten nit verderben.

Getruckt ym Jar .XXI.

Das *new lied* entstand Ende Juni / Anfang Juli 1521 auf Burg Diemstein bei Hochspeier und wurde noch im Sommer desselben Jahres bei Nicolaus Küffer in Schlettstadt als einseitig bedruckter Einblattdruck veröffentlicht (vgl. Benzing, S. 12, 90, 103; Grimm, S. 119). Der Erstdruck ist faksimiliert bei Könnecke, S. 83. Unser Textabdruck entspricht mit Ausnahme der aufgelösten Abbreviaturen, der modernisierten Schreibung von I und J und des am Strophenende einheitlich gesetzten Punktes der originalen Textgestalt.

Peter Ukena

Legitimation der Tat. Ulrich von Huttens *Neu Lied*

Kein anderes weltliches Gedicht aus der frühen Neuzeit hat einen solchen Grad an Popularität erreicht wie Huttens einziges Lied. Spätestens seit der Mitte des 19. Jahrhunderts gehört es zum festen Bestand von Anthologien und Lesebüchern, bis heute ist es im gymnasialen Deutsch- und Geschichtsunterricht präsent (zur Wirkungsgeschichte vgl. Ukena/Uliarczyk und Rueb). Die Rezeption Huttens spiegelt das gebrochene, ungestalte, wohl nur in der Diskontinuität konstante Verhältnis der Deutschen zu ihrer Geschichte. Insofern sagt das wechselnde Verständnis Huttens und seines literarischen Œuvres weit mehr über die Interpreten als über das Objekt ihrer Bemühungen aus. Ein Blick auf die Richtungen und politischen Bewegungen, die

Hutten als geistigen Vorläufer ihrer Ideologie beanspruchen – Protestantismus, Rationalismus, Liberalismus, Nationalismus, Nationalsozialismus, Sozialismus –, belegt das Spektrum interpretatorischer Mißverständnisse, deren Erklärung sicher nicht nur in rezipierender Borniertheit, sondern auch im Wirkungspotential der Person und des Werks Huttens gesucht werden muß. Ähnlich bemerkenswert ist die Diskrepanz zwischen der Popularität des Textes und seiner schwierigen sprachlichen Gestalt. Jeder Versuch einer exakten bedeutungserschließenden Analyse wird so viele Unbestimmtheitsstellen offenlegen, daß ohne ihn kaum mehr als vordergründig-subjektive Rezeption, in der Schwierigkeiten nicht bemerkt oder ignoriert werden, denkbar erscheint. Übersetzungen des *Neuen Liedes* und Übersetzungshilfen dazu bezeugen dieses Phänomen. Eine Übertragung, deren Funktion nichts anderes als Verständnishilfe sein kann, sollte davon ausgehen, daß die Aussagen des Textes eine logische Struktur ergeben:

Ich hab's gewagt, mit Bedacht, und bereue es noch nicht. Selbst wenn ich nicht gewinnen sollte, muß man dennoch die gute Absicht wahrnehmen. Damit tue ich nicht für einen allein etwas, sondern – wenn man es nur erkennen wollte – für das ganze Land, auch wenn man mich einen Pfaffenfeind nennt.
Da laß ich jedermann lügen und reden, was er will. Hätte ich die Wahrheit verschwiegen, wären mir viele freundlicher gesonnen. Nun habe ich es gesagt und bin deswegen verjagt worden. Das klage ich allen Rechtschaffenen. Dennoch fliehe ich nicht weiter, sondern werde sicher wiederkommen.
Um Gnade werde ich nicht bitten, denn ich bin schuldlos. Ich hätte mich einem Rechtsspruch unterworfen, aber die Unduldsamkeit (meiner Feinde) verhinderte, daß man mich nach alter Sitte angehört hat. In dieser Weise zu handeln, wird Not sie zwingen; sicher ist das der Wille Gottes.
Nun ist es auch früher häufig geschehen, daß ein Mächtiger ein gutes Spiel verloren hat. Oft hat ein Funke eine große Flamme entfacht. Wer weiß, ob ich es richtig berechnen werde; das Spiel hat schon begonnen, ich setze drauf und werde gewinnen oder verlieren.
Zudem kann ich mich guten Gewissens trösten, daß niemand, so übelwollend er auch sei, meiner Ehre Abbruch tun noch behaupten

kann, ich hätte in irgendeiner Weise anders als der Ehre entsprechend gehandelt; ich habe diese Angelegenheit in guter Absicht begonnen.
Da diese tüchtige Nation sich selbst nicht helfen und den Schaden beheben will, so wie ich bisher gemahnt habe, so bedaure ich dies und ziehe mich zurück, um die Karten besser zu mischen. Ich bin unverzagt, ich habs gewagt und will das Ende erwarten.
Auch wenn mir die List der päpstlichen Beauftragten nachstellt, läßt sich ein Herz, das der richtigen Überzeugung ist, nicht entmutigen. Ich kenne noch viele, die auch ins Spiel wollen, selbst wenn sie dabei sterben sollten. Auf, gute Landsknechte und Rittermut, laßt Hutten nicht zugrunde gehen.

Als Hutten das *Neue Lied* schrieb, war er ein in ganz Europa bekannter Publizist, der sich in zunehmender Radikalität für die Sache der Reformation engagierte. Dabei war es weniger die Idee einer neuen, im Glauben gewonnenen christlichen Freiheit, als vielmehr die Forderung nach nationaler Freiheit von Rom, die Huttens politisches Reformprogramm kennzeichnete. Der enttäuschende Ausgang des Wormser Reichstags von 1521 ist für Huttens politischen Kampf als Zäsur zu verstehen. Hatte er seine Hoffnungen auf den neuen Kaiser, Karl V., gesetzt, so mußte er nun erkennen, daß er – wieder einmal – Wirklichkeit und Wunschvorstellungen verschmelzend, Opfer eigener Fehleinschätzung geworden war. Die Enttäuschung war um so schmerzlicher, als Hutten unter ungeheurem persönlichen Einsatz seit 1519 auf allen Ebenen publizistisch-propagandistisch gegen die Macht der römischen Kirche und für eine Erneuerung des Reiches gekämpft hatte. Und so schreibt er anklagend-resignierend in einem Brief an den Kaiser: »[...] denn wodurch hat es Deutschland verdient, daß es mit dir statt für dich untergeht? [...] Und wir hofften, du würdest das römische Joch von uns nehmen!« (zit. nach Grimm, S. 113). Auch das mit Franz von Sickingen im Winter 1520/1521 vorbereitete Umsturzvorhaben ließ sich nicht realisieren, da Sickingen inzwischen andere Pläne verfolgte und seine Ernennung zum kaiserlichen Feldhauptmann betrieb.

Politisch und persönlich isoliert, flüchtete Hutten auf die hoch gelegene, ihn vor seinen Feinden sichernde Burg Diemstein als ein »von seiten der kaiserlichen Diplomatie und eigenen nächsten Freunden schwer getäuschter, grundsätzlich zum letzten entschlossener Freund des Vaterlandes« (Grimm, S. 117). Hutten hat eine Partie verloren, aber das Spiel geht weiter, und er verspricht, mit neu gemischten Karten wiederzukommen (vgl. Str. 4 und 6).
Die Problematik einer Handlungsweise, die versucht, politische Ziele gewaltsam durchzusetzen, hat Hutten in vielen Schriften und Briefen erörtert. »Ich muß«, schreibt er Ende 1520 an Erasmus von Rotterdam, »jetzt mit den Waffen handeln. Wenn du auch mein Vorhaben nicht billigst, so wirst du doch die Ursache, aus der ich es tue, nicht mißbilligen können, nämlich Deutschland in Freiheit zu setzen« (zit. nach Klüpfel, S. 403). Und Luther verwahrt sich im Januar 1521 dagegen, daß Hutten mit Gewalt und Mord für das Evangelium streiten wolle (vgl. Moeller, S. 99). Jetzt, im Frühsommer 1521 im ›Untergrund‹, stellt sich die Frage, ob das Mittel nicht den Zweck diskreditiere, nicht mehr: der Schritt vom Wort zur Tat ist vollzogen. Hutten beginnt den ›Pfaffenkrieg‹, zu dem er im *Neuen Lied* appellativ-legitimierend aufruft. »Neu« sind nicht die Ziele des Kampfes, sondern die Mittel. »Ich habs gewagt« – Huttens Wahlspruch seit 1517 (eine freie Übertragung der Worte Cäsars beim Überschreiten des Rubicon: »Iacta est alea«) erhält eine neue Dimension.
Der Inhalt des Liedes bezieht sich im wesentlichen auf zwei Bereiche: die Legitimation des Kampfes und dessen Darstellung als Spiel. An legitimierenden Argumenten finden sich die gute Absicht und der Einsatz für die Allgemeinheit (Str. 1), Wahrhaftigkeit (Str. 2), Unschuld, die keiner Begnadigung bedarf (Str. 3), das gute Gewissen und die Ehrenhaftigkeit (Str. 5), die richtige Überzeugung (Str. 7), während die Gegner mit Lügen (Str. 2), Rechtsverweigerung (Str. 3) und Nachstellungen (Str. 7) operieren und einen vorläufigen Sieg über den tugendhaften und aus diesem Grunde unver-

zagten Ritter errungen haben. Selbstdarstellung als Bekenntnis wie als Selbststilisierung des hochgradig extrovertierten Hutten fügen sich zum Bild des einsamen, für Wahrheit und Recht streitenden Helden, den auch die Enttäuschung (Str. 6) nicht entmutigen kann. Gesteigert wird diese Selbstdarstellung durch die Bildlichkeit des um alles oder nichts setzenden Spielers. Die in Strophe 1 durch den Wahlspruch (»Iacta est alea«: »der Würfel ist gefallen«) und das Verb im dritten Vers eingeleitete Spiel-Metaphorik setzt sich fort in den Strophen 4 (34, 39f.) und 6 (57–60) und verbindet sich in der Schlußstrophe mit dem Appell zur Beteiligung, wobei über den Ernst dieses Spiels kein Zweifel bleibt: »Vnd soltens drüber sterben« (67). Huttens Spiel kennt kein Remis (40, 60, 67). Es ist auch nicht mehr das Spiel der Fortuna, das der Humanismus der christlichen Glaubensgewißheit als pagane Brechung zur Seite stellte und mit dem Hutten noch 1519 in seinem Dialog *Fortuna* die Hoffnung verband, die Drehung des Glücksrades werde notwendigerweise aus der Tiefe in die Höhe führen. Hutten ist jetzt disponiert, alles auf eine Karte zu setzen, und seine Hoffnung bezieht sich weniger auf die moralische und rechtliche Überlegenheit seiner Position als vielmehr auf die ›richtige Karte‹ – zum eigentlichen Gegner wird das Schicksal, das er unter Einsatz des eigenen Lebens herausfordert, wie er es in der *Germania* des Tacitus gelesen hatte, der über das ernst, aber leidenschaftlich betriebene Würfelspiel der Germanen, die beim letzten Wurf Freiheit oder Leben setzten, berichtet. Mag man Huttens Haltung, seinen Kampf als Herausforderung des Schicksals fortzusetzen, in der Hoffnung, das ›Kriegsglück‹ möge ihm gewogen sein, als Folge der Erkenntnis interpretieren, daß der Sieg einer guten Sache nicht per se erfolgt und von ganz anderen Faktoren abhängig ist, als er bis dahin geglaubt hatte, oder mag man ein Michael-Kohlhaas-Syndrom diagnostizieren – unberechenbares Risiko, Kompromißlosigkeit, Trotz, Verzweiflung, Radikalität im Denken und Handeln charakterisieren die

beiden Jahre, die Hutten in Erwartung des gewollten Endes (60) noch zu leben hatte.
Hutten verfaßt sein programmatisch-appellatives Gedicht in deutscher Sprache, die er, in humanistischer Latinität denkend und kommunizierend, erst erlernen mußte, zumindest als Literatursprache. Seit 1520 schreibt Hutten deutsch, um alle Schichten der Nation erreichen zu können, nicht zuletzt den »gemeinen Haufen« (Hutten, *Deutsche Schriften*, S. 185):

Latein ich vor geschrieben hab,
das was eim jeden nit bekannt.
Jetzt schrei ich an das Vaterland
teutsch Nation in ihrer Sprach,
zu bringen diesen Dingen Rach.
(Hutten, *Deutsche Schriften*, S. 207.)

Als Publikationsmedium wählt Hutten das Flugblatt, eine Form des Tagesschrifttums, die während der Reformation in gewaltigen, massenkommunikationsähnlichen publizistischen Kampagnen entwickelt wurde und mit informativer wie propagandistisch-agitatorischer Zielsetzung wesentlich zur Bildung öffentlicher Meinung beigetragen hat (vgl. Ukena). Die Verbreitung als Flugblatt, die Verwendung der Volkssprache und die in Epochen geringer Alphabetisierung ganz selbstverständliche Rezeptionsform des Vorlesens (»Lesen hören«) waren Hutten bekannte Voraussetzungen, um die »vielen« (65), die seine Rechtfertigung hören und auf seiner Seite mitspielen sollten, zu erreichen.
Schon lange vor dem Wormser Reichstag war Hutten als politischer Publizist populär, seit 1519 war es ihm gelungen, »Sturm in allen Ständen« (Grimm, S. 102) zu entfachen. So ist das *Neue Lied* auch eine Nachricht aus dem ›Untergrund‹ an Anhänger und Mitstreiter wie eine Fehdeerklärung an die Parteigänger Roms. Freunde und Feinde kannten seine Ziele, die Hutten folgerichtig im *Neuen Lied* gar nicht nennt oder erläutert; was er mitteilt, ist der Entschluß, den Kampf mit anderen Mitteln fortzusetzen, ist Rechtfertigung und

Aufruf zur Tat. Daß seine Botschaft ihre Empfänger erreicht hat, bezeugen u. a. einige volkstümliche Lieder, die als Antwort verstanden werden können:

Huttenus halt sich veste,
Das hab ich guten Bscheid;
Er wolt gern thun das Beste
Der frommen Christenheit,
Thut sein Seel für uns setzen [...].

Oder:

Ulrich von Hutten, biß [sei] wolgemut,
Ich bitt, daß Gott dich halt in Hut [...].
(Zit. nach Strauß, S. 393.)

Daß Hutten den großen Brand (35) nicht entfachen konnte, lag wohl in erster Linie an seiner »Fehleinschätzung sowohl der Abwehrkraft des kirchlichen Systems als auch des Umsturzwillens der politisch und militärisch relevanten Machtträger in Deutschland« (Kurze, S. 361), die ihn zum verzweifelt-trotzigen, zudem von den Folgen der Syphilis immer stärker gepeinigten Flüchtling werden ließ, der kurz vor seinem frühen, einsamen Tod in einem Brief an den Freund Eobanus Hesse zum letzten Mal fragt: »Wird die ungerechte Fortuna, die so bitter uns verfolgt, denn einmal Maß und Ziel finden?« (zit. nach Grimm, S. 132).
Für das *Neue Lied* verwendet Hutten eine alte Form: die Minnesangstrophe, die im 16. Jahrhundert im Meistersang lebendig geblieben war. Die Strophenform ist der im Meistersang geläufige »gesiebente Bar« (7 Strophen in Barform), wobei die einzelne Strophe stolligen Bau (Stollen – Stollen – Abgesang) aufweist, mit einer – allerdings nicht ungewöhnlichen – Zweigliedrigkeit des Abgesangs (A A || B C). Die Versbindungen (Kreuzreim im Aufgesang und Schweifreim im Abgesang) und die analog eingesetzten Kadenzen strukturieren die Strophe. Auffällig ist der Rhythmuswechsel im Abgesang, der zusammen mit der Auf- und Abgesang verbindenden Häufung männlicher Kadenzen (4–6) den drän-

gend-dynamischen, vorwärtstreibenden, dabei insgesamt holzschnittartigen Ton des Liedes ergibt. Der Strophenbau läßt sich wie folgt schematisieren:

Vers	Reime	Kadenzen	Takte		
1	a	w	3	Stollen A/2 V.	Aufgesang
2	b	m	3		
3	a	w	3	Stollen A/2 V.	
4	b	m	3		
5	c	m	2	B/3 V.	Abgesang
6	c	m	2		
7	d	w	3		
8	e	m	2	C/3 V.	
9	e	m	2		
10	d	w	3		

Daß Hutten eine alte Form mit strengen strukturellen Vorgaben verwendet, ist wohl nicht nur mit meistersangstrophiger Popularität erklärbar, die Wahl dieser Form signalisiert auch den Versuch, der eigenen desperaten Situation mit Form zu begegnen und Gefühle durch Gestaltung zu rationalisieren. Und wenn Heinrich Heine 1844 das *Wintermärchen*, in dessen erstem Caput er sein *Neues Lied* singt, in der Nibelungenstrophe dichtet, so ist ein Verweis auf sogenannte Volkstümlichkeit mitnichten hinreichend.

Huttens rigoroser Schritt vom Wort zur Tat, vollzogen in idealistischer Unbedingtheit, die kein Maß der Wirklichkeit kennt oder auch nur kennen will, steht archetypisch für die – bei allen Unterschieden in der Zielsetzung – vergleichbare Haltung radikaler reformatorisch-sozialer Bewegungen, die Luthers theologisch-religiöse Reform für den Beginn einer Revolution hielten und an dieser Fehleinschätzung zerbrachen. Darüber hinaus ist das *Neue Lied* ein frühes Zeugnis neuzeitlicher, bindungslos sich selbst überschätzender und überfordernder menschlicher Existenz.

Zitierte Literatur: Josef BENZING: Ulrich von Hutten und seine Drucker. Wiesbaden 1956. – Heinrich GRIMM: Ulrich von Hutten. Göttingen 1971. – Ulrich von HUTTEN: Deutsche Schriften. Hrsg. von Peter Ukena. München 1970. – K. KLÜPFEL: Ulrich von Hutten. In: Real-Encyklopädie für protestantische Theologie und Kirche. Hrsg. von J. J. Herzog und G. L. Plitt. Bd. 6. Leipzig 1879. S. 401–404. – Gustav KÖNNECKE: Bilderatlas zur Geschichte der Deutschen Nationalliteratur. Marburg 1887. – Dietrich KURZE: Biographisches Nachwort. In: Ulrich von Hutten: Deutsche Schriften. S. 341–364. – Bernd MOELLER: Deutschland im Zeitalter der Reformation. Göttingen 1977. – Franz RUEB: Ulrich von Hutten. Berlin [West] 1981. – David Friedrich STRAUSS: Ulrich von Hutten. 2., verb. Aufl. Leipzig 1871. – Peter UKENA: Tagesschrifttum und Öffentlichkeit im 16. und 17. Jahrhundert in Deutschland. In: Presse und Geschichte. Hrsg. von Elger Blühm. München 1977. S. 35–53. – Peter UKENA / Kristiane ULIARCZYK: Deutschsprachige populäre Hutten-Literatur im 19. und 20. Jahrhundert. In: Daphnis 2 (1973) S. 166–184.
Weitere Literatur: Hajo HOLBORN: Ulrich von Hutten. Göttingen 1968. – Ulrich von HUTTEN: Opera. Hrsg. von Eduard Böcking. 7 Bde. Leipzig 1859–69. – Barbara KÖNNEKER: Die deutsche Literatur der Reformationszeit. München 1975. – Richard NEWALD: Ulrich von Hutten. In: R. N.: Probleme und Gestalten des deutschen Humanismus. Berlin [West] 1963. S. 280–325. – Helmut SCHEUER: Ulrich von Hutten: Kaisertum und deutsche Nation. In: Daphnis 2 (1973) S. 133–157. – Michael SEIDLMAYER: Ulrich von Hutten. In: Die großen Deutschen. Bd. 1. Hrsg. von Hermann Heimpel [u. a.]. Berlin [West] 1956. S. 449–463.

Martin Luther

Ein feste burg ist vnser Gott

Der XLVI. Psalm

Deus noster refugium et virtus etc.
D. Mart. Luther

Ein feste burg ist vnser Gott /
ein gute wehr vnd waffen /
Er hilfft vns frey aus aller not /
die vns itzt hat betroffen /
5 Der alt böse feind /
mit ernst ers itzt meint /
gros macht vnd viel list /
sein grausam rüstung ist /
auff erd ist nicht seins gleichen.

10 Mit vnser macht ist nichts gethan /
wir sind gar bald verloren /
Es streit für vns der rechte man /
den Gott hat selbs erkoren /
Fragstu wer der ist?
er heisst Jhesus Christ /
der HERR Zebaoth /
vnd ist kein ander Gott /
das felt mus er behalten.

Vnd wenn die welt vol Teuffel wer /
vnd wolt vns gar verschlingen /
So fürchten wir vns nicht so sehr /
es sol vns doch gelingen /

Überschrift: Deus noster refugium et virtus: Gott ist unsre Zuversicht und Stärke. 3 *frey:* frei (zu werden). 8 *grausam:* grauenerregend. 17 *ist kein ander Gott:* kein anderer als der in V. 13 genannte. 18 *felt:* Schlachtfeld. 20 *gar:* völlig.

Der Fürst dieser welt /
wie sawr er sich stelt /
25 thut er vns doch nicht /
das macht / er ist gericht /
ein wörtlin kan jn fellen.

Das wort sie söllen lassen stan /
vnd kein danck dazu haben /
30 Er ist bey vns wol auff dem plan /
mit seinem Geist vnd gaben /
Nemen sie den leib /
gut / ehr / kind vnd weib /
las faren dahin /
35 sie habens kein gewin /
das Reich mus vns doch bleiben.

Abdruck nach: Geystliche Lieder. Mit einer newen vorrhede D. Mart. Luth. Leipzig: Valentin Babst, 1545, Nr. XXIV. Repr.: Das Babstsche Gesangbuch von 1545. Hrsg. von Konrad Ameln. Kassel: Bärenreiter, 1929. [2]1966.
Erstdrucke: Form vnd ordnung Gaystlicher Gesang vnd Psalmen. Augsburg: Philipp Ulhart, 1529. – Enchiridion geistlicher gesenge vnd Psalmen fur die leien. Leipzig: Michael Blum, o. J. [zwischen 1528 und 1530].
Weitere wichtige Drucke: D. Martin Luthers Werke. Krit. Gesamtausg. (Weimarer Ausg.). Bd. 35. Weimar: Böhlau, 1923. – Martin Luther: Die deutschen geistlichen Lieder. Hrsg. von Gerhard Hahn. Tübingen: Niemeyer, 1967.

24 *wie sawr er sich stelt:* wie sehr er droht. 25 *nicht:* nichts. 29 *kein danck dazu haben:* ob sie wollen oder nicht. 30 *wol:* Adv. zu *gut. plan:* Kampfplatz.

Lothar Schmidt

»Und wenn die Welt voll Teufel wär'«. Zu Martin Luthers *Ein feste burg ist vnser Gott*

1. Das Schrifttum über Luthers Lieder weist ausgeprägte Schwerpunkte, aber auch bemerkenswerte Lücken auf. Es gibt vorzügliche Textausgaben sowie eingehende Untersuchungen über Anlässe und Entstehungszeiten; literarischen Vorlagen und biblischen Reflexen ist man genau nachgegangen; metrische Fragen sind ausführlich diskutiert, und zur Wirkungsgeschichte liegen zahlreiche Skizzen vor. Dazu kommt eine unübersehbare Fülle essayistischer Äußerungen zum Korpus der Lieder wie zu Luther als Liederdichter, wenngleich diese überwiegend affirmativer Natur sind und nur begrenzten Wert haben. Hingegen gibt es weder genauere Analysen des Liedwerkes oder einzelner Lieder noch Interpretationen textimmanenter oder anderer Art; eine literaturwissenschaftliche Monographie existiert nicht,* Untersuchungen zum Stil, zur Metaphorik, zur rhetorischen Technik gibt es nicht; die geschichtlichen Zusammenhänge, etwa das Verhältnis von Luthers Liedern zum Meistersang oder zum Volkslied, sind nicht erforscht. Die Literarhistoriker beschränken sich auf pauschale Charakterisierungen, die je nach Neigung zwischen überschwenglichem Lob und säuerlicher Anerkennung pendeln und sich im übrigen kaum von den essayistischen Äußerungen unterscheiden. Angesichts dieser Sachlage kann sich der hier vorgelegte Diskussionsbeitrag nur zwischen dem Versuch einer Bestandsaufnahme auf der einen Seite und Ansätzen zur Analyse auf der anderen bewegen.

2. Thema des Liedes *Ein feste burg ist vnser Gott* ist der Kampf zwischen Gott und dem Teufel, genauer: der Kampf

* Während der Drucklegung erschien: Gerhard Hahn, *Evangelium als literarische Anweisung. Zu Luthers Stellung in der Geschichte des deutschen kirchlichen Liedes*, München 1981.

der beiden die Welt bestimmenden Mächte um den Menschen, dargestellt aus der Sicht der Menschen, die sich auf der Seite Gottes befinden. Daß Luther unter diesen Menschen die Kirche oder, wie er zu sagen vorzog, die Gemeinde verstand, ist zwar nicht ausdrücklich vermerkt, aber generell vorauszusetzen und zudem aus den Versen 12 ff. zu folgern. Der Mensch ist Objekt, nicht Subjekt des Geschehens. Er ist den Angriffen des Teufels ausgesetzt und erfährt dabei seine eigene Ohnmacht, zugleich aber auch den Schutz Gottes; er weiß, daß der Teufel nur begrenzt als Gegenspieler Gottes auftreten darf, trotz aller augenblicklichen Stärke jedoch letztlich machtlos ist.

Der Teufel ist für Luther nicht wie für Spätere Symbol eines bösen Prinzips, etwa Veranschaulichung der positiven Gottlosigkeit oder des Mangels an Sein, sondern ebenso wie für seine Zeitgenossen eine konkrete Person mit realer Macht, die allerdings nur so weit reicht, wie Gott es zuläßt: »Teuffel, du bist wol ein mörder und bösewicht, aber ich wil dein brauchen wozu ich wil, Du solt nur meine hippen sein, [...] ich wil und mus euch haben zu meinem werckzeug an den weinstock, das er gearbeitet und zu gericht werde« (WA, Bd. 45, S. 638 f.).

Seine Vorstellung von Gott erläutert Luther im *Großen Katechismus* (1529): »Ein Gott heisset das, dazu man sich versehen sol alles guten und zuflucht haben ynn allen nöten« (WA, Bd. 30,1, S. 133). Die menschliche Situation, in der das Wort ›Gott‹ seinen Platz hat, ist demnach einmal bestimmt durch die Notlage, die dann manifest wird, wenn der Mensch erkennt, daß er sich selbst nicht genügt; zum andern ist sie bestimmt durch die Rettung aus dieser Not, was Luther weiterhin erläutert: »Jhesus Christus, ein Herr des lebens, gerechtickeit, alles guts und selickeit [...] hat uns arme verlorne menschen aus der helle rachen gerissen, gewonnen, frey gemacht und widderbracht yn des Vaters huld und gnade und als sein eigenthumb unter seinen schirm und schutz genomen« (WA, Bd. 30,1, S. 186).

Es geht Luther somit um den Gang der (Heils-)Geschichte

und die Grundsituation des Menschen. Der Aspekt, unter dem diese gesehen werden, ist ›kosmisch‹. Der entsprechende anthropologisch-psychologische Aspekt, der sich biblisch in der Problematik von Geist und Fleisch, Sünde und Gerechtigkeit darstellt und auf dem sonst bei Luther der Akzent liegt, ist hier nicht thematisiert. Der Text greift damit letzte Fragen auf; deswegen gehen auch alle Versuche, ihn in einer bestimmten politischen oder biographischen Situation zu verankern, den Teufel gewissermaßen historisch dingfest zu machen, am Wesentlichen vorbei. Gewiß sah Luther in Türken, Papst und Schwärmern, in Pest und eigener Krankheit ebenso wie in allen anderen Ereignissen, die man für die Keimzelle des Liedes gehalten hat, den Teufel unmittelbar am Werk. Aber er sah ihn überall dort, wo er die Welt im Widerstand gegen Gott sah. Dieser universale Bezug ist es, der in dem Lied seinen Ausdruck gefunden hat.

3. Der Gedankengang des Liedes ist sprunghaft-kreisend, dabei werden einige wenige Grundaussagen variiert. Die Strophen sind in sich geschlossen, jede setzt in der Aussage neu an, so ergibt sich keine zwingende Strophenfolge. Man kann die Strophen 1 und 2 näher zusammenrücken und gegen 3 und 4 abheben (Stapel, Schröder); man kann auch Strophe 2 als Mittelpunkt, dem 1 und 3 symmetrisch zugeordnet sind, und Strophe 4 als Zusatz ansehen (Jenny). Zutreffend ist daran, daß in den Strophen 1 und 2 die Akzente stärker auf Gott und dem Teufel, in 3 und 4 auf dem Menschen liegen sowie daß in Strophe 1 die Macht und in 3 die Ohnmacht des Teufels betont wird. Doch ist der Aufbau insgesamt nicht so klar und einfach; die Aussagen sind vielfältig wechselnd aufeinander bezogen und miteinander verschlungen: Gottes Macht – des Teufels Macht (gegenüber den Menschen) – menschliche Hilflosigkeit (gegenüber dem Teufel) – menschliche Stärke (durch Gottes Hilfe) – des Teufels Machtlosigkeit (gegenüber Gott) sind die Varianten, Grundtenor ist das unerschütterliche Vertrauen des Menschen auf Gott. Alle Einzelaussagen umkreisen in eindring-

licher Repetitio und Variatio das Grundthema und beleuchten es aus ständig wechselndem Blickwinkel.
Die Struktur des Textes ist durchgehend antithetisch. Gott und der Teufel stehen einander gegenüber, vom Menschen ist nur die Rede in bezug darauf, wie er wechselnd den Teufel als Feind und Gott als Helfer erfährt. Die Antithetik ist zunächst der Bauform der Strophen angepaßt. In Strophe 1 fällt die Grenze zwischen Satz und Gegensatz mit der von Aufgesang und Abgesang zusammen. In Strophe 2 liegt sie zwischen den beiden Stollen, während die Aufgesang-Abgesang-Grenze keine thematische Trennungslinie bedeutet. In den Strophen 3 und 4, die unter dem hier angelegten Gesichtspunkt gleich gebaut sind, findet sowohl zwischen den Stollen als auch zwischen Auf- und Abgesang ein Thesenwechsel statt; außerdem liegt innerhalb des Abgesangs noch eine solche Grenze, wenngleich sie syntaktisch umklammert ist: die beiden ersten Verse mit einem Konzessiv-Nebensatz (nicht ausreichender Gegengrund) stehen antithetisch zu den restlichen drei Versen mit dreifachem Hauptsatz. Zusätzlich liegt zwischen den Strophen 2 und 3 sowie 3 und 4 noch jeweils ein Thesenwechsel. Insgesamt wird in dem vierstrophigen Lied somit zehnmal zwischen Satz und Gegensatz gewechselt, in der zweiten Hälfte doppelt so häufig wie in der ersten. Dabei wird das Strophenschema zunächst genau beachtet, dann aber schrittweise überspielt. Beides verleiht dem Text den Charakter von farbiger Lebendigkeit und dramatischer Bewegung.
4. Nach rhetorischer Terminologie handelt es sich bei dem Lied um eine epideiktische Dichtung, die dem Genus demonstrativum der Prosarede entspricht und dessen Vorschriften so genau befolgt, daß man versucht ist anzunehmen, Luther habe sich nach einem Lehrbuch gerichtet. Zweck einer solchen Dichtung ist Lob oder Tadel, im vorliegenden Fall sowohl Lob als auch Tadel. Formal erscheint sie als Definitions- oder Deskriptionsparaphrase des Gegenstandes; es wird also nicht erörtert, sondern geschildert; der Hörer wird als Zeuge und Parteigänger

angesprochen, aber nicht vor eine Entscheidung gestellt; alle Entscheidungen von Bedeutung sind bereits gefallen oder werden als solche vorausgesetzt (der Gegenstand ist ein ›certum‹). Aus den vorangestellten Grundaussagen (›facta‹) über Gott (1–4) und den Teufel (5–9) wird die Beschreibung der Gegenstände in Form zweier miteinander verschlungener Erzählketten (›amplificatio‹ als ›narratio‹) abgeleitet. Die positive Beurteilung der Tätigkeit Gottes (›honestum‹) und die negative der des Teufels (›turpe‹) liegen fest, dementsprechend erhalten sie Lob (›laus‹) bzw. Tadel (›vituperatio‹). Die entsprechenden Affekte Liebe und Haß werden evoziert durch die Ausmalung bedrohlicher Gegebenheiten in der Darstellung des Teufels und erhebender in der Darstellung Gottes. Die Affekte des Hörers werden erregt (›movere‹), um den Tadel des Teufels desto eindeutiger und das Lob Gottes desto gewisser werden zu lassen (Lausberg, §§ 62, 251, 257).

Damit bietet das Lied ein charakteristisches Beispiel für den reformatorischen Gestaltungswillen, der, vom Religiösen ins Sprachliche übergreifend, aus der Botschaft des die Welt überwindenden Glaubens eine in seiner Zeit neue Sprachhaltung entwickelt (Böckmann, S. 247 ff.). Als sogenanntes reformatorisches Pathos, als erfüllte, leidenschaftlich-bewegte und mitreißende Ausdrucksweise durchzieht diese Sprachhaltung nahezu alle Äußerungen Luthers. (Daß dieses Pathos nicht selten mit emphatisch-übersteigerter Deklamation verwechselt worden ist, kann man nicht Luther zum Vorwurf machen.)

5. Das Lied setzt ein mit einer einfachen, fest umrissenen Metapher: »Ein feste burg ist vnser Gott«, die im folgenden Vers erläutert wird: »ein gute wehr vnd waffen«. Das Bild ist im Alten Testament verbreitet (Ps. 31,3; 91,2; 144,2 u. ö.), aber auch ohne diesen Hintergrund verständlich, da die Beziehung zwischen den beiden Elementen rational einsichtig ist. Die Metapher ist spannungsarm und statisch. Sie wird nicht weiter ausgeführt, fungiert also weder als zentrales Motiv, noch bewirkt sie die Einheit des Liedes. Die Einlei-

tung bestätigt damit den schon von Wolfgang Kayser beobachteten Sachverhalt, daß lyrische Bilder zu syntaktischer und gedanklicher Verselbständigung neigen und im Kontext wieder eingefangen werden müssen (S. 119 ff.). Dies leistet die anschließende Feststellung »Er hilfft vns frey aus aller not«. Sie ist nicht aus der Eingangsmetapher abgeleitet, sondern setzt neu an, steht aber mit jener in lockerer gedanklicher Beziehung: sie bleibt im Sinnbezirk des Kampfes und Krieges, der mit dem Bild von der Burg angesprochen wurde, verschiebt allerdings den Schwerpunkt von der Vorstellung Gottes als des passiven Schutzes (›refugium‹) zu der des aktiven Helfers (›virtus‹). Diese Vorstellung wird im ganzen übrigen Text vorausgesetzt; für den bibelkundigen Leser wird sie zusätzlich durch den Namen ›Zebaoth‹ assoziativ hervorgerufen (Ps. 24,7–10; die Anwendung des Namens des Gottes der Bundeslade auf Christus ist für Luther gerechtfertigt durch sein christologisches Verständnis des Alten Testaments). Alle weiteren Aussagen über Gott sind dementsprechend dynamisch: »Es streit für vns der rechte man« (12), »das felt mus er behalten« (18), »es sol vns doch gelingen« (22), »ein wörtlin kan jn fellen« (27), »Er ist bey vns wol auff dem plan« (30). Hierin liegt zugleich ein – freilich wenig hervortretendes – Leitmotiv des Liedes: in jedem zweiten Stollen wird Gott als Helfer (und mit ihm die Menschen, denen er hilft) dargestellt. Eine neu prägnante Metapher findet sich dabei nicht, es bleibt bei bildhaften oder nennenden Feststellungen.
Die Darstellung des Teufels ist ähnlich angelegt. Er wird zwar allgemein-nennend eingeführt: »Der alt böse feind / | mit ernst ers itzt meint«, seine Eigenart wird dann aber mit einer ebenso klaren und einfachen statischen Metapher beschrieben, wie sie eingangs für Gott Verwendung fand: »gros macht vnd viel list / | sein grausam rüstung ist«. Auch diese Metapher ist rational und spannungsarm, auch sie wird nicht weiter ausgeführt. Die folgenden Aussagen über den Teufel sehen ihn als Angreifer, bringen also gleichfalls einen Neuansatz mit analoger Akzentverschiebung (Dynamisie-

rung): »wir sind gar bald verloren« (11), »vnd wolt vns gar verschlingen« (20), »wie sawr er sich stelt« (24), »Nemen sie den leib« (32). Auch hier folgen der Metapher nennende oder bildhafte Feststellungen.
Die Bildersprache des Liedes ist betont einfach, die Bilder sind plakativ, keines wird weiter ausgeführt. Die Attribute bleiben stereotyp (»feste burg«, »gute wehr«, »gros macht«). Vieles wird in allgemeiner Form benannt. Der schnelle Wechsel der Aussagen bringt die Gefahr der Verwischung der Vorstellungen mit sich. Die Allgemeinheit der Darstellung wird jedoch weitgehend aufgefangen durch volkstümlich-kraftvolle Redewendungen: »mit ernst ers itzt meint« (6), »wie sawr er sich stelt« (24), »kein danck dazu haben« (29), »las faren dahin« (34) u. a.
Die betont einfache Sprachform ergibt sich für Luther aus dem Zweck des Liedes; er fordert sie generell für kirchliche Gebrauchstexte: »[...] denn in der Kirche oder Gemeine soll man reden wie im Hause daheim die einfältige Mutersprache, die jdermann verstehet und bekannt ist. Zu Hofe die Juristen, Advocaten, Redner mögen wol geschmückte Wort haben und zierlich reden, denselbigen gehets wol hin [...]. In Kirchen soll kein Pracht noch Ruhm gesucht werden; da soll es schlecht, einfältig und recht zugehen« (WA, *Tischreden*, Bd. 5, S. 645, Nr. 6404).
6. Auch syntaktisch ist das Lied einfach. Allgemein dominiert ein gemäßigter Zeilenstil, die Versgrenzen markieren stets einen syntaktischen Einschnitt; wenn dies auch oft kein Satzende ist, so ist es doch eine gewichtigere Grenze innerhalb eines Satzes oder Satzgefüges (einzige Ausnahme: schwerer Zeilensprung V. 7/8). Durch diesen Stil werden die Verse als Sinneinheit hervorgehoben, die Versgrenzen als Gedanken- und Atempausen akzentuiert, es entsteht der Eindruck der Reihung. Dieses Stilprinzip findet sich gleichmäßig in allen Strophen und Strophenteilen. Besonders nachdrücklich kommt es in den verkürzten Zeilen des Abgesangs (5–8, 14–17 usw.) zur Geltung. Zusammen mit den zahlreichen einsilbigen Wörtern, dem nahezu ständigen

Zusammenfall von Taktgrenze und Wortgrenze, dem Zusammenprall zweier Hebungen (in 5–7, 14–16 usw.), dem pausierten vierten Takt, dem Paarreim und schließlich der durch die Melodie ermöglichten staccatohaften Betonung bewirkt es eine ausgeprägte Rhythmisierung des Textes (man hat sogar von Trommlerrhythmus gesprochen). Besonders hervorgehoben sind die Schlußzeilen aller Strophen. Sie sind syntaktisch selbständig, metrisch vom Vorhergehenden abgesetzt, durch Reimlosigkeit ausgezeichnet und runden die Strophen mit einer prägnanten, sentenzhaften Wendung ab.

Syntaktisch hervorgehoben ist ebenfalls der Abgesang von Strophe 2. Es ist die einzige Stelle, an der der Sprecher von der Wir-Perspektive abweicht, mit der er sonst sich und die Angeredeten zusammenfaßt, und statt dessen seine Aussage dialogisiert, indem er eine rhetorische Frage stellt und selbst beantwortet. Auf diese Weise wird der Name »Jhesus Christ« betont und damit der theologische Mittelpunkt des Liedes markiert.

Die angeführten syntaktischen Eigenarten – die Bevorzugung der ›normalen‹ Wortstellung, teilweise lockere Fügung, Zeilenstil und Reihung, pointierte Schlußverse, Dialog zur Akzentuierung – sind Kennzeichen des volkstümlichen Stils, wie er sich in den Volksliedern der Zeit findet. Sie sind bedingt durch den Zweck des Liedes, das als Kirchenlied sowohl Predigt als auch Gemeindebekenntnis enthalten soll.

7. Die Strophe des Liedes ist dreiteilig und neunzeilig, mit viertaktigen Versen im ¾-Takt, die beiden zweizeiligen Stollen im Kreuzreim, der Abgesang mit vier paarig gereimten Verszeilen sowie einer Waise als Schlußvers. Von den vier Liedern Luthers mit dieser Strophenform ist *Ein feste burg* das einzige mit der beschriebenen Reimfolge; die anderen (Hahn, Nr. 6, 9, 34) haben auch im Abgesang Kreuzreim, verkörpern also die sogenannte Vagantenstrophe mit abschließender Waise (Heusler, Bd. 2, § 743).

Hinsichtlich der metrischen Lesung bestehen zwei unterschiedliche Auffassungen.
a) Heusler, Baesecke, Tschirch, Kayser u. a. lesen:

1–4: x x́x x́x x́x x́ :‖
x x́x x́x –́ x́ ‖

5–7: x́x x́x x́∧∧

8: x x́x x́x x́∧∧

9: x x́x x́x –́ x́

b) Moser, Messerschmidt, Sommer u. a. lesen die Verse 1–4 und 8–9 wie oben, die Verse 5–7 jedoch abweichend:

x –́ x́x x́∧ ∧

Strittig ist also die Frage, ob die Verse 5–7 trochäisch, d. h. auftaktlos und alternierend (a), oder auftaktig und mit schwerem erstem Takt (b) zu lesen sind. Historisch ist die Position (a) mit der Annahme verbunden, daß Luther mit seinem Versbau dem Meistersang nahestehe, also Silben gezählt (und mechanisch alterniert) habe; hierfür kann angeführt werden, daß der Strophenbau meistersingerlich ist. Position (b) setzt hingegen voraus, daß Luthers Verse eine volkstümliche Grundlage haben, also auf wägendem Prinzip beruhen; hierfür lassen sich Reimbehandlung und Sprachgestalt anführen.
Das Problem ist uralt; bereits Rinckart sah 1645 (nach einer Anmerkung Heuslers, Bd. 3, § 869) folgende Möglichkeiten:

1. — ◡ — ◡ — (a)
2. ◡ — — ◡ . — (b)
3. ◡ — ◡ ◡ —

Zu lösen ist die Frage erst, wenn über Luthers Verhältnis zum Meistersang und zum Volkslied Klarheit herrscht. Solange das aber nicht der Fall ist, besteht kein Anlaß, die natürlichere Lesart (b) nicht für die dem Text angemessene und der Intention des Autors entsprechende zu halten, wobei die Argumentation von der Melodie her noch zusätzlich ins Gewicht fällt (Moser, in: WA, Bd. 35, S. 518 ff.).

8. Zur Frage nach der Entstehung des Liedes gibt es eine schier unübersehbare Literatur (sie ist teilweise registriert bei Spitta, Lucke und Jenny). Den unmittelbaren Anlaß hat man in nahezu allen politischen und persönlichen Ereignissen in Luthers Leben zwischen 1521 und 1530 sehen wollen: Reichstag zu Worms, Auseinandersetzung mit den ›Schwärmern‹ und ›Rottengeistern‹, mit Karlstadt und Zwingli, Bauernkriege, Krankheiten Luthers und seiner Familienangehörigen, Märtyrertod seines Schülers Leonhard Kaiser, Pest in Wittenberg, politische Krisen des Protestantismus (besonders Packsche Händel), Reichstag zu Speyer, Reichstag zu Augsburg – um nur die wichtigsten zu nennen. Für jede dieser Annahmen sind sachliche Gründe sowie sprachliche Parallelen aus Luthers gleichzeitigen Schriften angeführt worden, ohne daß sich eine bestimmte Meinung durchgesetzt hätte. Parallelen aus Luthers Schriften, die überwiegend in vergleichbaren Metaphern und bildhaften Wendungen bestehen, sind jedoch nicht beweiskräftig, solange nicht Luthers Metaphorik genauer untersucht ist und dabei erwiesen worden wäre, daß er die vergleichbaren Bilder nur in einem bestimmten Lebensabschnitt gebraucht hat. Auch Spekulationen über den biographischen Anlaß sind wenig überzeugend. Alle Versuche dieser Art setzen voraus, daß das Lied auf ein tiefgreifendes persönliches Erlebnis punktueller Natur zurückgehen müsse. Dies beruht jedoch auf einem Dichtungsbegriff und auf Inspirationsvorstellungen, die für das 19. Jahrhundert charakteristisch sind, während man heute eher geneigt sein wird, Luther mit den Autoren des 16. Jahrhunderts zu denen zu zählen, die die Poesie kommandierten – wie er dies ja auch 1523 und 1524 nachdrücklich tat, als 24 seiner 36 Lieder entstanden.
Über Luthers Vorlagen ist ebenfalls viel gerätselt worden, ohne daß man zu einem befriedigenden Ergebnis gekommen wäre. Trotz seiner Überschrift ist das Lied keine Übersetzung oder Bearbeitung des 46. Psalms, wie schon ein einfacher Textvergleich zeigt. Ein solcher Vergleich zeigt aber auch, daß Luther Gedanken des Psalms aufgegriffen hat und

daß dadurch eine thematische Verwandtschaft besteht. Beziehungen ähnlicher Art hat das Lied auch zu dem *Ernstlichen Gebet Doct. Martin Luthers zu Worms auf dem Reichstage Anno 1521 getan* (WA, Bd. 35, S. 212 ff.), dessen Authentizität und Datierung freilich umstritten sind, sowie zu dem Summarium Luthers über Psalm 46 (1531/33, WA, Bd. 38, S. 35). Thematische Verwandtschaft besagt jedoch noch nicht, daß es sich um die Keimzelle des Liedes handeln muß.

Das Entstehungsdatum hingegen läßt sich zuverlässig einkreisen. Das Lufftsche Enchiridion von 1526, das alle bis dahin veröffentlichten Lieder Luthers sammelt, enthält *Ein feste burg* noch nicht. Da Luther immer für den Augenblick schrieb, muß angenommen werden, daß das Lied zu dieser Zeit noch nicht existierte. Es muß sich aber in dem (nicht erhaltenen) Gesangbuch befunden haben, das der Wittenberger Drucker Hans Weiß 1528 unter der Presse hatte. Als Entstehungszeit ist somit der Zeitraum zwischen 1526 und 1528 anzusetzen (Lucke, in: WA, Bd. 35, S. 16–55).

9. Das Lied ist rasch populär geworden. Ab 1529 findet es sich in allen evangelischen Gesangbüchern. 1531 berichtet Luther bereits, daß es parodiert wird (»und wen die welt vol pfaffen wer, so sollen sie uns nicht dringen«, WA, *Briefe*, Bd. 3, S. 89). Schon im 16. Jahrhundert gibt es zahlreiche Übersetzungen, u. a. ins Niederdeutsche und Lateinische. *Ein feste burg* war das Lied, in dem die Evangelischen lutherischer Herkunft im 16. und 17. Jahrhundert, als sie um ihr Daseinsrecht kämpfen mußten, ihr Selbstverständnis artikuliert fanden; es war ihr Glaubens-, Trost- und Trutzlied. In diesem Sinne hat es Johann Sebastian Bach zur Grundlage seiner Kantate gemacht (1739). Heinrich Heine bezeichnet das Lied als die »Marseiller Hymne der Reformation« und fügt, in Verkennung der historischen Tatsachen, hinzu, es sei der »Schlachtgesang« gewesen, mit dem Luther und seine Begleiter 1521 in Worms eingezogen wären (S. 200). Und eine Art Hymne der Reformation ist es traditionsbedingt auch weiter geblieben, obgleich es theologisch

nichts enthält, was als speziell reformatorisch zu bezeichnen wäre. Weder die Differenzen, über denen es zur Kirchenspaltung kam, noch diejenigen, die sich anschließend herausbildeten, haben in ihm einen Niederschlag gefunden. Im Grunde ist der Text überkonfessionell; er ist jedoch historisch belastet dadurch, daß er bei Konfessionsstreitigkeiten in Angriff wie in Abwehr vielfach polemisch verwendet wurde.

Eine weitere historische Belastung deutet Heine, wenngleich ungewollt, mit der Bezeichnung »Schlachtgesang« an. Dazu nur punktuell einige Belege: 1631 zieht das Heer Gustav Adolfs mit dem Gesang der *Festen Burg* in die Schlacht von Breitenfeld (der schwedische Reformator Olaus Petri hatte das Lied bereits 1536 übertragen). Zur Zeit der Befreiungskriege variiert Theodor Körner in seinem militanten *Reiterlied* (»Frisch auf, frisch auf mit raschem Flug«) Luthersche Motive. Im Kriege von 1870/71 wird die »wunderbare Wirkung« des Luther-Liedes gerühmt. Im Ersten Weltkrieg schließlich wird es nachdrücklich als geistiges Rüstzeug empfohlen und mit Sätzen wie »Krieg und Lutherlied, Gott hat sie zusammengefügt, der Mensch soll sie nicht scheiden« (Nelle, S. 13) der nationalistischen Gott-mit-uns-Mentalität angepaßt; die Gleichsetzung der Kriegsgegner mit den »Teuffeln« und die politische Umdeutung des Verses »das Reich mus vns doch bleiben« waren die zwingende Folge.

Die hier skizzierten Zusammenhänge machen verständlich, daß es nach dem Ende des Zweiten Weltkrieges um *Ein feste burg* still geworden ist, wenngleich das Lied nach wie vor zum unbestrittenen Bestand der evangelischen Gesangbücher gehört. Die in den letzten Jahrzehnten geübte Zurückhaltung hat nicht unwesentlich zur Verminderung der geschichtlichen Hypothek des Liedes beigetragen. Und da noch niemand bestritten hat, daß es sich um eine bedeutende dichterische Leistung handelt, scheint die Zeit für eine neue, unbefangenere Aufnahme reif.

Zitierte Literatur: Georg BAESECKE: Luthers deutscher Versbau. In: Beiträge zur Geschichte der deutschen Sprache und Literatur 62 (1938) S. 60–121. – Paul BÖCKMANN: Formgeschichte der deutschen Dichtung. Hamburg 1949 [u. ö.]. – Heinrich HEINE: Zur Geschichte der Religion und Philosophie in Deutschland. In: Heinrich Heines sämtliche Werke. Hrsg. von Ernst Elster. Bd. 4. Leipzig/Wien 1890. – Andreas HEUSLER: Deutsche Versgeschichte. 3 Bde. Berlin 1925–29. ²1956. – Markus JENNY: Neue Hypothesen zur Entstehung und Bedeutung von Luthers ›Ein feste Burg‹. In: Jahrbuch für Liturgik und Hymnologie 9 (1964) S. 143–152. – Wolfgang KAYSER: Das sprachliche Kunstwerk. Bern 1948 [u. ö.]. – Heinrich LAUSBERG: Handbuch der literarischen Rhetorik. 2 Bde. München 1960. – D. Martin Luthers Werke. [Siehe Textquelle. Zit. als: WA.] – Martin LUTHER: Die deutschen geistlichen Lieder. [Siehe Textquelle. Zit. als: Hahn.] – Luthers Lieder und Gedichte. Mit Einleitung und Erläuterungen. Hrsg. von Wilhelm Stapel. Stuttgart 1950. – Felix MESSERSCHMIDT: Das Kirchenlied Luthers. Metrische und stilistische Studien. Diss. Tübingen 1928. – Wilhelm NELLE: Ein feste Burg ist unser Gott! oder Das Heldentum in Luthers Liedern. Leipzig/Hamburg 1917. – Rudolf Alexander SCHRÖDER: Dichtung und Dichter der Kirche. Witten/Berlin 1964. – Ernst SOMMER: Die Metrik in Luthers Liedern. In: Jahrbuch für Liturgik und Hymnologie 9 (1964) S. 29–81. – Friedrich SPITTA: Ein feste Burg. Die Lieder Luthers in ihrer Bedeutung für das evangelische Kirchenlied. Göttingen 1905.

Weitere Literatur: Hans Martin BARTH: Der Teufel und Jesus Christus in der Theologie Luthers. Göttingen 1967. – Martin BRECHT: Zum Verständnis von Luthers Lied ›Ein feste Burg‹. In: Archiv für Reformationsgeschichte 70 (1979) S. 106–120. – Oskar BRENNER: Und keinen Dank dazu haben. In: Lutherstudien zur 4. Jahrhundertfeier der Reformation. Weimar 1917. S. 72–78. – Klaus DOCKHORN: Luthers Glaubensbegriff und die Rhetorik. In: Linguistica Biblica 21/22 (1973) S. 19–39. – Otto EISSFELDT: Luthers ›Ein feste Burg‹ und der 46. Psalm. In: O. E.: Kleine Schriften. Bd. 1. Tübingen 1962. S. 76–83. – Hartmann GRISAR: Luthers Trutzlied ›Ein feste Burg‹ in Vergangenheit und Gegenwart. Freiburg i. Br. 1922. – Rudolf HALLER: Geschichte der deutschen Lyrik vom Ausgang des Mittelalters bis zu Goethes Tod. Bern/München 1967. – Barbara KÖNNEKER: Die deutsche Literatur der Reformationszeit. Kommentar zu einer Epoche. München 1975. [Mit Literaturhinweisen.] – Bernhard LOHSE: Martin Luther. Eine Einführung in sein Leben und sein Werk. München 1980. [Mit Literaturhinweisen.] – Hans Joachim MOSER: Die Melodien der Lutherlieder. Leipzig/Hamburg 1935. – Otto SCHLISSKE: Handbuch der Lutherlieder. Göttingen 1948. – Hans SCHMIDT: Luthers Übersetzung des 46. Psalms. In: Luther-Jahrbuch 8 (1926) S. 98–119. – Herbert WOLF: Martin Luther. Eine Einführung in germanistische Luther-Studien. Stuttgart 1980.

Hans Sachs

Der edelfalk

Im rosenton Hans Sachsen. 9. august 1543

1

In centonovella ich lase,
wie zu Florenz vor zeiten sase
ein jung edelman, weit erkant,
Fridrich Alberigo genant,
5 der in herzlicher liebe brennet
gen einem edlen weib, genennet
Giovanna, an gut ser reiche,
an eren stet und gar lobleiche.
der edelman stach und turnirt,
10 zu lieb der frauen lang hofirt;
sie aber veracht all sein liebe,
an irem herren treulich bliebe.
Gar reichlich Friderich ausgab,
bis er verschwendet große hab;
15 entlich verpfent er all sein gute,
zug auf ein sitz und in armute,
nichts dan ein edlen falken het,
mit dem er teglich baißen tet,
und nert sich aus eim kleinen garten,
20 des er auch tet mit arbeit warten.

2

Ir her der starb, und sich begabe:
der frauen sun, ein junger knabe,
wart schwerlich krank bis in den tot;
sprach: »muter, ich bit dich durch got,

12 *herren:* Ehemann. 18 *baißen (peysen):* beizen: mit abgerichteten Raubvögeln jagen.

hilf, das Friderichs falk mir werde,
so nimt ein ent all mein beschwerde.«
  Die muter tröst in, den zu bringen,
kam zu her Fridrich in den dingen,
der freuet sich irer zukunft,
entpfieng sie mit hoher vernunft.
zum frümal tet sie sich selb laden.
fro war Friderich irer gnaden;
  Het doch weder wildpret noch fisch,
darmit er speiset seinen tisch;
armut und unglück tet in walken.
er würgt sein edlen lieben falken,
briet den und in zu tische trug,
zerleget in höflich und klug;
in mit der edlen frauen aße,
die doch selbs nit west, was es wase.

3

  Nach dem mal sprach die frau mit sitten:
»durch euer lieb wil ich euch bitten
um euren edlen falken gut,
nach dem mein sun sich senen tut
totkrank; wo ir im den tut geben,
errettet ir sein junges leben.«
  Her Fridrich war mit angst beseßen:
»den falken«, sprach er, »han wir geßen;
die allerliebst mein liebstes aß.«
die frau sich des verwundert was.
er zeiget ir des falken gfider.
schieden sich beide traurig wider.
  Nach drei tagen ir sune starb.
her Fridrich um die frauen warb;
sie erkennet sein lieb und treue,
het seiner armut kein abscheue,

31 *frümal:* ausgiebiges zweites Frühstück.

weil er war tugenthaft und frum.
zu eim gemahel sie in num.
drum ist nit alle lieb verloren;
60 lieb hat oft lieb durch lieb geboren.

Abdruck nach: Dichtungen von Hans Sachs. T. 1: Geistliche und weltliche Lieder. Hrsg. von Karl Goedeke. 2., verb. Aufl. Leipzig: Brockhaus, 1883. S. 137–139. 1. Aufl. Leipzig: Brockhaus, 1870. [Erstdruck.]

Ulrich Maché

Boccaccio verbürgerlicht. *Der edelfalk* von Hans Sachs

Das vorliegende Meisterlied ist ein frühes Zeugnis für die Rezeption einer der beliebtesten Geschichten Boccaccios. Bekanntlich rückte diese Erzählung in Deutschland in den Mittelpunkt gattungstheoretischer Erörterungen, nachdem Paul Heyse im Vorwort zum *Novellenschatz* (1871) einen »Falken« für jede Novelle gefordert hatte.

I

Der edelfalk war – wie alle Meisterlieder – nicht für den Druck bestimmt. Der Text durfte, den Vorschriften der Schulordnung entsprechend, nur bei offiziellen Singen vorgetragen werden; er war Eigentum des Singschularchivs. Wenn Hans Sachs zu Beginn dieses Liedes sogleich seine Quelle nennt, so war das in der Literatur des ausgehenden Mittelalters nichts Ungewöhnliches. Es geschah weder aus Bescheidenheit noch aus Achtung vor dem geistigen Eigentum eines andern. Vielmehr ließ ein solcher Hinweis die Zuhörer aufhorchen; denn das hier Angekündigte war sicher nicht nur seines Inhalts wegen hörens- und wissenswert; es verdiente gewiß auch Beachtung als Neuschöpfung eines vielleicht bekannten Stoffes. Waren doch die Autoren, denen die Meistersinger ihre weltlichen Themen entlehnten, oft Dichter von Rang, Repräsentanten der Weltliteratur: Homer, Äsop, Vergil, Petrarca – und im vorliegenden Falle Boccaccio, dessen *Decameron* zunächst 1472 und 1490 in Heinrich Schlüsselfelders Übersetzung erschienen war. Dieses Werk – damals ganz allgemein als »Cento Novelle« oder »Centonovella« bekannt – wurde zu Hans Sachs' Zeiten noch sechsmal aufgelegt; es gehörte zu den vielgelesenen Büchern der Zeit. Hans Sachs richtete sich also mit der Bearbeitung der Falken-Novelle, der 9. Geschichte des 5. Tages, an Zuhörer, denen die Handlungsvorgänge möglicherweise vertraut waren. Das bedeutete, daß der ästhetische Genuß für dieses Publikum nicht zuletzt in der künstlerischen Gestaltung lag, in der Würdigung der dichterischen und musikalischen Leistung des vortragenden Autors. Das war namentlich hier der Fall, wo es sich um die Umsetzung von erzählender Prosa in ein völlig neues Medium handelte – in eine Form, die von strengen poetologischen und musikalischen Gesetzen bestimmt wurde und wenig gemein hatte mit der sprachlichen Weiträumigkeit der Vorlage.

Der Zusatz im Titel »Im rosenton Hans Sachsen« bedeutete für den Dichter die Bindung an eine genau festliegende Melodie und Strophenform. Die Länge jeder Strophe betrug im Falle des Rosentons zwanzig Zeilen. Davon entfielen, wie das Druckbild erkennen läßt, je sechs Verse auf die beiden völlig gleichgebauten Stollen, die gemeinsam den Aufgesang bilden; die restlichen acht Zeilen waren dem Abgesang vorbehalten. Auch die Silbenzahl jedes Verses und die Reimstellung lagen mit der Wahl des Tones unveränderlich fest. Allerdings sind Metrik und Reimschema des Rosentons – verglichen mit anderen Tönen – recht unkompliziert, ja der Spruchdichtung verwandt: jeder Stollen beginnt mit einem neunsilbigen Reimpaar (weiblich), das mit einem achtsilbigen (männlich) alterniert. Der Abgesang nimmt die-

ses alternierende Schema auf; doch verlangten es die Gesetze der Tabulatur, daß der Abgesang – im Gegensatz zu den Stollen – mit einem männlichen Reimpaar anhob.
Die zum Text gehörige und von Hans Sachs selbst komponierte Melodie oder »Weise« dürfte den Zuhörern beim ersten Vortrag dieses Liedes nicht unbekannt gewesen sein; denn unter den eigenen Erfindungen des Dichters wurde der Rosenton – wohl nicht zuletzt seines einfachen Baus wegen – schließlich die am meisten verwendete Liedform. Seine Schlichtheit verrät, daß Hans Sachs zu dieser Zeit nicht mehr bemüht war, sein Publikum und die offiziellen Kunstrichter oder Merker durch rein technische und ästhetisch meist unwägbare Spitzfindigkeiten zu beeindrucken. Das war noch eindeutig beim »neuen Ton« der Fall, dem achten der dreizehn Töne des Dichters, wo – um nur eine ›Subtilität‹ herauszugreifen – der Reim der zweiten Zeile jeder Strophe erst achtzehn Zeilen später gebunden werden durfte. Somit zeugt die schlichte Form des Rosentons von der künstlerischen Reife ihres ›Erfinders‹.
Es muß dahingestellt bleiben, ob – oder in welchem Grade – Hans Sachs die Wahl des Tones für einen bestimmten Stoff von ästhetischen Erwägungen abhängig machte. So finden sich zwar unter der großen Zahl der Rosenton-Lieder andere berühmte Liebesgeschichten (Pyramus und Thisbe, Hero und Leander), aber auch viele Historien, in denen das Liebesthema fehlt. Die Nachforschungen Geigers haben ergeben, daß etwa in der Hälfte der von ihm untersuchten Meisterlieder der Name des Tons und der behandelte Stoff »nichts Gemeinsames« aufzuweisen haben (S. 74). Auf alle Fälle war Hans Sachs durch die Wahl des Tons gezwungen, die für jede Zeile genau vorgeschriebene Silbenzahl einzuhalten. Dabei strebte der Dichter in der Regel einen gleichmäßigen, jambischen Versgang an, hatte aber im Abweichen von dieser Norm weitgehende Freiheiten. Das erschwert heute die metrische Würdigung des Textes. So ist der moderne Leser versucht, die erste Zeile des Liedes mit freier Senkungsfüllung zu lesen (»In céntonovélla ich láse«) und in

der dritten Zeile »ein júng edélman« als Tonbeugung zu rügen, ohne zu bedenken, daß derartige Abweichungen vom regelmäßig alternierenden Jambus keine Verstöße gegen die metrischen Gesetze des Meistersangs darstellten. Auch ist leicht einzusehen, daß derartige Härten durch den musikalischen Vortrag ausgeglichen werden konnten.
Mit der Wahl des Tons lag zwar die Strophenform fest, nicht aber die Länge des Liedes. Es hätte dem Dichter freigestanden, die Boccaccio-Novelle in fünf, sieben oder noch mehr Strophen nachzuerzählen. Wenn er sich dennoch auf drei beschränkte – und dies unter Fortlassung wichtiger Teile der Vorlage –, so geschah das wohl aufgrund seines Wissens um die begrenzte Wirkungsmöglichkeit der Gattung; denn, wie bereits erwähnt, war das Kommunikationsmedium in der Regel kein Buch oder Manuskript, sondern ein Sologesang ohne Instrumentalbegleitung in öffentlichen oder geschlossenen Veranstaltungen der Singschule. Die Ansprüche, die diese Art der Kunstvermittlung an die Zuhörer und den Sänger stellte, waren nicht gering. Die Aufmerksamkeit des Publikums war hier ebenso zu berücksichtigen wie die stimmliche Fähigkeit und Spannkraft des Vortragenden. Daher beschränkten die Schulordnungen die Länge der Meisterlieder z. T. auf ein Maximum von fünf oder sieben Strophen. Erfahrung hatte gelehrt, daß für Sänger und Zuhörer ein dreistrophiges Lied oft eine Optimallösung darstellte. Während Hans Sachs sich in jüngeren Jahren noch in Meistergesängen bis zu fünfzehn und siebzehn »Gesätzen« oder Strophen versuchte, weisen die Lieder beim erprobten Meister in der Regel drei Strophen auf. Daß jedoch mit zunehmender Kürze die Gefahr der Verstümmelung von Handlung und Motivierung wuchs, wird am vorliegenden Beispiel noch zu zeigen sein.

II

Ganz allgemein wird beim Lesen zunächst durch den sprunghaften Handlungsablauf deutlich, daß der begrenzte

Erzählraum den Dichter zu äußerster Ökonomie zwang. Stand ihm doch weniger als ein Siebtel des Raums zur Verfügung, den Schlüsselfelder für die Übersetzung der Novelle beansprucht hatte. Wie groß die Schwierigkeiten des Aussparens und Komprimierens waren, zeigt bereits die Exposition. Trotz rigoroser Beschränkung erweist sich der erste Stollen als zu eng für die Einführung der beiden Hauptpersonen. Der Stoff sprengt hier die Form: der Zeilensprung vom ersten zum zweiten Stollen »genennet | Giovanna« (6f.) ist kein ästhetisch zu rechtfertigendes Enjambement; es ist eindeutig ein prosodistisches und musikalisches Ärgernis. Auch der geschickteste Vortrag vermag da wenig auszugleichen, weil die melismatische Schlußkadenz in »genennet« unmißverständlich das Ende des Stollens ankündigt, worauf – den Vorschriften gemäß – auch noch eine Pause folgen mußte.

Im restlichen Lied kommt es zu keinem weiteren derartigen Verstoß gegen die Gesetze der Tabulatur. Alle nachfolgenden Stollen und Abgesänge schließen mit einem vollständigen Satz; ja es zeigt sich, daß hier – wie auch sonst bei Hans Sachs – mit dem Stollen- oder Strophenende meist ein epischer Einschnitt einhergeht. Aber auch innerhalb der Strophe ist der Dichter um eine klare Gliederung des Stoffes bemüht. Dazu erweist sich das Reimschema des Rosentons als besonders geeignet; denn die durchgehenden Reimpaare ermöglichen es, kleinere Erzähleinheiten in jeweils einem Reimpaar zu komprimieren:

der edelman stach und turnirt,
zu lieb der frauen lang hofirt;

sie aber veracht all sein liebe,
an irem herren treulich bliebe. (9–12)

Das aufwendige Werben um die geliebte Frau wird hier im ersten Reimpaar zusammengefaßt; antithetisch dazu im zweiten ihre ablehnende Einstellung. Es zeugt von Hans

Sachs' dichterischem Können, daß er zu Beginn des Liedes nur von Fridrichs Liebe spricht, nicht aber von Giovannas Gefühlen. Nur ihre wirtschaftlichen Verhältnisse (»an gut ser reiche«) und ihre sittliche Makellosigkeit (»an eren stet und gar lobleiche«) werden erwähnt (7f.). So kann ihre Unempfänglichkeit für Fridrichs Werbung und ihre unverbrüchliche Treue zu ihrem Ehemann (»herren«) erst am Ende des zweiten Stollens enthüllt werden, wodurch sich die Spannung steigert, indem Fridrichs Lage schließlich völlig hoffnungslos erscheint.

Der sich anschließende Abgesang ist fast ganz den unerfreulichen Folgen der vergeblichen Werbung gewidmet, dem wirtschaftlichen Ruin des Edelmanns und der daraus erwachsenden Vereinsamung auf einem winzigen Landgut. Hans Sachs' Schilderung der veränderten Lebensumstände verdient genauere Beachtung: In Verbindung mit Fridrichs »armute« (durch Reimstellung betont!) – wird hier erstmalig der im Titel genannte »edelfalk« erwähnt: »nichts dan ein edlen falken het« (17). Wie nahezu wörtlich dies gemeint ist, wird freilich erst in bestürzender Weise durch den weiteren Handlungsablauf sichtbar. Eindeutig ist hier jedoch, daß der wertvolle Falke nicht nur das einzige, Fridrich noch umgebende Wesen ist, sondern auch Sinnbild seines früheren Wohlstandes und seiner adligen Herkunft. Der Hörer ist somit vorbereitet, die Größe des von ihm gebrachten Opfers zu ermessen. – Es fällt ferner auf, daß der verarmte Edelmann bei Hans Sachs von keinerlei Dienstpersonal umgeben ist und sich – wie kümmerlich auch immer – durch Jagd (»baißen«) und Gartenarbeit ernährt (18–20). Im Gegensatz dazu ist in Boccaccios Erzählung von der Frau seines Gärtners und von einer Magd die Rede, die den Falken rupft und brät (S. 666). Es ist gewiß nicht zufällig, daß Hans Sachs hier den Garten und seine Funktion hervorhebt. Für ihn war das »warten« des Ackers ein Beweis für Fridrichs Arbeitswilligkeit und damit für seine bürgerliche Tauglichkeit, ein Zug, der von einem Adligen nicht ohne weiteres zu erwarten war

und der dem Ritter die Sympathie des Nürnberger Publikums sicherte.
Mit dieser Schilderung des verarmten Junkers rückt die stark geraffte Handlung rasch an das Hauptereignis heran. Angesichts der sich anbahnenden dramatischen Zuspitzung wird zu Beginn der zweiten Strophe nur noch der Tod des Ehemanns mit äußerster Kürze berichtet. Dann folgt ein auffälliger Wechsel in der Erzählweise: der Dichter vergegenwärtigt nun eine konkrete Situation, indem er den todkranken Sohn als Sprecher einführt. Grundlegend verändert sich damit – trotz strenger Wahrung des Vers- und Reimschemas – die Satzstruktur. Mit Ausnahme des Schlußverses des ersten Stollens (26) gibt es hier keinen Satz mehr, dessen Ende – wie zuvor – mit der Vollendung eines Reimpaares zusammenfiele; statt dessen verbindet der Dichter die Verse durch Zeilensprung zu größeren Erzähleinheiten. Mit der dadurch erzielten syntaktischen Weiträumigkeit gewinnt die Szene zwischen Sohn und Mutter an Lebendigkeit und Überzeugungskraft. Es wäre jedoch verfehlt anzunehmen, daß nun dem Dichter-Komponisten und Sänger auch die Möglichkeit offengestanden hätte, die »Weise« auf die veränderten textlichen Gegebenheiten abzustimmen. Diese Freiheit gab es im Meistersang nicht. Unveränderlich lag für alle Strophen die Melodie fest – ohne Rücksicht auf Inhalt und Sprachgestalt. Diese Starre der musikalischen Form wirkte sich nicht nur nachteilig auf den gesanglichen Vortrag aus, sondern verhinderte letztlich jede musikalische und dichterische Weiterentwicklung des Meisterliedes.
Die sprachliche Gewandtheit und Überzeugungskraft in der Rede des Knaben kann jedoch nicht über das Fehlen jeder psychologischen Motivierung in diesem Handlungsabschnitt hinwegtäuschen. Nur der Hörer, der sich hinlänglich an Boccaccios Text erinnert, weiß, daß Giovannas Sohn mit Fridrich »vil [. . .] fogeln vnd peysen ginge vnd Friderichen falcken offte hette fligen sechen den zů haben von ganczem herczenn begeren was, doch so beherczent nicht was in an Friderichen begern« (S. 364). Für das Publikum, das diese

Einzelheiten nicht kennt, bleibt die Ursache für die leidenschaftliche Bitte des Knaben ein Rätsel. Wichtige, für den Handlungszusammenhang unentbehrliche Information ist hier der gattungsbedingten Forderung nach größtmöglicher Kürze zum Opfer gefallen. Die begrenzte Eignung des Meisterliedes für handlungsreiche Erzählstoffe wird damit deutlich erkennbar.

In rascher Folge wird nun im zweiten Stollen der weitere Geschehensablauf berichtet: Giovannas Besuch (»zukunft«) bei Fridrich, seine Freude und ihr Wunsch, gemeinsam mit ihm zu speisen (29–31). Dem beschleunigten Erzähltempo entsprechend ändert sich wiederum die Art der sprachlichen Gestaltung: mit Ausnahme des ersten Verses folgen nun asyndetische Sätze, die jeweils eine Zeile füllen. Die hart aneinanderstoßenden Hauptsätze treiben die Handlung voran; die Spannung wächst. Giovannas Bemühen, den Falken für ihren Sohn zu erlangen, erscheint aussichtsreich; denn »fro war Friderich irer gnaden« (32). Erst in den nächsten Zeilen begreift der Hörer in vollem Maße Fridrichs offenbar verzweifelte wirtschaftliche Lage, das Fehlen jeglicher Speisevorräte für ein akzeptables »frümal«. Doch ist der Hörer auf das Kommende nicht vorbereitet. Die Zeile: »er würgt sein edlen lieben falken« (36) trifft ihn schockartig: das Unglaubliche, das Unerhörte ereignet sich. Fridrich opfert das, was zuvor als sein einzig wertvoller Besitz herausgestellt worden war und was der Hörer möglicherweise sogar als Sinnbild des verarmten Edelmanns selbst versteht. Gleichzeitig erfaßt der Hörer auch die bittere Ironie des Geschehenen: durch die Tötung des Falken ist, wie es scheint, die Genesung des Knaben unmöglich geworden und damit die letzte Aussicht vereitelt, die Gunst Giovannas zu erwerben. Nichts weist zu diesem Zeitpunkt auf einen glücklichen Ausgang hin. So endet die zweite Strophe, einem Aktschluß vergleichbar, voller Spannung. Nur eines wird deutlich: die Enthüllung des wahren Sachverhalts steht unmittelbar bevor.

Es überrascht nicht, daß Hans Sachs mit seinem ausgeprägten Sinn für das Dramatische jetzt die Beteiligten als Sprecher einführt: dabei gelingen ihm (ähnlich wie zuvor bei der Bitte des Knaben) Verse von einer im Meistersang bemerkenswerten Glätte. Auch hier sind es vor allem die Enjambements, mit deren Hilfe der Dichter eine ungewöhnliche Schmeidigung der Sprache erreicht; denn eben durch den Zeilensprung wirken die Reimwörter jetzt nicht mehr als Schluß- und Pausenzeichen. Der markanteste Einschnitt in Giovannas Rede erfolgt daher auch nicht am Zeilenende, sondern – unerwartet und wirkungsvoll – nach »totkrank« zu Beginn des vorletzten Verses (45). Durch diese Pause erhält Fridrich Gelegenheit, den Ernst der Situation und die Dringlichkeit der Bitte voll zu erfassen. Erst dann folgen, den Stollen beschließend, die von Bangen und Hoffnung bewegten Worte der Mutter: »wo ir im den tut geben, | errettet ir sein junges leben« (45 f.).

Die nun folgende Entgegnung des Edelmanns stellt unstreitig den Höhepunkt dieses Meisterliedes dar, eine auch sonst für Hans Sachs außerordentliche dichterische Leistung: zwei Aussagen des »mit angst« besessenen Fridrichs, die denselben Gedanken auf unterschiedliche Weise artikulieren; zunächst die unerwartete und ernüchternde Antwort: »den falken [. . .] han wir geßen« (48), ein Geständnis, in dem bei aller scheinbaren Naivität das Bewußtsein der ans Absurde grenzenden Ironie und Komik des Vorgefallenen mitschwingt. Sodann eine dichterische und psychologische Potenzierung desselben Sachverhalts, die ganz Hans Sachs' eigene Schöpfung ist: »die allerliebst mein liebstes aß« (49). Mit dieser geistreich-charmanten und zugleich zärtlichen Liebeserklärung wird das Geschehene nicht nur aphoristisch erfaßt, sondern das Verhältnis des Edelmanns zum Falken und zu Giovanna mit epigrammatischer Kürze formuliert. Gleichzeitig verdeutlicht dieses Geständnis die Größe seines Opfers und damit die Unverbrüchlichkeit und Aufrichtigkeit seiner Liebe. Ohne die vom Leser erhoffte Lösung schließt der Stollen. Der Tod des Falken und die Krankheit des Sohnes überschatten den Abschied.

Nüchtern und wortkarg wird im Abgesang der Fortgang der Ereignisse berichtet: der Tod des Sohnes und das erneute Werben des Edelmanns (53f.). Auf jede Handlungsphase entfällt eine einzige Verszeile. Im Vergleich dazu erklärt der Dichter den Entschluß Giovannas zur Ehe recht weitläufig. Das liegt vor allem daran, daß Hans Sachs hier die Erzählung auf Nürnberger Verhältnisse zuschnitt. So erscheint Giovanna, die bei Boccaccio eindeutig als Adlige beschrieben wird, bei Hans Sachs eher als wohlhabende Bürgerin. Für ihn ist Giovannas Verbindung mit dem verarmten Fridrich daher keine Mesalliance, die – wie bei Boccaccio – das »gespöte« von Giovannas Brüdern nach sich zieht (S. 368). Hans Sachs sieht diese Ehe offenbar als Analogie zur damals nicht ungewöhnlichen Einheirat verarmter fränkischer Ritter in Nürnberger Patrizier- und Kaufmannsfamilien. In dieser Ehe vollzieht sich somit für den Dichter eine Verbürgerlichung des Adels, wodurch die Selbstachtung des gutsituierten Bürgers gehoben wird. Daher rechtfertigt Hans Sachs Giovannas Entscheidung auch ganz im Geiste eines biederen, aber seiner wirtschaftlichen und moralischen Stärke bewußten Bürgertums:

het seiner Armut kein abscheue,
weil er war tugenthaft und frum (56f.)

– wobei »frum« soviel bedeutet wie ›brav‹ oder ›wacker‹. Bezeichnenderweise sind es keine speziell ritterlichen Eigenschaften, die den Edelmann in Giovannas Augen begehrenswert machen, sondern allgemein menschliche. Daher wird auch Fridrichs adlige Herkunft gar nicht mehr erwähnt. So sieht Hans Sachs – und mit ihm das Nürnberger Publikum seiner Zeit – in dem glücklichen Ausgang dieser »weltlich histori« eine Bestätigung des hohen Wertes bürgerlicher Denk- und Lebensformen.
Hans Sachs' lehrhafte Schlußverse haben in Boccaccios Erzählung keine Entsprechung. Sie sind ein Bekenntnis zu der antiken und mittelalterlichen Forderung nach einer

Dichtung mit ausgesprochen belehrender Tendenz. Hans Sachs steht entschieden in dieser Tradition. Sie hat in seinen Werken oft einen schulmeisterlich-moralischen Zug, der in diesem Meisterlied jedoch fehlt. In spürbarem Anklang an die Zeile »die allerliebst mein liebstes aß« (49) wird nun unter viermaliger Verwendung des Wortes »lieb« das Fazit in einem einzigen Reimpaar zusammengefaßt:

drum ist nit alle lieb verloren;
lieb hat oft lieb durch lieb geboren. (59 f.)

Freude am Wortspiel, ein leichter humorvoll-ironischer Abstand und erfrischende Kürze kennzeichnen diesen Abschluß und zeigen Hans Sachs auf dem Höhepunkt seines Könnens.

Zitierte Literatur: [Giovanni BOCCACCIO:] Decameron von Heinrich Steinhöwel. Hrsg. von Adelbert von Keller. Stuttgart 1860. Repr. Amsterdam 1968. [Die Forschung hat Heinrich Schlüsselfelder als Übersetzer identifiziert.] – Eugen GEIGER: Der Meistergesang des Hans Sachs. Literarhistorische Untersuchung. Bern 1956.
Weitere Literatur: Rudolf GENÉE: Hans Sachs und seine Zeit. Ein Lebens- und Kulturbild aus der Zeit der Reformation. Leipzig 1894. Repr. Niederwalluf 1971. – Barbara KÖNNEKER: Hans Sachs. Stuttgart 1971. – Bert NAGEL: Meistersang. Stuttgart 1962. – Das Singebuch des Adam Puschmann nebst den Originalmelodien des Michel Behaim und Hans Sachs. Hrsg. von Georg Münzer. Leipzig 1906. Repr. Hildesheim / New York 1970.

Conrad Celtis

Ode ad Apollinem repertorem poetices:
ut ab Italis cum lyra ad Germanos veniat

Phoebe, qui blandae citharae repertor,
Linque delectos Heliconque Pindum
Et veni nostris vocitatus oris
Carmine grato.
5 Cernis ut laetae properent Camenae
Et canant dulces gelido sub axe;
Tu veni incultam fidibus canoris
Visere terram.
Barbarus, quem olim genuit vel acer
10 Vel parens hirtus, Latii leporis
Nescius, nunc sit duce te docendus
Pangere carmen,
Quod ferunt dulcem cecinisse Orpheum,
Quem ferae atroces agilesque cervi
15 Arboresque altae celeres secutae
Plectra moventem.
Tu celer vastas aequoris per undas
Laetus a Graecis Latium videre
Invehens Musas voluisti gratas
20 Pandere et artes.
Sic velis nostras, rogitamus, oras
Italas ceu quondam aditare terras,
Barbarus sermo fugiatque, ut atrum
Subruat omne.

An Apollo, den Erfinder der Dichtkunst,
daß er aus Italien nach Deutschland kommen möge

Phoebus, der erfunden die holde Lyra,
laß dein teures Heim, Helicon und Pindus,

komm, von Dichtung, wie du sie liebst, gerufen,
in unsre Lande.
5 Sieh wie unsre Musen zu dir mit Freuden
eilen, singend süß unter kaltem Himmel.
Unser Land, das roh noch – mit Harfenklängen
komm und besuch es.
Der Barbar, abstammend von rauhen Kriegern
10 oder Bauernvolk, der des Römers Künste
noch nicht kennt, er lern unter deiner Führung
nunmehr die Dichtkunst,
so wie einstmals süß nach der Sage Orpheus
sang, da wilde Tiere und flinke Hirsche,
15 ja sogar behende die hohen Bäume
tanzten zum Liede.
Durch die hohen Wellen des Meeres schnell und
freudig kamst du nach Latium aus Hellas,
deine Musen mit dir, und gnädig lehrtest
20 du deine Künste.
Komm, so beten wir, drum zu unsern Küsten,
wie Italiens Lande du einst besuchtest;
mag Barbarensprache dann fliehn und alles
Dunkel verschwinden.

Abdruck nach: Conradus Celtis: Ars versificandi et carminum. Leipzig: Kachelofen, 1486. f. 24a. [Erstdruck.] [Orthographie und Zeichensetzung wurden normalisiert, V. 18 »Latiam« zu »Latium« berichtigt.]
Weitere wichtige Drucke: Conradus Celtis: Libri Odarum quatuor, cum Epodo, et saeculari carmine. Straßburg: Schürer, 1513. [Darin Ode IV,5.) – Conradus Celtis: Libri Odarum quattuor, Liber Epodon, Carmen saeculare, edidit Felicitas Pindter. Leipzig: Teubner, 1937.
Übersetzung: Lateinische Gedichte deutscher Humanisten. Lat. und dt. Ausgew., übers. und erl. von Harry C. Schnur. Stuttgart: Reclam, 1966 [u. ö.] (Reclams Universal-Bibliothek. 8739 [7].) S. 55. [Da Schnur das Gedicht in der Fassung von 1513 übersetzt, mußten bei V. 13, 15 und 17 Anpassungen an den hier abweichenden Erstdruck vorgenommen werden.]

Eckart Schäfer

Conrad Celtis' Ode an Apoll. Ein Manifest neulateinischen Dichtens in Deutschland

Die Apollo-Ode des jungen Conrad Celtis entwirft im Jahr 1486 – noch etwas ungelenk – die Vorstellung einer sich gerade anbahnenden Zeitenwende: Das unkultivierte Deutschland wird von der antiken Dichtkunst erobert. Und wirklich haben etwa von der Mitte des 15. bis zur Mitte des 17. Jahrhunderts Schriftsteller, die sich der lateinischen Sprache bedienten, eine führende Rolle in der Literatur ihres Landes gespielt. Sie haben nicht nur den Kunstprinzipien des Renaissance-Humanismus zur Geltung verholfen und damit den kulturellen Anschluß an die Romania hergestellt, sondern auch wichtige Voraussetzungen für die sich im 17. Jahrhundert durchsetzende verwandte Lyrik in deutscher Sprache geschaffen. In diesem Sinn kann man Celtis' Programmgedicht als »Ausgangspunkt der lateinischen Poesie« im neuzeitlichen Deutschland bezeichnen (Schroeter, S. 2).

Die Ode bildet den Schluß von Celtis' Schrift *Ars versificandi et carminum* (Leipzig 1486), der ersten neuzeitlichen Poetik in Deutschland. Celtis, Magister der Poetik und Rhetorik, folgt zwar noch streckenweise dem mittelalterlichen Standardwerk zur Verslehre, dem *Doctrinale* des Alexander de Villa Dei (1199), weist aber mit seiner Neubewertung der Dichtung und der antiken Muster sowie mit seinem kulturpolitischen Anspruch auf Förderung einer deutschen Literatenbewegung in die Zukunft. Als Manifest ohne besondere Originalität, aber von bedeutendem Signalcharakter ist seine *Ars* ähnlich repräsentativ für den Beginn der neulateinischen Literatur wie Martin Opitz' *Buch von der Deutschen Poeterey* (1624) für den Beginn der deutschsprachigen Barockdichtung.

Celtis' Poetik, eingeleitet mit einem Widmungsbrief an den

Kurfürsten Friedrich von Sachsen, wird von verschiedenen Gedichten eingerahmt, die Vorstellungen der abschließenden Apollo-Ode vorbereiten. Der aufwendige Rahmen hat die Poetik ins rechte Licht zu rücken. Eine Widmungselegie an den Kurfürsten z. B. schildert allegorisch, wie dem Celtis, den es in sommerlicher Natur nach Musengesängen verlangt, der Gott der Dichtkunst, Phoebus Apollo, erscheint. Der Gott fragt ihn, was es für einen Sinn habe, die Verse der heiligen Dichter nur lesen, nicht aber vortragen oder gar nachahmen zu können, und bietet sich an, ihn die Verskunst zu lehren. Apoll verschwindet, im Wetterleuchten des Himmels erscheint ein Buch und fordert Celtis auf, es – die vorliegende *Ars* – drucken zu lassen. Die Parallele zur neutestamentlichen Apokalypse, zur Vision von der Übergabe des Offenbarungsbuches durch den Engel an Johannes (Kap. 10), wirkt fast blasphemisch, unterstreicht aber das Sendungsbewußtsein des Humanisten. Eine Art Fortsetzung ist die Ode an Apoll.
Ihre Überschrift ist ein Programm: Die Deutschen sollen die klassische Dichtkunst von den Italienern übernehmen. Unter den Italienern sind zunächst die Renaissance-Humanisten zu verstehen, deren größte neulateinische Dichter – Politianus, Sannazarius, Pontanus, Marullus – nach der Mitte des 15. Jahrhunderts hervorgetreten waren. Im weiteren Verlauf des Gedichts wird der Beginn von Apolls Herrschaft in »Italiens Landen« (22) auf die Aneignung der griechischen Kultur durch das republikanische Rom (18: »Latium«) datiert, d. h. der italienische Humanismus wird stillschweigend als Fortsetzung der römischen Literatur aufgefaßt. Das entsprach durchaus italienischem Selbstverständnis.
Heinz Otto Burger (S. 225) hat die im Titel und Schlußteil des Gedichts geforderte Übernahme der lateinischen Dichtungstradition von der ersten Strophe her zu widerlegen versucht. Angerufen wird ja hier, mit seinem Beinamen Phoibos, der griechische Gott der Weissagung und Dichtkunst, Apollon; er soll – als Musenführer – die alte Kunst-

stätte der Musen in Boiotien, das Helikon-Gebirge, und einen anderen »Musenberg«, das Pindos-Gebirge in Zentralgriechenland, verlassen und nach Deutschland kommen (1–4). Heißt das nicht – so fragt Burger –, daß die Deutschen die klassische Dichtkunst von den Griechen, nicht den Römern und Italienern rezipieren sollen? Nun, eine solche Auslegung erinnert an die im 18. Jahrhundert besonders in Deutschland erfolgte Rückbesinnung auf die ›ursprünglichere‹ griechische Kunst und Literatur, teilweise in Abkehr von der ›abgeleiteten‹ römischen. Für Celtis bildete dagegen die griechisch-römische Antike noch eine Einheit, wahrgenommen aus der Perspektive der lateinischen Dichtungstradition.

Der scheinbare Selbstwiderspruch des Celtis löst sich auf, wenn man von der übertragenen Bedeutung der Wendung »die Musen aus ihrer Heimat ins eigene Land holen« ausgeht. Die Römer Lukrez (*De rerum natura* 1,117 f.) und Vergil (*Georgica* 3,10 f.) hatten damit eine künstlerische Eroberung, nämlich die bahnbrechende Erreichung eines in der römischen Literatur erstmaligen Vollkommenheitsgrades innerhalb einer literarischen Gattung gemeint, verbunden mit dem Anspruch, das Niveau griechischer Literatur erreicht zu haben. Das sollte nicht so zu Ende gedacht werden, als hätten die Musen ihre Heimat endgültig verlassen. Vielmehr haben Apollon und die Musen, der Helikon und andere Musenorte wie Parnaß und Hippokrene schon in der Antike metonymische Bedeutung erlangt: sie stehen für die Befähigung zu echter Dichtung überhaupt. Genauso gebraucht Celtis die Wendung: von seinem Lehrer Rudolf Agricola, der sich durch sein Studium in Italien so vervollkommnet hatte, daß er – nach Erasmus – »in Italien der Erste hätte sein können, wenn er nicht Deutschland vorgezogen hätte« (S. 1014 B), rühmt Celtis in seiner *Ars*, er habe die Musen vom Helikon in seine Heimat geholt. Die Humanisten sind Schüler der Griechen nur insofern, als sie Schüler der Römer, dieser durch ihre Griechen-Rezeption ersten Humanisten, sind.

So ist in der zweiten Strophe auch nicht gemeint – was Harry C. Schnurs Übersetzung nahezulegen scheint –, daß der nach Deutschland kommende Apoll dort von den Musen der vorhumanistischen und also kunstlosen deutschsprachigen Dichtung begrüßt würde (5–6). Diese Musen sind vielmehr Vorläufer Apolls, Bild für das Apoll herbeirufende »carmen gratum« (4), das selbst nichts anderes ist als – das vorliegende Gedicht. Wenige Seiten zuvor hat Celtis in seiner *Ars* die Verse des befreundeten italienischen Humanisten Fridianus Pighinutius, im Dienst des Magdeburger Erzbischofs, abgedruckt, die Celtis bescheinigen, ihm seien Apoll und die Musen gewogen. Kein Zweifel, schon vor Apolls Ankunft im kulturfernen Norden hat sich dort, durch das Wirken eines Agricola und Celtis, ein Brückenkopf der Kultur gebildet.
Deutschland hat die Eroberung durch Apoll bitter nötig! Denn der Deutsche ist bisher noch Barbar (9, 23), Nachfahre unkultivierter Ahnen (9f.), der aus Unkenntnis des Lateins nicht weiß, was Anmut und Feinheit sind (10f.). Celtis geht hier auf das für die Deutschen zentrale Sprachproblem ein. Er deutet an, daß allein die Bildung durch die klassisch-lateinische Literatur einen Sinn für das Schöne und – wie die Wirkung von Orpheus' Lied auf die Natur zeigt (13–16) – die Humanisierung des Menschen ermöglicht. Dahinter steht die Überzeugung des italienischen Humanismus, daß die antiken Autoren so viel an wesentlichem Wissen, Weisheit und Schönheit aufbewahrt haben und auf eine so den Menschen prägende Weise vermitteln, daß die Beschäftigung mit ihnen ›studia humanitatis‹ sind, den Menschen erst richtig zum Menschen formt. Dieses höhere Bildungspotential, das weder in der volkssprachlichen Literatur noch im mittelalterlichen Bildungssystem zu finden war, galt es auch für Deutschland fruchtbar zu machen. Aber für Celtis ist diese Aneignung, dargestellt als Vermenschlichung durch Sprachkunst, gleichbedeutend mit Verzicht auf die Gegenwartssprache, den »barbarus sermo« (23), der sowohl das Deutsche als Literatursprache wie

ein ›entartetes‹ Mittellatein umfaßt (vgl. Celtis' Ode I,11,13–16). Tatsächlich hat sich seit Celtis' Zeit die Reservierung höherer geistiger Ansprüche für das Latein in Deutschland stärker durchgesetzt; im Frühhumanismus hatte man zunächst versucht, das Deutsche durch Umsetzungen aus dem Latein zu verfeinern. Celtis' Tabuisierung des »barbarus sermo« ist aufgrund des damaligen Zustandes gerade der deutschen Sprache verständlich. Das Deutsche besaß – im Vergleich zum Latein – nicht genug Differenzierungsvermögen, ja es gab noch keine gesamtdeutsche Sprache, in der ein Aufruf zur Förderung der deutschen Literatur wie der vorliegende überall gleichermaßen hätte verstanden werden können.
Das Sprachproblem mußte sich für den deutschen Humanisten anders stellen als für den italienischen. Petrarca und Lorenzo Valla forderten die Rückkehr zum klassischen Latein in der Annahme, die Italiener könnten damit die unter den Römern, ihren Ahnen, durch das Latein erreichte geistige Herrschaft über Europa erneuern. Valla hatte in seiner wegweisenden Schrift *Elegantiarum linguae Latinae libri sex* (1444) das Verhältnis zwischen der lateinischen Sprache und Europa folgendermaßen gesehen: »Sie hat jene Stämme und Völker in allen Künsten, die man die freien nennt, unterwiesen. Sie hat sie die besten Gesetze gelehrt, sie hat ihnen den Weg zu jeder Erkenntnis gebahnt, sie hat es schließlich fertiggebracht, daß man sie nicht länger als Barbaren bezeichnen konnte« (S. 594). Celtis teilt die Auffassung von der kulturstiftenden Funktion des Lateins, aber für den Deutschen bedeutete die Rückkehr zum klassischen Latein kein Anknüpfen an eine ehemalige historische Größe des eigenen Volkes. Im Gegenteil, er konnte in Erinnerung an die Freiheitskriege der Germanen gegen die Römer die Erneuerung des klassischen Lateins als Eroberungsversuch und neue Fremdherrschaft ablehnen. Einen ähnlichen Herrschaftsanspruch hatte Valla erhoben: »Wir haben Rom verloren, wir haben das Reich und die Herrschaft verloren, wenn auch nicht aus eigener Schuld, sondern der der Zeiten.

Aber trotzdem regieren wir mittels dieser glanzvolleren Herrschaft [der Sprache] noch in einem großen Teil der Erde. Unser ist Italien, unser Gallien, unser Spanien, Germanien, Pannonien, Dalmatien, Illyrien und viele andere Völker. Denn dort ist das Römische Reich, wo die römische Sprache herrscht« (S. 596). Die politische Herrschaft hatten die Italiener seit der Kaiserkrönung Karls des Großen an die Germanen, seit der Ottos I. an die Deutschen verloren; dieser Verlust sollte aufgewogen werden durch Rückgewinnung der kulturellen Herrschaft.
Valla geht hier von einer fundamentalen mittelalterlichen Geschichtsidee aus, der Translatio imperii, der Übertragung der Herrschaft: Nach Gottes Heilsplan ist die Herrschaft über ein Weltreich, die zuerst die Assyrer innehatten, später den Griechen, danach den Römern, schließlich den Germanen übertragen worden. Neben dieser Ost-West-Wanderung der politischen Herrschaft entwickelte sich die Vorstellung einer Verschiebung des kulturellen Primats von Ägypten und/oder Griechenland über Rom nach Frankreich. Der italienische Humanismus hatte diese Endstufe durch Rückbezug auf das alte Rom zu überwinden versucht. Mit abermals anderer Zielbestimmung findet man die Translatio artium, die Übertragung der Künste, in den beiden letzten Strophen der Ode wieder, und zwar im Weg des Musengottes von Griechenland über Italien nach Deutschland. Celtis, der am Gedichtanfang die konventionelle Heimführung der Musen konventionell von einem imaginären Griechenland, nämlich einem transzendenten Musenberg ausgehen läßt, der zeitlich in der Antike liegt, reaktiviert also am Ende der Ode die räumlich-konkrete Bedeutung des Bildes mittels der auf die Kultur übertragenen Translatio-Idee. Dem Anspruch eines Valla auf die Herrschaft des Lateins über Europa wird nicht widersprochen. Aber Celtis meint mit dem Latein nicht die Sprache der Italiener, sondern allgemein die antikklassische Dichtersprache. So gesehen stellt das Kommen Apolls die Hinzueroberung weiteren kulturellen Herrschaftsgebietes dar. Andererseits – und darin liegt, auf

anderer Ebene, nun wirklich eine Herausforderung an den italienischen Humanismus – *verläßt* Apoll Italien, wenn er es auch nicht preisgibt, schlägt seinen Herrschersitz in Deutschland auf und verschafft den Deutschen zwar nicht die kulturelle Vorherrschaft, aber zweifellos eine Vorrangstellung unter den anderen Völkern.

Dem Hegemonialdenken eines Valla setzt Celtis den Konkurrenzgedanken entgegen. Verbunden mit der Translatio-Idee hat er ihn ein halbes Jahr später gegenüber dem Fürsten Magnus von Anhalt so formuliert: Die Römer hätten bewiesen, »daß der Ruhm der Herrschaft sich im Verhältnis zur Entfaltung des Geistigen ändert; deshalb wurde die Herrschaft von den Assyrern auf die Griechen, von den Griechen auf die Römer übertragen, weil dem Geistigen stets die ihm gebuhrende Auszeichnung und Verehrung folgt« (Widmungsbrief zur Seneca-Ausgabe vom 13. Februar 1487, in: *Briefwechsel*, S. 11). Im Falle Deutschlands – so muß man ergänzen – ging die Herrschaft (›regnum‹) zwar der Entfaltung des Geistigen (›cultus sapientiae‹) voraus, aber um so dringlicher ist es, daß diese Entfaltung der Machtübertragung überhaupt noch folgt. Celtis war optimistisch; er schließt ein lateinisches Epigramm mit der Hoffnung:

Falls dieses Jupiter fügt, dann heißt es in wenigen Jahren:
Über die Musen von Rom wurde der Sieg uns zuteil.
(*Epigramme* II,24.)

Zunächst aber galt es, das alte Image vom nur halbzivilisierten Deutschland abzustreifen, das nicht wenige romanische Humanisten erneut bestätigt gefunden hatten. Der französische Gesandte am Pfälzischen Hof in Heidelberg, Robert Gauguin, verkündete 1492 in einem lateinischen Begrüßungsgedicht, Apollo, der ihn durch Frankreich begleitet habe, sei am Rhein umgekehrt (Conrady, S. 32, Anm. 79)! Günstiger äußerte sich – in den Beigaben zur *Ars* (*Briefwechsel*, S. 8) – der schon erwähnte Italiener Pighinutius: »Es ist angenehm, unter den germanischen Batavern zu wohnen, | die ihr Barbarentum schon hinter sich gelassen

haben. | Und seitdem die Deutschen unseren Vergil singen und gelehrt Latein zu sprechen begonnen haben, | haben sie die kulturlosen Alten und wilden Sitten abgetan, | müssen mehr Namen nach dem Lateinischen gegeben werden.«
Lateinische Sprache, Herrschaftsbegriff und Führungsanspruch werden von Celtis in ein neues, für den deutschen Humanismus wegweisendes Verhältnis gesetzt: Das Latein ist nicht die Sprache der italienischen Humanisten, sondern eine Sprache, die zur Kultivierung des Menschen allen gleichermaßen gehört. Die Übertragung der Herrschaft über ein Weltreich an die Deutschen muß durch die Entwicklung des Geistes, der für Celtis nicht ohne Sprachkultur (›eloquentia‹) denkbar war, ergänzt und legitimiert werden. Diese kulturelle ›Translatio‹ bedeutet nicht Vorherrschaft über andere, aber eine kulturelle Vorrangstellung unter den um den höchsten Ruhm auch im Geistigen wetteifernden Völkern. Vielleicht ist das Konkurrenzdenken der Grund, warum in unserer Ode nur von Apolls Besuch des *antiken* Italiens die Rede ist.
Celtis' Apollo-Ode eröffnet sein Wirken für einen *nationalen* Humanismus in *lateinischer* Sprache! Durch Vermittlung Friedrichs des Weisen, dem die *Ars* gewidmet war, und also auch aufgrund dieses Erstlingswerks wurde Celtis im Jahr darauf, 1487, in Nürnberg von Kaiser Friedrich III. als erster Deutscher zum Dichter gekrönt. Noch hatten die Deutschen so viel vom italienischen Humanismus zu lernen, daß Celtis 1487/88 eine Studienreise durch Italien unternahm, die ihm wichtige Anstöße gab, aber auch anti-italienische Ressentiments nährte. Auf einem Jahrzehnt der Reisen wurde dann Deutschland Gegenstand seines Forschens und Dichtens. Überall förderte er die humanistischen Studien, in verschiedenen deutschen Landschaften schlossen sich auf seine Initiative die Humanisten zu Sodalitäten zusammen. In Wort und Tat arbeitete er auf ein neues Selbstbewußtsein der Deutschen und eine kulturelle Blüte unter Kaiser Maximilian hin. Eine poetische Darstellung Deutschlands boten seine dichterischen Hauptwerke, eine wissenschaftliche Erfas-

sung sollte das Kollektivunternehmen der *Germania illustrata* werden. Allerdings hat Celtis das Niveau der italienischen Humanisten nicht erreicht; folgende Generationen haben die Führungsrolle Italiens dankbarer akzeptiert.
In dem »deutschen Erzhumanisten«, Symbolfigur für die Durchsetzung des Humanismus, tritt das Bewußtsein der Zeitenwende besonders siegreich zutage. Es äußert sich schon am Ende der Apollo-Ode: Der Gott der Dichtkunst – zugleich als Phoebus, »der Strahlende«, Gott des Lichts und die Sonne selbst – vertreibt durch sein Erscheinen das Dunkel einer zur Vergangenheit verurteilten Welt. Ähnlich hatte sich zuvor für Petrarca das Zeitalter zwischen Antike und Gegenwart als Interim voller Finsternis, als ›dunkles‹ Mittelalter verselbständigt.
So weit das gedankliche Substrat des Gedichts; zur Kunstform noch einige Hinweise. Die Ode ist ja nicht nur ein gedichtetes Programm, sondern zugleich eine erste Einlösung seiner Forderungen. Wie lauteten sie? Die Sprache der neuen Dichtung – so heißt es in der *Ars* – soll dem Sprachgebrauch der besten römischen Autoren entsprechen und alle jüngeren Verderbnisse vermeiden. Celtis hat sich in seiner Ode gewiß darum bemüht, leistet sich aber auch Unklassisches oder Falsches, höchstens mit mittellateinischer Praxis vertretbar. Fehler werden zu Stilzügen. – Ferner soll sich die poetische Sprache durch Klarheit, Abwechslung und Anschaulichkeit auszeichnen; dadurch werden die abgebildeten Dinge lebendig. Dem dienen klassische Sprachreinheit, Verfügen über zahlreiche Synonyme und die Charakterisierung der Nomina durch Attribute. Zugegeben: Variation des Ausdrucks ist in unserem Gedicht unübersehbar – man vergleiche nur die Ausdrücke für ›dichten‹. Auch um das treffende Beiwort ist Celtis bemüht, ja er bevorzugt zwei. Aber noch erstarren seine Koppelungen zu Formeln, die als Versatzstücke beliebig verschiebbar sind. – Auf die Rhythmisierung kommt es Celtis besonders an, und seine sapphische Ode kommt dem nach, wenn auch etwas schematisch. Errungenschaften nachantiker Lyrik wie akzentu-

ierende statt quantitierende Metrik sowie der Reim werden abgelehnt. Alles in allem ist die Apollo-Ode ein überzeugendes Anschauungsmaterial für Celtis' Regelpoetik.
Nachahmung der römischen Klassiker leistet Celtis hier in einem von seiner Poetik noch nicht reflektierten Sinn. Dort heißt es nur, daß Horaz als Muster für lyrische Gedichte zu betrachten sei. In der Tat gingen die wichtigsten Anregungen zu diesem Gedicht von vier – ebenfalls sapphischen – Oden des Horaz aus (*Carmina* 1,10; 1,12; 3,11; 4,6), vor allem von der letzteren. In ihr bittet Horaz den Griechengott Apollon, Patron seiner römischen Lyrik zu sein, die – wie er andernorts betont – eine Vermittlung frühgriechischer Lyrik darstelle. Celtis hat das Vorbild Horaz bewußt beschworen. Denn wie Horaz durch Anschluß an die griechischen Lyriker Begründer der römischen Lyrik wurde, so wünscht Celtis durch Anschluß an Horaz Begründer anspruchsvoller deutscher Lyrik zu werden. Bereits durch die Adaptation des Horaz als eines Nachfolgers der Griechen wird die ›Translatio‹ von Griechenland über Italien nach Deutschland mitvollzogen.
Die Anlehnung an Horaz legitimiert die Form des heidnischen Götterhymnus. Sicher war Apoll für Celtis nur allegorisch gedeutet glaubwürdig; trotzdem war die Emanzipation von kirchlichen Restriktionen bereits formal ablesbar. Ein humanistisches ›Heidentum‹ dieser Art hat Celtis in konservativen Kreisen immer wieder Feinde geschaffen. In ihm sprach sich ein Selbstbewußtsein als Dichter aus, das herausfordernd wirkte. Mit Celtis setzte sich ein emphatischer Begriff vom Dichter, der zu tieferer Erkenntnis und ihrer Gestaltung imstande sei, in Deutschland durch. Der Poeta wird Inbegriff der sich von der Theologie emanzipierenden Freien Künste. Welch programmatische Bedeutung der Titel schon bald nach Celtis' Tod bekommen hatte, geht aus den satirischen *Dunkelmännerbriefen* hervor: Da werden die humanistischen ›Aufklärer‹ von den konservativen Theologen insgesamt als Poeten bezeichnet.
Mit seiner Lyrik wollte Celtis, wie er in der 12. Epode seiner

Libri Odarum quatuor, cum Epodo, et saeculari carmine (gedruckt Straßburg 1513) verkündete, für die Deutschen das werden, was Horaz den Römern gewesen war. Dieses Ziel hat er nicht erreicht. Aber obwohl er von nachfolgenden Neulateinern übertroffen wurde – wozu er sie im selben Gedicht aufgefordert hatte –, ist er in Deutschland zum Wegbereiter des neuzeitlichen Apolls geworden. Ein Jahrhundert nach der Apollo-Ode bestätigte ihm der Neulateiner Melissus: »Celtis hat als erster den Helikon erschlossen und die Musen, meine Gottheiten, ins Land der Deutschen geführt« (S. 24). Und noch die deutschsprachigen Barockdichter haben Celtis als den ersten ›modernen‹ Dichter ihres Landes betrachtet.

Zitierte Literatur: Heinz Otto BURGER: Renaissance, Humanismus, Reformation. Deutsche Literatur im europäischen Kontext. Bad Homburg / Berlin / Zürich 1969. – Der Briefwechsel des Konrad Celtis. Ges., hrsg. und erl. von Hans Rupprich. München 1934. – Konrad CELTES: Fünf Bücher Epigramme. Hrsg. von Karl Hartfelder. Berlin 1881. Repr. Hildesheim 1963. – Karl Otto CONRADY: Lateinische Dichtungstradition und deutsche Lyrik des 17. Jahrhunderts. Bonn 1962. – ERASMUS: Opera omnia. Ed. J. Clericus. Bd. 1. Leiden 1703. – Paulus MELISSUS: Schediasmata poetica. T. 2. Paris 1586. – Adalbert SCHROETER: Beiträge zur Geschichte der neulateinischen Poesie Deutschlands und Hollands. Berlin 1909. – Laurentius VALLA: Elegantiarum linguae Latinae libri sex. Praefationes. In: Prosatori latini del Quattrocento. A cura di Eugenio Garin. Mailand/Neapel 1952. S. 594–631.
Weitere Literatur: Georg ELLINGER: Geschichte der neulateinischen Literatur Deutschlands im 16. Jahrhundert. 3 Bde. Berlin 1929–33. – Heinz ENTNER: Zum Dichtungsbegriff des deutschen Humanismus. Theoretische Aussagen der neulateinischen Poetik zwischen Conrad Celtis und Martin Opitz. In: Grundpositionen der deutschen Literatur im 16. Jahrhundert. Von Ingeborg Spriewald [u. a.]. Berlin/Weimar 1972. S. 330–479. – Jozef IJSEWIJN: Companion to Neo-Latin Studies. Amsterdam / New York / Oxford 1977. – Hans RUPPRICH: Die deutsche Literatur vom späten Mittelalter bis zum Barock. T. 1: Das ausgehende Mittelalter, Humanismus und Renaissance 1370–1520. München 1970. (Geschichte der deutschen Literatur. Von Helmut de Boor und Richard Newald. Bd. 4,1.) – Eckart SCHÄFER: Deutscher Horaz. Conrad Celtis – Georg Fabricius – Paul Melissus – Jacob Balde. Die Nachwirkung des Horaz in der neulateinischen Dichtung Deutschlands. Wiesbaden 1976. [Zur Interpretation von Celtis' Apoll-Ode: Wilfried Stroh in: Gnomon 53 (1981) S. 320–322.] – Selections from Conrad Celtis 1459–1508. Edited with translation and commentary by Leonard Forster. Cambridge 1948. – Lewis W. SPITZ: Conrad Celtis, the German Arch-Humanist. Cambridge (Mass.) 1957.

Petrus Lotichius Secundus

De puella infelici

Abditus arboribus secreto nuper in horto
  Solus, amans virgo dum quereretur, eram.
Dum legit hic violas, dum fletibus irrigat illas,
  Auribus haec hausi tristia verba meis.

5 Ah nimis infidum genus et crudele virorum,
  Sic igitur falli digna puella fui?
Mater io, si quid post fata novissima sentis,
  Quae mala, morte tua sola relicta, fero?
Deseror infelix, alias monitura puellas,
10 Non iuvenum verbis semper inesse fidem.
Cui tamen has violas? cui serta, miserrima virgo?
  An dabis haec illi munus? an ipsa geres?
Finge dari, renuit: florum me dedecet usus:
  Tam cito sic igitur spernor amata diu?
15 Nunc odii fingit causas, nunc perfida dicor,
  Nunc omnes clamant: culpa, puella, tua est.
Iuro tibi, mea lux, nil te mihi dulcius uno,
  Nunc etiam, quamvis sim tibi vilis ego.

Hactenus, et repetens suspiria lumina tersit.
20 O numquam vacuo pectore, quisquis amat.

Das unglückliche Mädchen

Neulich, von Bäumen verdeckt, allein im einsamen Garten
  war ich, da hat dort für sich liebend ein Mädchen geklagt.
Während sie Veilchen hier las und diese mit Tränen benetzte,
  rührten die Worte mich an, die sie voll Traurigkeit sprach:

5 Ach, wie treulos sind doch, wie grausamen Sinnes die Männer!
  Hab ich es wirklich verdient, daß man mich so hinterging?

Mutter, weh mir! wenn du, nachdem du verschiedst, noch empfindest,
was für ein Leid trage ich, einsam schon durch deinen Tod!
Werde verlassen, ich Arme, zur Mahnung für andere Mädchen,
daß nicht der Jünglinge Wort immer Vertrauen verdient.
Doch diese Veilchen, für wen? für wen, armes Mädchen, die Kränze?
Machst du sie *ihm* zum Geschenk? Trägst du sie selber vielleicht?
Gibst du sie ihm: er weist sie zurück – mir ziemen nicht Blumen:
werde so rasch ich verschmäht, wurd' ich auch lange geliebt?
Gründe erfindet er jetzt, mich zu hassen, jetzt nennt man mich untreu,
überall heißt es jetzt laut: »Schuld bist du, Mädchen, allein!«
Nichts ist – ich schwör's dir, mein Licht – so lieb mir, wie, einziger, du bist,
jetzt sogar noch, obwohl du nun dir aus mir nichts mehr machst.

So ihre Worte, und, seufzend aufs neu', wischte sie sich die Augen.
Daß doch keinem, der liebt, unbeschwert ist das Gemüt!

Abdruck nach: Petrus Lotichius Secundus: Poemata. Leipzig: Voegelin, 1563. S. 170 f. [Orthographie und Zeichensetzung wurden normalisiert, Rahmenteile abgesetzt. Die Edition ist nach einem Zeugnis des Paulus Melissus (Brief an Janus Douza vom 23. Januar 1591) die Ausgabe letzter Hand.]
Weitere wichtige Drucke: Petrus Lotichius Secundus: Elegiarum liber. Eiusdem Carminum libellus, ad D. Danielem Stibarum Equitem Francum. Paris: Vascosanus, 1551. f. 34a. [Erstdruck?] – Petrus Lotichius Secundus: Poemata omnia. Recensuit, notis et praefatione instruxit Petrus Burmannus Secundus. 2 Bde. Amsterdam: Schouten, 1754. [Umfassendste Textausgabe, grundlegender Kommentar.]
Übersetzung: Eckart Schäfer.

Eckart Schäfer

Zwischen deutschem Volkslied und römischer Elegie. Imitatio und Selbstfindung in Lotichius' *De puella infelici*

Die Liebesklage eines verlassenen Mädchens: das ist seit alters eine besonders fruchtbare lyrische Situation, wie ein motivgeschichtlicher Überblick zeigen könnte, beginnend mit den frühgriechischen Lyrikern Sappho (*Poetarum Lesbiorum Fragmenta*, Frg. 16) und Alkaios (ebd., Frg. 10) und dem anonymen hellenistischen Lied *Des Mädchens Klage*, über einige Frauenlieder des Minnesangs bis zu Brentanos *Der Spinnerin Lied* und Mörikes *Das verlassene Mägdlein* und darüber hinaus, sie alle in engerer oder loserer Verbindung zu dem entsprechenden Volksliedtypus. An den Autorennamen fällt auf, daß die Verfasser dieser Frauenklagen zumeist Männer sind, die also – auch in eigener Sache? – in der Form des Rollengedichts sprechen.

De puella infelici ist, betrachtet man den Hauptteil, ebenfalls ein Rollengedicht. Aber um die Klage des Mädchens (5–18) ist ein doppelter Rahmen gelegt, der nicht nur durch den inneren Rahmenteil (2–4 und 19) die Sprecherin exponiert, sondern durch den äußeren Rahmenteil (1 f./4 und 20) zusätzlich den Dichter als Vermittler der Klage einführt und ihn damit – zugleich trennend und verbindend – zu dem Mädchen in eine Beziehung setzt. Die Frage, welcher Art diese Beziehung ist, sei zunächst zurückgestellt; immerhin läßt die Beobachterhaltung des Dichters eine besondere innere Anteilnahme ahnen.

Eine mehr als äußerliche Verbindung besteht erst recht zwischen dem inneren Rahmen und der eigentlichen Klage: er wirkt auf die Entfaltung der Klage ein. Das Mädchen wird nämlich mit einer widersprüchlichen Handlung vorgestellt: Sie weint und pflückt zugleich Blumen (3), d. h. sie verneint und verfolgt gleichzeitig eine sinnvolle Intention. Diese

Inkonsequenz wird aber erst erkennbar, sobald sich das Mädchen ihrer im Monolog bewußt wird und daraufhin mit ihr auseinandersetzt (11 ff.).
Zunächst begreift das von ihrem Geliebten verlassene Mädchen ihr Unglück als Beispiel und Beweis der traurigen Wahrheit, daß auf die Treue der Männer kein Verlaß sei (5 f.). Das durch den Liebesverlust verunsicherte Ich flüchtet zu einer anderen primären Bindung zurück (7 f.): zur Mutter. Die Mutter wird, obwohl bereits verstorben, wie eine Lebende beschworen (7), bis die Tochter ganz empfindet, nach dem Tod der Mutter nun ganz allein zu sein (8). Hilflos kehrt der Gedanke – in einer Art Ringkomposition geführt – zur anfänglichen Selbsttröstung mit der Einordnung des eigenen Schicksals ins allgemeine zurück (9 f.).
Hier wird das Insichkreisen des Schmerzes unterbrochen: Als habe die Schwere ihres Leides sie bisher nur nach innen sehen lassen und gegenüber ihrer körperlichen Gegenwart bewußtlos gemacht, bemerkt sie erst jetzt in ihrer Hand – wie in der einer Fremden – die Blumen, die sich zum Kranz fügen, und versteht nicht, wozu sie da sind (11). Auch der Leser erkennt erst jetzt die Unstimmigkeit ihres Verhaltens: Die Tränen als Ausdruck der Verlassenheit widerstreiten den Blumen als der Bestätigung einer glücklichen Beziehung. Die Spaltung in seelische Aussprache und unbewußtes, scheinbar sinnloses Tun – sie läßt auf die Tiefe der Erschütterung schließen – gibt mit ihrer Bewußtwerdung in der Mitte des Gedichts den Anstoß zum Versuch ihrer Bewältigung und damit zum zweiten Teil des Monologs.
Das Mädchen versucht, ihrem Blumenpflücken nachträglich einen Sinn zu geben. Aber so rational sie auch vorgeht: da sie aus einer zweifachen Hypothese (12) beidesmal einen negativen Schluß ziehen muß (13), gleitet der Gedanke abermals zur Tatsache des Liebesverlustes zurück (14).
Dabei empfindet das Mädchen die Trennung nun tiefer: aus der Getäuschten (6) und Verlassenen (9) ist die Verschmähte geworden (14). Umgekehrt stellt sich ihr der Geliebte, dem sie gerade noch die Blumen zu schenken erwog, nicht nur als

untreu, sondern sogar als feindlich gesinnt dar: Während sie sich einzureden versuchte, sie könne die Blumen ihm schenken, scheint er selbst sich Gründe einzureden, sie hassen und ihr sogar die Schuld zuschieben zu können (15 f.).

An diesem Punkt einer äußersten Ferne des Geliebten nimmt die Klage eine letzte Wende: Das Mädchen setzt dem vermuteten Haß des Geliebten ein Bekenntnis zu ihrer Liebe entgegen (17), und das, obwohl ihr ganz klar ist, daß er sich nichts mehr aus ihr macht (18). Damit aber hat sie vom drohenden Selbstverlust zu einer Art Identität mit sich gefunden. Denn vom Schluß der Klage her gesehen, erweisen sich Weinen und Blumenpflücken nicht mehr als disparate Vorgänge, sondern als nach der Logik dieser Seele zusammengehörig: Die Veilchen in ihrer Hand sind das unbewußte Zeichen fortbestehender Liebe, die Tränen gelten der verlorenen Liebe. Der scheinbare Widerspruch in der Ausgangssituation (3: »violas« – »fletibus«) hat sich mit dem Schlußdistichon des Monologs zu einer polaren Erfahrung geklärt (17 f.: »dulcius« – »vilis«). Wie das Mädchen im Lauf ihres Selbstgesprächs von der Anklage zum Liebesbekenntnis zurückfindet, so findet sie, nachdem sie zunächst verletzt jede Erwähnung des Geliebten vermieden und dann (ab 12) distanzierend von ihm in der 3. Person gesprochen hatte, zum Schluß das Du wieder (17 f.: »tibi« – »te« – »tibi«).

Das Festhalten an ihrer Liebe bedeutet, daß auch der Schmerz über die Trennung bleibt. Darum kehrt das Gedicht im schließenden Rahmenteil zur Klagesituation des Anfangs zurück (19), und der Dichter zieht im Schlußvers die allgemeine Folgerung, daß Liebe und Gemütsruhe unvereinbar seien (20). Eine solche Sentenz wird freilich dem Gehalt des Vorhergehenden nicht mehr gerecht, will es vielleicht auch gar nicht; schon die Form des teilnehmenden Ausrufs deutet an, daß es weniger um die Abstrahierung einer tiefsinnigen ›Moral‹ aus einem Einzelfall geht als um das mitfühlende Wiedererkennen einer eigenen Erfahrung im Geschick des anderen. So gesehen schließt sich der äußere

Rahmen unter dem Gesichtspunkt der persönlichen Betroffenheit des Dichters zusammen, bestätigt die Maxime am Ende nur die Wahrheit der vorausgehenden Seelendarstellung.
Und nur das sollte hier nachgezeichnet werden: die außergewöhnliche Fähigkeit, einen komplexen seelischen Vorgang zu gestalten. Wie hier Bewußtsein und Unterbewußtes in Beziehung treten, das Ich das Du zu begreifen sucht und gegenüber dem Du zu sich selbst findet, die Verzweiflung sich in tröstende oder klärende Fiktionen rettet, sich logisches Kalkül mit emotionaler Reaktion verbindet, das Zustandhafte der ungelöst bleibenden Krise sich mit dem Prozeß einer Bewußtseinsklärung verträgt: das alles setzt sowohl ein psychologisches Verstehen wie eine Darstellungskunst besonderer Art voraus. Kein Wunder, das vorliegende Gedicht stammt von einem Autor, dem niemand den Rang bestreitet, der bedeutendste neulateinische Dichter im Deutschland des 16. Jahrhunderts gewesen zu sein: Petrus Lotichius Secundus (1528–60). Für Martin Opitz war er noch »unser Lotichius, der Fürst aller deutschen Poeten« (S. 110 f.), selbst heute noch gilt er aufgeschlossener Literaturgeschichtsschreibung als »der bedeutendste deutsche Lyriker vor Klopstock, weil er persönlichen Erlebnisstoff zu geschlossener Gestalt zu fügen vermochte und Grundformen seelischer Bewegung widerspiegelt« (Rupprich, S. 308) – trotzdem ist sein Werk inzwischen fast unbekannt. Wir nehmen deshalb *De puella infelici* zum Anlaß, auf grundsätzliche Verständnisschwierigkeiten – jenseits des Sprachlichen – gegenüber neulateinischer Lyrik einzugehen.
Der nächstliegende Vorbehalt lautet: »Nur in der Muttersprache ist echte Lyrik möglich.« Es hat diese Lyrik damals gegeben. Denn das 16. Jahrhundert ist eine Blütezeit nicht nur der neulateinisch-gebildeten Poesie, sondern auch des deutschsprachig-volkstümlichen Liedes, des meist anonymen Gesellschaftsliedes, das wir als Volkslied empfinden. In beiden Bereichen aber wurden unterschiedliche künstlerische Ansprüche erhoben, selbst und gerade dort, wo sie sich

berührten. Das zu veranschaulichen, gibt es kaum ein geeigneteres Beispiel als das Gedicht des Lotichius. Es will nämlich offensichtlich eine lateinische Entsprechung zu deutschen Liebesliedern sein. Nicht zufällig läßt sich aus zwei solchen Liedern, die ebenfalls um 1550 gedruckt bzw. aufgeschrieben wurden, rekonstruieren, wie sich *De puella infelici* vielleicht auf Deutsch ausgenommen hätte. Der Sprecher hätte folgendermaßen beginnen können:

Ich stund an einem Morgen
Heimlich an einem Ort,
Da hätt' ich mich verborgen,
Ich hört' klägliche Wort
Von einem Fräulein hübsch und fein,
Das stund bei seinem Buhlen:
Es mußt geschieden sein.

Mit dieser Strophe beginnt das berühmteste Abschiedslied und das am häufigsten vertonte Volkslied des 15. bis 17. Jahrhunderts (*Deutscher Liederhort*, Nr. 742). Es muß Lotichius also bekannt gewesen sein, nicht zuletzt auch deshalb, weil ein berühmter deutscher Neulateiner vor ihm, Heinrich Bebel (1472–1518), ein besonders volksverbundener Humanist, das Lied in Form einer lateinischen Elegie nachgedichtet hatte, noch bevor es in der Urfassung gedruckt worden war. Dadurch ist Lotichius möglicherweise zu seinem Versuch ermutigt worden. Jedenfalls scheint Bebels Übertragung der ersten Strophe (zit. nach Bebermeyer, S. 21 f.) dem Volkslied und Lotichius wie ein Zwischenglied gleich nah zu sein:

Tempore quo coniunx Tithonum mane reliquit,
  Occulto steteram conditus ipse loco.
Hic illam audivi miseranda voce querelam,
  Qua flet amatoris pulchra puella abitum.

Mit oder ohne Bebels Vermittlung hat die Exposition von *Ich stund an einem Morgen* Lotichius zur Gestaltung seines

Gedichtrahmens angeregt – abgesehen von dem grundlegenden, einheitstiftenden Einfall des blumenpflückenden Mädchens. Für das Folgende kam das Lied nicht mehr als Vorlage in Frage, da es in einem Dialog das um den Geliebten werbende Mädchen direkt mit dessen Ausflüchten konfrontiert. Beim Monolog hat Lotichius vermutlich an folgende, ebenfalls monologische Mädchenklage gedacht (*Deutscher Liederhort*, Nr. 478b):

Ach Gott, wem soll ichs klagen
das heimlich Leiden mein!
Mein Buhl ist mir verjaget
In fremde Land dahin.
Mein Lieb ist mir verjaget,
Scheiden ist mir worden kund:
Ach Gott, wem soll ichs klagen?
Mein Herz ist mir verwundt.

Ich hätt auf ihn gebauet
Als auf ein harten Stein:
Es hat mich sehr gereuet,
Die Lieb ist worden klein;
Kann ich von ihm wohl spüren;
Er ist voll arger List
Und hat an mir gebrochen,
Daran kein Zweifel ist.

Daran sollt ihr gedenken,
Ihr jungen Jungfraun fein!
An aller falscher Knaben Treu,
Und die ist wahrlich nit klein.
Denn sie sind falsch im Herzen,
Sind aller Untreu voll,
Mit Schimpfen und mit Scherzen,
Wie man sie haben soll.

Das Lied läßt sich als Vorlage für Lotichius am ehesten deshalb reklamieren, weil schon Bebel seine Nachdichtung von *Ich stund an einem Morgen* in eine monologische Mädchenklage ähnlicher Thematik hatte münden lassen.

Auch bei ihm will die verlassene Liebende unter Tränen ihre Geschlechtsgenossinnen vor den Männern warnen (V. 73–76):

Discite ab exemplo miserae, blandissima turba:
  Nil fore perpetuum, quod placuisse solet.
Nec faciles fallant iuvenum blandissima verba:
  Nulla fides iuvenum, nulla in amore fides.

(»Lernt am Beispiel meines Unglücks, verführerische Schar! Nichts währt ewig, was zu einer lieben Gewohnheit geworden ist. Daß die verführerischen Worte der jungen Männer euch nicht, ihr Freundlichen, täuschen! Auf Männer ist kein Verlaß, kein Verlaß in der Liebe!«)

Bebel hat hier verwandte Teile verschiedener Lieder auf ähnliche Weise zu einer neuen Einheit kombiniert, wie sie aus dem Vorgang des ›Zersingens‹ der Volkslieder im ›Volksmund‹ resultieren kann. Lotichius scheint ebenso vorgegangen zu sein, übertrifft Bebel aber weit im Ergebnis, der Verselbständigung des Gedichts gegenüber der Vorlage.
Lotichius hat also den Vergleich mit dem Volkslied bewußt heraufbeschworen. Seine Verse sind auf ihre Art nicht weniger schlicht als die der angeführten Lieder. Während Bebel z. B. die Zeitangabe »an einem Morgen« durch einen mythologischen Vorgang wiedergibt (V. 1: Eos, die Morgenröte, verläßt das Bett ihres Gemahls Tithonos), verzichtet Lotichius deutlich auf Mythologisches und andere antike Realitäten, ja sogar auf gewähltere Ausdrücke und bildliche Wendungen (so daß die eine, »mein Licht«, am Schluß der Klage besonders trifft). Wie das Volkslied gestaltet auch er eine typische, anonyme menschliche Situation, die als solche allgemeinen Mitempfindens sicher sein kann. Selbst die Erweiterung der Exposition von *Ich stund an einem Morgen* um das Blumenpflücken stellt eine Bereicherung aus dem Motivschatz des Volkslieds dar.
Trotzdem: welche Kluft zwischen ›Kunst‹- und ›Volks‹lied! In der fast formelhaften Sprache von *Ach Gott, wem soll ichs klagen* z. B. werden einerseits Zusammenhänge sparsam

angedeutet, andererseits Sachverhalte ständig wiederholt, eingebettet in die Grundstimmung der Verlassenheit, in der die einzelnen Informationen erweitert, gekürzt, umgestellt, ausgetauscht werden könnten. Vor allem: der Text verlangt nach Ergänzung durch die Melodie, sein Gefühlspotential entfaltet sich erst ganz im Lied. Der Leser des Lotichius dagegen muß alles allein der sprachlichen Gestaltung entnehmen. Diese folgt einer anderen Ökonomie: Das Detail besitzt einen festen Stellenwert im Ablauf des Ganzen. Entscheidender Vorzug der lateinischen Dichtersprache ist jedoch, daß in diesem Medium solche seelischen Vorgänge wiedergegeben werden konnten, die in der Volkssprache nur andeutbar oder noch unsagbar waren. Man vergleiche etwa den Grad psychischer Sensibilität in einer Wendung wie »Finge dari, renuit« (13: »stell dir vor, du gibst die Blumen ihm: er weist sie zurück«) mit dem allgemeinen Gefühlseindruck: »Die Lieb ist worden klein; | Kann ich von ihm wohl spüren«. Dabei könnte in beiden Gedichten dasselbe Mädchen gemeint sein! Aber seine einfachen Überlegungen werden erst bei Lotichius transparent, bis hin zu ihren unbewußten Voraussetzungen. Statt der wenigen Grundakkorde des Gesellschaftslieds bietet er vielfältige Modulationen. Hierin ist die wichtigste Rechtfertigung des Lateins als Sprache der damaligen Lyrik zu sehen. Ein Deutscher konnte sich, trotz der engeren Möglichkeiten seiner Muttersprache, eine sensiblere Artikulation bereits vorstellen. Der humanistisch Gebildete nämlich hatte in der anderen Sprache und ihrer reichen Literatur nicht nur neue Ausdrucks-, sondern zugleich neue Wahrnehmungsformen erlernt, die in der Volkssprache noch kaum denkbar waren. »Die humanistische Gesellschaft deutscher Nation bewegt sich also nicht nur in zwei Sprachen, sondern auch auf zwei Sprachstufen: einer für die Gegenstände der Bildung und des geistigen Daseins, zu denen auch höhere Dichtung gehörte, – einer anderen für Familie und Volk, für die dumpferen religiösen und gemütlichen Bedürfnisse. Die Schuld dieser verhängnisvollen Spaltung trägt nicht die Renaissance, sondern der

Zustand der deutschen Sprache, deren spätgotische Enge und Dumpfheit geweckteren Ansprüchen nicht mehr genügen konnte« (Alewyn, S. 11).
Nicht volkstümliche Liebeslieder also, sondern lateinische Liebeslyrik war für Lotichius die prägende Inspiration. Diesem Zusammenhang werden wir uns im folgenden zuwenden. Dabei könnte es zunächst so scheinen, als werde der Vorrang des Typischen vor dem Individuellen, der mit der Annäherung ans Volkslied gegeben war, nun durch den Rückbezug auf römische Literatur erst recht unvermeidlich. Daß dem nicht so ist, wird der Schlußteil der Interpretation nahelegen. Während sich der Verfasser von *Ich stund an einem Morgen* am Liedende nur anonym als »ein Schreiber« zu erkennen gibt (V. 48), verbürgt der Verfassername Lotichius Persönlichkeitsdichtung.
Vom Volksliedton also zur lateinischen Dichtersprache und damit zu dem zu erwartenden Einwand: »Ist der lateinische Ausdruck nicht ein vorgefertigter, nachgeahmter?« Jedes literarische Sprechen artikuliert sich mit Hilfe tradierter Vorgaben. Auch der Neulateiner konnte andererseits *so* noch nie Gesagtes sagen, ja das Neulatein im ganzen konnte sich epochenspezifisch entwickeln, wie man z. B. an seiner frühbarocken Phase (s. u. Melissus) sehen kann. Damals bedeutete die lateinische Dichtungstradition weniger Einschränkung als Erweiterung der Ausdruckskraft.
Wie der Neulateiner seine Sprache durch Imitatio der klassischen Autoren schafft, d. h. durch Nachahmung *und* Umbildung, ließe sich an unserem Gedicht gut verfolgen. Es ergäbe sich, daß Lotichius eine Reihe von Wörterverbindungen übernimmt, seine Aussage aber nicht dadurch festgelegt wird, weil die Verbindungen meist gängig und vor allem aus jedem Sinnzusammenhang gelöst sind (z. B. 6: »falli digna« nach Ovid). Übernahmen ganzer Verse kommen nicht vor, dafür aber Umformungen, die dem Kenner die virtuose Fähigkeit der Aneignung in einen ganz anderen Kontext demonstrieren. Diese Art der literarischen Imitatio unterscheidet sich grundsätzlich nicht von der antiken Praxis, und

das Verfahren ist – bei sicher geringerer Intensität – auch den volkssprachlichen Literaturen nicht fremd. Wichtiger als verbale Anleihen war für unser Gedicht die Verfeinerung der psychologischen Sensibilität, die Lotichius in erster Linie von den römischen Liebesdichtern zuteil wurde. So hat er z. B. bei dem Elegiker Properz (2,9,43 f.) das Motiv des Festhaltens an der Liebe trotz der Untreue der Geliebten – ein Leitthema der ganzen römischen Liebeslyrik – gefunden und nachgebildet (17 f.). Wie das Beispiel zeigt, hat Lotichius einerseits Erlebensweisen des Elegikers auf die Frau übertragen; andererseits hat er bei Catull, Vergil, Properz und Ovid und bei Neulateinern wie Celtis (in den *Amores*) oder M. A. Flaminius Klagen verlassener Frauen vorgefunden, denen er manchen Einzelzug entlehnt hat. Nachweislich hat er sich z. B. an die Klage der von Theseus verlassenen Ariadne bei Catull (*Carmina* 64) und an die Darstellung der blumenpflückenden Proserpina bei Ovid (in den *Metamorphosen* und *Fasten*) erinnert. Aber nirgends – so scheint es wenigstens – gab es die Verbindung von Klagen und Blumenpflücken zum Spiegel und Movens innerer Vorgänge (ein späteres Beispiel: Goethes Gedicht *Schäfers Klagelied*). Man muß sogar sagen, daß es für die Gesamtkonzeption des Gedichtes kein Muster gegeben hat und daß damit keiner der anfangs festgestellten Sinnzusammenhänge innerhalb des Gedichts ein übernommener ist.
Ähnlich ist das Imitatio-Verhältnis auch in Hinblick auf den Formtyp des Gedichts. Trotz der Berührungspunkte mit den römischen Elegikern und der Wahl des Distichons hat Lotichius *De puella infelici* nicht unter seine Elegien aufgenommen, sondern unter seine *Carmina*. Maßgeblich dafür waren vielleicht folgende Abweichungen von römischen Elegien: die relative Kürze, der Typ des Rollengedichts (statt Ich-Aussprache) und die Beziehung des Ganzen auf eine ›Pointe‹ fast nach der Art des Epigramms. Nach dem Vorbild Catulls sind die *Carmina* kürzere Gedichte in unterschiedlichen metrischen Formen und mit wechselnder

Thematik. Eine Einheit bilden diese vermischten Gedichte weniger unter dem Gesichtspunkt der lyrischen Gattung als aufgrund der individuellen Gestaltungsprinzipien der Sammlung (Themenfolge, Formenwechsel) und deren Gemeinsamkeiten mit Catulls Gedichten. In diesen Rahmen paßt *De puella infelici* vorzüglich. Denn wenn das Gedicht einerseits keine typische Elegie ist, dann andererseits auch kein typisches Epigramm. Davon unterscheiden es nicht nur der größere Umfang und die eher emotionale als intellektuelle Wirkung des Schlusses (Umbildung des Properzischen Schlußverses 1,10,30), sondern vor allem die scheinbar frei verschiedene Zustände durchlaufende Entfaltung der bewegten Ich-Aussprache, und diese wiederum ist ein wesentliches Charakteristikum der römischen Liebeselegie. Im engeren Sinn ist die Elegie ein Klagelied, und das ist auch unser Gedicht. *De puella infelici* ist, wenn man so will, ein elegisches Epigramm, eine auch in der Sammlung Catulls anzutreffende Übergangsform (*Carmina* 65, 76). Der Übergang vom Epigramm zur Elegie wird dadurch erleichtert, daß beide dasselbe metrische System benutzen, das sogenannte elegische Distichon, ein aus (daktylischem) Hexameter und Pentameter gebildetes Verspaar, das durch die Dopplung nicht nur die für das Epigramm typischen gedanklichen Entgegensetzungen begünstigt, sondern auch den unruhigen Wellenschlag des Gefühlsablaufs in der Elegie.

»Die alte Lyrik, auf Latein oder Deutsch, ist unpersönlich, insofern der Lyriker von seiner Individualität absieht.« Unser Gedicht scheint das zu bestätigen, ist es doch ein Rollengedicht, in dem sogar jeder konkrete Hinweis auf Person, Zeit, Ort fehlt. Das die Klage vermittelnde Ich, der Beobachter, war auch in dem erwähnten volkssprachlichen Abschiedslied ein poetisches Ich. Dennoch könnte hier, beim Ich, der Schlüssel des Problems liegen. Denn das Ich zeigt sich nicht nur als interessierter Zuschauer, entscheidend ist, daß das Ich im Werk des Lotichius sonst immer seine eigene Person bezeichnet. Könnte dann das Mädchen nicht

ebenfalls ›wirklich‹ sein und also ein persönliches Interesse des Dichters vorliegen?
Eine solche Fragestellung gilt heute weithin als illegitim. Nachdem Georg Ellinger, der Wiederentdecker der deutschen Neulateiner nach dem Ersten Weltkrieg, ihre Werke noch unbefangen nach ihrem vermuteten Erlebnisgehalt bewertet hatte, hat die Forschung nach dem Zweiten Weltkrieg eine solche Betrachtungsweise, die sich höchstens mit dem im 18. Jahrhundert aufkommenden Genie- und Originalitätsbegriff rechtfertigen konnte, als gänzlich unangemessen für alles Dichten in der humanistischen Literaturtradition verworfen. Danach zu urteilen, hätte Lotichius im vorliegenden Fall den Typus des verlassenen Mädchens gestalten wollen, gleichgültig, ob in Gedanken an Selbsterlebtes oder nicht, und das eingeschaltete Ich wäre dazu bestimmt, die Anteilnahme des Lesers zu verstärken. Lotichius wäre es auf Gestaltung einer seelischen Krise sozusagen in der Idee angekommen, aus einem Interesse am Phänomen als solchem.
Die solcher Auffassung zugrunde liegenden Prämissen beginnen heute bereits wieder angefochten zu werden. Je besser man Werk und Leben der Neulateiner kennenlernt, desto unverkennbarer wird, in wie hohem Maß gerade die berufensten Dichter ihr Leben zum Gegenstand ihrer Dichtung gemacht haben. Lotichius z. B. hat durch drei Elegienbücher drei wichtige Lebensabschnitte sukzessiv ›dargestellt‹. Auch Celtis (der allerdings sein Leben nicht unbeträchtlich erdichtet hat) und Melissus haben ihre Hauptwerke in die Form ihres Lebensgangs gebracht. Dabei wurde der Lebensstoff selbstverständlich stark ausgewählt und stilisiert – aber war das je anders? Bei Lotichius kann man davon ausgehen, daß er das in seinen Gedichten als erlebte Wirklichkeit Dargestellte im wesentlichen auch erlebt hat, sofern dem Leser nicht Fiktivität signalisiert wird. Im Grunde hat Paul Merker vor einem halben Jahrhundert die neulateinische Literatur – unter Hervorhebung des Lotichius – richtig beurteilt: »Hier finden wir, wonach wir auf

der deutschsprachlichen Seite vergeblich suchen, oft genug wirklich individuelle, seelisch betonte Erlebnis- und Bekenntnisdichtung« (S. 69). Dieser Realitätsgehalt war – was man leicht übersieht – auch durch das Imitatio-Verhältnis zu den antiken Autoren gefordert, deren Werke schon in der Antike – oft zu Unrecht – stark biographisch gedeutet und in diesem Sinne von den Humanisten rezipiert wurden. So ist die Nachahmung der Antike, die auch in dieser Hinsicht im neulateinischen Bereich ungleich intensiver war als im volkssprachlichen, zu einer Quelle neuzeitlicher Persönlichkeitsdichtung geworden.

Das muß für *De puella infelici* letztlich unbeweisbar bleiben, da dieses Gedicht wegen fehlender Realitätsverweise im Werk des Lotichius eine Sonderstellung einnimmt. Aber auch diese müßte erklärt werden. Hier sei nach einer Lösung gesucht auf einem methodischen Wege, den man gegenüber planmäßig zusammengestellten Lyriksammlungen einschlagen muß: der Interpretation des Einzelgedichtes aus dem Kontext der Sammlung. Lotichius hat in den *Carmina* nach Catulls Vorbild auch Liebesgedichte eingestreut. Catull hatte seine Geliebte Lesbia genannt, nach antiker Auffassung Pseudonym für Clodia (hochsprachlich: Claudia); Lotichius nennt seine Geliebte – Claudia, und er hat später ein Gedicht eingerückt, in dem er sie ausdrücklich mit Catulls Lesbia gleichstellt. Lotichius mußte von der Historizität Lesbias ausgehen; auch im Falle Claudias gibt es sichere Hinweise, daß mit ihr eine wirkliche Wittenberger Freundin gemeint war. Wie Catull auf Gedichte des Liebesglücks solche des Schmerzes über Lesbias Untreue folgen läßt, so kann man auch bei Lotichius aus der Abfolge der Erwähnungen Claudias einen ähnlichen ›Liebesroman‹ herauslesen. Warum es zwischen den beiden zum Bruch kam, ist nicht deutlich erkennbar. Anfangs wirft Lotichius Claudia Untreue vor, an anderer Stelle rehabilitiert er sie und spricht allgemein von einem zwangsläufigen Ende. Erstaunlich selbst für heute, daß Lotichius überhaupt so Intimes publizierte (Celtis wurde aus ähnlichem Anlaß von der ehemali-

gen Geliebten ein Protestbrief geschickt, der abschriftlich überliefert ist).
Die Frage nach Treue oder Untreue, in den *Carmina* ein Leitmotiv, stellte sich für Lotichius auch gegenüber der realen »Claudia«. Schon das gibt dem Interesse des Dichters an dem verlassenen Mädchen einen gewissen Realitätsgehalt. Suggeriert wird dieser geradezu durch das Arrangement der Gedichte in den Editionen von 1551 und 1563. In der Pariser Ausgabe (1551) war vor *De puella infelici* ein Gedicht gestellt worden, in dem der Dichter Claudia mit catullischer Bitterkeit als untreu und als Hure anklagte (*Ad Georgium Cracovium et M. Lucanum*, in: *Elegiarum liber*, S. 33b). Er hat diese Verse später getilgt und schon 1550 – durch ein zunächst nicht gedrucktes Gedicht – Claudia trösten lassen, er halte sie nicht für untreu (Elegie *Amico suo Hagio suavissimo* vom 1. Februar 1550). Hat er wegen dieses Schwankens dem Ausbruch gegen die treulose Claudia eine Klage der alternativen Claudia über den treulosen Geliebten nachgeschickt? Bei solchen Schuldgefühlen könnte sich der Vorwurf des verlassenen Mädchens, er *erfinde* Gründe, sie zu hassen (15), konkret auf die ungeheuren Unterstellungen im vorausgehenden Gedicht beziehen – die er ja später selbst zurücknahm. In der »Ausgabe letzter Hand« steht vor unserem Gedicht ein anderes, in dem Lotichius, als Landsknecht in Magdeburg, ein lebhaftes Interesse an zwei Schwestern bekundet – und vielleicht dadurch einräumt, daß dieses sein (vorübergehendes) Schwachwerden biographisch der Anlaß für die anschließende Klage des verlassenen Mädchens (ob Claudias oder der Magdeburgerin) wurde (*Ad Marcum Eridanum*, in: *Poemata*, S. 170). Der diskursiv Lesende stellt diese Gedankenverbindung leicht her; damit er das nach Streichung der ausfälligen Verse gegen Claudia überhaupt konnte, mußte dieses andere Gedicht vorgeschaltet werden.
Mag sich Lotichius auch gescheut haben, in *De puella infelici* durch konkrete Hinweise oder gar Namensnennung seinen Teil der Schuld einzugestehen, so wagte er doch 1551 und

1563 mit dem Gedicht ein poetisches Selbstgericht. So gesehen dient das Rollengedicht des Mädchens der eigenen Selbstreflexion. Er hat also auch in diesem sehr allgemein gehaltenen Gedicht weniger die ›Idee‹ des verlassenen Mädchens gestalten wollen, als eine sehr persönliche Problematik verarbeitet. Er hat in Nachahmung der Antike (Catulls) eine sich von Gegenwartskonventionen emanzipierende sehr persönliche Dichtung geschaffen und paradoxerweise »in den Alten gefunden, was er brauchte oder wünschte, vorzüglich sich selbst« (Friedrich Schlegel, *Athenäum-Fragment* 151).

Zitierte Literatur: Richard ALEWYN: Vorbarocker Klassizismus und griechische Tragödie. Analyse der »Antigone«-Übersetzung des Martin Opitz. Darmstadt [2]1962. – Gustav BEBERMEYER: Tübinger Dichterhumanisten. Bebel, Frischlin, Flayder. Tübingen 1927. – Deutscher Liederhort. Hrsg. von Ludwig Erk und Franz M. Böhme. Bd. 2. Leipzig 1893. Repr. Hildesheim 1972. – Georg ELLINGER: Geschichte der neulateinischen Literatur Deutschlands im 16. Jahrhundert. Bd. 2: Die neulateinische Lyrik Deutschlands in der ersten Hälfte des 16. Jahrhunderts. Berlin 1929. – Petrus LOTICHIUS SECUNDUS: Elegiarum liber. [Siehe Textquelle.] – Petrus LOTICHIUS SECUNDUS: Poemata. [Siehe Textquelle.] – Paul MERKER: Das Zeitalter des Humanismus und der Reformation. In: Aufriß der deutschen Literaturgeschichte nach neueren Gesichtspunkten. Hrsg. von Hermann August Korff und Walther Linden. Leipzig/Berlin 1930. S. 61–82. – Martin OPITZ: Gesammelte Werke. Krit. Ausg. Hrsg. von George Schulz-Behrend. Bd. 2,1. Stuttgart 1978. – Poetarum Lesbiorum Fragmenta. Ed. Edgar Lobel et Denys Page. Oxford 1963. – Hans RUPPRICH: Die deutsche Literatur vom späten Mittelalter bis zum Barock. T. 2: Das Zeitalter der Reformation 1520–1570. München 1973. (Geschichte der deutschen Literatur. Von Helmut de Boor und Richard Newald. Bd. 4,2.)
Weitere Literatur: Bernhard COPPEL: Bericht über Vorarbeiten zu einer neuen Lotichius-Edition. In: Daphnis 7 (1978) S. 55–106. – Walther LUDWIG: Petrus Lotichius Secundus and the Roman Elegists: Prolegomena to a Study of Neo-Latin Elegy. In: Classical Influences on European Culture, AD 1500–1700. Ed. by R. R. Bolgar. Cambridge 1976. S. 171–190. – Peter Lebrecht SCHMIDT: ›... unde utriusque poetae elegans artificium admirari licebit‹. Zur Ovid-Rezeption (am. 2,6) des Petrus Lotichius Secundus (el. 2,7). In: Der altsprachliche Unterricht 23 (1980) H. 6. S. 54–71.

Paulus Melissus (Schede)

Ad Ianum Gruterum IC.
De fonte in clivo occidentali montis sacri,
e regione Haidelbergae

Umbrositatem carpere saltuum
Fruique silvis usque adeo mihi
Grutere sollemne est, ut optem
Nil potius, nisi totus inter
Vireta posthac vivere, et emori
Cum spiritalem creditor halitum
Reposcet aether. Praeter omnes
Delicias et amoenitates
Et illecebras Fonticuli placent,
Illime flumen, simplice glarea
Alboque lucentes lapillo,
Murmure perstrepitante cursim.
Dulce est tueri gurgite ab intimo
Lympham scatentem perpete venula,
Ergoque reclinem sedere
Pascereque igneolos ocellos
Grato beati rore refrigeri.
Vel iste quantum candidulus liquor
Adridet ambobus, propinquo
Colle fluens, medio in recessu!
Nymphae frequentant et Dryades locum et
Comes Napeae. Mons cluet hic sacer
Iam longo ab aevo. Nullus huc se
Fert Capripes, fera nulla turbat,
Nulla insolescit buccina. Tutius
Urbe est asylum. Carmina pangimus
Alterna: dumi ipsi recentant
Harmosynen, resonant Rhodanthen.
Innoxiarum plurimus alitum
Canore misto nos chorus incitat,

A mane per Solem diurnum
Ad iubar Hesperium canentes.
Huc Aphrodite nuper, in ambitu
Quaerens Amorem perdita perditum,
35 Sese recepit fessa, dulcem
Sub ferula viridante rhamni
Carpens quietem. Sic ab anhelitu
Obdormientis traxit hic angulus
Diviniorem, qua fruisci
40 Suaviter ambo solemus, auram.

An Jan Gruter, den Juristen

Von der Quelle am Westhang des Heiligenberges, in der Umgebung Heidelbergs

Mich freuen an des Bergwaldes Schattigkeit,
den Wald genießen, ist mir ein lieber Brauch,
so sehr, mein Gruter, daß ich mir nichts
sehnlicher wünsche, als ganz im Grünen
5 hinfort zu leben, ebenso sterben, wenn
mein Gläubiger, der Himmel, den Lebenshauch
von mir zurückverlangt. Vor allen
anderen lockenden Lieblingsplätzen
mit ihren Reizen sind mir die Quellen lieb,
10 ihr Strömen ohne Trübung, und hell darin
der schlichte Kiesel, weiße Stein, der
murmelnd zu hören ist im Enteilen.
Mich freut der Anblick, wenn aus der Strömung tief
das Wasser sprudelt mit seinem steten Quell,
15 und so zurückgelehnt zu sitzen,
glänzenden Auges den Blick zu weiden
am teuren Naß, beglückt von der Kühle hier.
Wie lacht besonders leuchtend das Wasser dort
uns beiden, aus dem nahen Hügel
20 fließend und mitten in unsrer Zuflucht!
Die Nymphen schätzen und die Dryaden und
die muntren Elfen unseren Ort. Er heißt
schon lange heil'ger Berg. Kein Bocksfuß
wagt sich herbei, und es taucht kein Wild auf,

25 kein Hornstoß stört uns. Sicherer als die Stadt
ist dies Asyl hier. Verse verfassen wir
im Wechsel, das Gestrüpp erwidert:
»Harmosyne«, gibt zurück: »Rhodanthe«.
Uns spornt der Chor der friedlichen Vögel an,
30 sie stimmen alle froh miteinander ein,
wenn wir von morgens und tagsüber
und bis zum Sinken der Sonne singen.
Hierhin zog Venus neulich ermüdet sich
zurück, nachdem sie Amor ringsum gesucht,
35 verliebt wie er, und süße Ruhe
unter dem grünenden Zweig des Kreuzdorns
genoß. So hat der Atem der Schlafenden
unserem Winkel – was ja wir beide stets
entzückten Sinns genießen – einen
40 überaus göttlichen Duft verliehen.

Abdruck nach: Codex Pal. lat. Vat. 1906. f. 245r–246r der Vatikanischen Bibliothek in Rom (urspr. Besitz der Bibliotheca Palatina in Heidelberg). [Orthographie und Zeichensetzung wurden nur teilweise normalisiert, auch das noch sicher gegen den Wunsch des Orthographiereformers Melissus. Heute müßte man folgende Wortformen verbessern: 14 perpete] perpeti 22 Napeae] Napaeae 25 buccina] bucina 27 recentant] recantant 39 fruisci] frunisci]
Übersetzung: Eckart Schäfer.

Eckart Schäfer

Die Aura des Heiligenbergs. Eine späte petrarkistische Ode des Paulus Melissus (Schede)

Als der Kurpfälzische Rat und Bibliothekar der Palatina Paulus Melissus (1539–1602) in Heidelberg 1600 dieses späte Gedicht schrieb, war er seit Jahrzehnten der führende deutsche Neulateiner und international angesehen. Mit seinen Gedichten konnte er Anspruch auf eine Schlüsselrolle in der Entwicklung der deutschen Lyrik erheben. Er, der für die Deutschen das werden wollte, was Ronsard für Frankreich war, ist in dieser Zeit zweifellos als Vermittler des romanischen Lyrik-Ideals, insbesondere des Petrarkismus, der fortschrittlichste Lyriker in Deutschland gewesen – noch in lateinischer Sprache! Er wurde zum Wegbereiter der an die gleichen Kunstprinzipien anschließenden deutschsprachigen Lyrik des Barockzeitalters, ihr Vorläufer auch durch einige deutsche Gedichte. Im Übergang zwischen Romania und Deutschland, Latein und Muttersprache, Renaissance und Barock repräsentiert Melissus eine neue, späte Epoche der neulateinischen Literatur.

Karl Otto Conrady hat in seiner grundlegenden Untersuchung *Lateinische Dichtungstradition und deutsche Lyrik des 17. Jahrhunderts* gezeigt, daß die Neulateiner des eigentlichen Renaissancehumanismus (um 1500, z. B. Celtis) und des Reformationshumanismus (nach 1520, z. B. Lotichius) an einem mittleren Niveau der Stilhöhe orientiert waren, zwar zu breiterer Ausführung neigten, aber noch nicht die stilistischen Mittel artistisch übersteigerten und verselbständigten. Erst nach Lotichius und vornehmlich durch Melissus wird die »mittlere Ebene des Sprechens« verlassen zugunsten demonstrativer Kunsthaftigkeit der Ausdrucksweise. Man muß sie als frühbarock charakterisieren und mit gleichen Erscheinungen einerseits der Lyrik der Nachbarländer, andererseits mit der deutschsprachigen und neulateinischen Barocklyrik (z. B. Balde) in Beziehung setzen.

Unser Gedicht ist in dieser Hinsicht kein Musterbeispiel, weil der alte Melissus die exzessive Sprachartistik seiner mittleren Jahre deutlich gedämpft hat. Trotzdem verrät die Sprache der Ode noch ihre Prägung durch jenes Stilwollen. Lotichius etwa hatte sich die klassische Dichtersprache Roms (von Catull bis Ovid) zum Muster genommen; Melissus steigert den Kunstcharakter seiner Sprache dadurch, daß er sein Material auch der vor- und nachklassischen Zeit entnimmt. Der Wortschatz soll erlesen wirken. Da stehen altertümliche Wörter (z. B. »scatere«, »cluere«) neben frühchristlichen (z. B. »refrigerium«; mehrere hat Prudentius angeregt). Griechische Wörter kommen als weiterer Reiz

hinzu (z. B. »rhamnos«, »Aphrodite«), ein eher prosaisches wird nicht ausgeschlossen und nun poetisiert (»amoenitas«). Vor allem werden sehr seltene Wörter bevorzugt (z. B. »perpes«, »ferula«; und »illimis« ist in der Antike nur ein einziges Mal belegt), sogar neue in Analogie zu anderen erfunden (»umbrositas«, »perstrepitare«). Die auffällig häufigen Deminutive (auf »-ulus«) rufen die Empfindung des Reizenden, Innigen hervor. Manche Dinge werden emphatisch doppelt benannt (z. B. 1 f.: »saltuum«/»silvis«), einzelne Punkte des Gedankengangs durch Häufungen detailliert, die mit Konjunktionen gereiht (8 f.) oder nachdrücklich unverbunden sind (23–25: asyndetische Anapher). Auch dieses »insistierende Nennen« (Conrady, S. 129) steigert den Gefühlsbezug des Sprechens, wird Ausdruck der Verzauberung und Begeisterung. Andere epochentypische Elemente, die Conrady nennt, sind das Spiel mit der Bedeutung von Eigennamen (dazu später) und pointierte Komprimierung von Aussagen (34: »perdita perditum«). Anspruchsvoll ist schon die metrische Form, die (alkäische) Ode nach dem Vorbild des Horaz. Die verschiedenen Formelemente bezeichnen nicht nur einen Unterschied zu ›mittlerer‹ neulateinischer Sprache, sondern bedeuten auch Teilhabe an einer die west- und südeuropäischen Literaturen ebenso betreffenden Entwicklung lyrischen Dichtens.
Im Falle unserer Ode ist der stilistische Aufwand, der sich ja in Grenzen hält, vom Thema her berechtigt: Der Dichter preist etwas, das ihm offenbar sehr viel bedeutet. Dessen Gestaltung versuchen wir mit der Frage nach dem thematischen Gedichttypus zu erschließen, zu dem die Ode gehören könnte.
Das Zeitalter der ›Dichtkunst‹ kannte gerade im Bereich der Lyrik viele feste formale und inhaltliche Typen, ob benannt oder nicht. Der Untertitel der Melissus-Ode weist sie als *Quellengedicht* aus. Diese Spezies einer Naturlyrik, die noch nicht Natur der Kunst entgegensetzt, hat die Verherrlichung einer Quelle (oder eines Brunnens) zum Gegenstand; sie ist durch eine einzige Ode des Horaz (3,13) inauguriert

worden. Während ihre uns vertrautesten Beispiele, die Brunnengedichte Conrad Ferdinand Meyers und Rilkes, diesen Ursprung vergessen machen, bildeten sich die Quellengedichte der Renaissance und des Barock noch meist an ihrem großen Vorbild, auch das sich zum Vergleich mit Melissus anbietende höfisch-erbauliche Sonett des Martin Opitz *Vom Wolffesbrunnen bey Heydelberg* (1624 gedruckt).

Wie Horaz die Quelle Bandusia sowohl an sich wie in ihrer Beziehung zur Umwelt rühmte, so entwirft Melissus in der ersten Gedichthälfte eine Vorstellung vom Strömen, Leuchten, Murmeln, von der Frische der Quellen des Heiligenberges nahe Heidelberg; die unter ihnen hervorgehobene Quelle des Westhangs (18–20), der eigentliche Gegenstand des Gedichts, wird in der zweiten Hälfte zur Mitte eines belebten Raumes. Sie zieht feenhafte, göttliche Wesen an (Wasser-, Baum- und Talnymphen, sogar die Liebesgöttin), weist aber alles Wilde und Störende ab (Satyr, Wild, Hirten- oder Jagdhorn). Sie ist trotz aller Lieblichkeit weit mehr als der konventionelle Idealort, der Locus amoenus mit Baum, Quelle, Gras, Sonne, Schatten, Vogel, Luft, Besuchern (Curtius, S. 202–206); sie erhält magische Kräfte, die anziehen oder abweisen können. Melissus hat das vor allem dem Ovid abgesehen, seiner Beschreibung der Grotte des Schlafes (*Metamorphosen* 11,592–615) und besonders der Quelle des Narziß (3,407–412), hat dabei aber bezeichnenderweise auf die Spiegelfunktion des Wassers verzichtet – und auf Selbstliebe und Selbsttäuschung des Narziß. Die Quelle wird – dies eher im Sinn des Horaz – ein abgeschlossener Bezirk des Schönen und Heiligen, der Dichtung und Liebe, aus dem alle gewaltsame Störung verbannt ist. Der Dichter fühlt sich hier mit dem Freund heimisch, möchte sogar an diesem Ort leben und sterben: die Quelle, die den Wanderer festhält und anlacht, transformiert sich zur Quelle des Lebens, wird ein Ort der Selbstverwirklichung. Obwohl Melissus übertragene Bedeutung durchschimmern läßt, bleibt das Idyll Natur, diese bestimmte Quelle am Westhang

des Heiligenbergs. Sie wird von Kennern mit dem Bittersbrunnen identifiziert, nachweisbar bereits innerhalb der keltischen Burganlage vor 2500 Jahren, im Mittelalter mit einem kleinen Brunnengewölbe und -becken eingefaßt.
Insofern die Ode die Besonderheit des Ortes und den Namen Heiligenberg erklärt, kann man sie als ein *aitiologisches* Gedicht bezeichnen. Die Herleitung einer Erscheinung aus einem Mythos war ein bei hellenistischen Dichtern (Kallimachos) beliebtes Thema, dann bei den Römern; die italienischen Neulateiner hatten eigene Mythen hinzuersonnen. Hier knüpft Melissus an. In den Schlußstrophen (33–40) begründet er die besondere »aura«, d. h. Luft, Licht und vor allem Duft der Waldlichtung scherzend damit, daß hier Venus auf der Suche nach Amor ermattet in Schlaf gesunken und der Duft ihres Atems dem Ort geblieben sei. Hier kann Pontanus (*Eridanus* I,39: *Carmina*, S. 412 f.) Anreger gewesen sein, der das Rot der Rosen damit erklärte, daß Venus gegenüber einem dreisten Satyr errötet sei und die ehemals weißen Rosen dieses Erröten aufgesogen hätten. Johannes Secundus ließ dann – im ersten seiner berühmten Kußgedichte, der *Basia* – die weißen Rosen unter Venus' Küssen zu roten erglühen. Wie im Hinblick auf Ovids Narziß ist Melissus auch hier weniger phantastisch, aber suggestiver.
Die Liebesgöttin ist nicht die einzige numinose Besucherin des Ortes: hier treffen sich auch die Nymphen aus Quellen, Bäumen, Bergtälern (21 f.). Wenn der Dichter hinzufügt, der Berg heiße seit langem heilig (22 f.), macht er dafür – heidnische Naturgottheiten verantwortlich! Daß das Ironie ist, ergibt sich aus der wahren Geschichte des Namens. Sie hatte ein Jahr zuvor Melissus' Freund Marquard Freher in seinem *Originum Palatinarum Commentarius* dargestellt, einer Untersuchung zur Geschichte Heidelbergs – dem Melissus hatte er darin ein Kapitel über die Etymologie des Namens Heidelberg und damit den Nachbarberg überlassen. Freher schreibt (S. 57 ff.), der Heiligenberg habe ehemals Abrinsberg geheißen, sei aber im Lauf des Mittelalters

durch die Gründung zweier Klöster auf seinem Gipfel als heiliger Ort betrachtet und schließlich benannt worden. Er zitiert Trithemius' Bericht von einem ehemaligen Hirsauer Abt, der dort im 11. Jahrhundert meditiert und gepredigt habe, den Leib unter dem Gewand von einer Eisenkette gefesselt, und dort auch wie ein Heiliger begraben worden sei; nächtlicher Lichtschein auf seinem Grab habe die Heiligkeit bestätigt. Wie der Kalvinist Freher von der Heiligkeit des Heiligenberges dachte, verrät sein Urteil über das Ende der Klöster durch die Reformation: »Zum Glück ließ, nachdem die Religion durch Gottes Gnade unter unseren Fürsten reformiert worden war, jener Aberglaube und Wahnsinn der Menschen zuerst nach, und schließlich wurde das Bettlernest selbst, der Zündstoff des Bösen, mit Schießpulver ganz gesprengt und zum Einsturz gebracht, jetzt nur noch dazu da, mit seinem Kadaver und seinen Ruinen die Wahrheit der Geschichte und unserer Darstellung zu bezeugen« (S. 61). Melissus hat dem entheiligten Berg eine neue Heiligkeit verschafft, sie im Spaß aus einem anderen, aber akzeptierteren, lieberen »Aberglauben« herleitend, aus einer weitergedichteten poetisch-heidnischen Mythologie. Dabei hat er keineswegs ganz Unpassendes zusammengebracht, wußte er doch, daß nachweislich die Römer auf dem Heiligenberg den Merkur verehrt hatten.

Nicht zuletzt wegen des Besuchs der Liebesgöttin ist unsere Ode auch ein *Liebes*gedicht. In erster Linie wird es dazu durch die Namen Harmosyne und Rhodanthe (28). Jede war für ihren Dichter die ideale Geliebte, die Zentralgestalt seiner Liebeslyrik: Harmosyne in den *Ocelli* Jan Gruters, des Adressaten der Ode, Rhodánthe in Melissus' *Acanthae*, seinem Hauptwerk, aus dem auch die vorliegende Ode stammt. In einer früheren Fassung trugen des Melissus Geliebte und seine *Dornen* keinen griechischen, sondern einen gleichbedeutenden lateinischen Namen: »Rosina« bzw. *Spinae* (veröffentlicht in: *Schediasmatum reliquiae*, Frankfurt 1575). Die *Dornen* gehören – als wichtigster deutscher Beitrag – in die Bewegung der petrarkistischen

Liebeslyrik, die im 16. Jahrhundert die europäische Literaturszene bestimmte. Muster dieses Dichtens war Petrarcas *Canzoniere*, die Gedichte seiner Liebe zu Laura; das Vorbild wurde nicht nur durch Nachfolger vielfältig vermittelt, sondern von anderen Mustern ergänzt, vor allem den römischen Elegikern und neulateinischer Liebesdichtung (z. B. Johannes Secundus' *Basia*). Die *Dornen* des Melissus sind petrarkistisch, insofern sich in einer Sammlung lyrischer Gedichte die – unerfüllte – Liebe des Dichters zu einer idealen Geliebten in einer bestimmten Manier darstellt.
Teil dieser Manier ist die Wahl eines Details der Liebesbeziehung als Leitmotiv, z. B. von Kuß, Blick, Seufzer. Nach Petrarca hat Melissus aus dem Namen der Geliebten viele Elemente seiner Liebeslyrik, ja deren antinomische Grundsituation entfaltet. Rosina bedeutet als Rose nicht nur Liebesglück, sondern – insofern zur Rose der Dorn gehört, die Geliebte unerreichbar bleibt – auch Liebesschmerz. Ein Dichterleben lang hat sich Melissus diesem Doppelmotiv von Rose und Dorn, dem Wahrzeichen seiner Dichtung, gewidmet und hat um das Motiv die vielfältigsten Gedichte gebaut. Unsere Ode ist ein Beispiel dafür: Wir finden die Rose im Namen Rhodanthe wieder (28), den Dorn – unter Rückverwandlung der übertragenen in die eigentliche Bedeutung (durch Renaturalisierung der Metapher) – in den Dornenbüschen (27: »dumi«), aus denen das Echo »Rhodanthe« widerklingt, und dem Dornenzweig, unter dem Aphrodite schlummerte (36: »rhamnos«). Von einem Widerstreit zwischen Rose und Dorn ist in diesem späten Liebesgedicht nichts mehr zu spüren, im Gegenteil: er hat sich in Einklang aufgelöst.
Das hängt – man würde es von einem Petrarkisten kaum erwarten – mit dem Wirklichkeitsbezug der *Dornen* zusammen. Melissus hat sich von Petrarca darin unterschieden gesehen, daß dieser eine erlebte Liebe, er jedoch eine antizipierte bedichte. Jahrzehntelang wurde er nicht müde zu betonen, daß er Rosina noch nie wirklich gesehen habe, wohl aber im Traum. Seit sie ihm 1559/60 im fränkischen

Königsberg als Traumbild erschien, ist Rosina die ersehnte zukünftige Geliebte. Erst die späte Heirat 1593 mußte über den Realitätsgrad der Vision entscheiden. Es ist ein Beweis dafür, daß die Geliebte seiner Dichtung stets mehr als eine literarische Figur gewesen ist, wenn er einem Freund über seine Braut schreibt: »Sie ist jene Rosina oder Rhodanthe, von der so viel in meinen gedruckten und ungedruckten Gedichten die Rede ist« (Brief an Janus Dousa vom 25. März 1594), und wenn Rhodanthe in den *Dornen* nach 1593 folgerichtig ihr Eigenleben verliert, in den Hintergrund tritt und nur noch ein geliebter Name ist. Unsere Ode gibt zu verstehen, daß der Gegensatz zwischen Zukunft und Gegenwart, Liebesglück und -schmerz, Rose und Dorn in einer gegenwärtigen, beglückten Harmonie aufgehoben ist. Rhodanthe ist zum Wort eines Gedichtes im Gedicht geworden (28). Sie geht als Klang in die umgebende Natur ein, bewahrt im Echo aus den Dornbüschen und begleitet von Vogelgesang (27–30). Ihre Metamorphose wiederholt sich bei Aphrodite, die noch als Duft anwesend ist, festgehalten zwischen den Dornenzweigen (36–40). Nur in dieser Spiegelung ist von Liebe die Rede: von der gegenseitigen Liebe – Amors und Aphrodites (der wie Rosina nun griechisch benannten Venus). Melissus' Wunsch, an diesem Ort zu leben und zu sterben, gewinnt einen weiteren Sinn: Er vollendet sich zugleich als Liebender und Liebesdichter.

Eins hätte die Zeitgenossen an dieser Ode mehr befremdet als uns: ihre Weltimmanenz. Da geht es zwar um Persönlichstes, um Leben und Sterben, aber das Leben ist der Naturschönheit und Dichterliebe gewidmet, der Tod scheint nur die Rückkehr des letzten Atemzugs ins All (7: »aether«) zu bedeuten. Nicht Gott, aber Feen und Venus machen die Gegend heilig? Melissus hat sich wiederholt gegen Vorwürfe solcher Art wehren müssen. Er war als Mensch zu sehr Christ, um als Poet humanistischer ›Heide‹ sein zu wollen, aber er war auch überzeugt, seine Liebesdichtung – wie die des Lotichius – mit dem Glaubenssatz rechtfertigen zu können, daß die Liebe, soweit sie rein sei, von Gott komme

(Elegie an Johannes Hagen von 1583, in: *Schediasmata poetica*, T. 2, S. 107–114). Dieser transzendente Bezug aber wird tatsächlich von dem poetisch bedingten antiken Erscheinungsbild des Gedichts nicht ausgeschlossen, sondern mitbedacht und offengehalten. Mit leisen Zeichen weist das Gedicht über sich hinaus: Venus und Amor ineinander verliebt, das widerspricht aller mythologischen Tradition und fordert die Entpersönlichung der beiden zu Inbegriffen der Liebe heraus. Soll den Leser etwa der Duft Aphrodites zu den exotischen Balsamdüften der Sulamith, der Geliebten im Hohenlied, führen, zur »Lilie unter den Dornen«, zum »Berg der Myrrhen und Hügel des Weihrauchs«, zur »Quelle lebendigen Wassers, das vom Libanon strömt«? Soll er durch den Dornenzweig über der Schlafenden gar an Maria im Rosenhag erinnert werden, deren Typos seit alters sowohl der Dornenbusch wie die Rose ohne Dorn waren? Oder – da aus dem »rhamnus«, dem Kreuzdorn, nach verbreitetem Volksglauben seine Dornenkrone geflochten wurde – an Christus? Paßt die Gegenseitigkeit der Liebe nicht besser zu den Liebenden des Hohenliedes und über sie zur Jesus- und Marienminne, deren Präfiguration sie sind? Melissus entzieht sich der Festlegung. Man ahnt einen Weg von der irdischen zur himmlischen Liebe, den der christliche Petrarkismus zu Ende gegangen ist. Die Liebe des Melissus ist von dieser Welt, aber in heiligerer Atmosphäre (39 f.). Der Einklang mit der christlichen Weltordnung bleibt vorausgesetzt, das Böse verbannt – der »Bocksfuß« (24: »Capripes«), dem der Zutritt versagt ist, muß kein Satyr sein, der einer Nymphe nachstellt; er ist – der christliche Leser dachte vielleicht gleich daran – wohl gar der Teufel. Und schließlich weist der Äther schon durch die Personifizierung als »Gläubiger« (6), der das Leben gibt und zurückverlangt, auf Gott. Melissus dichtet von der Liebe in quasi-antiken Dimensionen, deutet aber ihren christlichen Horizont an. Der Heiligenberg wird in vordergründigem Spiel Sitz heidnisch-anakreontischer Gottheiten; im Ernst erhält der durch die Geschichte entheiligte eine »divinior aura« zurück.

Einbezogen in die Harmonie an der Quelle wird zugleich der Freund, Janus Gruterus, an den das Gedicht ja gerichtet ist. Gruter, Emigrant aus den Niederlanden, als Philologe und Polyhistor in ganz Europa geschätzt, selber lateinischer Poet und Herausgeber der wichtigsten neulateinischen Anthologien, war der engste Freund des Melissus in seinem letzten Lebensjahrzehnt. Damit wird die Ode schließlich noch zum *Freundschafts*gedicht. Die Kleinpoesie der Humanisten war ganz überwiegend – wie schon die Lyrik eines Catull und Horaz – zu einem Gegenüber gesprochen, war nur selten nicht-dialogische Ich-Aussprache. Was sollten die vorliegenden Verse dem Freund bedeuten? Anders als viele adressierte Gedichte haben sie keine Brieffunktion wie z. B. ein von Melissus rasch hingeworfenes Gedichtfragment unter Gruters Papieren, das ihn zum Spaziergang einlud. Die Ode feiert vielmehr die Gemeinsamkeit der Freunde: Sie hält gemeinsam erlebtes Geschehen fest (eine zu zweit als Wechselgesang verfaßte Ode – allerdings von Freher und Gruter, für Melissus – ist erhalten), und, die Freunde zu musischen Dioskuren stilisierend (26–32), ehrt sie den anderen als – mit einem Lieblingswort der Neulateiner – »Hälfte der Seele«. Gruter und Freher hatte Melissus die Herausgabe seiner *Acanthae* übertragen.

Aber das Altersgedicht, das doch vor einer allgemeinen Leserschaft bestehen sollte, spricht noch eine Bitte aus, von der Gruter sich als erster angesprochen fühlen mußte: Melissus wünscht sich den Heiligenberg als Ort der letzten Ruhe (5). Daß hier ein testamentarischer Wunsch des Melissus gemeint ist, geht aus einem Brief Gruters aus seinem letzten Lebensjahr hervor (Brief an Georg Michael Lingelsheim vom 1. Oktober 1626). Da malt sich Gruter aus, wie er auf dem Gaisberg – durch den Neckar vom Heiligenberg getrennt – sozusagen im Angesicht Gottes idyllisch seine letzten Tage verbringen und auf dem Gipfel begraben werden wird, und er erinnert sich: »Den Gipfel des gegenüberliegenden Berges hatte unser Melissus für seinen Leichnam zur Ruhestätte gewünscht und bestimmt, aber er hat das nicht erreicht.«

Der Heiligenberg war durch Melissus fast ein Musensitz und Gottes Himmel näher gewesen. Die Quelle am Westhang, der Bitterbrunnen, ist heute fast versiegt, immerhin wurde ihre zeitweise verschüttete Einfassung vor kurzem von der »Schutzgemeinschaft Heiligenberg« wiederhergestellt. Dagegen wäre die Ode, die uns den verzauberten Ort ebenfalls bewahrt, beinahe verlorengegangen; denn zum Druck der abgeschlossenen 36 Bücher *Acanthae* ist es durch die Schuld der Zeiten nicht gekommen, das Manuskript ist verschollen. Nur wenige Gedichte, von Melissus in Abschrift denen übersandt, denen sie gewidmet waren, blieben im Nachlaß ihrer Empfänger erhalten und wurden mit ihrem Verfasser vergessen.

Zitierte Literatur: Karl Otto CONRADY: Lateinische Dichtungstradition und deutsche Lyrik des 17. Jahrhunderts. Bonn 1962. – Ernst Robert CURTIUS: Europäische Literatur und lateinisches Mittelalter. Bern/München [4]1963. – Marquard FREHER: Originum Palatinarum Commentarius. Heidelberg 1599. – Paulus MELISSUS: Schediasmata poetica. Secundo edita multo auctiora. 3 Tle. Paris 1586. – Ioannes Iovianus PONTANUS: Carmina. A cura di Johannes Oeschger. Bari 1948.

Weitere Literatur: Leonard FORSTER / J.-U. FECHNER: Das deutsche Sonett des Melissus. In: Rezeption und Produktion zwischen 1570 und 1730. Festschrift für Günther Weydt. Bern/München 1972. S. 33–51. – Gerhart HOFFMEISTER: Petrarkistische Lyrik. Stuttgart 1973. – Ludwig KRAUSS: Paul Schede-Melissus. Sein Leben nach den vorhandenen Quellen und nach seinen lateinischen Dichtungen als ein Leitweg zur Gelehrtengeschichte jener Zeit. 2 Bde. (hs.). Nürnberg 1918. (Manuskript der Universitätsbibliothek Erlangen: Ms. 2254.) – Eckart SCHÄFER: Die »Dornen« des Paul Melissus. In: Humanistica Lovaniensia 22 (1973) S. 217–252.

Martin Opitz

Francisci Petrarchae

Ist Liebe lauter nichts / wie daß sie mich entzündet?
Ist sie dann gleichwol was / wem ist jhr Thun bewust?
Ist sie auch gut vnd recht / wie bringt sie böse Lust?
Ist sie nicht gut / wie daß man Frewd' aus jhr empfindet?
5 Lieb' ich ohn allen Zwang / wie kan ich Schmertzen tragen?
Muß ich es thun / was hilfft's daß ich solch Trawren führ'?
Heb' ich es vngern an / wer dann befihlt es mir?
Thue ich es aber gern' / vmb was hab' ich zu klagen?
Ich wancke wie das Graß so von den kühlen Winden
10 Vmb Vesperzeit bald hin geneiget wird / bald her:
Ich walle wie ein Schiff das durch das wilde Meer
Von Wellen vmbgejagt nicht kan zu Rande finden.
Ich weis nicht was ich wil / ich wil nicht was ich weis:
Im Sommer ist mir kalt / im Winter ist mir heiß.

Francesco Petrarca

S'amor non è, che dunque è quel ch'io sento?
Ma, s'egli è Amor, per Dio che cosa e quale?
Se bona, ond'è l'effetto aspro mortale?
Se ria, ond'è si dolce ogni tormento?

S'a mia voglia ardo, ond'è 'l pianto e lamento?
S'a mal mio grado, il lamentar che vale?
O viva morte, o dilettoso male,
Come puoi tanto in me, s'io no 'l consento?

E s'io 'l consento, a gran torto mi doglio.
Fra sí contrari venti in frale barca
Mi trovo in alto mar, senza governo,

10 *Vesperzeit:* im 17. Jh. meist früher Nachmittag.

Sí lieve di saver, d'error sí carca,
Ch' i' medesmo non so quel ch'io mi voglio;
E tremo a mezza state, ardendo il verno.
(Keller, S. 314.)

Abdruck nach: Martin Opitz: Gesammelte Werke. Krit. Ausg. Hrsg. von George Schulz-Behrend. Bd. 2,2. Stuttgart: Hiersemann, 1979. (Bibliothek des Literarischen Vereins. 301.) S. 703. [Text nach der Ausgabe von 1625.]
Erstdruck: Martin Opitz: Teutsche Poemata. Straßburg: Zetzner, 1624. Repr. Hildesheim: Olms, 1975. [Von Opitz nicht autorisierte Ausgabe.]
Weitere wichtige Drucke: Martin Opitz: Acht Bücher, Deutscher Poematum durch Ihn selber heraus gegeben [...]. Breslau: Müller, 1625. – Martin Opitz: Weltliche Poemata. 1644. T. 2. Unter Mitw. von Irmgard Böttcher und Marian Szyrocki hrsg. von Erich Trunz. Tübingen: Niemeyer, 1975. (Deutsche Neudrucke. Reihe Barock. 3.)

Ulrich Maché

Die Unbegreiflichkeit der Liebe. Das Petrarca-Sonett von Martin Opitz

I

Als Opitz um 1620 dieses Sonett ins Deutsche übertrug, hatte Petrarca durch die Gedichte seines *Canzoniere* bereits mehr als ein Jahrhundert auf die neulateinischen Dichter gewirkt und auch die Vertreter volkssprachlicher Literaturen in Süd- und Westeuropa entscheidend beeinflußt. Das Geheimnis seiner ungeheuren Wirkung war jedoch nicht auf inhaltliche oder formale Neuerungen zurückzuführen; denn die melancholische Klage über die Unerfüllbarkeit der Liebessehnsucht, die die Gedichte Petrarcas durchzieht, gehört bereits ebenso zur Konvention der vorangegangenen Troubadour-Dichtung und des Minnesangs wie die unerreichbare, kühle Geliebte; ja beide Motive lassen sich bis in die Antike zurückverfolgen (Pyritz, S. 124 ff.). Und die von

Petrarca verwendeten Gedichtformen (›sonetto‹, ›canzone‹, ›sestine‹, ›ballata‹ und ›madrigale‹) finden sich ausnahmslos bei seinen italienischen Vorgängern. Dennoch stellte der *Canzoniere* etwas Außerordentliches dar. Seine Einmaligkeit lag darin, daß er die erste geschlossene Sammlung von Liebesgedichten in einer modernen europäischen Sprache darstellte und mit beispielloser Genauigkeit »ein langsames und minuziöses Durchschreiten der verschiedenen Stadien in der Psychologie des Liebenden« zeigte (Alonso, S. 109). Für diese schrittweise Selbstanalyse hatte sich das Sonett als die geeignetste Form herausgestellt. Zeugnis dafür ist die Tatsache, daß unter den 366 Gedichten des *Canzoniere* nicht weniger als 317 Sonette sind. Mit scheinbarer Leichtigkeit war es Petrarca gelungen, in den vierzehn Zeilen des Sonetts jeweils eine spezifische Gemütsstimmung einzufangen oder eine bestimmte psychologische Konstellation spannungsgeladen zu gestalten. Gleichzeitig hatte er eine formale Geschliffenheit und inhaltliche Geschlossenheit erzielt, die faszinierte und jahrhundertelang europäische Dichter aller Nationen zu Nachahmung und möglichem Übertreffen anreizte. Das Phänomen dieser Nachfolge ist von der Literaturwissenschaft bekanntlich als Petrarkismus bezeichnet und von Hans Pyritz als »das zweite große System von internationaler Geltung nach dem Minnesang« beschrieben worden (S. 124–261, 305–308).

Die Literaturkritik hat in ihrer abwertenden Beurteilung des Petrarkismus den Schwerpunkt meist auf gewisse ›Auswüchse‹ des petrarkischen Vorbilds gesetzt: auf die den Tod des Liebenden bewirkende Abwesenheit der Geliebten sowie auf deren Leben spendende Gegenwart; oder im Widerspruch dazu auf ihre herzlose Unerweichlichkeit und sinnverwirrende Nähe; gleichermaßen aber auch auf die Verherrlichung gewisser Körperteile der Geliebten – Haare, Augen, Brüste – und die Glorifizierung von Dingen aus ihrer Umwelt: Ringe, Zahnstocher und selbst Flöhe. Ganz allgemein bemängelte man die Künstlichkeit dieser auf Normen und Formeln reduzierbaren Poesie, der oft jede Erlebnisbasis fehlte. Übersehen wurde dabei gewöhnlich, daß die Zweifel an der Echtheit von Petrarcas eigenem Liebeserlebnis – zu Recht oder Unrecht – seit dem 14. Jahrhundert nie verstummt sind, daß möglicherweise auch seine Liebe zu Laura rein fiktiv gewesen sein könnte. Unbeachtet blieb ferner, daß nicht erst die Petrarkisten, sondern zeitweise bereits Petrarca »mit größter Begeisterung einer ästhetischen Haltung gefolgt war«, die sich nicht genugtun konnte »in der Anwendung stilistischer Kunstfertigkeit« (Alonso, S. 126) und eben dadurch das Virtuosentum der Petrarkisten herausforderte.

Wie die neueren Studien Alonsos gezeigt haben, findet sich insbesondere im zweiten Hundert des *Canzoniere* (zwischen Nr. 125 und 150) eine Anzahl von Sonetten, in denen Antinomien und extreme Gegensätzlichkeiten mit ungewöhnlicher Häufigkeit begegnen. Nicht zufällig gehörten gerade diese Sonette (131–134, 145 und 148) zu den Lieblingsgedichten der Petrarkisten und dienten ihnen als Vorlage und Vorbild (Alonso, S. 126). Unter eben diesen Petrarca-Gedichten findet sich bezeichnenderweise auch das von Opitz übersetzte Sonett, Nr. 132 im *Canzoniere*, das bereits im 16. Jahrhundert zu den bekanntesten Sonetten des italienischen Dichters zählte. Seine Wertschätzung wird u. a. durch vierzehn Bearbeitungen und Übertragungen in verschiedene europäische Sprachen dokumentiert, die Luzius Keller in seinem Studienband zum europäischen Petrarkismus zusammengestellt hat (S. 316–328, 331–333).

Man ginge fehl, die außerordentliche Beliebtheit dieses Gedichts allein mit Petrarcas Beherrschung rhetorischer und poetischer Stilmittel zu erklären; ausschlaggebend für die Popularität und Verbreitung des Sonetts war gewiß nicht zuletzt die Gestaltung der Liebe als Paradox, als eines rätselhaften Phänomens, das für den Liebenden Quelle seines Glücks, aber auch Ursache seines Elends ist. Diese Auffassung der Liebe als einer Macht, die den Liebenden in ihrem Spannungsfeld unentrinnbar gefangenhält, übernahmen die Petrarkisten unverändert von Petrarca. Sehr rasch

wurde diese Idee unabdingbarer Bestandteil petrarkistischer Lyrik.
Für Opitz, der seinen Lesern nicht nur wichtige Werke der süd- und westeuropäischen Literaturen vermitteln wollte, sondern auch hoffte, deutsche Dichter zu nachahmendem Schaffen anzuregen, mußte die Übertragung dieses Petrarca-Sonetts besonders lohnend erschienen sein; denn offensichtlich war der italienische Dichter in diesem Sonett seiner Zeit vorausgeeilt und hatte in ihm bereits Dichtungsideale seiner so erfolgreichen Nachfolger verwirklicht.

II

Die Überschrift des Gedichts, *Francisci Petrarchae*, ist heute nicht allgemein verständlich; sie lautet dem Sinn nach: »Ein Sonett Petrarcas«. Das dürften die Leser im 17. Jahrhundert, die dieses Gedicht in der von Opitz herausgegebenen Anthologie *Acht Bücher Deutscher Poematum* (1625) sahen, ohne Schwierigkeit erkannt haben; denn dort stand es erstmalig unter dreiunddreißig weiteren Sonetten, die Opitz als Musterbeispiele dieser im Deutschen bis dahin kaum gepflegten Gedichtart vorlegte. Ein Jahr zuvor hatte er im *Buch von der Deutschen Poeterey* lediglich das Reim- und Versschema des Sonetts erörtert und vier Beispiele folgen lassen. Jetzt erfuhren seine Leser anhand einer größeren Anzahl von Sonetten, was der Alexandriner in dieser strengen Form im Deutschen zu leisten vermochte. Daß die meisten dieser »Kling-Gedichte« aus fremden Sprachen übernommen waren, zeugte nach Meinung der Zeitgenossen nicht etwa von Opitz' mangelnder Schöpferkraft; vielmehr sah man in diesen Gedichten sprachliche Neuschöpfungen von hohem Rang. Sie waren Beweise dafür, daß die deutsche Sprache durch Opitz eine Geschmeidigkeit erreicht hatte, die dem Italienischen, Französischen und Holländischen an Eleganz und Ausdruckskraft gleichkam. So meinte man denn, es habe im Petrarca-Sonett der Geist des vielbewunderten italienischen Dichters nunmehr auch im Deutschen adäquaten künstlerischen Ausdruck gefunden.

Es ist nicht das Ziel dieser Interpretation, das deutsche Sonett in allen Einzelheiten mit seiner italienischen Vorlage zu vergleichen; dennoch werden von Zeit zu Zeit einige wichtige Unterschiede hervorzuheben sein. Hier sei zunächst nur auf zwei strukturelle Abweichungen verwiesen: Im Gegensatz zu Petrarca, der traditionsgetreu die Reime des ersten Quartetts (abba) im zweiten wiederholt, beginnt Opitz in Zeile 5 mit einer neuen Reimfolge (cddc). Zeitgenössische Poetiker hätten ihm vorwerfen können, daß er damit gegen die von ihm selbst aufgestellten Regeln verstoße (*Gesammelte Werke*, S. 398) und die ästhetische Einheit der Gattung gefährde, weil nämlich erst durch die Wiederholung der Reime im zweiten Vierzeiler ein »Kling-Gedicht« wirklich zu klingen beginne. Eine Kritik dieser Art ist aber wohl ebenso abwegig wie die Vermutung, daß Opitz »den Oktettreim nicht als Formgesetz des Sonetts erkannt« habe (Gellinek, S. 102). Vielmehr ist diese Auflokkerung des Reimschemas – wie schon der junge Zesen in einem Aufsatz über das Sonett (1641) bemerkte – durch ähnliche Versuche in der französischen und italienischen Literatur zu erklären (Zesen, S. 246). Allerdings blieb diese Neuerung für die Entwicklung der Sonettform in Deutschland ohne bedeutende Folgen. Auffällig ist ferner die unterschiedliche Zweiteilung der beiden Gedichte. Während Petrarca in seinem Sonett die lange Argumentationskette des ersten Teils nicht vor der neunten Zeile beendet, bringt Opitz sie – der herkömmlichen Form des Sonetts entsprechend – mit der achten Zeile zum Abschluß. Oktett und Sextett stehen daher bei ihm als klar geschiedene Einheiten da. Diesem vorbildlichen Aufbau verdankt Opitz' Sonett einen Teil seines ästhetischen Reizes und seine inhaltliche Übersichtlichkeit: im Oktett das Bemühen um ein verstandesmäßiges Erfassen der Liebe; im Sextett eine Schilderung von Lebens- und Gefühlszuständen des Liebenden. Dementsprechend zeichnen sich die ersten acht Zeilen durch

eine nüchterne, fast abstrakte Diktion aus, die folgenden sechs durch eine gehobene, bildhafte Ausdrucksweise.
Bei näherer Betrachtung des Sonetts fällt eine weitere Zweiteilung auf: der erste Vierzeiler mit seinen allgemein gehaltenen Erwägungen setzt sich spürbar vom zweiten Quartett mit seinen völlig ichbezogenen Argumenten ab. Durch das sich anschließende Sextett ergibt sich somit für das Sonett als Ganzes ein triadischer Aufbau, dessen Teile die Poetiker des 17. Jahrhunderts später – in Analogie zur Pindarschen Ode – als »Satz«, »Gegen-Satz« und »Nach-Satz« bezeichneten.
Es lohnt sich, zunächst auf die Problemstellung und die Art des dialektischen Fragens in den beiden Quartetten genauer einzugehen. Die problematische Grundsituation ist bereits aus den Anfangszeilen erkennbar. Die Liebe hat den Sprecher »entzündet«; sie ist damit für ihn zur beherrschenden Macht seines Daseins geworden. Aber selbst die persönlich erfahrene Macht der Liebe entzieht sich dem Fassungsvermögen des Liebenden. Das ist die Situation, aus der heraus sein Erkenntnis fordernder Verstand die Frage nach dem Wesen der Liebe stellt. Unvermittelt wird somit in der ersten Zeile ein philosophisches Problem aufgeworfen. Der gebildete Leser zu Petrarcas und selbst zu Opitz' Zeiten dürfte sehr rasch erkannt haben, daß sich der Dichter hier – der philosophischen Problemstellung entsprechend – eines seit dem Hochmittelalter vielfach verwendeten Argumentationsschemas bedient, des vor allem von Abaelard entwikkelten Sic et non, welches jahrhundertelang als zuverlässiges Rüstzeug für philosophische, theologische und juristische Disputationen gebräuchlich war. In diesem dialektischen Verfahren – hier wesentlich verkürzt – werden jeweils zwei gegensätzliche, einander ausschließende Hypothesen auf ihre Stichhaltigkeit hin geprüft. Es versteht sich von selbst, daß jeweils immer nur eine der beiden Hypothesen richtig sein kann, die andere logischerweise falsch sein muß. Wenn also die Liebe unmöglich als »lauter nichts« zu bezeichnen ist, weil sie, wie es heißt, den Sprecher »entzündet« hat, so muß sie offensichtlich ein Etwas (»was«) sein. Wäre sie aber

ein Etwas, so müßte sich über ihr »Thun«, d. h. über die Art ihres Vorgehens und Handelns Definitives aussagen lassen; es zeigt sich jedoch, daß für den menschlichen Geist nur ihre Wirkung faßbar ist, nicht aber ihr Wesen. So führt also dieses erste Sic et non (oder Non et sic!) zu keiner Klärung. Es endet im Paradox. Die Liebe entzieht sich, wie es scheint, dem Zugriff philosophisch-wissenschaftlichen Erkennens. So setzt denn der Sprecher in der dritten Zeile zu erneuter Fragestellung an. Wiederum geht es um Prinzipielles, diesmal um den ethischen Wert der Liebe. Doch führt auch dieser Versuch zu keinem brauchbaren Ergebnis; denn sinnliches Begehren, die »böse Lust« der Liebe, ist in höchstem Grade sündhaft; sie wendet die Seele von Gott ab, ja sie bringt die Gefahr ewiger Verdammung mit sich. Andererseits kann aber die »Frewd'«, welche der Mensch ebenfalls als einen Teil der Liebe erlebt, völlig selbstloser Natur sein und als eine Vorahnung himmlischer Seligkeit empfunden werden. Das ist ein Zwiespalt, der in Petrarcas Liebesdichtung immer wieder zum Ausdruck kommt, auch wenn in der italienischen Fassung dieses Sonetts nur indirekt von der Sündhaftigkeit der Liebe die Rede ist, von ihrer »tödlichen und herben« Wirkung.

Waren es im ersten Quartett allgemeingültige Thesen, die der Sprecher für seine Argumentation verwandte, so sind es im zweiten Quartett gewisse durch eigene Liebeserfahrung gesicherte Fakten, die zur Beweisführung herangezogen werden. Aber wiederum endet jedes Argument im Paradox. Der völlig unverfänglichen Hypothese des Sprechers, daß er »ohn allen Zwang« liebe, widerspricht die Tatsache, daß kein von Vernunft geleitetes Wesen freiwillig die »Schmertzen« auf sich nähme, welche die Liebe ihm bereitet. Und bis zum Ende des Quartetts reiht sich so Widerspruch an Widerspruch mit der nochmaligen Erkenntnis, daß das Wesen der Liebe für den menschlichen Verstand unfaßbar ist.

In der metrischen und sprachkünstlerischen Gestaltung des Oktetts zeigt sich Opitz bereits als Meister der von ihm initiierten deutschen Kunstdichtung. Scheinbar mühelos ordnen sich die gedanklichen Spekulationen in das Versgefüge des Alexandriners ein. Strukturierend wirkt in beiden Quartetten vor allem das Stilmittel des Parallelismus, der nahezu symmetrische Satzbau in jeder Zeile und – innerhalb dieser – die durch Zäsur und Virgel verstärkte antithetische Spannung. Formbestimmend im ersten Quartett wirken ferner das viermalige anaphorische »Ist« und das dreimalig wiederholte »wie« zu Beginn der zweiten Halbverse, wodurch vor allem die wachsende Intensität, mit der der Sprecher um eine Lösung seines Problems ringt, spürbar wird. Im zweiten Quartett tritt sodann durch die Subjektivierung des Blickpunkts die Ich-Form als strukturierendes Element hervor: siebenmal im Ganzen, davon viermal mit spürbarem Nachdruck an gleicher Stelle (in der Hebung des ersten Jambus). Und schließlich stehen sich im Oktett als Ganzem jeweils zwei aufeinanderfolgende erste Halbzeilen antithetisch als Sic und Non gegenüber und tragen durch die Regelmäßigkeit ihrer Wiederkehr merklich zur Strukturierung dieses ersten Teils des Gedichtes bei.

Das plötzliche Abbrechen der Quästionen nach dem zweiten Quartett und der sprachliche und inhaltliche Neuansatz in der neunten Zeile lassen, wie bereits erwähnt, den traditionellen Einschnitt zwischen Oktett und Sextett deutlich erkennen. Verschwunden sind zunächst die sich antithetisch gegenüberstehenden Halbzeilen. Als neues und bestimmendes Formprinzip tritt statt dessen der Zeilensprung (9 f., 11 f.) hervor, durch den jetzt längere Perioden möglich werden.

Angesichts des markanten Hiatus zwischen Oktett und Sextett ist Opitz der Vorwurf nicht erspart geblieben, daß das Sonett in zwei Teile zerfalle (Gellinek, S. 102). Gegen diese Kritik lassen sich jedoch drei Einwände erheben: erstens wird die Ich-Form im Sextett beibehalten, die nun in sechsmaliger Wiederholung – dreimal davon als Anapher – auftritt; zweitens werden durch die Wiederaufnahme des antithetisch geteilten Alexandriners in den Schlußversen Ende

und Anfang des Sonetts strukturell sinnvoll in Beziehung gesetzt; und schließlich ist die im Sextett geschilderte seelische und körperliche Verfassung des Sprechers, die ja das Ergebnis der im Oktett aufgezeigten vergeblichen Bemühungen um eine Lösung des Liebesproblems ist, eine letzte Bestätigung der thematischen Einheit des Ganzen.
Was am Sextett besonders ins Auge fällt, ist seine Bildlichkeit. In je zwei alexandrinischen Langzeilen veranschaulicht Opitz den Seelenzustand des Sprechers: zunächst im Bild des schwankenden Grases; darauf im Bild des auf stürmischer See umhergeworfenen Schiffes. Keines der Bilder kann Anspruch auf Originalität erheben; nichtsdestoweniger beeindrucken beide durch ihre Anschaulichkeit. Im Bild des Grases, das, geschwächt von der Hitze des Tages, »bald hin geneiget wird / bald her« (10), wird die Unberechenbarkeit, mit der die Liebe den Sprecher ergreift, auf doppelte Weise sinnfällig gemacht: zunächst durch das metrisch bedingte, aber dem Sinn der Aussage zuwiderlaufende Stocken nach »hin«; und ferner durch die völlig unerwartete und arbiträr anmutende Zäsur nach der fünften Hebung. In gesteigertem Maße wird dann durch das Bild des in Seenot geratenen Schiffes die Hilflosigkeit des von der Liebe entmachteten Sprechers dargestellt. Bei genauerem Lesen fällt auf, daß der Sprecher mit diesem Vergleich keine vorübergehende Krise, sondern eine Krisensituation als Dauerzustand beschreibt; denn von der Hoffnung, jemals festes Land zu erreichen, spricht der Text ebensowenig wie von der Wahrscheinlichkeit eines Schiffbruchs oder eines Nachlassens des Unwetters. Verstärkt wird die Anschaulichkeit beider Bilder durch lautsymbolische Effekte, für deren künstlerische Wirkung Opitz ein feines Ohr hatte und deren ästhetischen Wert er in Anmerkungen zu seinen Dichtungen mehrfach erörterte. In Vers 9 sind es zunächst die alliterierenden W-Laute, die das Wehen der Winde spürbar machen, während in den Versen 11 f. die Kombination der anlautenden W mit den nachfolgenden Fließlauten (»walle [. . .] wilde [. . .] Wellen«) auf die Fährnisse der bewegten See verweisen.

Die Schlußzeilen bilden – wie so oft im Sonett – einen letzten Höhepunkt, gekennzeichnet durch epigrammatische Ballung der Sprache. Der Gehalt des Gedichtes scheint hier in zwei Verszeilen komprimiert zu sein, von denen die erste die vollkommene Ratlosigkeit des Sprechers angesichts seiner Liebesverfallenheit ausdrückt und die zweite die paradoxe Anormalität seiner Physis im Wechsel der Jahreszeiten darstellt. Die Aussage beeindruckt sowohl durch ihre entwaffnende Kürze als auch durch die Eleganz ihrer sprachlichen Formulierung. Mit den Gegensatzpaaren der beiden Chiasmen

Ich weis nicht was ich wil / ich wil nicht was ich weis:
Im Sommer ist mir kalt / im Winter ist mir heiß

kehren jene Stilmittel wieder, die im ersten Teil des Sonetts formbestimmend gewirkt haben: Antithese, Parallelismus und nicht zuletzt die markante Zweiteilung des Alexandriners nach der dritten Hebung. Doch stärker noch als im Oktett stehen sich hier Inhalt und Form antithetisch gegenüber: die labil-verworrene seelische Verfassung des Sprechers und die strenge, kunstvoll geprägte Form der Aussage. Darüber hinaus leisten die Schlußverse noch einen letzten wichtigen Beitrag zum Verständnis des Gedichts. Mit den bekennenden Worten »ich wil nicht was ich weis« gesteht der Sprecher, daß eine Befreiung von der Liebe – und damit das Ende seiner Liebesqualen – paradoxerweise nicht das ist, was er »wil«. Diese Aussage hat Opitz von sich aus hinzugefügt und damit einen Gedanken verstärkt, der dem Sinne nach schon im italienischen Original enthalten war: daß nämlich die Liebe – trotz ihrer unheilvollen Wirkung und Macht – für den Liebenden hier zum Sinn und Inhalt seines Lebens wird. Gerade diesen Gedanken hatten, wie eingangs erwähnt, die Petrarkisten in Süd- und Westeuropa – lange vor Opitz – zur Grundposition ihres Denkens gemacht und damit diesem Sonett zu außerordentlicher Wirkung verholfen. Im deutschen Sprachraum regte nunmehr Opitz durch seine Übertragung Dichter wie Fleming, Homburg, Schwarz und Schirmer zu Nachahmungen und Neuschöpfungen an (Keller, S. 330; *Gedichte des Barock*, S. 97, 181, 222) und förderte damit die Verbreitung des Petrarkismus in der deutschen Literatur.

Zitierte Literatur: Dámaso ALONSO: Die Dichtung Petrarcas und der Petrarkismus. (Zur Ästhetik und Pluralität). In: Übersetzung und Nachahmung im europäischen Petrarkismus. Studien und Texte. Hrsg. von Luzius Keller. Stuttgart 1974. S. 104–154. – Gedichte des Barock. Hrsg. von Ulrich Maché und Volker Meid. Stuttgart 1980. – Janis Little GELLINEK: Die weltliche Lyrik des Martin Opitz. Bern/München 1973. – Martin OPITZ: Gesammelte Werke. [Siehe Textquelle.] – Hans PYRITZ: Paul Flemings Liebeslyrik. Zur Geschichte des Petrarkismus. Göttingen 1963. – Übersetzung und Nachahmung im europäischen Petrarkismus. Studien und Texte. Hrsg. von Luzius Keller. Stuttgart 1974. [Zit. als: Keller.] – Philipp von ZESEN: Sämtliche Werke. Unter Mitw. von Ulrich Maché und Volker Meid hrsg. von Ferdinand van Ingen. Bd. 9. Berlin / New York 1971.
Weitere Literatur: Leonard FORSTER: The Icy Fire. Five Studies in European Petrarchism. Cambridge 1969. Dt.: Das eiskalte Feuer. Kronberg 1976. – Gerhart HOFFMEISTER: Petrarkistische Lyrik. Stuttgart 1973. – Walter NAUMANN: Traum und Tradition in der deutschen Lyrik. Stuttgart/Köln/Berlin/Mainz 1966. S. 80–96.

Martin Opitz

Ach Liebste / laß vns eilen /
  Wir haben Zeit:
Es schadet das verweilen
  Vns beyderseit.
5 Der edlen Schönheit Gaben
  Fliehn fuß für fuß:
Das alles was wir haben
  Verschwinden muß.
Der Wangen Ziehr verbleichet /
10 Das Haar wird greiß /
Der Augen Fewer weichet /
  Die Brunst wird Eiß.
Das Mündlein von Corallen
  Wird vngestalt /
15 Die Händ' als Schnee verfallen /
  Vnd du wirst alt.
Drumb laß vns jetzt geniessen
  Der Jugend Frucht /
Eh' als wir folgen müssen
20 Der Jahre Flucht.
Wo du dich selber liebest /
  So liebe mich /
Gieb mir / das / wann du giebest /
  Verlier auch ich.

Abdruck nach: Martin Opitz: Gesammelte Werke. Krit. Ausg. Hrsg. von George Schulz-Behrend. Bd. 2,2. Stuttgart: Hiersemann, 1979. (Bibliothek des Literarischen Vereins. 301.) S. 666 f.
Erstdruck: Martin Opitz: Teutsche Poemata und Aristarchus [...]. Straßburg: Zetzner, 1624. [In dieser von Julius Wilhelm Zincgref herausgegebenen Ausgabe ist das um 1620 entstandene Gedicht unter dem Titel *Liedt / im thon: Ma belle je vous prie* abgedruckt. Nachdem früher häufiger ein Einfluß Ronsards auf das Lied angenommen wurde, ist neuerdings die Diskussion um mögliche Quellen wieder aufgenommen worden (vgl. Gellinek, S. 91, 97; *Gesammelte Werke*, S. 666).]

Weiterer wichtiger Druck: Martin Opitz: Weltliche Poemata. 1644. T. 2. Unter Mitw. von Irmgard Böttcher und Marian Szyrocki hrsg. von Erich Trunz. Tübingen: Niemeyer, 1975. (Deutsche Neudrucke. Reihe Barock. 3.)

Wulf Segebrecht

Rede über die rechte Zeit zu lieben. Zu Opitz' Gedicht *Ach Liebste / laß vns eilen*

»Eins der schönsten deutschen Lieder.« So hat Herder dieses Gedicht beurteilt, als er es 1779 in den zweiten Teil seiner *Volkslieder*-Sammlung einfügte, wobei er ihm den Titel *Eile zum Lieben* gab. Wenige Jahre zuvor bereits hatte Karl Wilhelm Ramler die Verse leicht überarbeitet in seine Anthologien *Lieder der Deutschen* (1766) und *Lyrische Bluhmenlese* (Bd. 2, 1778) unter dem Titel *Gebrauch der Jugend* übernommen und sie zu den »scherzhaften Liedern« »derjenigen Deutschen Dichter« gerechnet, »die von den Vergnügungen des Lebens gesungen haben« (*Lieder der Deutschen*, Vorbericht).
Den »Vergnügungen des Lebens« waren die Zeiten der Anakreontik und des Sturms und Drangs, in denen Ramlers und Herders Sammlungen erschienen, auf zwar sehr unterschiedliche Weise, aber in gleicher Entschiedenheit zugetan. Die Bereitschaft zum Lebensgenuß war groß, und die Intensität der privaten Glücksansprüche, die die Dichter dieser Zeit formulierten, lassen sich als Ausdruck ihres neuen Selbstverständnisses verstehen: In der Hinwendung zum Privaten ist zugleich eine Abwendung vom Öffentlichen enthalten, eine Absage an den repräsentativen Charakter der Poesie vergangener Zeiten. Diesem Programm wurde das Lied von Martin Opitz im 18. Jahrhundert zugeordnet, wie die von Ramler und Herder gewählten Titel erkennen lassen,

und es ist in diesem Zusammenhang sehr bezeichnend, daß in der gleichen Zeit zwei Liebeslieder entstanden, die sich genau der Strophenform und des Metrums bedienten, die Opitz seinerzeit gewählt hatte: Friedrich Hagedorns Gedicht *Der Morgen* (1744) und Goethes Sesenheimer Lied *Erwache, Friederike* (1771). Hagedorn fordert seine geliebte Phyllis zur Identifikation mit der von Fruchtbarkeit, Freude und Lust erfüllten Natur auf:

Erkenne dich im Bilde
  Von jener Flur:
Sey stets, wie dieß Gefilde,
  Schön durch Natur.

Goethe richtet seine Verse an die schlafende Friederike in deren Schlafgemach: eine Tagelied-Situation im bürgerlichen Pfarrhaus!

Erwache, Friederike,
Vertreib die Nacht,
Die einer deiner Blicke
Zum Tage macht.
Der Vögel sanft Geflüster
Ruft liebevoll,
Daß mein geliebt Geschwister
Erwachen soll.

Im Kontext einer zunehmend intimer werdenden Liebesdichtung wurde im 18. Jahrhundert auch Opitz' Lied verstanden, und es ist nicht unwahrscheinlich, daß man es nach der gleichen Melodie gesungen hat, die Johann Valentin Görner für Hagedorns *Der Morgen* komponiert und der Goethe seine Friederike-Verse unterlegt hat (Friedlaender, S. 26 f.).

Gewiß ist auch Opitz' Gedicht ein Liebesgedicht, eine Aufforderung an die Geliebte, die Liebe zu genießen. Aber es fehlt ihm ganz die innige Übereinstimmung der Liebenden, von der Hagedorn ausgeht (»Uns lockt die Morgenröthe |

In Busch und Wald«) und die Goethe in der geschilderten Situation bereits voraussetzt. Bei Opitz muß die »Liebste« erst überzeugt, sie muß zur Liebe überredet werden. Sein Gedicht hat den Charakter einer Rede.

Sie beginnt, konsequenterweise, mit der Anrede, wobei das vorangesetzte »Ach« bereits signalisiert, daß es in der Rede an die »Liebste« um eine dringende Angelegenheit gehen wird. Es folgt, generalisierend, zugespitzt, ja in sich widersprüchlich formuliert (und dadurch erhöhte Aufmerksamkeit fordernd), der Zweck der Rede, ihr ›Anliegen‹: »laß vns eilen / | Wir haben Zeit«.

Ein merkwürdiger, zum Nachdenken anregender Beginn! Wer Zeit hat, sollte man meinen, der braucht sich doch nicht zu eilen! Hier aber scheint geradezu höchste Eile geboten, wie das Gedicht anschließend eindringlich darlegt; denn der Schaden, der durch längeres Zuwarten angerichtet werden könnte, wäre nicht zu beheben. Man ist nur einmal jung. »Zeit« also, wie man zunächst vermutet, haben die Liebenden gerade nicht. Vielmehr ist es für sie an der Zeit, wohl gar höchste Zeit, die Liebe zu genießen: Der richtige, angemessene, geeignete Zeitpunkt (καιρός) zum Lieben ist für sie gekommen.

Unverkennbar steht hinter dem zunächst widersprüchlich scheinenden Eingangssatz des Gedichtes die Lehre von der ›rechten Zeit‹, die in der Gestalt der ›Göttin der Gelegenheit‹, der Occasio, eine weite Verbreitung in der Literatur und der bildenden Kunst der Zeit und einen hohen Grad von Verbindlichkeit als Lebensmaxime für die Menschen besaß. Opitz selbst hat der Occasio das Loblied gesungen:

O wol dem der die rechte Zeit
In allen dingen siehet /
Vnd nicht nach dem was allbereit
Hinweg ist sich bemühet /
Der kennet was er lieben soll /
Vnd was er soll verlassen;
Er lebet frey vnd allzeit wohl /
Vnd darff sich selbst nicht hassen.

Die Göttin der Gelegenheit
Ist fornen nur mir harren /
Im Nacken bleibt sie kahl allzeit;
Drumb laß sie ja nicht fahren
Weil du sie bey der Stirnen hast;
Der Tag geht eylends nieder /
Die Stunden lauffen ohne rast /
Vnd kommen gantz nicht wieder.
(*Weltliche Poemata*, S. 352.)

Die ›rechte Zeit‹ ist nicht die erstbeste Gelegenheit, die leichtfertig wahrgenommen wird, sondern sie erfordert die klare Einsicht für das jeweils Fällige und Angemessene, dann aber auch die notwendige Entschlußfähigkeit, die Gelegenheit beim Schopf zu greifen. Hat diese schnelle Göttin mit den Flügeln an den Füßen (oft auch noch, wie die ihr verwandte Fortuna, auf einem sich drehenden Rade oder einer Kugel stehend) und dem Haarschopf, der ihr in die Stirn weht, sich einmal abgewendet, dann ist sie nicht mehr zu packen; denn ihr Hinterhaupt ist kahl und glatt, jedem Zugriff entzogen. Wer sie aber im richtigen Augenblick ergreift, der »lebet frey vnd allzeit wohl / | Vnd darff sich selbst nicht hassen«. Die Fähigkeit, im richtigen Augenblick das Richtige zu tun, gibt dem Menschen persönliche Freiheit und Selbstwertgefühl. Diese Botschaft der Occasio prägte sich über die *Disticha Catonis*, eine im 16. Jahrhundert weitverbreitete und auch im Unterricht genutzte Sammlung von Sentenzen zur Lebensführung, schon Schülern ein: »Rem tibi quam noscis aptam dimittere noli. Fronte capillata post haec Occasio calua« (zit. nach Grimm, S. 243). Sie ist auch in der Poesie und Emblematik der Zeit vielfach belegt, und sie erhält darüber hinaus schon bei Opitz eine grundsätzliche poetologische Bedeutung für das ›Gelegenheitsgedicht‹. Denn in seinem *Buch von der Deutschen Poeterey* (1624) hatte Opitz festgelegt, nur dann könne ein der Poesie würdiges und den Sylven (Gelegenheitsgedichten) zuzurechnendes Gedicht zustande kommen, wenn das »auß geschwinder anregung vnnd hitze« Entstehende einer himm-

lischen »regung des geistes« des Dichters entspreche und wenn »rechte zeit« und »gelegenheit« zusammenträfen. Damit wurde die Occasio in den Rang einer Göttin der Poesie erhoben. Denn auch sie will, wie ein vom Dichter der poetischen Behandlung für würdig befundenes Ereignis, »geschwind« und zur »rechten zeit« von demjenigen ergriffen werden, den sie durch ihr Erscheinen anregt und »erhitzt«.
Daß die Maxime, im entscheidenden Augenblick das als richtig Erkannte zu tun, nicht nur als Anweisung zum richtigen moralischen, politischen oder poetischen Handeln ihre Berechtigung besitzt, sondern daß sie – wie Opitz meint – auch in der Liebe gilt, ist überraschend. Bisher hatte man gemeint, erst Goethe habe der Occasio den Geltungsbereich der Liebe erschlossen: »Gelegenheit als günstiger Augenblick zum Genuß der Liebe – das ist offensichtlich Goethes [. . .] höchst persönliche Deutung einer seit zwei Jahrtausenden währenden Tradition« der mythologischen Darstellung und Deutung der Occasio (Rüdiger, S. 154). Diese Auffassung wird durch den Eingang des Liedes von Opitz eingeschränkt, wenn nicht korrigiert. Die Göttin der Gelegenheit hat ihren Herrschaftsbereich schon bei Opitz auf das Gebiet der Liebe ausgedehnt. Das hat Simon Dach offensichtlich gesehen, als er in einem seiner Lieder das Opitzsche Vorbild variierend aufnahm und dabei den bei Opitz kunstvoll versteckten, aber wirksamen Hinweis auf die Occasio offenlegte:

Komm, Dorinde, lass vns eilen,
Nimm der Zeiten Güt in acht,
Angesehen, das verweilen
Selten grossen Nutz gebracht,
Aber weißlich fortgesetzt,
Hat so manches Paar ergetzt.

Wir sind in des Frülings Jahren,
Lass vns die Gelegenheit
Forn ergreiffen bey den Haaren,

Sehn auff diese Meyen-Zeit,
Da sich Himmel, See vnd Land
Knüpffen in ein Heyrath-Band.
(Dach, S. 90.)

Unter Hinweis auf den richtigen Zeitpunkt, die Gelegenheit, wird die Aufforderung zum Liebesgenuß allerdings anders begründet als bei Opitz: Der Mensch handelt der Natur gemäß, wenn er den Frühling seiner Jahre zur Liebe nutzt. Das Carpe diem erhält bei Dach seine Legitimation in erster Linie aus der Gegenwart. Opitz dagegen kontrastiert diese Gegenwart der schönen Blütezeit mit der sicheren Zukunft ihres Verfalls. Schon bevor er den Beweisgang im einzelnen dafür antritt, daß das Gesetz der Gelegenheit auch für die Liebe Gültigkeit habe, stellt er thesenhaft fest:

Das alles was wir haben
Verschwinden muß. (7f.)

Er erreicht damit eine verdoppelte Intensität seiner Aufforderung zum Liebesgenuß: Was das Gesetz der Occasio ohnehin verlangt, das fordert das Gesetz des Verfalls mit unabweisbarer Notwendigkeit. Das Carpe diem und das Memento mori gehören aufs engste zusammen und rechtfertigen sich gegenseitig. Das Liebeslied wird zur Todesmahnung, das Vanitas-Gedicht begründet die Bereitschaft zum Genuß des Lebens. Sowohl die Gegenwart als auch die Vergänglichkeit der Schönheit dienen Opitz dazu, unwiderlegbare Argumente für die Richtigkeit seiner Aufforderung zum Liebesgenuß zu bieten.
Auf die Anrede, die Aufforderung und ihre thesenhafte Begründung durch Hinweise auf die günstige Gelegenheit einerseits und die unentrinnbare Vergänglichkeit andererseits folgt (9–16) eine Beispielkette, eine Exempla-Reihung, die das zunächst Thesenhafte konkretisiert und es so der »Liebsten« vor Augen führt. Dabei nimmt sich Opitz mit unerbittlicher Genauigkeit die einzelnen Schönheiten vor allem des Gesichts der Geliebten vor – »Der Wangen Ziehr«,

»Das Haar«, »Der Augen Fewer«, »Das Mündlein von Corallen« (9–11, 13) –, um sodann, Zug um Zug, ihren künftigen Verfall warnend (und wenig galant) vorwegzunehmen. Würde nicht jeweils die von der Vergänglichkeit gezeichnete Kehrseite dieser körperlichen Vorzüge der Geliebten folgen, so wären Wangen, Haare, Augen, Mund und Hände die geeigneten Gegenstände eines uneingeschränkten Schönheitspreises, zu dem Opitz auch immer wieder anzusetzen scheint, wenn er diese Schönheiten an den Anfang seiner kurzen Sätze stellt.
Zarte Wangen, glänzende Haare, feurige Augen, der vielbesungene Korallenmund, dazu vielleicht noch die Perlen der Zähne, die weichen Rundungen der Schultern und der Brüste, der Schnee der Haut an Hals und Händen gehören zum festen Inventar des herkömmlichen Schönheitspreises der Frau; dabei treffen z. B. bei Weckherlin äußere Schönheiten und innerer Wert zusammen:

Ihr schmollend rohter Mund, ihr kraußlecht reines haar,
Und ihrer augen glantz so lieblich-braun und klar,
Die döplein ihres küns und ihrer rosenwangen,
Auf denen wohn mit lieb, und frewd mit schönheit prangen,
Seind zeichen ihres sigs, als zeugen ihres wehrts. (S. 359.)

Neben dem uneingeschränkten Schönheitspreis, wie ihn beispielsweise Hoffmannswaldau in seinem Sonett *Beschreibung vollkommener schönheit* konzentriert vorträgt, finden sich in der deutschsprachigen Literatur des 17. Jahrhunderts, nicht selten sogar gleichzeitig nebeneinander, verschieden begründete Formen der Relativierung solcher absoluten Schönheit. Zu ihnen gehört das antipetrarkistische Verfahren der sprachlichen und inhaltlichen Kritik am Liebesideal des Petrarkismus, das sich von der ironischen Brechung bis zur Liebessatire hin steigern kann. Die einzelnen Schönheiten der Geliebten (Augen, Mund, Haare usw.) werden dann – z. B. in Opitz' *Tyndaris* oder in Lohensteins *Mirabellen*-Sonett – zum Ausgangspunkt einer Umkehrung: Im

Gewande des Schönheitspreises und des ›Abrisses‹ bezeichnen sie nun gerade das Nicht-Liebenswerte.
Andere Formen der Relativierung der Schönheit sind in der spätbarocken Technik der Metaphern-Übertreibung zu sehen. Die Neukirchsche Anthologie ist eine Fundgrube für solche galanten Preziosen. Da findet man das »haar / wo ihm das gold ein bergwerck auffgebaut«, da wird der »lichte carmasin der roten mundcorallen« beschworen und – in Hoffmannswaldaus *Vergänglichkeit der schönheit* – »der augen süsser blitz« beobachtet.
Auch im Sinne einer geistlichen Unterweisung wird schließlich die Schönheit unter dem Aspekt ihrer Vergänglichkeit relativiert: Angesichts des Todes und der die Welt beherrschenden Vanitas kann die Schönheit keine besondere Aufmerksamkeit für sich fordern; sie lenkt vom Wesentlichen ab, stellt die Eitelkeit über die Ewigkeit, das Vergängliche über das Dauernde. In den bekannten Sonetten des Andreas Gryphius ist diese geistliche Betrachtung der Schönheit stets gegenwärtig. So wendet er sich »An eine hohen Standes Jungfraw« (*An eben selbige*):

> Diß was Ihr jtzt an Euch so lieblich fünckeln last /
> Der Halß / der Mund / die Brust / sol werden so verhast /
> Daß jedem / der sie siht / davon wird hefftig grawen.
> Ewr Seufftzer ist vmbsonst! nichts ist das auff der Welt /
> So schön es jmmer sey Bestand vnd Farbe helt /
> Wir sind von Mutter-Leib zum vntergang erkohren. (S. 17.)

Hand, Mund und Brust, die Signale des Schönheitspreises, erscheinen hier, angesichts ihrer Vergänglichkeit, als Veranlassung, den Untergang, das Ende, den Tod zu bedenken. In diesem Sinne begegnen die körperlichen Schönheiten daher auch in der zeitgenössischen Totenliteratur, in den Leichenpredigten und den Epicedien, in den Grabschriften, in den Kirchenliedern und in den Bußpredigten. So wird von einem Pfarrer berichtet, der zur geistlichen Unterweisung einer schönen Frau einen Totenkopf mitgebracht und dazu folgende Erläuterung gegeben habe: »Gnädige Frau! sprach er /

sie hat einen Spiegel gewünschet / hier ist einer! nicht zwar die Haarlocken / sondern die Sitten darnach zu reguliren; Dieser Kopf gehöret einem Menschen zu / welcher ehedessen gewesen / was ihr ietzt seyd; wo ietzo die zwey liechtlose Löcher sind / da sind vormahls die liebliche Augen gesessen; dieser kahle Scheidel war ehemals mit krausen Haaren besetzet; diese bleckende Zähne waren vorhin mit Corallenrothen Lippen bedecket; hier sassen die / wie Milch und Blut / wunderschöne Wangen! Was dieser Kopff nun ist / wird euer künfftig auch seyn.« Die Frau, so heißt es, »nahm den Spiegel in die Hand / die Rede aber zu Hertzen / und fieng gar ein ander Leben an« (zit. nach van Ingen, S. 295).

Die Bußpredigt hat hier, wie man sieht, Erfolg. Die Signale des Schönheitspreises, handgreiflich vorgeführt unter dem Aspekt ihrer Vergänglichkeit, haben ihre Wirkung auf die schöne Frau nicht verfehlt. Auch bei Opitz sollen sie die »Liebste« in dieser Weise von der Notwendigkeit überzeugen, daß sie ihr Leben ändern und gleichsam Buße tun muß. Es ist eine säkularisierte Bußpredigt, die Opitz seiner Geliebten durch das Gedicht hält. Denn nicht zur Umkehr und zum Verzicht auf die Freuden des Lebens, sondern zur einsichtsvollen, aber spontanen Bereitschaft, die Genüsse der Liebe wahrzunehmen, soll sie durch die Rede veranlaßt werden. Das Ziel der Überredung wäre erreicht, wenn die »Liebste« der abermaligen Aufforderung der Verse 17–20 nachkäme und damit die richtigen Konsequenzen aus den lehrhaften Beispielen zöge. Nur für die Zeit der Liebe ist das fluchtartige Vergehen von Schönheit und Zeit kurzfristig aufgehoben, dem alle Menschen unterworfen sind.

Die abschließenden Verse bringen, in Parallelität zu dem versteckten Hinweis auf die Occasio zu Beginn des Gedichtes, eine kunstvoll verrätselte und zusammenfassende Schlußpointe. Mit ihrer Bereitschaft zur Liebe, so argumentiert Opitz, würde die Geliebte zum Ausdruck bringen, daß sie sich so liebt, wie sie ist, nämlich jung und schön, nicht aber so, wie sie sein wird, nämlich alt und häßlich; und zugleich würde sie mit ihrer Liebe auch dem Geliebten die Möglichkeit geben, ihr seine Liebe zuzuwenden und damit seine Jugend zu genießen. So sind am Ende noch einmal die Bedingungen zur Sprache gebracht, unter denen Liebe nur zustande kommen kann: Man muß sich im richtigen Augenblick zur Liebe entschließen und zu einer Zeit, wenn »Der Jugend Frucht« (18) reif ist; Liebe ist darüber hinaus an die Bereitschaft gebunden, der »Schönheit Gaben« (5) zu genießen, solange sie vorhanden sind; und Liebe ist schließlich auf Gemeinsamkeit und Gegenseitigkeit angewiesen: Die Liebenden geben einander, was sie an Jugend und Schönheit zu vergeben haben. Was sie geben und aneinander verlieren, erhalten sie zugleich voneinander zurück.

Der zwingenden Argumentation des rhetorischen Gedichtes entspricht seine vollkommen klare und harmonische Komposition: Die 24 Verse gliedern sich deutlich in drei Gruppen zu je acht Zeilen. Das erste Drittel enthält die Anrede, den Hinweis auf die verbindliche Occasio-Lehre, die Erläuterung des Zwecks der Ansprache und seine zunächst thesenhafte Begründung durch das Carpe diem und die Vanitas. Der Redner bezieht sich hier stets in seine Feststellungen ein; das rechtzeitige Ergreifen oder endgültige Verpassen der Gelegenheit, der Nutzen und der Schaden betreffen ebenso »Vns beyderseit« (4) wie das allgemeine Gesetz der Vergänglichkeit. – Das zweite Drittel bringt die lehrhafte Beispielreihe als Ausblick in die naturnotwendige Zukunft im Sinne eines Memento mori, wobei die Signale des abrißhaften Schönheitspreises in ihrer Umkehrung zur Warnung dienen. Der Redner ist hier nur noch als Unterrichtender gegenwärtig, der Auskunft gibt über die Relativität der attraktiven Schönheiten. Er wendet sich schließlich ganz seiner Zuhörerin zu und führt seine Beispiele in dem Satz »Vnd du wirst alt« (16) summierend zum rhetorischen Höhepunkt und Abschluß. – Das dritte Drittel schließlich zieht die logische Konsequenz aus der warnenden Unterweisung: Die Lehren rechtfertigen den Zweck der Rede, so daß sich der Redner nun wieder einbeziehen kann in die Schlußfolgerung, wonach es notwendig ist, die Gelegenheit zur Liebe nunmehr wahrzunehmen. Mit der zusammenfassenden Anführung der Bedingungen der Liebe, deren Gegenseitigkeit dem beiderseitigen Betroffensein von der fluchtartigen Vergänglichkeit aller Dinge entspricht, schließt dieses Meisterstück rhetorischer Dichtkunst.

Zitierte Literatur: Simon DACH: Gedichte. Hrsg. von Walther Ziesemer. Bd. 1. Halle 1936. – Max FRIEDLAENDER: Das deutsche Lied im 18. Jahrhundert. Quellen und Studien. Bd. 2. Stuttgart 1902. Repr. Hildesheim 1962. – Janis Little GELLINEK: Die weltliche Lyrik des Martin Opitz. Bern/München 1973. – Heinrich GRIMM: Deutsche Buchdruckersignete des XVI. Jahrhunderts. Geschichte, Sinngehalt und Gestaltung kleiner Kulturdokumente. Wiesbaden 1965. – Andreas GRYPHIUS: Sonette. Hrsg. von Marian Szyrocki. Tübingen 1963. (Gesamtausgabe der deutschsprachigen Werke. Bd. 1.) – Ferdinand van INGEN: Vanitas und Memento mori in der deutschen Barocklyrik. Groningen 1966. – Martin OPITZ: Weltliche Poemata. [Siehe Textquelle.] – Horst RÜDIGER: Göttin Gelegenheit. Gestaltwandel einer Allegorie. In: arcadia. Zeitschrift für vergleichende Literaturwissenschaft 1 (1966) S. 121–166. – Georg Rudolf Weckherlins Gedichte. Hrsg. von Hermann Fischer. Bd. 2. Tübingen 1895.
Weitere Literatur: Adelheid BECKMANN: Motive und Formen der deutschen Lyrik des 17. Jahrhunderts und ihre Entsprechungen in der französischen Lyrik seit Ronsard. Ein Beitrag zur vergleichenden Literaturgeschichte. Tübingen 1960. – Eberhard BERENT: Die Auffassung der Liebe bei Opitz und Weckherlin und ihre geschichtlichen Vorstufen. The Hague / Paris 1970. – Jörg-Ulrich FECHNER: Der Antipetrarkismus. Studien zur Liebessatire in barocker Lyrik. Heidelberg 1966. – Leonard FORSTER: Der Geist der deutschen Literatur im 17. Jahrhundert. In: Daphnis 6 (1977) S. 7–30. Zuerst engl. 1951. – Paul HANKAMER: Deutsche Gegenreformation und deutscher Barock. Die deutsche Literatur im Zeitraum des 17. Jahrhunderts. Stuttgart ^{3}1964. – Samson B. KNOLL: Vergänglichkeitsbewußtsein und Lebensgenuß in der deutschen Barocklyrik. In: The Germanic Review 11 (1936) S. 246–257. – Joachim SCHÖBERL: »liljen=milch und rosen=purpur«. Die Metaphorik der galanten Lyrik des Spätbarock. Untersuchungen zur Neukirchschen Sammlung. Frankfurt a. M. 1972. – Wulf SEGEBRECHT: Das Gelegenheitsgedicht. Ein Beitrag zur Geschichte und Poetik der deutschen Lyrik. Stuttgart 1977.

Georg Rodolf Weckherlin

An das Teutschland

Sonnet

Zerbrich das schwere Joch / darunder du gebunden /
O Teutschland / wach doch auff / faß wider einen muht /
Gebrauch dein altes hertz / vnd widersteh der wuht /
Die dich / vnd die freyheit durch dich selbs überwunden.

5 Straf nu die Tyranney / die dich schier gar geschunden /
Vnd lösch doch endlich auß die (dich verzöhrend) glut /
Nicht mit dein eignem schwaiß / sondern dem bösen blut
Fliessend auß deiner feind vnd falschen brüdern wunden.

Verlassend dich auf Got / folg denen Fürsten nach /
10 Die sein gerechte hand will (so du wilt) bewahren /
Zu der Getrewen trost / zu der trewlosen raach:

So laß nu alle forcht / vnd nicht die zeit hinfahren /
Vnd Got wirt aller welt / daß nichts dan schand vnd schmach
Des feinds meynayd vnd stoltz gezeuget / offenbahren.

Abdruck nach: Georg Rodolf Weckherlin: Gedichte. Ausgew. und hrsg. von Christian Wagenknecht. Stuttgart: Reclam, 1972. (Reclams Universal-Bibliothek. 9358 [4].) S. 189. [Text nach der Ausgabe von 1648.]
Erstdruck: Georg Rodolf Weckherlins Gaistliche und Weltliche Gedichte. Amsterdam: Jansson, 1641.
Weitere wichtige Drucke: Georg Rodolf Weckherlins Gaistliche und Weltliche Gedichte. Amsterdam: Jansson, 1648. – Georg Rudolf Weckherlins Gedichte. Hrsg. von Hermann Fischer. 3 Bde. Tübingen: Literarischer Verein Stuttgart, 1894–1907. Repr. Hildesheim: Olms, 1968. (Bibliothek des Literarischen Vereins. 199. 200. 245.)

Volker Meid

Ein politischer Deutscher. Zu Weckherlins Sonett *An das Teutschland*

Als Georg Rodolf Weckherlin 1641 und 1648 seine Sammlungen *Gaistlicher und Weltlicher Gedichte* herausgab, schien es ihm erforderlich, den Leser an seine geschichtliche Bedeutung zu erinnern, daran, daß er mit den zwei Büchern *Oden und Gesäng* aus den Jahren 1618/19 am Anfang der neuen barocken Kunstdichtung gestanden und so »schon vor dreyssig jahren unserer Sprach reichthumb unnd zierlichkeit den Frembden [...] für augen geleget« habe (I,292). Diese Erinnerung war wohl nötig, denn die literarische Entwicklung war seit den zwanziger Jahren an Weckherlin vorbeigegangen; die Sprach- und Literaturreform entfaltete ihre Breitenwirkung ganz im Zeichen von Martin Opitz und seinen Anhängern. Gleichwohl war es Weckherlin, der als erster deutscher Dichter »in Ode und Lied, Sonett und Epigramm, Elegie und Ekloge die Muster- und Meisterstücke der romanischen Dichtung einzuholen unternommen und nach Maßgabe dessen, was dem ersten Versuch gelingen konnte, auch wirklich eingeholt hat« (*Gedichte*, Nachwort Wagenknecht, S. 264). Daß sich seine an romanischen Vorbildern geschulten metrischen Vorstellungen (Silbenzählung ohne regelmäßige Alternation) nicht durchsetzen konnten und angesichts der Erfolge der Opitzschen Reformbewegung und ihrer metrischen Prinzipien (Alternationsregel) bald als antiquiert galten, hat wesentlich dazu beigetragen, daß Weckherlins Verdienste mehr und mehr in Vergessenheit gerieten. Etwas gereizt verteidigt er sich nun im nachhinein gegen diejenigen, die glauben, daß »jhnen allein die Musen jhre süsse Lieb vnd küsse verleyhen / vnd Apollo selbs seine Leyr überraichet / vnd sie über die Teutsche Poesy Oberhäupter / Befelchs-haber vnd Richter verordnet« hätten. Er besteht auf Priorität und weist darauf hin, daß er

viele seiner »Poetischen stücke [...] verförtiget / Eh jhr vermeinte grössere wissenheit vnd Kunst bekant gewesen« (*Gedichte*, S. 119).
Es waren, wie er rückblickend urteilt, Versuche, die beweisen sollten, daß auch die deutsche Sprache zu bedeutenden dichterischen Leistungen tauge, daß also die Meinung von »vnserer Poësy mangel vnd vnmöglichkeit« übelbegründet sei (*Gedichte*, S. 118). Dieser kulturpatriotische Anspruch, der auch die Bemühungen von Martin Opitz und den Sprachgesellschaften prägte, steht hinter seinen höfisch-repräsentativen Werken für den Württembergischen Hof, dem er als Sekretär diente, und findet seinen höchsten Ausdruck in den Ronsard verpflichteten Oden, die mit ihren langen Satzbögen, ihrer Gleichnis- und Metaphernsprache und ihrem rhetorischen Gestus den hohen dichterischen Stil zum erstenmal in der neueren deutschen Dichtung verwirklichen. Beispielhaft schon sein erstes veröffentlichtes Gedicht, ein *Lob-gesang Von meiner gnädigen Landsfürstin*, dessen Eingangssatz sich über zwei Strophen erstreckt und ein neues Kapitel der deutschen Dichtung eröffnet:

Gleich wie / wan mit gleich-losem glantz
Die Delische götin gezieret
Der sternen gewohnlichen dantz
Vor der göter gesicht aufführet /
  Sie mit jhrem kräftigen pracht
  Die fünsternus dem tag gleich macht:

Also Nymf / aller Nymfen blum /
O fürstliche zier aller frawen /
O jhr aller Princessin ruhm /
Muß man euch mit wunder anschawen /
  Als deren schönheit süsse macht
  Des himmels vnd der erden pracht.
(*Gedichte*, S. 8.)

Mit Weckherlin beginnt in der Tat »die Geschichte der neuen deutschen Poesie« (*Gedichte*, Nachwort Wagenknecht, S. 264). Dabei ist es bezeichnend für die kulturelle

Situation in Deutschland, daß dieser neue Anfang von einem Fürstenhof ausgeht und Weckherlins erste Dichtungen fürstlichem Auftrag und fürstlichem Repräsentationsbedürfnis entspringen. So veröffentlicht er seine Gedichte zunächst im Rahmen von Festbeschreibungen, etwa dem *Triumf NEwlich bey der F. kindtauf zu Stutgart gehalten* (1616), dem die oben angeführten Verse entnommen sind. Doch bleiben diese Auftragsschriften nicht bei der Darstellung höfischen Glanzes und der Überhöhung fürstlicher Herrschaft stehen, sie sind zugleich Demonstration eines nationalen und literarischen Anspruchs. Am Ende der *Kurtzen Beschreibung / Deß [...] Jüngst-gehaltenen Frewden-Fests* von 1618 heißt es dazu in einem dichterischen Kommentar zu den »vorbeschriebnen Ritterspihlen«:

Nein, es ist nicht mehr noht, sich ab dem grossen Pracht
Deß Römischen Triumfs stehts also zuentsetzen:
Teutschland hat wol numehr dergleichen fürgebracht,
Daß man gnug kan damit Gesicht und Sehl ergötzen.

Nein es ist nicht mehr noht, mit welsch-vermischter Sprach
Der Außländer Wollust und Frewden zuerzehlen:
Teutschland empfacht dadurch weder Gespöt noch Schmach,
Sondern hat in sich selbs noch Frewd gnug zuerwöhlen.

Nein, es ist nicht mehr noht, der frembden Kunst und Witz,
Erfindungen und Spihl unnachthunlich zuachten:
Teutschland welches wol ist der Erfindungen Sitz,
Theilet den frembden mit viel mehr Kunst zu betrachten. (I,78)

Daß Weckherlins Leistung wenig Beachtung fand, hat seinen Grund nicht nur in dem überwältigenden Erfolg der Reformpolitik von Martin Opitz und seinen Anhängern, sondern ebensosehr in Weckherlins Lebensweg, der ihn 1619, kurz nach dem Erscheinen der *Oden und Gesäng*, nach England führte. Damit waren seine Wirkungsmöglichkeiten in Deutschland entschieden begrenzt, zumal ihn seine berufliche Tätigkeit immer fester an England band. Zwar scheint er zunächst noch in württembergischen und dann in pfälzischen Diensten gestanden zu haben, doch trat er 1626 in englische Dienste, auch hier bemüht, die protestantische Sache zu fördern. Er wurde Sekretär des englischen Staatssekretärs, eine Art »Schreiber höheren Ranges« (Forster, S. 59), zu dessen Zuständigkeit auch der Nachrichtendienst gehörte. Erst 1638 begann er mit der Vorbereitung einer neuen Gedichtsammlung, einem schwierigen Unterfangen, weil »durch den unmenschlichen Krieg« mit seinen deutschen Besitzungen auch seine »hinderlassene schrifften verlohren« gegangen waren (I,291). Dafür erschienen in dieser 1641 in Amsterdam veröffentlichten Sammlung *Gaistlicher und Weltlicher Gedichte* zahlreiche Gedichte zum erstenmal, Gedichte, die in England entstanden waren, aber gleichwohl auf die deutschen Verhältnisse hinzielten.

Das Sonett *An das Teutschland* steht in dieser Sammlung an exponierter Stelle. Es leitet den zweiten Teil, die *Weltlichen Poesyen* ein und gibt den Ton an für die vorangestellte Gruppe der »heroischen« Gedichte. Es ist keine »Trawrklage des verwüsteten Deutschlands«, es sind keine »Thränen des Vaterlandes«, sondern es ist der Appell eines parteiischen Dichters zu politischem Handeln. So scheint es jedenfalls auf den ersten Blick. Wir finden keine detaillierten Beschreibungen von Kriegsgreueln, keine Evokation von Leid und Zerstörung, sondern die Situation Deutschlands wird mit politischen Kategorien benannt: Es geht um Freiheit und Tyrannei, und mit der Aufforderung, das »schwere Joch« der Tyrannei zu zerbrechen, beginnt die Reihe der Imperative, die den rhetorischen Gestus des Sonetts charakterisieren. Aggressiv die Anfänge der beiden Quartette, die das Thema des Sonetts formulieren und zugleich eine Abfolge von Befreiung (»Zerbrich das schwere Joch«) und Strafe für die Unterdrücker (»Straf nu die Tyranney«) suggerieren. Doch um eine Handlungsanweisung, die auf der Analyse einer konkreten politischen Situation beruht, handelt es sich wohl nicht, eher um eine Beschwörung. Dieser beschwörende Charakter des Gedichts zeigt sich etwa daran, daß die Imperative deutlich abgeschwächt werden – durch die Apostrophe »O Teutschland«, durch Partikel und Zeitadverbien wie »doch« und »endlich«, durch den veränderten Ton in den Terzetten, in denen die Aggressivität des Beginns dem Versuch Platz macht, die Anhänger der gerechten Sache aufzurichten. Die Hoffnung auf die Befreiung Deutschlands richtet sich dabei auf eine Gruppe von Fürsten (»denen Fürsten«), die unter dem besonderen Schutz Gottes zu stehen scheinen. Diesen Fürsten soll das in dem Gedicht angeredete »Teutschland« unverzüglich und voll Gottvertrauen folgen. Gott werde dann, so der kunstvoll verschlungene Schlußsatz des Sonetts, der Welt die wahre Beschaffenheit der Feinde deutscher Freiheit und ihrer Taten offenbaren. Der Ausdruck der Hoffnung, mit dem die Handlungsappelle überhöht werden, ist zugleich deren Voraussetzung: Der Glaube an eine gerechte Sache legitimiert das Gedicht und seine militante Rhetorik.

Aber worum geht es konkret? Zunächst wird deutlich, daß es sich nicht einfach um ein von außen aufgezwungenes »Joch« handeln kann, denn Deutschlands Freiheit wurde durch eigene Schwäche verspielt, Deutschland durch sich »selbs überwunden« (4). Auf inneren Zwist verweist auch die Aufforderung im zweiten Quartett, die verzehrende Glut mit dem Blut der Feinde und falschen Brüder zu löschen. Erst die sprichwörtliche deutsche Zwietracht hat also zur Zerstörung der deutschen Freiheit und zur Unterwerfung unter eine fremde Tyrannei geführt. Weckherlin nutzt die Möglichkeiten des Alexandriners geschickt aus, wenn er Freiheit und Tyrannei, die »Getrewen« und die »trewlosen« (11), »eignen schwaiß« und »böses blut« (7), »trost« und »raach« (11) einander gegenüberstellt. Und während die Freunde der deutschen Freiheit »einen muht« fassen und ihr »altes hertz« gebrauchen (2f.), bringt des »feinds meynayd vnd stoltz« nichts als »schand vnd schmach« (13f.) hervor (wobei Weckherlin zum Abschluß seines Gedichts auf einen Kunstgriff der Renaissancepoesie, den ›Wechselsatz‹, zurückgreift: Meineid führt zur Schande, Stolz zu Schmach).

Es war keine Frage für den zeitgenössischen Leser, wen Weckherlin mit Freund und Feind meinte, zumal das Sonett nicht alleine steht, sondern zu einer Reihe von Gedichten gehört, die für die protestantische Seite Partei ergreifen und ihre herausragenden Persönlichkeiten preisen. Es sind Gedichte auf Gustav Adolf von Schweden, den Feldherrn Bernhard von Sachsen-Weimar, den schwedischen Reichskanzler Oxenstierna und – Kardinal Richelieu. Worum es geht, sagt der Schluß des Sonetts *Von dem König von Schweden. 1631*:

Des Feinds zorn, hochmuht, hassz, durch macht, betrug, untrew,
  Hat schier in dienstbarkeit, Unrecht, Abgötterey,
  Des Teutschlands freyheit, Recht und Gottesdienst verkehret;
Als ewer haupt, hertz, hand, gantz weiß, gerecht, bewehret,
  Die Feind bald ihren wohn und pracht in hohn und rew,
  Die Freind ihr layd in frewd zuverkehren, gelehret. (I,425)

Weckherlin bezeichnet Gustav Adolf an anderer Stelle als der »Teutschen Freyheit hertz und Tugent haupt« (I,426), Oxenstierna als den »Nordstern«, der mit »starckem gegenschein« den Feinden des unterjochten Deutschlands wehre (I,432); von Bernhard von Sachsen-Weimar heißt es gar, daß »seiner wafen plitz den Adler selbs verblinden« (I,428), daß ihm »nichts Kayserliches mehr Ermanglet dan der Nam« (I,429). Wie die Freunde der deutschen Freiheit werden auch ihre Feinde offen bezeichnet, eine Umschreibung (»Adler«) scheint nur für den Kaiser erforderlich zu sein. Vor allem die in den *Gaistlichen und Weltlichen Gedichten* von 1648 zum erstenmal veröffentlichten Oden nehmen kein Blatt vor den Mund und konkretisieren Weckherlins Feindbild. In der Ode III,5 aus dem Jahre 1624, einem Dialog zwischen den Spaniern und den Deutschen, heißt es zum »Beschluß«:

Wolan, frisch auf, frisch auf ohn allen spot!
Noht leydet wol die Warheit, nicht den Tod:

Und wan was falsch noch gehen soll zu grund,
So singet all mit khün und wahrem mund:
O daß die falsche Lügen-Lig
Bald überwunden undenlig!
O daß Manßfeld der Freyheit Held
Allzeit sigreich erhalt das Feld! (II,221)

Der »Lügen-Lig«, der Katholischen Liga, widmet Weckherlin auch noch ein eigenes Gedicht, das den Gegensatz von Lüge und Wahrheit thematisiert (II,339), und in der Ode *Hertzog Christian von Braunschweigs Reim. Gottes freind, der Pfaffen feind* zieht er über die »Pfaffen« her, die für alles Unheil verantwortlich gemacht werden: durch »Reichthumb, Gailheit, Stoltz und Pracht«, durch »heuchlerey, Schwätzen, schwören, betten, liegen« seien sie zu »Gottes feind, des Teufels freind« geworden (II,217 f.).
Wenn Weckherlin in zahlreichen Gedichten die protestantischen Fürsten und Feldherrn auf ihre Berufung hinweist, Deutschland von der Tyrannei zu befreien und die deutsche Freiheit wiederherzustellen, meint er damit die Freiheit der protestantischen Reichsstände, die er von Kaiser und Liga bedroht sieht. Daß die protestantische Seite ebenfalls mit Hilfe ausländischer Mächte operiert, die ja auch nicht unbedingt die deutsche Freiheit im Sinn haben, wird in der Argumentation Weckherlins übergangen. Sie ist insofern geschickte Propaganda, als sie den Kampf um die Vorherrschaft in Europa und im Reich zum Freiheitskampf der protestantischen Sache erklärt.
In den politischen Gedichten Weckherlins werden Mechanismen erkennbar, wie sie auch die polemischen Verse der Flugblätter und Einblattdrucke zeigen, die mit erbitterter Parteilichkeit Ereignisse und Persönlichkeiten des Dreißigjährigen Kriegs begleiten. Die Höhepunkte der publizistischen Kampagnen – gegen Friedrich V. von der Pfalz, den kaiserlichen Feldherrn Tilly oder die Jesuiten – machen deutlich, daß für die politische Propaganda ein eingängiges Feindbild mindestens so wichtig ist wie eine positive Zielset-

zung. So genügt es nicht, für eine protestantisch verstandene ›Libertät‹ oder die Einheit des Reiches unter dem Haus Habsburg einzutreten: die rechte Wirkung stellt sich erst dann ein, wenn man vor der Verteufelung des Gegners nicht zurückschreckt. Auf der protestantischen Seite kämpft man gegen Fremdherrschaft und den Antichrist, repräsentiert durch die Spanier, die Jesuiten und den Papst, auf der katholischen gegen Ketzer und Rebellen.

Es fragt sich freilich, was mit politischer Lyrik dieser polemischen und propagandistischen Art erreicht werden kann. Eindeutig einer politischen Seite verschrieben – »Bravo, Bernhard! der Teufel hole alle Pfaffenknechte!« (III,110), heißt es in einem im übrigen englisch geschriebenen Brief Weckherlins über die Ereignisse des Jahres 1639 –, trägt sie sicherlich nicht allzuviel zur Aufklärung über die wirklichen Beweggründe und Interessen der kriegführenden Parteien bei. Ihre Funktion ist eher, die jeweiligen Anhänger in ihrer Haltung, in ihrer Identifikation mit der von ihnen als gerecht empfundenen Sache zu bestärken. Im Fall Weckherlins ist aber die Frage nicht unberechtigt (wenn auch kaum zu beantworten), ob diese integrierende Wirkung überhaupt von der Ferne zu erzielen war, ob die Texte eines Außenstehenden tatsächlich »Kommunikation ermöglichen konnten« (Ribbat, S. 84).

Wenn es um die Sache des deutschen Protestantismus ging, war Weckherlin, der Hofmann, wenig diplomatisch. Undenkbar, daß er wie der Kalvinist Martin Opitz nichts dabei gefunden hätte, katholischen Herren zu dienen – »gewissenlosen Opportunismus« bescheinigt diesem deswegen etwas einseitig der Weckherlin-Biograph Forster (S. 55) –, unwahrscheinlich auch, daß er wie Opitz (*Trostgedicht In Widerwertigkeit Deß Kriegs*) aus Opportunitätsgründen die Veröffentlichung von Gedichten zurückgestellt hätte. Auch ein anderes Ausweichen kennt er nicht, den Rückzug in religiöse Deutungsschemata oder in die Unverbindlichkeit des Exemplarischen, der nur zur Entleerung des Realitätsgehalts der Darstellung politischer Konflikte führen kann. Er entgeht damit zweifellos der Konventionalität eines Johann Rist, dem zu Wallensteins Ermordung nichts anderes einfiel als die Sentenz »O selig ist der Mann | Der sich der Eitelkeit deß Glücks entschlagen kan« (*Gedichte des Barock*, S. 71). Andererseits zeigt sich die Begrenztheit der politisch-polemischen Argumentation Weckherlins, wenn man das *Teutschland*-Sonett an seinem Gegenstück mißt, den *Thränen des Vaterlandes / Anno 1636* von Andreas Gryphius, dem wohl bekanntesten Kriegsgedicht des 17. Jahrhunderts, hinter dessen Evokation apokalyptischer Bilder mehr Realität sichtbar wird als in Weckherlins beschwörendem Aufruf zu politischem Handeln (zu Gryphius vgl. die Interpretation von Erich Trunz in: *Die deutsche Lyrik*, S. 139–144).

Weckherlin war im Ausland zum aggressiven politischen Dichter und Kommentator deutscher Verhältnisse geworden. Ein Patriot ohne Vaterland – wobei sein häufig hervorgehobener Patriotismus eine durchaus parteiische Angelegenheit blieb und seine Gedichte gelegentlich den Eindruck erwecken, als sollten sie die isolierte Stellung und die beschränkten Wirkungsmöglichkeiten ihres Verfassers durch polemische Schärfe und leidenschaftlichen Schwung kompensieren. ›Teutschland‹ wurde für Weckherlin zu einer »imaginären Bezugsgröße in der Epoche des Dreißigjährigen Krieges, die irreale Beschwörung einer übergreifenden, auch den Emigranten geistig einbeziehenden Zielsetzung« (Ribbat, S. 84). Das Ergebnis war bedeutende politische Lyrik, wie sie in der deutschen Dichtung des 17. Jahrhunderts ihresgleichen sucht.

Zitierte Literatur: Die deutsche Lyrik. Hrsg. von Benno von Wiese. Bd. 1. Düsseldorf 1956 [u. ö.]. – Leonard Wilson FORSTER: Georg Rudolf Weckherlin. Zur Kenntnis seines Lebens in England. Basel 1944. – Gedichte des Barock. Hrsg. von Ulrich Maché und Volker Meid. Stuttgart 1980. – Ernst RIBBAT: »Tastend nach Autonomie«. Zu G. R. Weckherlins ›Geistlichen und Weltlichen Gedichten‹. In: Rezeption und Produktion zwischen 1570 und 1730. Festschrift für Günther Weydt. Bern/München 1972. S. 73–92. – Georg Rudolf Weckherlins Gedichte. [Siehe Textquelle. Zit. mit Band- und Seitenzahl.] – Georg Rodolf WECKHERLIN: Gedichte. [Siehe Textquelle.]

Weitere Literatur: Adolf BECK: Über ein Gedicht von Georg Rudolf Weckherlin und seinen formtypologischen Bereich. In: Deutsche Lyrik von Weckherlin bis Benn. Hrsg. von Jost Schillemeit. Frankfurt a. M. 1965 [u. ö.]. S. 11–18. – Hans GAITANIDES: Georg Rudolf Weckherlin: Versuch einer physiognomischen Stilanalyse. Diss. München 1936. – Volker MEID: Im Zeitalter des Barock. In: Geschichte der politischen Lyrik in Deutschland. Hrsg. von Walter Hinderer. Stuttgart 1978. S. 90–113. – Christian WAGENKNECHT: Weckherlin und Opitz. Zur Metrik der deutschen Renaissancepoesie. München 1971. – Silvia WEIMAR-KLUSER: Die höfische Dichtung Georg Rudolf Weckherlins. Bern / Frankfurt a. M. 1971.

Paul Fleming

An Sich

Sey dennoch unverzagt. Gieb dennoch unverlohren.
Weich keinem Glücke nicht. Steh' höher als der Neid.
Vergnüge dich an dir / und acht es für kein Leid /
hat sich gleich wieder dich Glück' / Ort / und Zeit
verschworen.
Was dich betrübt und labt / halt alles für erkohren.
Nim dein Verhängnüß an. Laß' alles unbereut.
Thu / was gethan muß seyn / und eh man dirs gebeut.
Was du noch hoffen kanst / das wird noch stets gebohren.
Was klagt / was lobt man doch? Sein Unglück und sein
Glücke
ist ihm ein ieder selbst. Schau alle Sachen an.
Diß alles ist in dir / laß deinen eiteln Wahn /
und eh du förder gehst / so geh' in dich zu rücke.
Wer sein selbst Meister ist / und sich beherrschen kan /
dem ist die weite Welt und alles unterthan.

Abdruck nach: Gedichte des Barock. Hrsg. von Ulrich Maché und Volker Meid. Stuttgart: Reclam, 1980. (Reclams Universal-Bibliothek. 9975 [5]) S. 58. [Text nach der Ausgabe von 1646.]
Erstdruck: Paul Fleming: Poetischer Gedichten So nach seinem Tode haben sollen herauß gegeben werden Prodromus. Hamburg: Gundermann, 1641.
Weitere wichtige Drucke: Paul Flemings Teütsche Poemata. Lübeck: Jauch, [1646]. Repr. Hildesheim: Olms, 1969. – Paul Flemings Deutsche Gedichte. Hrsg. von J. M. Lappenberg. 2 Bde. Stuttgart: Literarischer Verein, 1865. (Bibliothek des Literarischen Vereins. 82. 83.) Repr. Darmstadt: Wissenschaftliche Buchgesellschaft, 1965.

Wilhelm Kühlmann

Selbstbehauptung und Selbstdisziplin. Zu Paul Flemings *An Sich*

Das in jedem dichterischen Text implizierte Ich des Autors wird sich hier selbst zum Gegenstand. Es spaltet sich in die Sprecherrolle und die des Adressaten, über den zugleich etwas ausgesagt wird. Die im Titel angekündigte Redesituation des Selbstgesprächs soll den Leser nicht auf die intime Mitteilung subjektiver Empfindungen oder seelischer Zustände vorbereiten. Zugrunde liegt vielmehr ein überkommenes Modell des philosophischen Diskurses – man denke etwa an die *Soliloquien* des Augustinus –, in dem es um die meditierende Aneignung überpersönlicher Wahrheiten ging. Gerade die Allgemeingültigkeit der Erkenntnisse (hier in der abstrahierenden Formulierung der Verse 9 und 13 f. angedeutet) verbürgt die individuelle Betroffenheit. Erst in der intellektuellen Distanz der vernunftgeleiteten Selbstbetrachtung wird das eigene Ich zum Exempel menschlicher Existenz. Unverkennbar ist der ›deiktische‹, d. h. hinweisend-lehrhafte Charakter dieser Lyrik; Selbstbesinnung versteht sich als Selbstüberredung. Ein Grundgedanke wird beharrlich umkreist und rhetorisch entfaltet. Während Andreas Gryphius in einem gleichnamigen Gedicht (*An sich selbst*) aus dem Grauen vor dem eigenen körperlichen Verfall die Botschaft der Eitelkeit alles Irdischen entwickelt, formuliert Fleming Imperative der Lebensführung, Maximen einer moralischen Grundhaltung. Im Ringen um dieses appellativ vorgetragene ethische Leitbild werden leidvolle Erfahrungen verarbeitet und Konflikte im Verhältnis des Ich zur Welt, d. h. zur Gesellschaft gelöst. Sie sind vorausgesetzt in dem doppelten »dennoch« des Eingangsverses, der das Grundthema des Gedichts im Sinne einer auch den Leser angehenden Aufforderung anschlägt.
Die kunstvolle Form des Sonetts erfüllt nicht nur einen

hohen artistischen Anspruch, sondern besitzt selbst Indizwert für das Gewicht und die Bedeutung der Gedanken. Ästhetisch Gelungenes markiert Aussagen von besonderem Rang. Das gehört zu der rhetorischen, epochenbestimmenden Forderung einer Adäquatheit von Sache und Sprache (zu diesem Aspekt besonders hinsichtlich des Sonetts vgl. Mauser, S. 304 ff.). Fleming hält sich an das von Martin Opitz in Anlehnung an französische Vorbilder kodifizierte Schema des Sonetts, verstand er sich doch zeitlebens als »Opitzianer«. In seinem *Buch von der Deutschen Poeterey* (1624) hatte Opitz festgelegt:

Ein jeglich Sonnet aber hat viertzehen verse / vnd gehen der erste / vierdte / fünffte vnd achte auff eine endung des reimens auß; der andere / dritte / sechste vnd siebende auch auff eine. Es gilt aber gleiche / ob die ersten vier genandten weibliche termination haben / vnd die andern viere männliche: oder hergegen. Die letzten sechs verse aber mögen sich zwar schrencken wie sie wollen; doch ist am bräuchlichsten / das der neunde vnd zehende einen reim machen / der eilffte vnd viertzehende auch einen / vnd der zwölffte vnd dreyzehende wieder einen. (S. 53.)

Das »schickliche« Versmaß des Sonetts war für Opitz der Alexandriner. Kennzeichnend für die Struktur dieses jambischen Sechshebers ist die Zäsur, d. h. der Zusammenfall von Wort- und Versiktus nach dem dritten Versfuß, also genau in der Mitte. Diese Gliederung konnte syntaktisch und gedanklich betont oder auch überspielt werden. Fleming demonstriert die verschiedenen Möglichkeiten schon im ersten Quartett. Die Verse 1 und 2 gewichten jeden Halbvers mit einer kurzen, parallel geschalteten Aufforderung. Diesem nachdrücklichen Einsatz, durch die Wortwiederholungen und Wortanklänge in Vers 1 hervorgehoben, folgt in den Versen 3/4 ein längeres Satzgefüge. Dabei läßt sich (4) beobachten, daß Fleming das reguläre Taktschema rhythmisch egalisiert. Der Wechsel des alternierenden Jambus wird in einer schwebenden Betonung gleichstarker einsilbiger Wörter aufgehoben. Dadurch ist die Gefahr einer

mechanischen Erstarrung der natürlichen Sprachbewegung gebannt. In gleichem Maße gewinnt das Gedicht an innerer Spannung und Dynamik, leicht einzusehen besonders im Fall der nachdrücklich vorangestellten Imperative (6 f.).
In der zeitgenössischen Poetik wurde das Sonett nicht selten zur Gattung des Epigramms gezählt (vgl. Leighton, S. 27 ff.). Diese Affinität sah man begründet vor allem in der quasi-logischen Struktur beider Gedichtformen sowie in der damit zusammenhängenden Forderung nach einem deutlichen Einschnitt zwischen gedanklicher Exposition und »sinnreichem« Abschluß. Fleming setzt diese Zäsur nicht, wie sonst häufig, nach Vers 8, sondern vor die beiden letzten Verse. Dementsprechend wird auch die Grenze zwischen beiden Terzinen durch Enjambement abgeschwächt. Die Schlußverse fassen in sprichwortartiger, sentenzhafter Prägnanz die zentrale Erkenntnis der vorhergehenden Argumentation zusammen. In der Reihe variabel gestalteter Appelle – sie bestimmen die Binnenstruktur des Sonetts – wird ein gedankliches Resultat vorbereitet. Ihm Evidenz zu verleihen, dient aller rhetorischer Aufwand. Dieser rechtfertigt sich durch den ›Gegenstand‹ des Denkens: durch den hier unternommenen Versuch einer möglichst konzisen Formulierung eines ethischen Lebensideals. Entworfen wird ein Tugendprogramm, indem verschiedene Aspekte sittlicher Bewährung abgeschritten und begründet werden. Für uns ist das Gedicht nicht zuletzt deshalb so bedeutsam, weil es Grundbegriffe einer praktischen Philosophie vor Augen stellt, die für die Individual- wie auch Sozialethik der frühen Neuzeit von nicht zu überschätzender Reichweite war: Fleming propagiert sittliche Postulate des sogenannten Neostoizismus.
Es war vor allem der belgische Späthumanist Justus Lipsius (1547–1606), der in mehreren Handbüchern, besonders aber in seinem weitverbreiteten Traktat *Von der Bestendigkeit* (zuerst 1584) die Lebensphilosophie der römischen Stoa für ein Publikum aufbereitete, das sich durch die Erfahrungen der konfessionellen Bürgerkriege, durch das Erlebnis ver-

breiteter Unsicherheit und Instabilität in Staat und Gesellschaft allgemeinverbindlicher Handlungsorientierung beraubt sah. Die Ethik des Neostoizismus war eine Philosophie der Krise. Verkündet wurde die Botschaft von der sittlichen Integrität des vernunftgeleiteten Individuums angesichts »öffentlicher Übel« (so Lipsius). Attraktiv war das System nicht zuletzt deshalb, weil es sich – trotz unübersehbarer Divergenzen in seiner Axiomatik – im Hinblick auf den metaphysischen Dualismus von Geist und Sinnenwelt sehr gut mit christlichen Denktraditionen in Einklang bringen ließ. Fast alle bedeutenden Dichter des Barock (vgl. dazu die Literaturhinweise) zeigen sich direkt oder indirekt beeinflußt von dem im Neostoizismus entwickelten heroischen Lebensideal.

Flemings Gedicht entwickelt sich gedanklich in einer Reihe begrifflicher Oppositionen. Einer unberechenbaren, vom »Glück« regierten Außenwelt, zu der auch die gesellschaftliche Anfechtung tugendhafter Lebensführung gehört (in diesem Sinn der Begriff »Neid« [2]), steht ein Ich gegenüber, das solche Erfahrung kraft innerer Selbstdisziplin überwindet. Gefordert wird eine Indifferenz gegenüber allen die Souveränität der Vernunft gefährdenden Gemütsbewegungen. Zu diesen Affekten zählen nicht nur Leiden und Trauer, sondern auch ansonsten positiv besetzte Emotionen wie Hoffnung und Reue. Fleming argumentiert hier streng in der Tradition Senecas, der auch die »poenitentia« als Form des Schmerzes mißbilligte (vgl. vor allem seine Schrift *De vita beata*). Daß hier christliche Überzeugungen tangiert waren, darf nicht verallgemeinert werden. Fleming hat selbst an anderer Stelle (vgl. vor allem das Gedicht *Laß dich nur Nichts nicht tauren*, in: Lappenberg, Bd. 1, S. 244) das Ideal der Beständigkeit im christlichen Gottvertrauen begründet. Die postulierte Affektdisziplin ist ein Akt der Vernunft, weil alle Emotionen auf rationalen Fehlurteilen beruhen. Der sich daraus ergebende »Wahn« (11) (entspricht dem Begriff der ›opinio‹) muß durch eine intellektuelle Erkenntnisleistung überwunden werden. Sie ergibt sich aus einer umfassenden Überschau, verstanden im wörtlichen Verständnis von »Theoria« (10). Im kontemplativen Akt distanzierter Reflexion erkennt der einzelne Mensch seine wahre Natur. Die Formulierung »Diß alles ist in dir« (11) zielt offensichtlich auf die Korrespondenz von Mikrokosmos und Makrokosmos. Sehr wohl möglich, daß Fleming an Ideen gedacht hat, wie sie besonders von Paracelsus vertreten wurden. Als Mediziner war der Dichter mit dessen Schriften vertraut. Im Kontext der stoischen Philosophie bedeutet der Satz, daß sich im Dualismus der menschlichen Natur der universale Gegensatz zwischen kosmischer Weltvernunft und der instabilen, unzuverlässigen Sphäre der empirischen Erscheinungen widerspiegelt. Der Vernunft zu gehorchen bedeutete demnach, sich in Einklang mit dem weltdurchwaltenden Logos zu versetzen. In diesem Sinne gewinnt der Mensch im Akt der Selbstdisziplin, im Zustand vollkommener Eigenmächtigkeit (13 f.), weltüberwindende Souveränität. Kein Zweifel, daß das verhaltene Pathos der Schlußverse sich aus dieser Erkenntnis individueller Kraft und Selbständigkeit speist, aus der latenten Polemik gegen die bedrückenden Zwänge der Institutionen von Kirche, Staat und Gesellschaft. Walter Hinderer hat deshalb in seiner Interpretation das Gedicht als eine Vorwegnahme emanzipativer, optimistischer Anschauungen der Aufklärung gewürdigt. Damit ist jedoch nur die eine Seite des hier vertretenen moralischen Rationalismus benannt, die Entdeckung der inneren Resistenz eines vom Individuum durchgehaltenen persönlichen Ethos.

Flemings Gedicht zeigt auch sehr wohl die Ambivalenz einer solchen Haltung, die den Konflikt von Trieb und Norm ausschließlich zugunsten der letzteren entscheidet (vgl. hierzu bes. Abel, S. 15 f.). Der Rückzug auf das eigene Ich entbehrt nicht resignativer Züge, welche politische Einordnung und gesellschaftliche Anpassung in dem Maße förderten, als diese nur als Indifferent-Äußerliches aufgefaßt wurden. Der Verzicht auf Klage und Lob (9), die Hinnahme des vom Schicksal »Verhängten«, schließlich die Aufforderung

zum freiwilligen Gehorsam (7) meinen zwar die Unterordnung unter die Vernunft, ließen sich jedoch in der Praxis durchaus als Maximen der politischen Subordination verstehen. In der Tat wurde der Neostoizismus gerade deshalb vor allem für die akademisch gebildete Schicht des absolutistischen Beamtenapparates zur beherrschenden Ideologie, weil er, sofern sich die politische Ordnung nur als Vernunftordnung definierte, das Prinzip von Herrschaft und Gehorsam bestätigte. Im stoischen Schicksalsbegriff ließ sich das Ungreifbare auch politischer ›Notwendigkeiten‹ einkleiden. Für ein Bürgertum, das die Entwicklung des absolutistischen Verwaltungsstaates zwar bejahte, aber sich beständig mit dem Konflikt von Moral und Macht konfrontiert sah, erlaubte die neostoische Ethik zugleich jene innere mentale ›Reservation‹, in der sich die eigene sittliche Integrität von widriger Wirklichkeit unberührt fühlen durfte.
Aus der individuellen Selbstbehauptung ließ sich also sehr wohl auch der Rückzug von der Welt in Lebensformen der Idylle ableiten. Der stoische Weise behauptet sich zwar wie ein »Fels« (so das vielgebrauchte Bild) in den »Stürmen« des Daseins, findet sein Glück (Senecas »vita beata«) aber, wie oft in barocker Literatur dargestellt, im Refugium des Landlebens. Das implizierte nicht selten politische Hoffnungslosigkeit. Fleming hat diese Glücksbilder in dem Wort »Vergnügen« (3) angedeutet. Der Begriff aktualisiert noch eindeutig seinen semantischen Zusammenhang mit ›genug haben an etwas‹. Er spielt in vielen Gedichten eine zentrale Rolle (vgl. z. B. Lappenberg, Bd. 1, S. 209, 244, 446). Auch die Teilnahme an der persischen Reise (eine Gelegenheit, den Kriegsereignissen zu entfliehen) hat Fleming als einen Entschluß weiser Selbstgenügsamkeit betrachtet (vgl. das Gedicht *In Groß-Neugart der Reußen*, in: Lappenberg, Bd. 1, S. 128 ff.). Dem gegenüber stehen nicht wenige Gedichte, in denen die Rolle des Melancholikers, des Mißvergnügten durchgespielt wird. In beiden Fällen sind private Haltungen gemeint. Freilich steuert das ethische System, in dem diese definiert werden, jedenfalls im 17. Jahrhundert,

zugleich gesellschaftlich erwünschtes Verhalten. Die Aufforderung zum »Vergnügen an sich selbst« kam deshalb nicht nur der epochalen Sehnsucht nach politischer Stabilität entgegen, sondern stand auch im Dienste einer auf Verzicht und Gehorsam aufbauenden politischen Ordnung. Die einschlägige Definition in der (aristotelisch ausgerichteten) *Ethica* des Justus Georg Schottelius (1669) läßt den Leser darüber nicht in Zweifel:

Es ist die Vergnüglichkeit eine Tugend / die gern und willig zufrieden ist mit dem / was verhanden und GOtt bescheret. Eine solche Tugend / die fein mäßiget / besanftiget / stillet und zurück hält die Lust und Begier nach Geld und Gut / nach Ehr und höherm Stand / und sonst nach alle dem / was man annoch nicht hat / und doch zur Noht entbehren kan. (S. 565.)

Zitierte Literatur: Günter ABEL: Stoizismus und frühe Neuzeit. Zur Entstehungsgeschichte des modernen Denkens im Felde von Ethik und Politik. Berlin / New York 1978. – Paul Flemings Deutsche Gedichte. [Siehe Textquelle. Zit. als: Lappenberg.] – Walter HINDERER: Unromantischer Weg nach innen. In: Frankfurter Allgemeine Zeitung. Jg. 32. Nr. 195. 23. August 1980. Wochenendbeilage. – Joseph LEIGHTON: Deutsche Sonett-Theorie im 17. Jahrhundert. In: Europäische Tradition und deutscher Literaturbarock. Hrsg. von Gerhart Hoffmeister. Bern/München 1973. S. 11–36. – Wolfram MAUSER: Dichtung, Religion und Gesellschaft im 17. Jahrhundert. Die »Sonnete« des Andreas Gryphius. München 1976. – Martin OPITZ: Buch von der Deutschen Poeterey (1624). Hrsg. von Cornelius Sommer. Stuttgart 1970 [u. ö.]. – Justus Georg SCHOTTELIUS: Ethica. Hrsg. von Jörg Jochen Berns. Bern/München 1980.
Weitere Literatur: Justus LIPSIUS: Von der Bestendigkeit [De Constantia]. Faksimiledr. der deutschen Übers. des Andreas Viritius. Hrsg. von Leonard Forster. Stuttgart 1965. – Gerhard OESTREICH: Geist und Gestalt des frühmodernen Staates. Ausgewählte Aufsätze. Berlin [West] 1969. – Johannes PFEIFFER: Paul Flemings »An sich«. In: Die deutsche Lyrik. Hrsg. von Benno von Wiese. Bd. 1. Düsseldorf 1956. S. 131 f. – Hans-Jürgen SCHINGS: Die patristische und stoische Tradition bei Andreas Gryphius. Köln/Graz 1966. – Rudolf Alexander SCHRÖDER: Paul Fleming. In: R. A. S.: Gesammelte Werke. Bd. 3. Frankfurt a. M. 1952. S. 598–651. – Xaver STALDER: Formen des barocken Stoizismus. Der Einfluß der Stoa auf die deutsche Barockdichtung. Bonn 1976. – Liselotte SUPERSAXO: Die Sonette Paul Flemings. Chronologie und Entwicklung. Diss. Zürich 1956.

Paul Fleming

Herrn Pauli Flemingi der Med. Doct. Grabschrifft / so er ihm selbst gemacht in Hamburg / den xxiix. Tag deß Mertzens m. dc. xl. auff seinem Todtbette drey Tage vor seinem seel: Absterben

Ich war an Kunst / und Gut / und Stande groß und reich.
Deß Glückes lieber Sohn. Von Eltern guter Ehren.
Frey; Meine. Kunte mich aus meinen Mitteln nehren.
Mein Schall floh überweit. Kein Landsmann sang mir gleich.
Von reisen hochgepreist; für keiner Mühe bleich.
Jung / wachsam / unbesorgt. Man wird mich nennen hören.
Biß daß die letzte Glut diß alles wird verstören.
Diß / Deütsche Klarien / diß gantze danck' ich Euch.
Verzeiht mir / bin ichs werth / Gott / Vater / Liebste / Freunde.
Ich sag' Euch gute Nacht / und trette willig ab.
Sonst alles ist gethan / biß an das schwartze Grab.
Was frey dem Tode steht / das thu er seinem Feinde.
Was bin ich viel besorgt / den Othem auffzugeben?
An mir ist minder nichts / das lebet / als mein Leben.

Abdruck nach: Gedichte des Barock. Hrsg. von Ulrich Maché und Volker Meid. Stuttgart: Reclam, 1980. (Reclams Universal-Bibliothek. 9975 [5].) S. 56 f. [Text nach der Ausgabe von 1646.]
Erstdruck: Paul Fleming: Poetischer Gedichten So nach seinem Tode haben sollen herauß gegeben werden Prodromus. Hamburg: Gundermann, 1641.
Weitere wichtige Drucke: Vgl. S. 159.

Wilhelm Kühlmann

Sterben als heroischer Akt. Zu Paul Flemings *Grabschrifft*

Die Überschrift ordnet das Gedicht einem Formtypus zu, der in den Gedichtsammlungen des 17. Jahrhunderts nicht selten in spielerisch-scherzhafter oder satirischer Variante, also als Genre der Unterhaltungsliteratur auftaucht. Es handelt sich um die poetische Adaption eines Gebrauchstextes – der Grabinschrift. In Anlehnung an zahlreiche Beispiele der antiken Epigrammdichtung, wie sie vor allem in der *Griechischen Anthologie* vorlagen, bildeten die poetischen Grabschriften spätestens seit Hoffmannswaldaus *Centuria Epitaphiorum* (1662) eine selbständige Gruppe innerhalb der barocken Kurzlyrik (vgl. zur Breite der barocken Epigrammatik die Arbeit von Weisz, bes. die wertvolle Bibliographie). Nachgeahmt wurde dabei die zweckgebundene Redesituation des Nachrufs: Ein Sprecher würdigt die Persönlichkeit, d. h. Lebensgang, Verdienste und Tugenden eines Verstorbenen. Wulf Segebrecht hat in seiner ausführlichen Studie nachgewiesen, wie breit die Skala von Möglichkeiten war, dieses Gebrauchsschema literarisch zu fiktionalisieren und auf erfundene Personen und Gegenstände zu beziehen. Von der Konstruktion derartiger fiktiver Epitaphien ist grundsätzlich zu unterscheiden die Verwendung des Texttypus im Zusammenhang der wirkliche Todesfälle behandelnden Kondolenzlyrik. Viele Kasualdichter ließen ihre Begräbnisgedichte – zu dieser Gattung des ›Epicedion‹ vgl. den grundlegenden Aufsatz von Krummacher – in eine pointierte Grabschrift ausmünden. Publikum war hier nicht wie bei den Gedichtsammlungen eine anonyme Leserschaft, sondern die sich im Andenken an einen Toten versammelnde Trauergemeinde. Der Mitteilungsgegenstand (die Person des Verstorbenen) war bekannt, brauchte also nicht erst poetisch vorgestellt zu werden. Das literarische Grabgedicht erfüllte zumeist nicht nur die Funktion eines Nachrufs, sondern stand auch als Medium diverser Redezwecke zur Verfügung. Aus der Retrospektive auf den Toten ergaben sich nicht selten prägnante Trostargumente oder Gedanken der Mahnung, Hoffnung, der moralischen Belehrung und der ›sinnreichen‹ Erinnerung an das gemeinsame menschliche Schicksal.

In Flemings Sonett verschmelzen der Gegenstand des Gedichts und sein Autor. Fiktive und historische Schreibsituation treten in Spannung zueinander. In der fiktiven Perspektive versetzt sich der Dichter in eine imaginierte Zukunft nach dem eigenen Tod, wie das Präteritum der ersten Verse bzw. das Futur in Vers 6 andeutet. Durch den Wechsel ins Präsens (8 ff.), also in der strophischen Zäsur des Sonetts, tritt die Situation der Sterbestunde in den Mittelpunkt. Die genauen Angaben der Überschrift unterrichten den Leser, daß Flemings dichterischer Entwurf durch die furchtbare Wirklichkeit eingeholt wurde. Die poetische Phantasie erhält den Charakter realer Antizipation, das Gedicht wird zu einem Dokument beeindruckender Authentizität, es nähert sich dem testamentarischen Rang der ›letzten Worte‹. Die fiktive Grabinschrift wandelt sich zu einem Text, der in der Erfüllung dichterischer Prophezeiungen alsbald seinem pragmatischen Zweck hätte zugeführt werden können.

Fleming setzt in der Ordnung des gedanklichen Ablaufs die beiden Quartette deutlich von den Terzinen ab. Die ersten acht Verse erfüllen den Auftrag des Nachrufs, das Gültige und Bleibende eines Lebensschicksals festzuhalten. Durch den autobiographischen Bezug wird der Nachruf zur Konfession. Die Sätze sind kurz, lapidar im Sinne epigrammatischer Kürze, ja bis in prädikatslose Aufzählungen verknappt. Aus dem stichwortartigen Lebensrückblick entwikkelt sich in der Mitte des Gedichts ein Bekenntnis zur Dichtkunst als wesentlicher, weil zeitüberhobener eigener Leistung. Bereits im ersten Vers steht am Anfang der Begriff

»Kunst«. Fleming verzichtet im Angesicht des Todes auf die üblichen Bescheidenheitsfloskeln; er ist sich seines Ranges bewußt: »Kein Landsmann sang mir gleich« (4). Die Erwähnung von »Gut« und »Stand« sowie der Dank an die Eltern bekräftigen den sozialen Status des Autors: Im 17. Jahrhundert war es unmöglich, von diesen äußerlich scheinenden Markierungen der gesellschaftlichen Zugehörigkeit abzusehen. In der Tat waren Flemings häusliche Verhältnisse günstiger als bei vielen Zeitgenossen. Er war Enkel eines »Ratsverwandten«, also eines Angehörigen der patrizischen Oberschicht in der Heimatstadt Hartenstein im Vogtland, und Sohn eines Schullehrers und späteren Pfarrers. Das Stichwort »Stand« soll aber wahrscheinlich auch an die selbsterrungene bürgerlich-akademische Würde erinnern. Fleming hatte sich nach der Rückkehr von der persischen Gesandtschaftsreise nach Leiden begeben und war dort zum Dr. med. promoviert worden (1640). Der Tod überraschte ihn auf der Rückreise nach Reval, wo die verlobte Braut Anna Niehus wartete.
Besondere Aufmerksamkeit verlangt Vers 3, weil in dem Attribut »frey«, das sich der Dichter zuerkennt, automatisch moderne, emanzipative Kategorien des Vorverständnisses assoziiert werden. Kein Zweifel, daß Fleming an diesem Punkt wichtige Voraussetzungen des eigenen Selbstbewußtseins und der eigenen Identität aussprechen will. Das zeigt sich schon in der syntaktischen Gestaltung: zwei gewichtige Wörter werden an den Versanfang gesetzt. Die zeitgenössische Metrik erlaubte es, Einsilbler wie »frey« als Hebung oder Senkung zu bewerten. Daß der Autor nicht an libertäre Gedankenfreiheit im Sinne intellektueller Autonomie denkt, ergibt sich aus dem Zusatz »Meine«. Hier wird der stoische Autarkie-Begriff vorausgesetzt: Selbstmächtigkeit der individuellen Vernunft als Inbegriff des Selbstbesitzes. Der als Natur gedachten Vernunft gegenüber fungiert die Triebkonstitution des Menschen, sein Überwältigt-Werden durch Affekte, als Moment ständig drohender Selbstent-

fremdung. Auf der Grundlage dieses anthropologischen Modells konnte z. B. auch das Thema erotischer ›Gemütsbewegungen‹ in der Dialektik von ›Freiheit‹ und Selbstbesitz behandelt werden, wie etwa zu Beginn eines bekannten Sonetts von Martin Opitz:

> Du güldne Freyheit du / mein wündschen vnd begehren /
> Wie wol doch were mir / im fall ich jederzeit
> Mein selber möchte seyn / vnd were gantz befreyt
> Der Liebe die noch nie sich wollen von mir kehren [...]. (S. 178.)

Das Bemerkenswerte an Flemings Gedicht liegt in der Unbefangenheit, mit der hier das moralische Postulat in seiner ökonomischen, d. h. aber gesellschaftlichen Bedingtheit erfaßt wird. Dadurch erhält auch der Freiheitsbegriff eine konkrete historische Dimension. Sich selbst ernähren zu können (vgl. 3) erscheint als Bedingung für die Befreiung von Dienstbarkeiten aller Art, damit auch als die Voraussetzung ungestörten Einverständnisses des Subjektes mit sich selbst. Unter den störenden Faktoren, die implizite zu erschließen sind, konnte man die Abhängigkeit von mäzenatischen Gunstbeweisen ebenso verstehen wie die Konformitätszwänge der ordnungspolitischen Reglementierung in der Stadt und am Hof. Die zeitgenössische Hofkritik (vgl. Kiesel), aber auch die zahlreichen Schriften zum »Lob des Landlebens« haben – direkt oder indirekt – immer wieder mögliche Freiheitsverluste als Kehrseite der frühabsolutistischen ›Sozialdisziplinierung‹ (Oestreich) beklagt. Fleming selbst war für die persische Reise pro forma zum Hofjunker ernannt worden. Als soeben promoviertem Mediziner bot sich ihm die Aussicht auf eine wirtschaftlich abgesicherte Existenz: der Dichter wird dies, folgen wir dem Gedicht, als Freiheitschance begriffen haben.
Es ist auffällig, daß sich Fleming an vielen Stellen seines Werkes mit Bedeutungsvarianten von Freiheitsvorstellungen beschäftigt. Dabei läßt sich verfolgen, daß sich um den Bedeutungskern des moralistisch-personalistischen Autar-

kie-Gedankens ein weiter Radius von durchaus politischen Freiheitsidealen anlagert. Als Vertreter des norddeutschen Bürgertums sah Fleming in den protestantischen Ständen des Reichs, vor allem aber in der antispanischen, antikatholischen Wehrhaftigkeit des niederländischen Kaufmannsstaates einen Hort bedrohter Freiheitsrechte:

Ach, folgt den Ahnen nach, so euch der Mutter Schaden,
so eurer Freiheit Tod euch leid sein kann und soll!
Ach, Meine seht doch an die starken Niederländer;
ihr obwol kleines Land beschämt die weite Welt.

(*Schreiben vertriebener Frau Germanien an ihre Söhne oder die Churfürsten, Fürsten und Stände in Deutschlande*, in: Lappenberg, Bd. 1, S. 102 ff., hier S. 108.)

»Freie Druckereien« waren für Fleming Garanten kultureller Blüte (vgl. Lappenberg, Bd. 1, S. 125), musische Betätigung galt ihm als Zeichen eines »freien Geistes«:

Ein Geist muß in der Lust der sichern Freiheit leben,
der etwas Freies tun und an den Tag soll geben,
muß still' und seine sein und dieses fassen wol,
was Zedern würdig sein und ewig bleiben sol.

(*An Herrn Olearien [...]*, in: Lappenberg, Bd. 1, S. 159 ff., hier S. 163.)

In dem an die Mystik gemahnenden Vokabular dieser Verse (»still' ... sein«) zeigt sich, daß in den stoisch beeinflußten Freiheitsgedanken immer die mögliche Wendung zur Konzentration auf die eigene Innerlichkeit angelegt war. Allerdings hat sich Fleming nicht gescheut, aus dem Ethos personaler Freiheit heraus auch Konsequenzen für den Geltungsbereich der politischen Öffentlichkeit zu formulieren. So appelliert er an den Herrscher, die Achtung vor der Freiheit als eine Maxime kluger Staatskunst zu begreifen:

Er weiß ein freies Volk, will freie Zungen haben,
das Ernst zwar frömmer macht, doch treuer stete Gaben.

Wer wol zu herrschen weiß, drückt oft ein Auge zu
Und spricht zum Ohre viel: Tu nicht, als hörtest du!

(*Auf Herzogen Friedrichs zu Schleswig-Holstein [...] Abgesandten seinen Namenstag*, 1638, in: Lappenberg, Bd. 1, S. 197 ff., hier S. 204.)

Der Lebensrückblick der Grabschrift orientiert sich also am Leitbild des ›freien Geistes‹. Insofern gehören auch Freiheit und künstlerische Leistung zusammen. Diese hat nichts zu tun mit geniehafter, schöpferischer Spontaneität, sondern gehört zu einer mit »Mühe« (vgl. 5) zu erreichenden kulturellen Kompetenz. In »Kunst, Wissenschaft und Tugend« – so oder ähnlich lauten die immer wieder formulierten Begriffskombinationen – lag für das akademische Bürgertum die einzige Möglichkeit, in der fortschreitenden Isolierung von den Instanzen ökonomischer und politischer Macht ein eigenes Selbstbewußtsein zu behaupten und zu entwickeln. Kunst hat Anteil am bürgerlichen Leistungsethos, das Flemings Gedicht im ganzen beispielhaft repräsentiert. So ist auch das verhaltene Pathos zu verstehen, mit dem Fleming den durch die Musen (8: »Klarien« nach einem Beinamen Apollos) gewährleisteten Nachruhm verkündet. Die allerdings hyperbolische Ausformung des alten humanistischen Topos basiert auf der Erkenntnis des Dichters, die Chancen persönlicher Auszeichnung bereits in jungen Jahren genutzt zu haben.

Zu den strukturbildenden Korrespondenzen des Sonetts gehört die Weiterführung des Themas ›Freiheit‹ und ›Sorglosigkeit‹ (3 und 5) in den abschließenden Terzinen (12 f.). Die ›Freiheit‹ des Todes – zu verstehen vielleicht im Sinne der christlichen Permissio – bricht sich am Selbstbehauptungswillen des Menschen, der das Sterben als heroischen Akt und letzte Lebensleistung bewältigen will. Das bedeutet Abkehr von der Sorge, weil der Tod nicht das eigentliche Leben trifft, bedeutet aber vor allem Einverständnis mit dem Schicksal: »und trette willig ab« (10). Sorgen und Todesfurcht wären Emotionen. Sie sind durch Haltung auszuschalten. Im Tode gipfeln Situationen der Anfechtung, die auch das Leben kennt. Was sich im beispielhaften Sterben demonstrieren läßt, besitzt überindividuelle Geltung. Deshalb wurde der Tod im Schrifttum des 17. Jahrhunderts nicht tabuisiert und verdrängt, wie wir es heute gewohnt sind, sondern in die Helle des Bewußtseins gerückt. Dazu gehört auch der Abschied von den nahestehenden Menschen (9). Fleming akzentuiert die Situation der Valedictio. Der Gedanke an Gott ist zwanglos impliziert. Das leise Schuldbekenntnis hält sich fern vom Schauder der Sündenangst. Jede Erregung ist gedämpft. Nur ganz verhalten – in der euphorischen Metaphorisierung des Todes als Schlaf (10) – wird auf Jenseitshoffnungen angespielt.

Überhaupt operiert der Dichter nicht mit spezifisch christlichen Trostangeboten. Er verzichtet auf die bereitliegenden Argumentationen, die Gewalt des Todes im Hinblick auf die Eitelkeit alles Irdischen zu entkräften. Während bei vielen anderen Dichtern des Jahrhunderts – man denke nur an Andreas Gryphius – der Gedanke an die Vanitas der Welt und das Elend des Daseins einen Habitus der Weltverachtung (contemptus mundi) begründete, der wesentlich zum Bedenken des Todes (meditatio mortis) gehörte, bleiben hier die Warnungen des Memento mori außer Betracht (vgl. zur einschlägigen Topologie die Arbeit von van Ingen). Fleming entwertet nicht die irdischen Güter. Auch seine Todesphantasie zielt auf die Erbaulichkeit einer in die Tat umgesetzten ›Sterbekunst‹, kommt jedoch ohne die Revokationen dessen aus, was im Leben die eigene Identität ausmachte. Gerade die Dichtung, ansonsten dem Verdikt des »Scire tuum nihil est« (Andreas Gryphius) unterworfen, wird zum Anhaltspunkt eigener Hoffnung. Weder die Erlösungstat Christi noch das Heilsschicksal der Seele kommen in den Blick. Es fehlen die Formeln pathetischer Desillusionierung, die Topoi einer negativen Anthropologie oder die verbalen Gesten eines weltfeindlichen Transzendentalismus. Nicht Glaube und Gnade sichern das Unsterbliche des Menschen, sondern die Gewißheit eines gelungenen Lebens.

Weil der Tod so kein ohnmächtiges Erleiden ist, sondern ein letzter Akt des souveränen Willens, kann er auch künstlerisch gestaltet werden. Noch die artistische Meisterleistung der Grabschrift manifestiert die Freiheit und die Fähigkeit des Menschen, der sich vor allem als Dichter verstanden wissen wollte. Die ästhetische Fügung bestätigt den ungeschmälerten Selbstbesitz; sie indiziert einen ethischen Wert.

In der Mentalität des Gedichtes erhalten sich trotz der genuin barocken Thematik und der Anspielung auf das Welttheater-Modell des 17. Jahrhunderts (10: das »Abtreten« von der Bühne) geistige Ideale des Renaissance-Individualismus. Wir stoßen noch nicht auf eine Leidensmetaphysik, welche die Glorie des Menschen in Schmerz und Erniedrigung aufsuchte. Diese Grundposition Flemings hat dazu beigetragen, gerade sein *Grabschrift*-Gedicht berühmt und unvergeßlich zu machen. Leser und Interpreten haben über die Epochenschranken hinaus die Gewißheit des Dichters bestätigt: »Man wird mich nennen hören.«

Zitierte Literatur: Paul Flemings Deutsche Gedichte. Hrsg. von J. M. Lappenberg. 2 Bde. Stuttgart 1865. Repr. Darmstadt 1965. [Zit. als: Lappenberg.] – Ferdinand van INGEN: Vanitas und Memento Mori in der deutschen Barocklyrik. Groningen 1966. – Helmuth KIESEL: »Bei Hof, bei Höll«. Untersuchungen zur literarischen Hofkritik von Sebastian Brant bis Friedrich Schiller. Tübingen 1979. – Hans-Henrik KRUMMACHER: Das barocke Epicedium. Rhetorische Tradition und deutsche Gelegenheitsdichtung im 17. Jahrhundert. In: Jahrbuch der deutschen Schillergesellschaft 18 (1974) S. 89–147. – Gerhard OESTREICH: Geist und Gestalt des frühmodernen Staates. Ausgewählte Aufsätze. Berlin [West] 1969. – Martin OPITZ: Gedichte. Eine Auswahl. Hrsg. von Jan-Dirk Müller. Stuttgart 1970. – Wulf SEGEBRECHT: Steh Leser, still! Prolegomena zu einer situationsbezogenen Poetik von Lyrik, entwickelt am Beispiel von poetischen Grabschriften und Grabschriftenvorschlägen in Leichencarmina des 17. und 18. Jahrhunderts. In: Deutsche Vierteljahrsschrift für Literaturwissenschaft und Geistesgeschichte 52 (1978) S. 430–468. – Jutta WEISZ: Das deutsche Epigramm des 17. Jahrhunderts. Stuttgart 1979.
Weitere Literatur: Vgl. S. 166.

Paul Fleming

Wie Er wolle geküsset seyn

Nirgends hin / als auff den Mund /
da sinckts in deß Hertzen grund.
Nicht zu frey / nicht zu gezwungen /
nicht mit gar zu fauler Zungen.

5 Nicht zu wenig nicht zu viel.
Beydes wird sonst Kinder-spiel.
Nicht zu laut / und nicht zu leise /
Bey der Maß' ist rechte weise.

Nicht zu nahe / nicht zu weit.
10 Diß macht Kummer / jenes Leid.
Nicht zu trucken / nicht zu feuchte /
wie Adonis Venus reichte.

Nicht zu harte / nicht zu weich.
Bald zugleich / bald nicht zugleich.
15 Nicht zu langsam / nicht zu schnelle.
Nicht ohn Unterscheid der Stelle.

Halb gebissen / halb gehaucht.
Halb die Lippen eingetaucht.
Nicht ohn Unterscheid der Zeiten.
20 Mehr alleine / denn bey Leuten.

Küsse nun ein Iedermann
wie er weiß / will / soll und kan.
Ich nur / und die Liebste wissen /
wie wir uns recht sollen küssen.

Abdruck nach: Gedichte des Barock. Hrsg. von Ulrich Maché und Volker Meid. Stuttgart: Reclam, 1980. (Reclams Universal-Bibliothek. 9975 [5].) S. 62f. [Text nach der Ausgabe von 1646.]

Erstdruck: Paul Flemings Teutsche Poemata. Lübeck: Jauch, [1646]. Repr. Hildesheim: Olms, 1969. [Der Titel des Gedichts ist bereits erwähnt in einem Einzeldruck des Jahres 1635 (vgl. die Angaben bei Lappenberg).]
Weiterer wichtiger Druck: Paul Flemings Deutsche Gedichte. [Vgl. S. 159.]

Wilhelm Kühlmann

Ausgeklammerte Askese. Zur Tradition heiterer erotischer Dichtung in Paul Flemings Kußgedicht

Die ersten fünf Strophen geben eine komplizierte Antwort auf die im Titel ganz einfach formulierte indirekte Frage. Der Dichter schlüpft in die Rolle eines Didaktikers der Liebe. Es wird so getan, als erfülle sich der eigene erotische Wunsch nur in der Einhaltung ausgeklügelter Vorschriften. Diese kreisen um eine aus der seriösen Ethik bekannte Tugendforderung, die des Maßes: »Bey der Maß' ist rechte weise« (8). Wie in der besonders von Aristoteles herausgestellten Idee der ›mediocritas‹ wird ein Ausgleich zwischen Extremen verlangt. Eine solche Maxime enthält die gattungskonstitutive Gegenposition zu den idealistischen Moralpostulaten vor allem im Gefolge eines stoizistisch gefärbten Christentums, in dessen Gefolge sinnliche Emotionen, zumal auf erotischem Gebiet, mißbilligt und unterdrückt wurden. Liebesdichtung, die sich mit den Bildern und Motiven individuellen Glücks befaßte, konnte sich mit rigiden Vorgaben einer idealistischen Anthropologie schwerlich abfinden. Hier wird freilich der Grundgedanke des maßvollen Ausgleichs dadurch ironisch gefärbt, daß sich aus ihm eine detaillierte Tabulatur von Verhaltensregeln entwickelt. Der Leser trifft sich alsbald mit den Intentionen des Autors in der Erkenntnis, daß eine solche Bevormundung spontaner Zärtlichkeit nur scherzhaft gemeint sein kann. Spätestens die letzte Strophe dementiert denn auch die

Verbindlichkeit und Ernsthaftigkeit der katalogartig summierten Anweisungen. Ostentativ wird der Raum privater Liebeserfüllung als Intimbereich abgegrenzt; hinter dem poetischen Spiel des Gedichtes bleibt die persönliche Lebensgestaltung, die Sphäre harmonisch-solidarischer Zweisamkeit (vgl. 23) ungestört. Auch dem Leser soll (21 f.) die Gewißheit zugute kommen, daß sich erotische Erfüllung nicht konventionalisieren läßt.

Die scherzhafte Pointe der Gedankenbewegung besteht darin, daß ein erotischer Kodex aufgestellt wird, auf den dann – eingestandenermaßen – niemand eingeschworen werden kann. In diesem Verhalten des Sprechers wird der Versuch, persönliches Glück zu kalkulieren, zugleich aber auch jede äußere Zumutung an die natürliche Wirklichkeit des amourösen Umgangs mit dem Partner persifliert und zurückgewiesen. Der Kuß ist ein Akt, der Intimeres symbolisiert, doch von öffentlicher Moral und den Normen der Gesellschaft noch nicht zu belangen ist. Als herausgehobenes Thema der poetischen Situation repräsentiert er modellhaft eine bestimmte Lebenskonzeption. Sie basiert auf der Anerkennung des unwägbar Individuellen und der persönlichen Freiheit im Bereich des Privaten. Erotische Lyrik, die – wie auch immer vermittelt – derart heikle Ansprüche durchspielte, mußte die widrigen Aspekte der Realität ausklammern. Hierin lag das Motiv für die vorgegebene Autonomie des gattungsspezifischen Entwurfs der ästhetischen Wirklichkeit.

Das Thema des Eros als Moment ungestörten privaten Glücks implizierte die äußerste Distanz von den öffentlich wirksamen Leitbildern einer heroischen oder asketischen Lebenshaltung. Für Liebesdichtung, welche statt schmerzvoller Entsagung und tugendhafter Selbstdisziplin die vergnüglich-heiteren Aspekte der Erotik in den Mittelpunkt stellte, kamen im wesentlichen die antikisierenden, d. h. von vornherein als literarische Konventionen erkennbaren Gattungen (Schäferpoesie, anakreontische Lyrik) oder das – allerdings sehr reiche – Arsenal liedhafter, d. h. tendenziell

›volkstümlicher‹ Gestaltungsmöglichkeiten in Frage. In beiden Fällen dominierte die Pathosferne der mittleren Stillage. Auf ihr entfaltete sich die bis zum Ende des barocken Jahrhunderts reichende Tradition erotischer Lieddichtung, deren erste Anfänge im sogenannten Gesellschaftslied des 16. Jahrhunderts bestimmt werden können. Hier flossen ›altdeutsche‹ Überlieferungen und Anregungen vor allem der italienischen Renaissance zusammen. Der entsprechende Abschnitt in der Poetik des Martin Opitz weist nicht nur auf die enge Beziehung dieser Lyrik zur Musik, sondern auch – im Anschluß an Horaz – auf das Lebenslust und Lebensgenuß akzentuierende Themenspektrum:

Die Lyrica oder getichte die man zur Music sonderlich gebrauchen kan / erfodern zueföderst ein freyes lustiges gemüte / vnd wollen mit schönen sprüchen vnnd lehren häuffig geziehret sein [...]. Er [Horaz] wil so viel zue verstehen geben / das sie alles was in ein kurtz getichte kan gebracht werden beschreiben können; buhlerey / täntze / banckete / schöne Menscher / Gärte / Weinberge / lob der mässigkeit / nichtigkeit des todes / etc. Sonderlich aber vermahnung zue der fröligkeit [...]. (S. 30f.)

In dem vorliegenden Gedicht, das mit seinem »lob der mässigkeit« Opitzens Vorschrift wörtlich entspricht, unterstreicht also die schlichte Liedform den Grundtenor des thematischen Entwurfs. »Zwei Reimpaare aus trochäischen Vierhebern – das erste männlich, das zweite weiblich – sind zu einer Strophe gebunden, deren Zweiteiligkeit durch den Wechsel der Kadenzen metrisch markiert wird« (Frank, S. 171; hier auch Hinweise zur Geschichte dieser Strophenform). Mehrfach wird die Grenze zwischen dem dritten und vierten Vers syntaktisch überspielt. Der Dichter variiert in virtuoser Manier die jeweilige Beziehung von Einzelvers und Satzsequenz. Dem Prinzip einer durchgehenden Reihung von Negationen kontrastiert deren wechselnde Verteilung im Hinblick auf Strophe und Vers. Formeln der Verneinung können einen ganzen Vers ausfüllen, können aber auch in einem Vers verdoppelt oder in einem Verspaar dreifach

hintereinander geschaltet werden. Im letzten Fall (vgl. 3/4, 15/16) läuft die knappe Parallelisierung im jeweils ersten Vers in einen entspannteren Satzduktus des zweiten aus. Außer den Negationen werden auch zeitliche (14: »Bald – bald«) und modale Differenzierungen (17/18: »Halb – halb«) benutzt. Abwechslung bietet auch der Komparativ (20). Während sich die Strophen 4 und 5 ganz auf den Katalog der Kußtechniken beschränken, werden in den Strophen 1–3 zwischen die einzelnen Anweisungen Erläuterungen eingeschoben. Auch hier ist ein eintöniges Schema vermieden: Der Dichter kann seine Regel näher begründen (2), er kann eine Warnung aussprechen (6) oder auf mögliche alternative Konsequenzen aufmerksam machen (10). Es wird eine verallgemeinernde Sentenz formuliert (8) und in Vers 12 mit einem mythologischen Vergleich illustriert.
Kein Zweifel, daß das auf den ersten Blick unscheinbare Thema mit höchstem artistischen Ehrgeiz behandelt ist. Dies hängt mit der Tatsache zusammen, daß sich Fleming hier auf einem vielbeackerten literarischen Terrain bewegte. Bereits durch den Titel des Gedichts wurde der Leser über den gattungstypologischen Bereich des Textes informiert. Er wußte, daß es sich um das Genre des Kußgedichtes handelte, einer traditionsreichen Spielart der erotischen Lyrik. Ein Dichter, der hierauf Bezug nahm, mußte sich an dem Niveau und den bereits vorgelegten Gestaltungsvarianten großer Vorgänger messen lassen. Man darf annehmen, daß es sich Fleming als Verdienst anrechnete, auch für diese Sparte der europäischen Liebesdichtung ein anspruchsvolles und eigenständiges Exempel in deutscher Sprache vorgelegt zu haben. Erst ein Blick auf die Vorgeschichte des Typus erschließt wichtige Kriterien der literarischen Einordnung.
Kanonischen Rang besaßen zwei berühmte Kußgedichte (Nr. 5 und 7) im Werk des römischen Lyrikers Catull (um 87–55 v. Chr.). Es sind Dokumente einer einsamen Leidenschaft. Der Dichter fordert seine Geliebte zu unzählbaren Küssen auf, Zeichen des ersehnten unendlichen Glücks.

Gegen eine »neidische« Umwelt entwickelt Catull eine Philosophie der erotischen Lebenslust und der totalen Hingabe an die Sinnlichkeit, wodurch das Schicksal des Liebenden von der Willkür der Frau abhängt (zur Differenzierung im einzelnen vgl. Segal). Für die europäische Renaissancelyrik wurden daneben auch mehrere Epigramme der sogenannten *Griechischen Anthologie* bedeutsam. Möglicherweise hat sich Fleming von einem achtzeiligen Poem des Paulus Silentiarios anregen lassen; im barocken Gedicht werden Qualitäten gepriesen, die der spätantike Autor auf drei verschiedene Mädchen verteilt hatte:

Demos Küsse sind weich, lang küßt und laut Galateia,
Doris hinwiederum beißt: Wo ist der größere Reiz?
(*Anthologia Graeca*, Bd. 1, S. 372 f.)

Erst durch den *Basia*-Zyklus des im holländischen Haag gebürtigen Johannes Secundus (1511–35) gewann das Thema des Kußgedichts eine unerhörte, bis ins 18. Jahrhundert dauernde Ausstrahlungskraft. Wegweisend nicht nur für seine neulateinischen Nachahmer, sondern auch für zahlreiche Adaptionen in den Nationalliteraturen (vor allem im Kreise der französischen Pléiade) entwickelte Secundus aus der im Kuß gipfelnden Beziehung zweier Liebender eine eigene ästhetische Welt des erotischen Spiels und der zwar von Liebesleid bedrohten, aber sich doch immer wieder in heiterer Lust befreienden und befriedigenden Sinnlichkeit. Natur und Mythos werden einbezogen in die phantasievoll variierte Schilderung einer körperliche Reize und seelische Bewegungen auskostenden Unbefangenheit. Zwischen Zurückhaltung, Versagung und der ganzen Skala liebender Hingabe eröffnet sich ein weites Feld abgestufter, kontrastierender und sich wechselseitig ablösender Emotionen. Was antike Dichter vorgeprägt hatten, wurde von Secundus – mit gelegentlichen Durchblicken auf italienische Neulateiner (Beroaldus, Sannazaro) – der eigenen Moderne in vollendeteter Kunstfertigkeit von neuem zur Nachahmung ange-

wiesen. (Eine Würdigung des Secundus findet sich bei Ellinger, S. 28 ff.; zur Wirkung vgl. bes. die Einleitung zu Ellingers Ausgabe der *Basia*).
Mit einem weitgespannten lyrischen Œuvre in lateinischer Sprache gehörte Fleming selbst zu den bedeutendsten Vertretern der neulateinischen Dichtung in Deutschland. Sein deutsches Kußgedicht stellt ein wenn auch isoliertes muttersprachliches Gegenstück zu dem eigenen Zyklus der *Suavia* dar. Hier hat sich Fleming direkt auf Secundus und dessen Nachfolger unter den belgisch-holländischen Späthumanisten (Heinsius, Douza, Lernutius: zu ihnen vgl. jeweils Ellinger) berufen (*Lateinische Gedichte*, bes. S. 104 ff.). In der Vorrede werden ästhetische Prämissen festgelegt, die auch für das Verständnis unseres Gedichts Geltung besitzen. Erotische Dichtung wird als ein »Spiel« (›lusus‹) begriffen, das sich – ein Ausgleich zum Ernst des Lebens – den »Gratien« verpflichtet; es soll ein Publikum angesprochen werden, das »Reize ohne Verletzung des Respekts und Anmut jenseits der Obszönität liebt« (S. 105; alle Zitate im Original lateinisch). »Poemata amatoria« sind »keusch«; sie bewegen sich in der Uneigentlichkeit der scherzhaften Fiktion und zielen auf ein intellektuelles Vergnügen. Das erotische Thema ist – in Anlehnung an eine Definition des Martin Opitz – für den Dichter ein »Wetzstein« poetischer Erfindungsgabe, »an dem wir die Sinne schärfen können«. Die erfundene Welt des Eros soll also durch keine Wirklichkeit einlösbar sein, erst recht nicht Biographisches enthüllen. Das ist ein Grundgedanke, der seit der Antike (Catull, Ovid, Martial) zur Apologetik der Liebesdichtung gehörte und den z. B. auch Georg Greflinger in seinen Liedern aufgegriffen hat (Stellennachweise bei Schlaffer, S. 138):

Wie, Cupido, willst du mir meine Schertze nicht erläuben?
Ich bin von Leben from und schertzhafft in dem schreiben.

Der mögliche Vorwurf der Obszönität, der Verletzung des gesellschaftlichen Anstandes, wird also auch von Fleming ausdrücklich bedacht. Seine Gedichte bedurften freilich der Verteidigung und des Widerrufs nicht so dringlich wie die nicht selten schwülen und lüsternen Produkte der spätbarocken Epoche. Überhaupt war Dichtung in lateinischer Sprache weniger von apologetischen Zwängen betroffen als eine muttersprachliche Literatur, deren Publikum nicht immer mit den Konventionen der humanistischen Nachahmungsästhetik und den gattungstypischen Motivtraditionen vertraut war. Jedoch gehörte auch in der lateinischen Tradition die Selbstreflexion der Gattung zu den beliebten Mitteln, die rein ästhetisch aufzufassenden Anspielungsabsichten des Autors zu bekräftigen. Dies konnte z. B. in einer expliziten literaturgeschichtlichen Einordnung des eigenen Schaffens geschehen. Fleming hat so in seine *Suavia* (*Lateinische Gedichte*, Nr. 13, S. 117–119) einen langen Katalog der antiken Liebesdichter und ihrer neuzeitlichen Nachahmer eingereiht:

Tot basiationes,
quot Publio Corinna,
quot Lesbia Catullo,
Messalla quot Tibullo,
Neaera quot Secundo,
Rosilla quot Douzae,
quot Margaris Mureto,
quot Hebio Dinna,
quot Barthio Neaera,
Rosina quot Melisso,
Propertio Licynna,
Harmosine Grutero
Borbonio Rubella,
Blypurgio Rosalba,
Bathyllum Anacreonti [...]

– es folgen weitere neun Dichter mit ihren fiktiven Mädchen –

tot una da mihi uni,
Rubella, suaviatus [...].

(»So viel Küsse, wie Corinna dem Publius ..., so viel Küsse gib du allein, Rubella, nur mir!«)

In einer solchen Namensreihe eröffnet sich der Blick auf teilweise verschollene Kontinente der neulateinischen Poesie. Es läßt sich der Assoziationshorizont ausmachen, der dem gebildeten, d. h. ›gelehrten‹ Publikum der Zeit mehr oder weniger bewußt war. Indem der Dichter an eine solche Ahnengalerie anknüpfte, konnte er den verdächtigen Realitätsbezug der geschilderten erotischen Abenteuer spielerisch neutralisieren.
Das hier behandelte Gedicht repräsentiert innerhalb der frühneuzeitlichen erotischen Poesie seiner Grundkonzeption nach einen spezifischen Überlieferungsstrang. Dieser stand in Konkurrenz zu einem ›System‹ literarischer Gestaltungsmuster, das seine thematische Konstellation nicht in der ›Heiterkeit‹ partnerschaftlichen Glücks, sondern in der vergeblichen Bewerbung des Mannes um die unnahbare Geliebte gefunden hatte. Es war vor allem Petrarca (1303–74), der in seinem *Canzoniere* (erschienen postum 1470) im Anschluß an mittelalterliche Traditionen alle Variationen des ›grausamen Amor‹ beschworen hatte. Im europäischen Petrarkismus, an den hier nur stichwortartig erinnert werden kann (vgl. Hoffmeister), wird die zwischen sinnlicher Leidenschaft und christlich-platonischer Spiritualisierung des Eros auftretende Spannung nicht gelöst, sondern bis zu letzten Steigerungsmöglichkeiten durchgespielt. Wie die detaillierten Studien von Hans Pyritz nachweisen konnten, hat sich Fleming nicht nur in seinen lateinischen Gedichten, sondern auch in einem Großteil seiner Oden und Sonette die kanonischen Formen und die topische Psychologie des Petrarkismus zu eigen gemacht. Stillage und Motivvorrat (z. B. Liebe als Krankheit, Liebe als Tod) entsprachen dem durchreflektierten Dualismus von Lust und Schmerz, von affektiver Entladung und selbstquälerischer Askese. Darzustellen war hier nicht die eindeutige Zielrichtung einer erotischen Begegnung, eine auch Körperliches

einschließende Wunscherfüllung; vielmehr dominierten die zwischen Pathos und Sentimentalität schwankenden Töne der Liebesklage, der Selbstverdammung und des – freilich potentiell in sein Gegenteil umschlagenden – hochgespannt-idealisierenden Frauenpreises.

Bedeutung und Resonanz des Petrarkismus in der Lyrik des deutschen Barock resultieren aus der historisch vorgegebenen Antithese zwischen der neuzeitlichen Freisetzung der individuellen Emotionalität und der – vor allem die Frau verpflichtenden – christlich orientierten Moral, die zur Grundlage der hochstilisierten Umgangsformen einer höfisch orientierten gesellschaftlichen Elite geworden war. Flemings Kußgedicht verweigert sich diesen Konflikten und greift zurück auf eine in der Liedform ausgedrückte und in der antiken Tradition wurzelnde ›Natürlichkeit‹ der Begegnung zwischen den Geschlechtern. Jedenfalls wird hier nicht die ganze Spannbreite körperlicher Annäherung und sinnlicher Befriedigung negiert, welche seit der Antike im Schema der ›quinque lineae amoris‹ typisiert war und auf die auch das Kußmotiv in der Logik des Geschehens anspielte: ›visus‹, ›allocutio‹, ›tactus‹, ›osculum sive suavium‹, ›coitus‹ (zur Tradition vgl. Schlaffer, S. 77 ff.).

Es ist kein Zufall, daß sich sehr viel später der Verfasser der *Römischen Elegien*, der sich zur Bejahung der eigenen Leiblichkeit durchringende Goethe, in einem Gedicht *An den Geist des Johannes Secundus* (S. 140 f.; entstanden um 1776) auf die in den alten Kußgedichten überlieferten Bilder »lechzend atmender Glückseligkeit« berief. Flemings Gedicht gehört unverkennbar zu diesem aus der Hochblüte der Renaissanceliteratur herüberreichenden poetischen Erinnerungsraum.

Zitierte Literatur: Anthologia Graeca. Griech.-Dt. Ed. Hermann Beckby. 4 Bde. München 1957/58. – Georg Ellinger: Geschichte der neulateinischen Literatur Deutschlands im 16. Jahrhundert. Bd. 3,1: Geschichte der neulateinischen Lyrik in den Niederlanden. Berlin/Leipzig 1933. – Paul Flemings Lateinische Gedichte. Hrsg. von J. M. Lappenberg. Stuttgart 1863. Repr. Amsterdam 1969. – Horst Joachim Frank: Handbuch der deutschen Strophenformen. München/Wien 1980. – Goethes Werke. Hamburger Ausg. Hrsg. von Erich Trunz. Bd. 1. Hamburg 1949. [6]1962. – Gerhart HOFFMEISTER: Petrarkistische Lyrik. Stuttgart 1973. – Martin OPITZ: Buch von der Deutschen Poeterey (1624). Hrsg. von Cornelius Sommer. Stuttgart 1970 [u. ö.]. – Hans PYRITZ: Paul Flemings Liebeslyrik. Zur Geschichte des Petrarkismus. Göttingen 1963. – Heinz SCHLAFFER: Musa iocosa. Gattungspoetik und Gattungsgeschichte der erotischen Dichtung in Deutschland. Stuttgart 1971. – Ioannes Nicolai SECUNDUS: Basia. Hrsg. von Georg Ellinger. Berlin 1899. – Charles P. SEGAL: Catull c. 5 und c. 7: Gegensätze und Entsprechungen. In: Catull. Hrsg. von Rolf Heine. Darmstadt 1975. S. 262–283.

Weitere Literatur: Karl Otto CONRADY: Lateinische Dichtungstradition und deutsche Lyrik des 17. Jahrhunderts. Bonn 1962. – Günther MÜLLER: Geschichte des deutschen Liedes vom Zeitalter des Barock bis zur Gegenwart. München 1925. Repr. Darmstadt 1959. – Paul van TIEGHEM: La Littérature Latine de La Renaissance. Genf 1966.

Jacob Balde

Ad Cl. Virum Domitium Bascaudum, Stoicum

Cum de Alberti Wallensteinii, Fridlandiae Ducis, funesto exitu verba fecisset

ODE XXXVII
Malo viro nil prodesse

Non quantum, Domiti, nec quid in omnibus
Possessis habeas, sed quibus arbiter
  Qualemcunque diotam
    Ornes usibus, interest.

Usu gaza patet: pessimus optimam
In damnum iugulat nec patitur suae
  Infelix bona sortis
    Gratas spargere copias.

Seu Fortuna neget seu det, ut auferat,
Ex magnis opibus nil iuvat improbum.
  Exaudita nocebunt
    Votis Numina prosperis.

Hunc nec forma decet nec titulis honor
Nec Bellona bono sospitat omine
  Et, si laurus obumbrat,
    Perdit continuo comas.

Qui turpi maculat crimine sanguinem,
In Croesi solio pauper habebitur.

Von Herder nicht übersetzt: Titel: An den edlen Herrn Domitius Bascaudus, den Stoiker, als er über den traurigen Abgang des Albert Wallenstein, des Herzogs von Friedland, Bemerkungen gemacht hatte. 9–12 Ob nun Fortuna etwas verweigert oder schenkt, um es dann fortzunehmen, nichts fruchtet von der Macht dem Bösen. Die erhörte Gottheit wird den Glückswünschen schaden.

Regem et purpura foedat,
20 Quae bis tincta, bis arguit.

Sceptrum non aliter, quam Stygius gerit
Contum lenta secans flumina portitor.
Pondus nobile mitrae
Indignum caput opprimit.

25 Eunuchum faciat gloria consulem,
Fasceis ipse suo tergore conteret
Et torquata suismet
Franget colla securibus.

Haustu, Crasse, iaces ebrius aureo.
30 Vindex Hannibalem perdidit annulus
Et nolens bene perdi
Clarum gemma Polycratem.

His, Alberte, viris annumerabere,
Bellorum vapor ac foeda catastrophe,
35 Fortunae pila quondam et
Magni fabula nominis.

Implentem tumidis ambitionibus
Seiani stadium nempe et equus tulit
Seiani properatis
40 Collapsus male passibus.

Wallenstein

Nicht, wieviel im Besitz, oder worin du ihn
Habest, machet dich reich, machet dich groß, Myrtill;
Sondern wie du das kleinste
Eigentum zu verwalten weißt.

Von Herder nicht übersetzt: 25–28 Möge der Ruhm aus Eunuchus einen Konsul machen, selbst wird er die Rutenbündel am eigenen Rücken abnutzen und sich den Hals samt seiner Kette mit den eigenen Beilen brechen.

Schätze werden im Brauch Schätze. Das beste Gut
Nützt der Schlechtere schlecht; selber dem Glück erlaubt
Er's nicht, daß es sein Füllhorn
Ihm ausleere zu *seinem* Wohl.

Diesen Schönen, es ziert seine Gestalt ihn nicht;
Jenen Großen beglückt Titel und Würde nie.
Auch der Schatte des Lorbeers
Machet manchen am Haupt nur kahl.

Wer sein edleres Blut schnöde mit Lastern schmäht,
Ist ein Armer; und säß' hoch er auf *Krösus'* Thron.
Manchen schändet der Purpur,
Und je mehr er ihn aufhellt, mehr.

Dies unwürdige Haupt träget die Mitra, wie
Plutos Zepter der kahnrudernde *Charon* trägt.
Ist der Konsul ein Weichling,
Drohen *Faszen* und Beil' ihm selbst.

Goldestrunken erlag *Crassus*; wie *Hannibal*,
Selbst vom Siege besiegt, unter der Beut' erlag.
Jene wiedergefundne
Gemme drohte dem *Polykrat*. –

Zugezählet wird einst diesen Geschichten auch
Wallenstein. Wie ein Dampf flammet' er und erlosch,
Er, ein Balle des Glückes,
Er, ein Märchen erhabner Macht.

Hochmutschwindelnd ersah Er des *Sejanus* Bahn
Sich zum Lauf; da trug Ihn auch *Sejanus'* Pferd.
Übereilet und stolpernd
Stürzt' es nieder; er brach den Hals.

Abdruck nach: Jacobi Balde Soc. Jesu Carmina Lyrica, rec. P. Benno Müller O. S. B. München: Literarisch-Artistische Anstalt, 1844. S. 160–162. 2. Aufl. Regensburg: Coppenrath, 1884. Repr. Hildesheim: Olms, 1977.
Erstdruck: Jacob Balde: Lyricorum libri IV et Epodon liber unus. München: Cornelius Leysa Erben, 1643.
Übersetzung: Herders Poetische Werke. Hrsg. von Carl Redlich. Bd. 3. Berlin: Weidmannsche Buchhandlung, 1881. (Herders Sämtliche Werke. Hrsg. von Bernhard Suphan. Bd. 27.) S. 108 f. [Die Orthographie wurde modernisiert.]

Wilhelm Kühlmann

»Magni fabula nominis«. Jacob Baldes Meditationen über Wallensteins Tod

Als Johann Gottfried Herder 1795/96 in seiner Sammlung *Terpsichore* den erstaunten Zeitgenossen die Übersetzungen einer großen Anzahl von Balde-Gedichten vorlegte und in dem angehängten Kenotaphium des Dichters Jakob Balde das »ernste Gesicht [...] eines lateinischen Jesuiten aus dem Grabe hervorrief«, bedurfte es – jedenfalls vor einem protestantischen Publikum – einiger Mühe, die Lyrik eines katholischen Ordensgeistlichen als gemeinsames deutsches Literaturerbe zu reklamieren. Herder konnte sich darauf berufen, daß der Ruhm des Dichters Balde im 17. Jahrhundert vor den konfessionellen Grenzen nicht haltgemacht hatte. In der Tat wurde Balde seinerzeit nicht nur von den Literaten in Nürnberg oder Tübingen, sondern auch von dem Erzlutheraner Andreas Gryphius gelobt und übersetzt; sogar in den kalvinistischen Niederlanden, dem Bollwerk der antihabsburgischen Front, erwies man dem Werk des politischen Widersachers jene Reverenz, die sich alsbald in dem Ehrentitel eines »Deutschen Horaz« manifestierte. Die gemeinsame humanistische Tradition war tragfähig genug, auch parteiliche Gegensätze auszuhalten. Sie hatte weitgehend identische Normen ästhetischer Wertung überliefert und setzte – auch im Schatten nationalliterarischer Emanzipationsbemühungen – die Zweisprachigkeit der europäischen Kultur als selbstverständlich voraus.
Das theoretische ›Produktionsmodell‹, an dem sich Balde als neulateinischer Autor orientieren mußte und das auch in der muttersprachlichen Literatur keineswegs abgetan war, verlangte die ›Nachahmung‹ (›imitatio‹) der antiken Muster; daraus sollte sich ein ›Wettstreit‹ (›aemulatio‹) entwickeln. Gerade Balde empfand sich als ›moderner‹ Dichter, verlangte die Beherrschung der in der Antike verwendeten

technischen Mittel, bestand aber auf der ›Neuheit‹ (›novitas‹) der eigenen künstlerischen Konzeption. Es kam ihm nicht darauf an, im Hinblick auf das antike Vorbild – in diesem Fall also Horaz – nur Inhalte und Themen auszuwechseln, vielmehr basierte seine »Nachahmung durch Nicht-Nachahmung« (so der Titel eines programmatischen Gedichts) auf einer persönlichen Wahlverwandtschaft mit dem römischen Dichter, die sich in der Spannung von Faszination und Widerstand bewegte. In Horaz fand Balde ein fernes Gegenüber, in dessen Werk ebenso artistisch wie tiefsinnig das eigene proteische Rollenspiel projiziert werden konnte (zum gesamten Komplex der Horaz-Nachfolge vgl. Schäfer).

Das Wallenstein-Gedicht gehört zur Gruppe der politischen Lyrik, die bei Balde einen größeren Raum einnimmt als bei allen anderen deutschen Autoren der Zeit. Auch dies ein Moment der Affinität zur Antike: Horaz hatte bewiesen, wie sich ein weites Themenspektrum, darunter auch die Vorgänge der Politik, formvollendet und beziehungsreich behandeln ließ, ohne im rhetorischen Schematismus zu erstarren. So hat Balde, sich immer verstehend als Elsässer im Exil (geb. 1604 im vorderösterreichischen Ensisheim; seit 1622 an verschiedenen Ordenskollegien in Bayern: Ingolstadt, Landsberg, München, Neuburg a. d. Donau), alle wesentlichen Ereignisse des Dreißigjährigen Krieges kommentierend begleitet. Seine Perspektive war die einer unbedingten Kaisertreue. Spannungen zu den eigenen dynastischen Interessen der bayrischen Wittelsbacher blieben nicht aus (vgl. dazu Breuer). Viele Gedichte trauern um den moralischen Verfall und die politische Zerrissenheit Deutschlands. Dieser ›patriotische‹ Grundzug von Baldes Lyrik darf nicht vergessen machen, daß Balde die protestantischen Gegner zwar nicht wegen ihres Glaubens verketzerte, in ihnen aber doch die unheilvollen Zerstörer des Reiches sah. In diesem Sinne feierte er die Siege der katholischen Heerführer oder beklagte ihren Tod (Pappenheim, Tilly u. a.). Um so schärfer mußte auch die Verurteilung Wallensteins ausfallen, dessen Verrat am Kaiserhause Balde gewiß nicht bezweifelt hat. In der Ode II,13 sowie in dem großen Gedicht auf Kurfürst Maximilian I., Wallensteins notorischen Widersacher (IV,1), hat sich der Dichter im Vollgefühl des eigenen Rechts nicht gescheut, Einzelheiten der Mordszene von Eger zu schildern:

Toto momordit pectore lanceam
  Porrectus immanique iustas
    Caede ruens satiavit iras. (IV,1,90–92)

(»Mit ganzer Brust verbiß er sich in die Lanze, hoch aufgerichtet, und sättigte, stürzend in ungeheurem Fall, gerechten Zorn.«)

Das vorliegende Gedicht hält sich von solchen Kraßheiten fern. Es rückt das Ereignis in eine Distanz, die meditierend-reflektierende Bewältigung erlauben soll. Indem Herder in seiner Übertragung nicht nur die dritte und siebte Strophe der Vorlage ausläßt, sondern auch statt des bestimmten, in der Überschrift genannten Namens eine Phantasiegestalt (2: »Myrtill«), einführt – dies als Konsequenz einer lapidaren Verstümmelung des ausführlichen Titels –, entfallen bedeutungskonstitutive Textelemente. Wie fast die gesamte Barocklyrik geht auch diese Ode von einer ›Gelegenheit‹ aus, einer bestimmten Situation, hier vom Gespräch mit dem Freund. Bereits die Lyrik des Horaz war durchweg keine einsame Verlautbarung subjektiver Gefühle, sondern auf ein Du gerichtet, war insofern Teil eines imaginären Gesprächs. Das greift Balde auf und vermeidet dadurch, daß die lyrische Meditation sich auf das deklamatorische Pathos des hohen Stils – er entspräche dem Gewicht des Themas – einlassen muß. Das Rhetorische des Gedichts liegt in seinem argumentativen Grundcharakter, in seiner Konzentration auf ein Beweisziel. Es ist der im Titel angeführte Satz: »Daß einem bösen Manne nichts nützt«. Der konkrete historische Fall illustriert eine allgemeine Wahrheit – und umgekehrt. Der Gedankengang des Gedichtes dient versichernder Bestätigung, Argumentation bedeutet nicht reflektierende Problematisierung.

Der Text gliedert sich unverkennbar in zwei Blöcke zu je vier und einen – durch Apostrophe herausgehobenen – Schlußteil mit zwei Strophen. Die Einheit von Strophen- und Satzschluß ist strikt gewahrt. Das Statuarische dieser Fügung verstärkt den Eindruck, daß gedankliche Resultate und unanfechtbare Wahrheiten ›konstatiert‹ werden. In Kontrast dazu freilich steht die bewegte Binnenstruktur der Einzelstrophen. Balde nutzt hier Möglichkeiten syntaktischer Sperrungen und Spannungen: so etwa gleich in der ersten Strophe durch die extreme Plazierung des kurzen Hauptsatzes (1–4: »non [. . .] interest«). Auch das metrische Schema erlaubt durch die Verwendung dreier verschiedener Versmaße eine differenzierte Verlagerung bedeutungstragender Aussagen. Es handelt sich um das sogenannte dritte asklepiadeische System (vgl. die metrischen Indices im Anschluß an die Horaz-Ausgabe Klingners, S. 314 ff., hier S. 318). Wie sich in der vierten und fünften, aber auch in der letzten Strophe zeigt, eignen sich die abschließenden Kurzverse besonders gut dazu, einen vorher exponierten Gedanken bildhaft oder gnomisch zuzuspitzen.
In den Strophen 1–4 und 5–8 wird die im Untertitel formulierte Aussage auf verschiedene Weise umschrieben: zuerst in Form abstrakter moralisierender Gedankengänge, sodann im Verweis auf geschichtliche Exempel. Beides waren in der rhetorischen Tradition Varianten möglicher Beweisfuhrung. Auf den ersten Blick folgt der Dichter dem Schema stoischer Güterentwertung. Bascaudus wird ja auch ausdrücklich als Stoiker angesprochen. Doch kommt es hier nicht auf die starre Opposition von äußeren ›Glücksgütern‹ (Reichtum, Macht, Schönheit) und der bedürfnislosen Tugendhaftigkeit des Weisen an. Vielmehr wird der rechte ›Gebrauch‹ des Erfolgs gefordert. Auf Wallenstein bezogen, tadelt Balde nicht die vom Kaiser verliehenen Ehren, sondern ihren verbrecherischen Mißbrauch. Der moralischen Disqualifizierung (5: »pessimus«, 10: »improbus«) entspricht ein mangelndes Urteilsvermögen, positiv formuliert im Begriff »arbiter« (2). In der allgemeinen Reflexion, die sich hier jede

historische Wirklichkeit unterwirft, wird eine bestimmte Optik vorgegeben. Es ist der einzelne Mensch, der durch fehlgeleitetes Verhalten sein Unglück verursacht. Diese Sicht befreit zugleich von der Nötigung, geschichtliche Ereignisse als Resultate eines verwickelten politischen Kräftespiels zu betrachten. Nur im poetischen Bild deuten sich politische Abläufe an: Der Mann, dem unter dem Siegeslorbeer die Haare ausfallen (15 f.), mußte den auf feinste Anspielungen eingestellten Leser – dies war für Balde immer der ideale Rezipient – an den allmählichen Verfall von Wallensteins Macht erinnern. Herder hat diese Nuance in seiner Übersetzung nicht wiedergeben können.

Daß Wallenstein im Zenit seines Ruhms bereits dem Tode geweiht war, will der Dichter offenbar in dem gespenstischen Vergleich mit Charon, dem Fährmann der Unterwelt, andeuten (Str. 6). In der Logik der poetischen Analogie wird das Zepter zum Ruder auf der Bootsfahrt ins Jenseits. Meint Balde damit die auf den Feldherrn übertragene Würde der Herzöge von Mecklenburg, Anstoß des Hasses bei den etablierten Herrschern – gerade in Bayern? Es ist eine kombinatorische Phantasie, in der solche Bezüge erwachsen, doch eben diese zu reizen und zu beschäftigen war das erklärte Programm einer manieristischen Poetik, die auch Balde vertrat. Jedenfalls vollstreckt im Deutungsvorschlag des Gedichts der wirkliche Tod, der Mord, nur das Urteil über eine bereits zu Lebzeiten verwirkte Existenz. Gleichzeitig erfüllt sich das barockem Geschichtsdenken geläufige Gesetz von Höhe und Fall, von Hybris und Demütigung. Darin liegt der gemeinsame Vergleichspunkt der angezogenen historischen Exempel: angefangen bei Croesus über Eunuchus, den Günstling des spätrömischen Kaisers Arcadius, bis hin zu Hannibal und Polykrates von Samos, dessen Geschichte Schiller zu seiner bekannten Ballade anregte. Auch Formulierungen wie »nolens bene perdi | Clarum gemma« (31 f.) verdeutlichen, worin der artistische Reiz solcher Lyrik zu suchen war. Was Schiller breit erzählt, wird hier in eine preziöse Formel verdichtet: »die berühmte

Perle, die zu seinem Schaden nicht verlorengehen wollte«. Die originelle Formulierung, die raffiniert verkürzte Anspielung auf eine bekannte Geschichte, die so blitzartig mit dem gegebenen Thema verknüpft wird – hier lagen Möglichkeiten für den Dichter, poetische Muster zu übertreffen, zugleich die Anforderungen an den Leser, auch knappe Andeutungen und Bezüge zu entschlüsseln.
Indem Balde den Fall Wallenstein in eine historische Reihe stellt, entgeht er der Versuchung, politische Inhalte zugunsten einer allgemeinen Verkündigung der Vanitas, der Eitelkeit alles Irdischen, zu eliminieren. Beispiel dafür ist ein Gedicht des protestantischen Pfarrers Johannes Rist, erschienen 1638; Wallensteins Tod wird hier zu einem »Trawrspiel«, das allzu rasch in die kleine Münze allgemeiner Moraldidaxe eingewechselt wird:

So tumlet sich das Glück / so leufft es hin unnd wieder
Den einen macht es groß / den andren drückt es nieder
  Sein End' ist offt der Todt. *O selig ist der Mann*
  Der sich der Eitelkeit deß Glücks entschlagen kan.
(*Gedichte des Barock*, S. 71.)

Wallensteins historische Bedeutung bleibt in Baldes Gedicht erhalten. Es ist eine dämonische Größe, wie vor allem der Vergleich mit dem von Herkules bezwungenen Riesen Cacus (IV,1,89 ff.) illustriert. In dem Beispiel, das der Dichter an den Schluß stellt, nachdem der Name Wallensteins angerufen ist, wird der politische Gehalt des Themas ganz präzise gefaßt. Die Anspielung auf Sejan, den von Kaiser Tiberius zunächst begünstigten und schließlich wegen einer Verschwörung ermordeten Prätorianerpräfekten (nach Tacitus, *Annalen* IV und V, passim), meint zunächst nur das Gemeinsame gescheiterter Ambitionen. Balde greift auf das Bild vom Pferderennen zurück (39–41). Doch evoziert der historische Präzedenzfall einen weiteren Radius von Bedeutungen. In der politischen Literatur der Zeit – dazu gehörten auch die antiken Historiker als Vermittler aktualisierbarer geschichtlicher Gesetze und Handlungsmodelle – war Sejan der Prototyp des militärischen Usurpators, Gegner legitimer Herrschaft, ein skrupelloser Intrigant, freilich begünstigt durch die Schwäche des Kaisers. Hat Balde Wert darauf gelegt, daß im ›Kode‹ seiner historischen Beispiele auch dieser Bezug freigelegt wurde? Entsprach der Kaiser in Wien in seinem Verhalten, in seiner Schwäche, seiner militärischen Wehrlosigkeit und seiner Vertrauensseligkeit dem antiken Tiberius?

Daß Balde gegenüber der Größe Wallensteins nicht blind war, beweist die wohl packendste Formulierung des Gedichts: »Magni fabula nominis« (36). »fabula« bedeutet hier zunächst gewiß eine realitätslose Geschichte, entspricht Begriffen wie Traum und Schatten. Balde versetzt sich in die Position eines zukünftigen Betrachters (so das Futur in Vers 33), der das Gewicht des großen Namens anscheinend abschwächen möchte. Doch unübersehbar stellt sich in irritierender Ambivalenz auch die schon in der Antike geläufige zweite Bedeutung ein: »fabula« als Thema und Gegenstand literarischer Werke – so wie Croesus, Hannibal und Polykrates, mag man ergänzen. Balde wußte, daß im Vorspiel künftiger Gestaltungen »Wallensteins Tod« bereits von den Zeitgenossen in Pro und Contra diskutiert wurde, daß sein Schicksal Anklage und Rechtfertigungsschriften hervorrief, nicht zuletzt auch im Drama und im Gedicht behandelt wurde. Im Kontext dieses Schrifttums stellt Baldes Ode den Versuch dar, den habsburgischen Standpunkt auf höchstem ästhetischen Niveau zu verdeutlichen. Den Dichter bewegt nicht die Ratlosigkeit des erschrockenen Bürgers (wie bei Rist), sondern entschiedene Parteinahme, freilich auch nicht der verkleinernde Spott mancher Flugblattgedichte, die Wallenstein in später Rache auf das Menschlich-Allzumenschliche reduzierten (vgl. u. a. die Beispiele bei Hartmann). Nur wenige Autoren haben das Ende des Generalissimus so nüchtern und wohl so historisch treffend zur Kenntnis genommen wie der schlesische Dichter Daniel von Czepko in einem seiner Epigramme:

Ehrsucht nechster Todtengräber
Wallsteinischer Todt

Der alles wust allein, was er durch andre that,
  Und zwar von Friedland kam, doch Krieg und Streit erhaben:
  Liegt ohne Titul dar. Fragstu, wer ihn begraben?
Deutsch weiß ich's nicht, sonst heist es la raison d'Estat.

(*Gedichte des Barock*, S. 198.)

Zitierte Literatur: Jacob BALDE: Lyricorum libri IV. [Siehe Textquelle. Zit. mit Buch-, Seiten- und Verszahl.] – Gedichte des Barock. Hrsg. von Ulrich Maché und Volker Meid. Stuttgart 1980. – Dieter BREUER: Princeps et poeta. Jacob Baldes Verhältnis zu Kurfürst Maximilian I. von Bayern. In: Wittelsbach und Bayern. Bd. 2,1. München 1980. S. 341–352. – Historische Volkslieder und Zeitgedichte vom 16. bis 19. Jahrhundert. Hrsg. von August Hartmann. Bd. 1. München 1907. [Zu Wallenstein S. 301 ff.] – Q. Horati Flacci Opera. Ed. Fridericus Klingner. Leipzig [3]1959. – Eckart SCHÄFER: Deutscher Horaz. Conrad Celtis – Georg Fabricius – Paul Melissus – Jacob Balde. Die Nachwirkung des Horaz in der deutschen Literatur. Wiesbaden 1976.

Weitere Literatur: Joseph BACH: Jacob Balde. Ein religiös-patriotischer Dichter aus dem Elsaß. Freiburg i. Br. 1904. – Jürgen GALLE: Die lateinische Lyrik Jacob Baldes und die Geschichte ihrer Übertragungen. Münster 1973. – Anton HENRICH: Die lyrischen Dichtungen Jacob Baldes. Straßburg 1915. – Urs HERZOG: Divina Poesis. Studien zu Jacob Baldes geistlicher Odendichtung. Tübingen 1976. – Golo MANN: Wallenstein. Frankfurt a. M. 1971.

Simon Dach

Unterthänigste letzte Fleh-Schrifft an Seine Churfürstl. Durchl. meinen gnädigsten Churfürsten und Herrn

Held, zu welches Herrschafft Füssen
Länder liegen, Ströme fliessen,
Die ich auch nicht zehle schier,
Welchen ehren und anbehten
5 Sampt den Dörffern und den Städten
Auch die wild- und zahmen Thier:

Von dem grossen Theil der Erden
Laß ein kleines Feld mir werden,
Welches mir ertheile Brod,
10 Nun die Krafft mir wird genommen
Und auff mich gedrungen kommen
Beydes Alter und der Tod.

Hat ein Pferd sich wol gehalten
Und zuletzt beginnt zu alten,
15 Und nicht mehr taug in die Schlacht,
Es muß fressen, biß es stirbet,
Ja kein alter Hund verdirbet,
Der uns trewlich hat bewacht.

Laß auch mich nur Futter kriegen,
20 Biß der Tod mich heisst erliegen,
Bin ich dessen anders wehrt,
Hab' ich mit berühmter Zungen
Deinem Haus' und Dir gesungen,
Was kein Rost der Zeit verzehrt.

25 Phöbus ist bey mir daheime,
Diese Kunst der Deutschen Reime
Lernet Preussen erst von mir,

Meine sind die ersten Seiten,
Zwar man sang vor meinen Zeiten,
30 Aber ohn Geschick und Zier.

Doch was ist hievon zu sagen?
Fürsten schencken nach Behagen,
Gnade treibet sie allein,
Nicht Verdienst, das Sie thun sollen,
35 Nein, Sie herrschen frey und wollen
Hie auch ungebunden seyn.

Thu, O Churfürst, nach Belieben.
Such' ich Huben zehnmal sieben?
Nein, auch zwantzig nicht einmal,
40 Andre mögen nach Begnügen
Auch mit tausend Ochsen pflügen,
Mir ist gnug ein grünes Thal,

Da ich Gott und Dich kan geigen,
Und von fern sehn auffwarts steigen
45 Meines armen Daches Rauch,
Wenn der Abend kömpt gegangen.
Sollt' ich aber nichts empfangen,
Wol, Herr, dieses gnügt mir auch.

Abdruck nach: Epochen der deutschen Lyrik. Bd. 4: Gedichte 1600–1700. Hrsg. von Christian Wagenknecht. München: Deutscher Taschenbuch Verlag, 1969. (dtv. Wissenschaftliche Reihe. 4018.) S. 230 f.
Erstdruck: Simon Dach: Chur-Brandenburgische Rose / Adler / Löw und Scepter. Königsberg: Reußners Erben, [1680]. [Ein möglicherweise existierender Einzeldruck des Gedichtes ist bisher nicht bekannt geworden.]
Weitere wichtige Drucke: Simon Dach: Poetische Wercke / Bestehend in Heroischen Gedichten / Denen beygefüget zwey seiner verfertigten Poetischen Schau-Spiele. Königsberg: Boye, 1696. Repr. Hildesheim / New York: Olms, 1970. – Simon Dach. Hrsg. von Hermann Österley. Tübingen: Literarischer Verein Stuttgart, 1876. (Bibliothek des Literarischen Vereins. 130.) Repr. Hildesheim / New York: Olms, 1977. – Simon Dach: Gedichte. Hrsg. von Walther Ziesemer. 4 Bde. Halle a. S.: Niemeyer, 1936–38. (Schriften der Königsberger Gelehrten Gesellschaft. SR. 4–7.)

Wulf Segebrecht

Die Dialektik des rhetorischen Herrscherlobs. Simon Dachs *Letzte Fleh-Schrifft*

Als Simon Dach 1657 oder 1658 seine *Fleh-Schrifft* verfaßte, war er als langjähriger »professor poeseos«, mehrfacher Dekan und als Rektor der berühmten Albertina ein hochangesehener Bürger der Stadt Königsberg im Herzogtum Preußen und als Dichter ein weithin bekannter Mann innerhalb der »respublica literaria« seiner Zeit: »Mich sucht Elb Oder Spree vnd Rein«, konnte er selbstbewußt von sich sagen, und:

Ich habe, glaubt es, Brod gegessen
Bald fern aus Schweden, bald aus Hessen.
(Ziesemer, Bd. 4, S. 79.)

Bei Hof war er ein gern gesehener Gast; seine Kirchenlieder sang man auch in fernen Gemeinden, seine Freundschafts- und Liebeslieder waren durch Heinrich Alberts Liederbücher (*Arien*) weit verbreitet; seine Glückwunsch- und Trostgedichte galten in den angesehenen Familien als besondere Auszeichnung der entsprechenden Hochzeits- oder Trauerfeierlichkeiten. Simon Dach, der 1605 in Memel geboren wurde, stand im Zenit seines Ruhms.

Diesen berühmten Poeten zeigt die *Fleh-Schrifft* in einer, wie es scheint, unwürdigen Position: »Unterthänigst« muß er um die Gunst und Gnade seines »Churfürsten und Herrn« flehen, den er zugleich bis zur Gottähnlichkeit erhöht. Devotes Herrscherlob – so der erste Eindruck – verbindet sich mit peinlicher Bettelei; der Dichter erscheint »in der Welt auf die traurigste Weise subordiniert« (um Goethes Formulierung in *Dichtung und Wahrheit*, 10. Buch, zu verwenden), sein Gedicht bringt auf den ersten Blick nichts als die Unselbständigkeit und Abhängigkeit des

Poeten in einer feudalen Gesellschaftsordnung zum Ausdruck.
Die ganze erste Strophe ist Anrede an den Adressaten, und schon das erste Wort signalisiert, in welcher Rolle dieser Adressat, Friedrich Wilhelm von Brandenburg, angesprochen wird: als heroischer »Held«. Die Bedeutung seiner »Herrschafft« zeigt sich an der Ausgedehntheit seines Herrschaftsbereiches, der die angeblich eingeschränkte Perspektive des Sprechenden weit überschreitet. Dieses Herrscherlob enthält zugleich ein Stück der geschichtlichen Entwicklung Preußens; denn zu Simon Dachs Lebzeiten war das Territorium Preußens in der Tat stark ausgeweitet worden: Brandenburg hatte 1614 Cleve, Mark und Ravensburg hinzugewonnen, 1618 war das Herzogtum Preußen an Brandenburg gefallen, und 1648 waren Hinterpommern, die Bistümer Cammin, Halberstadt und Minden sowie die Anwartschaft auf das Erzbistum Magdeburg hinzugekommen. Gerade dadurch, daß Simon Dach seinem »gnädigsten Churfürsten« die durch die Gebietserweiterungen entstandene Unüberschaubarkeit eines Territoriums zum Bewußtsein bringt, das, freilich unzusammenhängend, vom Rhein bis zur Memel reichte, beweist er sein Verständnis für die Arrondierungspolitik der Hohenzollern, deren Ziel es sein mußte, dem Unüberschaubaren Gestalt und Einheit zu geben. Zugleich rechtfertigt er so seine in der zweiten Strophe ausgesprochene Bitte: »Von dem grossen Theil der Erden | Laß ein kleines Feld mir werden«. Wer – wie der Große Kurfürst – über so viel neu hinzugewonnenes Land verfügt, ist selbstverständlich leicht in der Lage, einen kleinen Teil davon abzugeben, der dem Bittsteller im Alter und dessen Erben nach seinem Tode zur Sicherung des Lebensunterhaltes dienen soll. Angesichts der machtvollen Größe und Bedeutung des angesprochenen Fürsten handelt es sich um eine Bagatelle, die hier von einem Untertan erbeten wird – diese Auffassung legt die Gegenüberstellung der heroischen Anrede-Strophe mit der bescheidenen Bitt-Strophe nahe.

Die folgenden drei Strophen bringen Begründungen und Rechtfertigungen für die geäußerte Bitte. Zum ersten, so führt Simon Dach an, entspreche es einem ganz allgemeinen Brauch, selbst Tieren, die dem Menschen treu gedient haben, das Gnadenbrot zu geben, wenn sie ihre Dienste nicht mehr erfüllen können. Jedermann – nicht nur der Fürst – verfahre so mit dem ausgedienten Schlachtroß und dem untauglich gewordenen Wachhund. Um wieviel mehr also könne er, Simon Dach, diesen allgemein üblichen Gnadenbeweis erwarten!

Denn schließlich kann er – zweitens – darauf verweisen, dem Fürstenhaus seit langem mit seiner Poesie gedient zu haben. Zu höfischen Festen und Familienereignissen (Hochzeiten, Geburtstagen, Todesfällen usw.), zu Ankunft und Abreise der Mitglieder des Hauses Brandenburg hat er seit 1638 immer wieder seine Gedichte beigetragen. Ohne die offizielle Funktion eines ›Hofpoeten‹ innezuhaben, konnte er aufgrund dieser Verse für sich in Anspruch nehmen, »Des Großen ChurFürsten von Brandenburg Poet« (Ziesemer, Bd. 2, S. 324) genannt zu werden. Hatten die Gedichte Dachs schon Georg Wilhelm so beeindruckt, daß er sich bei der Verfügung, mit der er Dach die Professur in Königsberg verschaffte, ausdrücklich auf »etliche carmina gratulatoria« bezog, aus denen er des Verfassers »erudition vnd geschickligkeit gnugsam ersehen« habe (Österley, S. 41), so gestaltete sich das Verhältnis zwischen Friedrich Wilhelm und Simon Dach geradezu herzlich: »Unser Grosse Friedrich Wilhelm, dessen Regierung ohnedem so liebreich und edel gewesen ist, daß sein Nahme von seinen getreuen Preussen nicht kan vergessen werden, liebete den Dachen dermassen, daß er viele seiner Verse auswendig kunte, auch niemahlen in Königsberg eintraff, daß er den Dachen nicht hätte sollen mit seiner Pohlin« – gemeint ist Dachs Ehefrau Regina, geb. Pohl – »nach Hofe hohlen lassen. Dieser vortreffliche Herr hatte sich die Art der Dachischen Verse so bekannt gemachet, daß er gantz genau zu urtheilen wuste, ohne Anschau-

ung des Nahmens, ob ein Vers vom Dachen oder einem anderen Poeten verfertiget wäre« (Bayer, S. 183 f.).
An diese persönliche Wertschätzung erinnert Simon Dach seinen Patron, um so seiner Bitte Nachdruck zu geben. Doch über das Persönliche hinaus hat die Poesie dem Hause Brandenburg große Dienste erwiesen: Sie hat das festgehalten und dem Dauer gegeben, was ohne sie vom »Rost der Zeit verzehrt« worden wäre; sie hat der Vergänglichkeit alles Irdischen Einhalt geboten, indem sie es in ihren Formen aufgehoben und für die Nachwelt überliefert und bewahrt hat. Dach greift hier eines der zentralen Argumente des Selbstverständnisses barocker Poesie auf, das bei nahezu allen Autoren der Epoche begegnet. Die Göttlichkeit der Poesie bewirkt die Dauerhaftigkeit dessen, was sie ergreift. Das Bedürfnis nach Unvergänglichkeit, die »Begiehr der Unsterbligkeit / welcher die edelsten Geister nachhengen« (Opitz, *Weltliche Poemata*, Vorrede), war wohl zu keiner Zeit so ausgeprägt wie im Jahrhundert der Glaubenskriege und der Pestseuchen, das die Menschen von der Vanitas so konkret überzeugte. Neben der Hoffnung auf das Jenseits war es einzig die Poesie, die im Vergänglichen das Bleibende verbürgte. Das machte zugleich ihre Attraktivität aus, zumal in der Form der Gelegenheitsdichtung, die im 17. Jahrhundert geradezu lawinenartig anwuchs. Hier wurde das sonst Vergängliche verewigt. Es war deshalb das verständliche Bestreben jedes im öffentlichen Leben Stehenden, sich möglichst häufig und möglichst vorteilhaft in der Poesie der besten Dichter der Zeit repräsentiert zu sehen. Die Mode- und Massenhaftigkeit der Gelegenheitsdichtung hat hier ihre Begründung.
Dem Großen Kurfürsten und seinem Haus den öffentlichen Ruhm und unvergänglichen Nachruhm durch seine Gedichte gesichert zu haben, kann deshalb von Simon Dach als besondere Dienstleistung reklamiert werden, die eine Gegenleistung des so vorteilhaft Besungenen rechtfertigt. Betont wird freilich – und hier grenzt sich Dach von den zahlreichen Schmeichlern und Gefälligkeitspoeten ab –, daß

Friedrich Wilhelm in Dach nicht einen beliebigen Lobdichter gefunden hat, sondern einen Dichter, der ihn »mit berühmter Zungen« (22) besingt. Dach bezieht sich dabei auf die öffentliche Anerkennung, die er als Dichter weit über Königsbergs und Preußens Grenzen hinaus erfahren hat. Dafür gibt es in der Tat viele Zeugnisse; ohne je ein eigenes Buch publiziert zu haben, erfreute sich Dach allein aufgrund der Einzeldrucke seiner Gedichte, die weit verbreitet waren, sowie seiner Mitwirkung an den *Arien* Heinrich Alberts eines beträchtlichen zeitgenössischen Ruhms.
Eine ganze Strophe ist der ruhmvollen Stellung Simon Dachs in der deutschen Literatur gewidmet. Aus ihr spricht ein erhebliches Selbstbewußtsein des Dichters, der, weil es ihm mehrfach und von vielen Seiten bestätigt worden war, für sich in Anspruch nehmen konnte, der erste namhafte Dichter Preußens zu sein. Die Nachwelt hat dieses Urteil im ganzen bestätigt, wenn sie ihn als »preußischen Opitz« empfiehlt oder ihn als den ersten Dichter Preußens bezeichnet, »der diesen Namen in einem vortrefflichen Grade verdient« (Gottsched, S. 376). Simon Dach hat diese Position unter ausdrücklicher Berufung auf Opitz angestrebt und auch an anderer Stelle seinen Wert darin gesehen, »daß ich die Geticht' | Erst her in Preussen bringe, | Ich erst den deutschen Helicon | Nach Königsberg versetzet« (Ziesemer, Bd. 2, S. 41). Im Argumentationsablauf der *Fleh-Schrifft* besitzen derartige Feststellungen über ihren aufschlußreichen Informationswert hinaus (der Dachs zeitgenössischen Ruhm betrifft) jedoch noch eine weitere Funktion: Sie führen dem Fürsten diejenigen Leistungen des Bittstellers vor Augen, die dieser – als Urheber der preußischen Poesie – zur Geschichte und Kultur Preußens beigetragen hat.
So lassen sich die drei Strophen (Str. 3–5), in denen die Bitte (Str. 2) begründet wird, folgendermaßen zusammenfassen: Die Erfüllung der kleinen Bitte entspricht erstens einem allgemeinen Brauch; Dach bittet um nicht mehr als um das, was jedermann ohnehin sogar geringeren Wesen selbstverständlich gewährt. Mit der Erfüllung der Bitte würden zwei-

tens besondere Verdienste entgolten, die sich der Bittsteller durch poetische Leistungen für den Fürsten und sein Haus erworben hat, den er durch seine Poesie verewigt hat. Die Erfüllung der Bitte würde drittens die allgemein anerkannte kulturgeschichtliche Leistung honorieren, die Dach für Preußen dadurch erbracht hat, daß er als erster die »Kunst der Deutschen Reime« (26) mit »Geschick und Zier« (30) in Preußen eingeführt hat.

Die Konsequenz dieser Argumentation ist so zwingend, daß es unverständlich bleiben müßte, wenn die Bitte nicht erfüllt werden würde. Was für ein Herrscher müßte das sein, der sich einer solchen Folgerichtigkeit der Argumentation entzöge! Er würde sich notwendigerweise den Vorwurf zuziehen, Simon Dach schlechter zu behandeln als jedermann sein Vieh behandelt; er würde als persönlich undankbar und geschichtlich uneinsichtig erscheinen, wenn er sich der Bitte verschlösse. Und Dachs Herrscherlob würde unversehens in unerbittliche Hofkritik umschlagen, wenn der Fürst in der Wirklichkeit dem Bild nicht entspräche, das der Dichter in seinem Gedicht von ihm voraussetzt. Nur die Erfüllung der Bitte sichert dem Herrscher das Lob und entzieht ihn der Kritik.

Diese zwingende Konsequenz, die dem Angeflehten eigentlich keine Handlungsfreiheit mehr läßt, bricht Dach mit Beginn der sechsten Strophe ab, um sie freilich auf noch raffiniertere Weise dennoch fortzuführen. Allgemeiner Brauch, persönliche Leistungen und historische Verdienste, so faßt er zusammen, können den Herrscher nicht binden und verpflichten; denn: »Fürsten schencken nach Behagen« (32), sie lassen sich nicht zwingen oder gar erpressen, auch nicht durch Leistungen, sondern »Sie herrschen frey und wollen | [...] ungebunden seyn« (35 f.). Dach scheint also die vollkommene Willkür des Fürsten zu legitimieren! Er bestätigt dessen Uneinschränkbarkeit, um ihn, gleichsam unterderhand mit dem Prinzip der Gnade – »Gnade treibet sie allein« (33) – nur noch mehr auf die Erfüllung seiner Bitte zu verpflichten. Ganz aus freien Stücken, nicht unter dem

Druck allgemeiner Konventionen, persönlicher Bindungen und der öffentlichen Meinung, soll der Kurfürst handeln. Indem aber Dach den Anspruch preisgibt, zwingende Argumente für die Erfüllung seiner Bitte zusammengetragen zu haben, bürdet er dem Kurfürst selbst die Verantwortung für sein richtiges Handeln auf. Gerade dadurch, daß ihm der weiteste Entscheidungsspielraum eingeräumt und zugleich jeder Anspruch auf Kontrolle der Entscheidungen preisgegeben wird, sieht er sich unmißverständlich darauf festgelegt, selbstverantwortlich handeln und entscheiden zu müssen. Könnte er vor sich selbst einen abschlägigen Bescheid der harmlosen Bitte eines hochverdienten Poeten verantworten? Ja mehr noch: Könnte er sich mit einem solchen ablehnenden Bescheid wirklich auf die ihm zugestandene Willkür und Unkontrollierbarkeit berufen? Oder müßte er sich dann nicht selbst Mißbrauch seiner Macht vorwerfen? Ist es nicht seine Aufgabe, dafür Sorge zu tragen, daß seine absolutistische Herrschaft durch weise Entscheidungen gefestigt, nicht durch Willkür gefährdet wird und zum Despotismus entartet?

So erweist sich gerade das Zugeständnis der Unbeeinflußbarkeit des Fürsten als kaum lösbare Fessel für ihn. Das (scheinbar) blinde Vertrauen auf seine Gnade bindet ihn stärker, als jede noch so überzeugende Überredung es tun könnte. Und um sich dieses Vertrauen zu erhalten, das durch unbegreifliche Entscheidungen untergraben werden könnte, muß sich der Mächtige dazu verpflichtet sehen, seine Freiheit dazu zu nutzen, Gutes zu tun und Gerechtigkeit zu üben.

Die Schlußstrophen bringen dieses unerschütterliche Vertrauen des Untertanen auf das verantwortungsvolle Handeln des Kurfürsten selbst in gekonnter Naivität zum Ausdruck. Das äußert sich z. B. darin, daß ganz selbstverständlich über die Größe des erbetenen Landes gleichsam verhandelt wird, daß über die Tätigkeiten (43: »Da ich Gott und Dich kan geigen«) gesprochen wird, die Simon Dach auf dem Landgut auszuüben gedenkt, und die Empfindungen vorweggenommen werden, die er auf dem Lande haben wird, wenn ihm der kleine Besitz gehört. Und wie zur Beglaubigung dieser idyllischen Vorstellung hat der Dichter seinen Namen in das friedvolle Bild eingeflochten (45: »Meines armen Daches Rauch«). Angesichts dieser geistigen Inbesitznahme des gewünschten Alterssitzes wirken die beiden Schlußzeilen fast schockierend. Mit der Beteuerung, daß er unter Umständen (nämlich wenn das die Entscheidung des Fürsten sein sollte) auch mit »nichts« sich begnügen werde, erinnert Dach daran, daß die Entscheidung Friedrich Wilhelms noch aussteht. Erst diese Entscheidung kann zur Wirklichkeit werden lassen, was der Dichter in seiner Phantasie vorweggenommen hat. Zugleich rekapitulieren die beiden Schlußzeilen in Verbindung mit dem eindrucksvollen Phantasiebild des Besitzes noch einmal in Kürze die Struktur des Gedichtes: Es bezieht seine Überzeugungskraft aus dem Umschlag von der zwingenden Argumentation zur scheinbar selbstlosen Devotion, die sich jedoch in Wirklichkeit als eine Steigerung und Intensivierung der Argumentation erweist. Nur scheinbar ist eine Entscheidungsfreiheit des Herrschers gegeben, die auf die Argumente und Vorstellungen keine Rücksicht zu nehmen braucht. Tatsächlich aber läßt das Gedicht dem Adressaten kaum eine Wahl. Ein negativer Bescheid würde ihn vor sich selbst disqualifizieren.

Von daher erhält die Überschrift des Gedichts eine zusätzliche Bedeutungsnuance: Es handelt sich um eine zwar »Unterthänigste«, aber auch um die »letzte Fleh-Schrifft«, die Simon Dach seinem »gnädigsten Churfürsten und Herrn« überreicht, um seinen Wunsch nach einem Stück Land zu äußern. Gewiß ist damit auch zum Ausdruck gebracht, daß Simon Dach seinem »Herrn« mit weiteren Bittschriften in dieser Sache nicht mehr zur Last fallen wird; doch diese Ankündigung enthält darüber hinaus die gleiche Doppelstrategie, von der das Gedicht selbst bestimmt wird: vertrauensvoll kann Simon Dach seine »Fleh-Schrifft« als »letzte« ankündigen, weil er auf die »Gnade« rechnen kann,

die der Begründungen zwar nicht bedarf, sich aber nur in Übereinstimmung mit ihnen legitimieren kann. Andernfalls wird die »Gnade« zur ungerechten Willkür, der »Held« zum Despoten, der das Herrscherlob nicht verdient. Insofern ist die »letzte« Bitte für den Kurfürsten auch zugleich die »letzte« Chance, sich als gnädiger Herr zu erweisen: Der Titel enthält ein Ultimatum. Wird es nicht eingehalten, so hat es der Kurfürst zu verantworten, daß der verdienstvolle und weitbekannte preußische Poet Simon Dach künftig wird von sich sagen müssen, er finde keinen Ort, »Da ich Gott und Dich kan geigen«.
Das Gedicht zeigt in exemplarischer Weise, in welchem Maße der Dichter und sein Publikum – bis hin zum Landesfürsten – im 17. Jahrhundert aufeinander angewiesen waren. Herrscherlob und Hofkritik waren nur zwei Seiten ein und derselben Sache, nämlich einer Poesie, die eine noch unbezweifelbare Verbindlichkeit besaß, weil sie dazu qualifiziert war, Vergängliches der Zeitlichkeit zu entreißen.
Bleibt noch nachzutragen, daß Simon Dach sein »grünes Thal« tatsächlich erhielt. Er erreichte, »daß, da er in einem Verse umb etwas Ackers bath, der Churfürst ihm das Guth Cuckheim von eilfftehalb Huben, welches biß zwey tausend Thaler geschätzet wurde, geschencket« (Bayer, S. 186). In seinem Carmen zum 16. Februar 1658, dem 38. Geburtstag des Kurfürsten, hat sich Simon Dach für dieses Geschenk bedankt:

Daß ich hier in Ruh kan singen
Und das wilde Mord-Geschrey
Nicht wie vormahls that erklingen /
Rührt von GOtt und Deiner Trew /
Welche / Herr / mit aller Macht
Uns zu kröhnen ist bedacht.

Hierzu kömpt daß Dein Gemüte
Meines newlich hoch gelabt
Und aus sonderlicher Güte
Mit dem Felde mich begabt

So mein Alter hat begehrt
Nun mich Kranckheit offt beschwert.
(*Poetische Wercke*, S. Z^{v}.)

Seit 1654 hatte Simon Dach sich um sein »kleines Feld« bemüht; als er es 1658 endlich erhielt, war es ihm nicht mehr vergönnt, es noch lange zu genießen: Er starb am 15. April 1659.

Zitierte Literatur: Gottlieb Siegfried BAYER: Das Leben Simonis Dachii eines Preußischen Poeten. In: Erleutertes Preußen Oder Auserlesene Anmerckungen / über verschiedene, zur Preußischen Kirchen- Civil- und Gelehrten-Historie gehörige besondere Dinge. Hrsg. von Einigen Liebhabern der Geschichte des Vaterlandes. Drittes Stück. Königsberg 1723. S. 159–195. – Simon DACH. [Siehe Textquelle. Zit. als: Österley.] – Simon DACH: Gedichte. [Siehe Textquelle. Zit. als: Ziesemer.] – Simon DACH: Poetische Wercke. [Siehe Textquelle.] – Johann Christoph GOTTSCHED: Kurzgefaßte historische Nachricht von den bekanntesten preußischen Poeten voriger Zeiten. In: Neuer Büchersaal der schönen Wissenschaften und freyen Künste. Bd. 4. 4. St. Leipzig 1747. S. 371–384. – Martin OPITZ: Weltliche Poemata. 1644. T. 1. Unter Mitw. von Christine Eisner hrsg. von Erich Trunz. Tübingen 1967. (Deutsche Neudrucke. Reihe Barock. 2.)
Weitere Literatur: Helmut KIESEL: »Bei Hof, bei Höll«. Untersuchungen zur literarischen Hofkritik von Sebastian Brant bis Friedrich Schiller. Tübingen 1979. – Albrecht SCHÖNE: Kürbishutte und Königsberg. Modellversuch einer sozialgeschichtlichen Entzifferung poetischer Texte. Am Beispiel Simon Dachs. München 1976. – Wulf SEGEBRECHT: Das Gelegenheitsgedicht. Ein Beitrag zur Geschichte und Poetik der deutschen Lyrik. Stuttgart 1977. – Volker SINEMUS: Poetik und Rhetorik im frühmodernen deutschen Staat. Sozialgeschichtliche Bedingungen des Normenwandels im 17. Jahrhundert. Göttingen 1978. – Theodor VERWEYEN: Barockes Herrscherlob. Rhetorische Tradition, sozialgeschichtliche Aspekte, Gattungsproblematik. In: Der Deutschunterricht 28 (1976) H. 2. S. 25–45.

Andreas Gryphius

An den gecreutzigten JEsum

Sarbievii: Hinc ut recedam

Hir wil ich gantz nicht weg! laß alle Schwerdter klingen!
Greiff Spiß und Sebel an! brauch aller Waffen Macht
Vnd Flamm' / und was die Welt für unerträglich acht.
Mich sol von disem Creutz kein Tod / kein Teufel dringen.
5 Hir wil ich / wenn mich Ach und Angst und Leid umbringen /
Wenn Erd' und Meer auffreisst / ja wenn der Donner Macht /
Mit dunckel-rotem Blitz auff meinem Kopffe kracht /
Ja wenn der Himmel fällt / hir wil ich frölich singen.
Weil mir die Brust noch klopfft / auch weder dort noch hir /
10 Vnd nun und ewig sol mich reissen nichts von dir.
Hir wil ich / wenn ich soll / den matten Geist auffgeben.
Du aber / der du hoch am Holtz stehst auffgericht;
HErr JEsu / neig herab dein bluttig Angesicht /
Vnd heiß durch deinen Tod im Tod mich ewig leben!

Abdruck nach: Andreas Gryphius. Gedichte. Eine Auswahl. Text nach der Ausg. letzter Hand von 1663. Hrsg. von Adalbert Elschenbroich. Stuttgart: Reclam, 1968 [u. ö.]. (Reclams Universal-Bibliothek. 8799 [2].) S. 4 f.
Erstdruck: Sonnete. Lissa: Funck, [1637].
Weitere wichtige Drucke: [Zweite Fassung:] Sonnete. Das Erste Buch. Leyden: Heger, 1643. [1650 vereinigt mit: Das Ander Buch. Die Ausgabe 1663 folgt im wesentlichen der Fassung von 1650 (zweimal 50 Sonette).]

Wolfram Mauser

Andreas Gryphius – Philosoph und Poet unter dem Kreuz. Rollen-Topik und Untertanen-Rolle in der Vanitas-Dichtung

Die *Sonnete* des Andreas Gryphius stehen im Zeichen des Kreuzes. Dies gilt für die eigentlich theologischen Gedichte nicht weniger als für die vermeintlich weltlichen. Der überzeugte Lutheraner Augsburgischen Bekenntnisses sieht im Kreuzestod Christi irdisches Leiden, Heilserwartung und Erlösungsgewißheit symbolhaft verdichtet. In der Gestalt des gekreuzigten Christus laufen für Gryphius die Koordinaten der heilsgeschichtlichen Ordnung zusammen. Die Beurteilung aller Erscheinungen dieser Welt bezieht er auf sie.

Die christologisch-kreuzestheologische Spitze der *Sonnete* zeigt sich zunächst an ihrem Anordnungsprinzip. Während Gryphius in der ersten Sammlung seiner Sonette (Lissa 1637) mit Hilfe eines dichten Netzes zahlensymbolischer Verweise über den Gegenstand hinaus höhere Bedeutsamkeit sichtbar zu machen versucht (Szyrocki, S. 84–108), stellt er die Sonette der Sammlungen von 1643/1650 bzw. 1663 in sachlich-thematischen Zusammenhang. Damit macht er die Leidensgeschichte und den Kreuzestod Christi zum Bezugspunkt alles Irdisch-Menschlichen. Die ersten beiden Gedichte *An Gott den Heiligen Geist*, deren erstes in Analogie zum traditionellen Musenanruf zugleich als Invokation zu lesen ist, halten theologisch das trinitarische Grundbekenntnis des Dichters fest. Verbreitete antitrinitarische Bewegungen in der Zeit (Mauser, S. 44–48) mögen diese besondere Tendenz der konfessionellen Ortsbestimmung nahegelegt haben. Danach folgen vier Sonette über Christus, die entscheidende Stationen seines irdischen Weges nachzeichnen: Geburt, Gefangenschaft, Tod, Kreuzigung. Die Abfolge der letzten beiden Christus-Sonette steht (anders als noch in der Lissaer Ausgabe) im Widerspruch zum biographischen Vorgang. Nicht der tote Christus ist für Gryphius das Eindrucksvollste und Verheißungsvollste am Geschehen, sondern der gekreuzigte. Erniedrigung, Demütigung, Leiden und Not sind im Bild des Gekreuzigten von größter Anschaulichkeit. Auf chronologische Richtigkeit kommt es nicht an. Was zählt, ist die Bedeutsamkeit des Ereignisses, der geistige Rang, die Kraft des Symbolischen, die heilverkündende Gewißheit, die der leidende und sündige Mensch mit dem Bild des gekreuzigten Christus verbinden kann.

Auf das Kreuzigungs-Sonett folgt nicht eine Darstellung der Auferstehung, sondern ein drastisches Sünden- und Leidens-Exempel der Bibel: *Gedencket an Loths Weib*. Daran schließen vier Vanitas-Sonette an: das bekannte *Es ist alles eitell*, dann *Threnen in schwerer Kranckheit*, *Der Welt Wolust* und *Menschliches Elende*. Im Kontext der Sammlung erweisen sich diese Sonette über jedes Verständnis von ›barockem Lebensgefühl‹ hinaus als Kennzeichnung des Spezifisch-Menschlichen in der Heilsordnung der Welt. Die Hinfälligkeit und Eitelkeit des Irdisch-Menschlichen stellt einerseits die quasi definitorische Bestimmung des Diesseitigen dar, andererseits steht sie in Parallelität und in unmittelbarer Nähe zum Leiden Christi in dieser Welt. Zur Erkenntnis, daß alles Irdische hinfällig und eitel ist, gehört nicht nur die Einsicht in seine Vergänglichkeit, sondern vor allem auch die Gewißheit, daß mit dem irdischen Leben Leid, Not und Qual notwendigerweise verbunden sind. Der Kreuzestod Christi lehrt aber auch, daß Leid, Not und Qual den Weg zum ewigen Leben eröffnen.

Die Sonette, die Gryphius danach einfügt, betreffen *Das leben dieser welt* (I,65); sie behandeln Beispiele, die die Spannweite des geistigen Rahmens der Sammlung erkennbar machen. Am Ende des zweiten Buches (Sonette 51–100) nimmt der Dichter das Thema der christologisch-heilsgeschichtlichen Orientierung des Ganzen wieder auf; scharf pointiert formuliert er die Alternativen Verdammnis und ewige Seligkeit (*Der Todt*, *Das Letzte Gerichte*, *Die Hölle* –

Ewige Frewde der Außerwehlten). Das abschließende ELIAS-Sonett verbindet die christologische Perspektive mit dem Bekenntnis zum streitbaren Kämpfer für Gott. Das Rahmenprinzip (christologische Sonette am Anfang und Ende der Sammlung) macht den heilsgeschichtlichen Ort alles Irdischen deutlich. Die Einbettung alles Diesseitigen in die christlichen Heilswahrheiten ist für den Leser des 17. Jahrhunderts ein Zeichen der Orientierung sowie ein Sinnbild der Geborgenheit und insofern eine Quelle der Zuversicht.

»Hir wil ich gantz nicht weg!« (1) – entschieden und selbstgewiß harrt das (rollenhaft) sprechende Ich an der Seite Christi aus. Es widersetzt sich allen äußeren, durch Menschen verursachten Bedrohungen (Schwert, Spieß, Säbel, Waffen, Flammen) und wird (futurisches »sol«) Tod und Teufel standhalten (1–4). Führt der erste Vierzeiler vom »Hir« zur Vorstellung des Todes, so lenkt der zweite – in spiegelbildlicher Anordnung (Chiasmus) – vom »Hir« als Stätte der inneren Bedrängnis und des Todes (5) zurück zur Gewißheit, daß zu Füßen des Gekreuzigten das Heil zu finden ist (8); daran ändern auch die schlimmsten Elementargefahren nichts (topisch dafür: Donner, Blitz, der fallende Himmel [6–8]). Bis zum letzten Atemzug (»weil« [›solange‹, 9 f.]) will es zu Füßen des Gekreuzigten ausharren. Das viermal wiederholte »hir« (1, 5, 8, 11) weist auf keinen sicheren Ort, sondern auf eine Stätte der Not, der Versuchung, der Angst, der Qualen, des Todes – aber auch auf den Platz, der ewiges Leben verheißt. An der Seite Christi zu stehen bedeutet Kampf, an seiner Seite sich zu bewähren gibt die Gewißheit, erlöst zu werden. Nicht die Weltflucht des Einsiedlers, das »Adieu Welt« des Simplicissimus wird als gottgefällige Lebensweise gewählt, der Protestant Gryphius entscheidet sich für den bekennend-kämpferischen und verkündenden Dienst an Gott. Der Selbstgewißheit des Glaubens allen inneren und äußeren Bedrohungen gegenüber entspricht die gläubige Demut gegenüber Christus (12–14). Selbstgewißheit und Demut münden in die

Bitte, der sterbende Jesus möge dem Menschen, der zu seinen Füßen aushält und gläubig und fröhlich die Leiden der Welt auf sich nimmt, sein Angesicht zuwenden, ihn der Gnade teilhaftig werden lassen.
Die Form des Alexandriners (sechs betonte Silben je Vers, Zäsur nach der dritten) dient dem Gedanken, den das Sonett ausspricht. Von der ersten Halbzeile an ist jede tontragende Silbe auch aussagekräftig. Halbzeilen und Vollzeilen gliedern den Sachzusammenhang. Insistierendes Benennen (1–3, 5–8) und sinnerhellende Entgegenstellungen (4: »von disem Creutz«: »kein Tod / kein Teufel«; 8: »der Himmel fällt«: »hir wil ich«; 14: »heiß durch deinen Tod«: »im Tod mich ewig leben!«) treiben die Bedeutung, die im Geschehen steckt, heraus. Der Duktus des Sonetts, insbesondere in der hier abgedruckten umgearbeiteten Fassung, zielt nicht in erster Linie auf eine »ebenmäßige, zusammenhängende, harmonische Komposition« (Kimmich, S. 303), sondern auf eine rhetorisch-argumentative Durchformung des Gedankens. Es will – über Bekennen und Verkünden hinaus – den Leser in seiner Standhaftigkeit stärken. Und die Tatsache, daß sich der Gedanke so willig in eine kunstvolle Gestalt fügt, gilt als zusätzlicher Beweis für seine Gültigkeit.
Von der Ausgabe 1650 an (Endfassung) fügt Gryphius dem Titel den Hinweis »Sarbievii: Hinc ut recedam« an. Er gibt das Sonett damit als Übertragung einer Epode des polnischen Jesuitendichters Matthias Casimir Sarbjewski (Sarbievius) aus (Übersetzung bei Mauser, S. 89). Eine kontrastive Beurteilung der sprachlichen Leistungen (Wentzlaff-Eggebert, S. 70 f.; Conrady, S. 239–242) wird dem Gedicht des Gryphius nur zum Teil gerecht. Die größere bildhafte Fülle, der festere gedankliche Zugriff und die schärfere sentenzhafte Zuspitzung im deutschen Sonett sind ohne Zweifel Beweis einer großen poetischen Begabung und Fertigkeit. Gryphius ist es aber nicht zuerst um die Bravour bei der Handhabung des Deutschen gegangen, sondern um Bekenntnis, um eine unmißverständliche Verdeutlichung seines konfessionellen Standorts. Es läßt sich zeigen (Mau-

ser, S. 88–100), daß Gryphius Sarbjewskis Epode nicht einfach überträgt, sondern daß beide Autoren von einer gemeinsamen Vorlage ausgehen, und zwar von der bedeutenden lateinischen Oratio des heiligen Bernhard *Ad unum quodlibet membrorum Christi patientis et a cruce pendentis* (Jacques Paul Migne, in: *Patrologiae cursus completus*, S. 1319 f.). Dies bezeugen wörtliche Übereinstimmungen. Beide knüpfen auf ihre Weise an die große Kreuzespredigt an, die den zweiten Kreuzzug anregte und wie Bernhards Kreuzigungsdichtungen überhaupt im katholischen und im protestantischen Lager ein weites, aber unterschiedliches Echo fand. Gryphius stellt sich mit seiner Neubearbeitung des Themas einerseits in die Tradition Bernhardscher Kreuzestheologie, andererseits aber auch in klaren konfessionellen Gegensatz zu Sarbjewski und damit bewußt in den Raum einer seit langem geführten Kontroverse. In der Art des Bekenntnisses zu Christus am Kreuze unterscheiden sich für Gryphius die Positionen, insbesondere in Hinblick auf die Rechtfertigungslehre. Sarbjewski hält in der Nachfolge des Tridentinischen Konzils (1545–63) daran fest, daß der Glaube erst durch die Verdienste, die ›Werke‹, seine den Menschen erneuernde Kraft gewinne. Für den Lutheraner Gryphius steht fest, daß der in der Erbsünde gefangene Mensch im irdischen Leben stets Sünder und Leidender bleibt und ohne eigenes Verdienst, nur durch den Glauben und die Gnade Erlösung finden kann. Der Sühnetod Christi ist für den gläubigen Menschen die Verheißung des »ewigen Lebens«. Konsequent mündet das Sonett in die Bitte ein: »HErr JEsu / neig herab dein bluttig Angesicht«. Luthers »CRUX sola est nostra Theologia« klingt durch das Sonett des Gryphius hindurch. Dieser Theologie entspricht das »frölich singen« (8) zu Füßen des Gekreuzigten, das nichts anderes meint als Beten in der Glaubens- und Erlösungsgewißheit, über die der Mensch trotz seiner Sünden und Leiden durch den Kreuzestod Christi verfügt.
Das Kreuzigungssonett ist ein konfessionelles Bekenntnisgedicht. Die poetische Gestalt, in der es erscheint, verleiht ihm

zugleich erbaulichen Charakter. Insofern steht es wie ein großer Teil des zeitgenössischen religiösen Schrifttums im Umkreis der außerordentlich verbreiteten Erbauungsliteratur, die in ihrer Masse allerdings von geringem künstlerischen Wert ist. Darüber hinaus verwirklicht das Sonett eine Denkstruktur, die religiöses und weltliches Schrifttum der Zeit weithin prägt. Die traditionelle Forschung sprach in diesem Zusammenhang von »antithetischem Lebensgefühl«. Das wurde in der Regel aus bestimmten antithetischen Darstellungsmitteln geschlossen. Es ist aber zu beachten, daß ein rhetorisch-antithetischer Sprachstil im 17. Jahrhundert nicht Ausdruck einer bestimmten Erlebnisweise ist, sondern argumentative Funktion besitzt. Die weithin bestimmende Denkstruktur der Zeit ist die der Interdependenz. Sie ist nicht eigentlich antithetisch. Sie ist vielmehr Ausdruck des Versuchs, die Tatsache des wechselseitigen Bedingtseins und Bedingens von Menschlich-Irdischem und Göttlich-Überirdischem (im religiösen) und von Leid und Tugend (im weltlichen Bereich) angemessen zu vergegenwärtigen (Mauser, S. 152–163). Der Gedanke der Interdependenz ist nicht neu, er wird im 17. Jahrhundert aber mit neuer Dringlichkeit geäußert. Gott ist durch die Leiden Christi den Weg zum Menschen gegangen; ohne die Sündhaftigkeit des Menschen wäre der Opfertod als Erlösungstat sinnlos. Der Mensch seinerseits findet über die Erfahrung von Leid und Hinfälligkeit den Weg zu Christus und zu Gott. Mit anderen Worten: ohne Schmerz und Vergänglichkeitserfahrung gibt es keine Weisheit und keinen Glauben, also keinen Weg zu Gott. Ohne die gnadenhafte Möglichkeit des Menschen, auf die Leiden in der Welt im Sinne Gottes zu antworten, ist das Leiden Christi, sind alle Anfechtungen sinnlos. So aber haben sie ihren festen Platz in einem Sinn- und Ordnungsgefüge, in dem alles Zeitliche in einer unauflöslichen Wechselbeziehung zum Ewigen steht. Die Anfechtung weist den Weg zur Erlösung. Heilshoffnung und Heilsgewißheit in der Anfechtung geben dem Leiden seinen eschatologischen Sinn. Die Wechselbeziehung von Leid und Heil formuliert

Gryphius sehr eindrucksvoll in dem geistlichen Lied *Nutz des Creutzes und der Verfolgung*, das in der Strophe gipfelt:

17. Wohlan / so wüte Höll und Welt
Rast Ketzer! Feinde brecht und fällt /
  Es dient zu unserm besten /
Die heiße Glut
Die tolle Flut
  Soll unser Sieg befesten. (III,105)

Die sprachlich dichteste Formulierung dieser Wahrheit fand Jacob Bornitus in einem Emblem mit der Inschrift:

Das Ich sterb / leb Ich /
Das Ich leb / sterb Ich.
(*Emblematum Sacrorum*, S. 42.)

(Vgl. Abb. S. 219: Das Emblem zeigt den sich aus der Asche – »Cinere« – erhebenden Vogel Phönix, ein Sinnbild der Seele. Stadt, Meer und Landschaft im Hintergrund vergegenwärtigen die universale Geltung der Aussage.) Der Gedanke, daß Leid und Schmerz von Nutzen seien, fand vielfältiges Echo, gelegentlich wurde er in drastischer Form geäußert: »Du steupest / die du liebst« (Heermann, Bl. 2); »Die Pestilentz eine verborgene Wolthat Gottes« (Fritsch, S. 195). Der Deus absconditus, der verborgene Gott, ist im Leiden allpräsent. Die Struktur der Leiden-Heil-Argumentation beherrschte im 17. Jahrhundert aber nicht nur das religiöse Schrifttum. Die Vorstellung wechselseitigen Bedingens und die Legitimation von Leid und Schmerz prägten auf weiten Strecken auch das ethische und politische Denken: »Diß / was versehrt das lehrt« (Opitz, *Trostgedichte*, in: *Gesammelte Werke*, S. 421); »Tugend will durch keine weiche Lehre begriffen seyn« (Lohenstein, S. 100). »Je mehr der Baum geprest, ie ruhiger er steht« (Czepko, *Unglück prüfet das Gemüthe*, in: *Geistliche Schriften*, S. 19). Der *Politische Hoff-Meister* (1685), eine anonym erschienene Anleitung für gottgefälliges Verhalten, zeigt »Un compas avec une main,

qui le | presse pour le faire élargir« mit der Beischrift: »Hart gedrücket Mehr beglücket. | Oder: | Durch Druck und Stoß | Macht er mich groß« (S. 384).
Denkstrukturen sind Indizien für eine bestimmte Art, sich mit der Welt auseinanderzusetzen. Dies trifft auch für das 17. Jahrhundert zu. Die Struktur der Interdependenz ist jenes Element des zeitgenössischen Schrifttums, an dem – unabhängig von Stoff und Thema – die politisch-gesellschaftliche Dimension deutlich erkennbar ist. Überall dort, wo die Heilserwartung argumentativ und strukturell an das Leiden gebunden wird, eröffnen sich unerschöpfliche Möglichkeiten, Not und Schmerz nicht nur zu rechtfertigen, sondern auch als erwünscht erscheinen zu lassen. Leiden und Lasten, die eine heilsgeschichtliche Dimension besitzen, wird der Gläubige weder meiden noch zu beseitigen suchen. Im Gegenteil: ihre Brauchbarkeit erweist sich auch – wie viele Beispiele zeigen – außerhalb des religiösen Bereichs. Dies trifft für das Erziehungsprinzip ›wer liebt, züchtigt‹, das sich immer mehr durchsetzte, ebenso zu wie für die neue Beamtenschaft. Sie wurde einem strengen Disziplinierungsprozeß mit dem Ziel unterworfen, einen Typ des Untergebenen zu formen, der den Dienstgedanken so weit verinnerlicht hat, daß ihn auch schlechteste Lebensumstände nicht davon abbringen können. Dies mag im zentralistischen Fürstenstaat als Notwendigkeit erschienen sein und hat in der Tat erheblich zur Festigung des absolutistischen Systems beigetragen. Die enge argumentative Bindung von Leiden an Tugend und Heil konnte aber auch – bewußt oder unbewußt – mißbraucht werden. Es besteht kein Zweifel, daß die Anfechtungen der Untertanen, die Tugend und Heil zu fördern versprachen, zu einem guten Teil mit der absolutistischen Herrschaftsform zusammenhingen. Insofern bestand auf der Seite der kirchlichen und staatlichen Obrigkeit auch Interesse daran, daß der Glaube an die veredelnde und erlösende Kraft des Leidens erhalten blieb. Justus Lipsius' Schrift *De Constantia [...] in publicis malis* (erstmals 1584) gibt darüber reichlichen Aufschluß. Die Rechtferti-

42.
Ut moriar vivo, moriorq; ut postmodo vivam;
Nam Cinere exustó mox redivivus ero.

Das Ich sterb, leb Ich,
Das Ich leb, sterb Ich.

Jacob Bornitus: Emblematum sacrorum et civilium miscellaneorum. Heidelberg 1659. Titelkupfer

gung persönlicher und allgemeiner Leiden und Nöte im Dienst von Tugend und Heil führten so zur Rechtfertigung von Benachteiligung und Unterdrückung, wie sie sich aus der Praxis des absolutistischen Staates mit dem Ziel einer verbreiteten Sozialdisziplinierung ergaben. Die Nützlichkeit der Leiden-Heil-Argumentation für die Ausübung der weltlichen Macht wirkte dabei auf das religiöse Denken der Zeit zurück und umgekehrt. Je größer die Not des einzelnen war, um so näher lag es, eine Form des Trostes zu suchen, die die Not wenn schon nicht beseitigte, so doch sinnvoll erscheinen ließ, ja als Voraussetzung für Heil und Selbstwert ausgab. Perspektiven dessen, was Interdependenz hier bedeutet, zeichnen sich ab: Die Argumentationsstruktur erweist sich als Korrelat einer konfessionellen und politischen Konstellation, in der es für die Obrigkeit (und im protestantischen Bereich standen Landesfürstentum und Kirche in enger politischer und konfessioneller Verflechtung) darauf ankam, die Machtverhältnisse zu erhalten bzw. auszuweiten. Die Denkstruktur, die dem Kreuzigungssonett und der Sammlung der Sonette als ganzer (und einem großen Teil der Literatur des 17. Jahrhunderts) zugrunde liegt, will erklärtermaßen dem Zweck dienen, das qualvolle und trostlose irdische Leben erträglicher zu machen. Sie erweist sich aber bei näherem Zusehen als Grundlage aller Argumentation *gegen* die Beseitigung von Leid, Not und Unterdrükkung. Je größer das Leid war und je eindrucksvoller die Vanitas alles Irdischen vor Augen geführt wurde, um so sicherer wandte sich der Mensch jener Argumentation zu, die ihn davon überzeugen konnte, daß er Not und Leid für sein Heil brauche. Solange die Heilserwartung und die Tugendleistung argumentativ auf die irdische Not bezogen waren, schlug jeder Versuch, das Los der Menschen zu verbessern, notwendigerweise gegen sie aus.

Zitierte Literatur: Karl Otto CONRADY: Lateinische Dichtungstradition und deutsche Lyrik des 17. Jahrhunderts. Bonn 1962. – Daniel von CZEPKO: Geistliche Schriften. Hrsg. von Werner Milch. Breslau 1930. Repr. Darmstadt

1963. – Emblematum Sacrorum et civilium miscellaneorum. Heidelberg 1659. – Ahasver FRITSCH: Andachten über das vergossene Blut und die Thränen des gecreuzigten Jesu. Pirna 1687. – Andreas GRYPHIUS: Gesamtausgabe der deutschsprachigen Werke. Hrsg. von Marian Szyrocki und Hugh Powell. 8 Bde. Tübingen 1963–72. [Zit. mit Band- und Seitenzahl.] – Johannes HEERMANN: Poetische Erquickstunden. Bd. 1. Nürnberg 1656. – Flora KIMMICH: Nochmals zur Umarbeitung der Sonette des Andreas Gryphius. In: Euphorion 68 (1974) S. 296–317. – Daniel Casper von LOHENSTEIN: Grosmüthiger Feldherr Arminius [...]. Bd. 1. Leipzig [2]1731. – Wolfram MAUSER: Dichtung, Religion und Gesellschaft im 17. Jahrhundert. Die ›Sonnete‹ des Andreas Gryphius. München 1976. [Mit Literaturhinweisen.] – Martin OPITZ: Gesammelte Werke. Krit. Ausg. Hrsg. von George Schulz-Behrend. Bd. 1. Stuttgart 1968. – Patrologiae cursus completus. Ser. Latina. Bd. 184. Paris 1853. – Der neu-auffgeführte Politische Hoff-Meister [...]. Frankfurt/Leipzig 1685. – Marian SZYROCKI: Der junge Gryphius. Berlin [Ost] 1959. – Friedrich Wilhelm WENTZLAFF-EGGEBERT: Dichtung und Sprache des jungen Gryphius. Die Überwindung der lateinischen Tradition und die Entwicklung zum deutschen Stil. 2., erw. Aufl. Berlin [West] 1966.
Weitere Literatur: Willi FLEMMING: Andreas Gryphius. Stuttgart 1965. – Hans-Henrik KRUMMACHER: Der junge Gryphius und die Tradition. Studien zu Perikopensonetten und Passionsliedern. München 1976. – Ferdinand van INGEN: Vanitas und Memento Mori in der deutschen Barocklyrik. Groningen 1966. – Victor MANHEIMER: Die Lyrik des Andreas Gryphius. Studien und Materialien. Berlin 1904. – Eberhard MANNACK: Andreas Gryphius. Stuttgart 1968. – Friedrich OHLY: Vom geistigen Sinn des Wortes im Mittelalter. In: Zeitschrift für deutsches Altertum 89 (1958/59) S. 1–23. – Hans-Jürgen SCHINGS: Die patristische und stoische Tradition bei Andreas Gryphius. Untersuchungen zu den Dissertationes Funebres und Trauerspielen. Köln/Graz 1966. – Albrecht SCHÖNE: Emblematik und Drama im Zeitalter des Barock. München 1964. – Marian SZYROCKI: Andreas Gryphius. Sein Leben und Werk. Tübingen 1964. – Erich TRUNZ: Andreas Gryphius: »Über die Geburt Jesu«. »Thränen des Vaterlandes«. »Es ist alles eitel«. In: Die deutsche Lyrik. Hrsg. von Benno von Wiese. Bd. 1. Düsseldorf 1956 [u. ö.]. S. 133–151. – Conrad WIEDEMANN: Barocksprache, Systemdenken, Staatsmentalität. Perspektiven der Forschung nach Barners ›Barockrhetorik‹. In: Internationaler Arbeitskreis für deutsche Barockliteratur. Dokumente. Bd. 1. Wolfenbüttel 1973. S. 21–51.

Andreas Gryphius

Thränen in schwerer Kranckheit

A. MDCXL.

Mir ist ich weiß nicht wie / ich seuffze für und für.
Ich weyne Tag und Nacht / ich sitz in tausend Schmertzen;
Vnd tausend fürcht ich noch / die Krafft in meinem Hertzen
Verschwindt / der Geist verschmacht / die Hände sincken mir.
5 Die Wangen werden bleich / der muntern Augen Zir
Vergeht / gleich als der Schein der schon verbrannten Kertzen.
Die Seele wird bestürmt gleich wie die See im Mertzen.
Was ist diß Leben doch / was sind wir / ich und ihr?
Was bilden wir uns ein! was wündschen wir zu haben?
10 Itzt sind wir hoch und groß / und morgen schon vergraben:
Itzt Blumen morgen Kot / wir sind ein Wind / ein Schaum /
Ein Nebel / eine Bach / ein Reiff / ein Tau' ein Schaten.
Itzt was und morgen nichts / und was sind unser Thaten?
Als ein mit herber Angst durchaus vermischter Traum.

Abdruck nach: Andreas Gryphius. Gedichte. Eine Auswahl. Text nach der Ausg. letzter Hand von 1663. Hrsg. von Adalbert Elschenbroich. Stuttgart: Reclam, 1968 [u. ö.]. (Reclams Universal-Bibliothek. 8799 [2].) S. 8 f.
Erstdruck: Sonnete. Das Erste Buch. Leyden: Heger, [1643].
Weitere wichtige Drucke: Sonnette. Das Ander Buch. Frankfurt a. M.: Hüttner, 1650. [Die Ausgabe 1663 folgt im wesentlichen der Fassung von 1650.]

Wolfram Mauser

Was ist dies Leben doch? Zum Sonett *Thränen in schwerer Kranckheit* von Andreas Gryphius

Mit den Worten »Was ist diß Leben doch« (8) formuliert Gryphius die Kernfrage der Vanitas-Dichtung. Es ist eine rhetorische Frage. Die Antwort liegt fest. Das Gedicht hat nicht die Aufgabe, sie zu finden, sondern ihre Gültigkeit zu bekräftigen. Die Vanitas-Dichtung des 17. Jahrhunderts hält mit einer Vielzahl bildhafter Fügungen die Tatsache fest, daß alles Leben dieser Welt vergänglich und eitel ist. An ihm zeigt sich die Signatur alles Irdischen. Diese heilsgeschichtliche Grundtatsache vergegenwärtigt Gryphius mit Hilfe von Metaphern, die für eine sich wiederholende Argumentation stehen (10–12). Zunächst macht er auf den unvermeidbaren Umschlag aufmerksam, der die menschlichen Verhältnisse ebenso wie die Dinge der Natur charakterisiert (10f.). Der Lauf der Zeit führt – aus heilsgeschichtlicher Perspektive – zu keinem Fortschritt in der Welt, sondern stets zurück zum Ausgangspunkt. Das Zyklische ist nicht weniger vergänglich als das Entgleitende. Die elementare Wahrheit der Hinfälligkeit alles Irdischen wird sodann mit Hilfe von sinnlich wahrnehmbaren, dem Menschen vertrauten Bildern der Natur (11f.) vor Augen geführt (›Buch der Natur‹). Die Abfolge gleichwertiger und gleichgerichteter Aussage-Elemente (asyndetische Reihe), von denen jedes im Grunde den gleichen Gedanken zum Ausdruck bringt, stellt eines der eindringlichsten Stilmittel der Bekräftigung dar, das der rhetorisch orientierten Poetik des 17. Jahrhunderts zur Verfügung steht. Ausdrücklich hält Gryphius fest, daß die Naturmetaphern auch den Bereich menschlichen Vollbringens versinnbildlichen: »und was sind unser Thaten?« (13). Sie sind nichts anderes als »ein mit herber Angst durchaus [ganz und gar] vermischter Traum« (14). Es ist Wunschdenken (»Traum«), das bitterer (»herber«) Angst entspringt, wenn man in den Taten (Verdiensten, Werken) anderes als Eitel-Irdisches sieht. Gryphius und seine Zeitgenossen beziehen sich dabei ohne Zweifel auf die katholische Rechtfertigungslehre. Dieser gegenüber formuliert Gryphius mit aller Entschiedenheit das protestantische Selbstverständnis. Wenn es um das Heil der Seele geht, zählen allein Glaube und Gnade.

Wenn Gryphius die Frage, was »diß« Leben sei, mit Hilfe von Naturmetaphern beantwortet, so bezeugt dies nicht ein besonderes Verhältnis zur Natur. Was an ihr interessiert, ist die Tatsache ihrer Vergänglichkeit, d. h. das Analoge zum Menschenleben. Den Menschen von seiner Hinfälligkeit her zu definieren und dies mit Hilfe von Naturmetaphern zu verdeutlichen heißt, ihn am Unvergänglichen messen. Die Vermittlung zwischen dem Irdischen und dem Ewigen geschieht durch den Leidenstod Christi, auf den alle Sonette der Sammlung zu beziehen sind (vgl. die vorige Interpretation). Er ist Gewähr dafür, daß die gläubig-demütige Annahme der Sündhaftigkeit, der Unvollkommenheit und der Unabgeschlossenheit des Irdischen die Voraussetzung für das Heil der Seele darstellt. Leiden, Not und Schmerz sind deshalb die Erfahrungsbereiche des Menschen, die deutlicher als alles andere die wesensmäßige Vorläufigkeit, Begrenztheit und Vergänglichkeit der Dinge dieser Welt vor Augen führen.

Da das Leiden den Menschen an seine Nachfolgeschaft Christi und damit an seine heilsgeschichtliche Bestimmung erinnert, überrascht es nicht, daß neben Gedichten, die die Macht der Vanitas vergegenwärtigen, andere stehen, die vom Thema Krankheit ausgehen (*Thränen in schwerer Kranckheit* in zwei Versionen 1637 und 1643; *An die Freunde, An die vmbstehenden Freunde, An sich Selbst*). Die bisherige Forschung deutete diese Sonette biographisch (Palm, S. 599; Trunz, S. 71). Sicher zu Unrecht. Das sprechende Ich ist nicht das des Autors. Es verkörpert vielmehr exemplarisch den durch Krankheit angefochtenen Menschen. Selbst dort, wo Gryphius, wie es scheint, eine eigene

Erkrankung zum Anlaß eines Gedichtes macht (1637; Zusatz: »A. MDCXXXVI. Mense Febr.«, den Gryphius später wegließ), wird nicht die Besonderheit des jeweiligen Krankheitszustandes beschrieben, sondern das Thema Krankheit bedacht bzw. durchgeführt (Trunz, S. 74). Was im 17. Jahrhundert interessiert, ist nicht das Subjektive, sondern die heilsgeschichtliche Bedeutung daran. Dafür spricht auch der Titel des Sonetts. Die Bezeichnung »Thränen« bekundet in der Zeit nicht Intensität individuellen Leidens, sondern stellt – ähnlich dem Ausruf »Ach!« – ein Affekt-Korrelat im Bereich der Sprache dar. Es soll anzeigen, daß das Leiden, von dem hier die Rede ist, nicht irgendwelchen Schmerz darstellt, sondern eine Anfechtung grundsätzlicher Art, die die Menschheit als ganze betrifft. In der stärker verinnerlichten religiösen Poesie und in der Erbauungsliteratur kennzeichnet das Wort »Thränen« durchweg das Leiden in kreuzestheologischer Dimension (Gryphius, *Thränen über das Leiden JEsu Christi*, 1652; August Augsburger, *Thränen bey dem Creutze Jesu Christi*, 1642). Gelegentlich faßte man solche Gedichte als »Thränen« oder »Lacrimae« gattungsmäßig zusammen. Auch in Gryphius' Sonett *Threnen des Vatterlandes / Anno 1636* (I,48) dient die Bezeichnung »Threnen« dazu, den Krieg als Phänomen der Hinfälligkeit alles Irdischen zu begreifen – und dazu gehört auch (auch wenn es nicht ausdrücklich gesagt wird), den Nutzen der Kriegsgeißel zu erkennen, die Gottgewolltheit des Leidens, ohne das die Erlösung nicht denkbar ist. Jeder biographische Bezug des Krankheitssonetts verliert vollends an Wahrscheinlichkeit, wenn man bedenkt, daß selbst so ausgesprochen situativ-biographisch anmutende Krankheitsgedichte wie *An die vmbstehenden Freunde* (I,60) nicht nur in der Tradition der Poesie, sondern auch der Predigt stehen. Johann Michael Dilher fügte in sein Predigtbuch *Freud und Leid* einen Abschnitt über die *Taegliche Vorbereitung zum Tod / und Trost wider desselben Schrecken* ein, den er mit der Marginalie versah: »Letzte Zurede eines Sterbenden / an die Vmbstehenden« (S. 223).

Johann Gerhard u. a. verfaßten Gedichte *An die umstehenden Freunde* (*Kleinod*, 1670), deren topischer Zusammenhang mit der Predigt Dilhers und dem Sonett des Gryphius unverkennbar ist.
Worin sieht Gryphius die Erkrankung? Zunächst äußert sie sich als Verlust der inneren Sicherheit, der Zuversicht, der Orientierungsfähigkeit, als ein Versagen der seelischen Kräfte: »Mir ist ich weiß nicht wie« (1). Der Mensch ist nicht mehr imstande, seinem eigenen Willen zu folgen. Nicht physiologische Veränderungen verursachen die ›Krankheit‹, sondern ein Überhandnehmen, ja ein Überschwemmtwerden von bedrohlichen Affekten: Seufzen, Weinen, in Schmerzen sitzen, tausend andere fürchten (1–3). Dies ist Ausdruck von Kleinmütigkeit. Die Folgen sind offenkundig: Die Kraft des Herzens schwindet, der Geist verschmachtet, die Hände sinken, die Wangen werden bleich, das Licht der Augen vergeht (3–6). In den anderen Krankheitsgedichten nennt Gryphius weitere Symptome: das Zittern der Glieder, die Schwere des Atems, das Lallen der Zunge, den Todesgeruch des Fleisches.
Die Anzeichen der Krankheit und des nahenden Todes sind in der Affektlehre weitgehend vorformuliert. Die häufigen Beschreibungen der veränderten Physis gleichen im 17. Jahrhundert einander in auffallender Weise; im Grunde unterscheiden sie sich nur an Ausführlichkeit. Dies überrascht nicht, da die körperlichen Verfallserscheinungen das Sekundäre sind; was eigentlich interessiert, sind die Affekte, die die Seele bedrohen. Ihre Bewegung geht nach verbreiteten Vorstellungen der Zeit auf eine unterschiedliche Mischung der Säfte zurück. Justus Georg Schottel schreibt in seiner *Ethica* (1669): »Was für eine Wunderkraft diese Herzneigungen (affectus) auch darin haben / daß sie auch den Leib und die Glieder des Leibes also mitberühren können / daß gewaltige Bewegungen / ja der Tod selbst / daher entstehen können / sehen und spühren wir gnugsam« (S. 138). Christoph Lehmann formuliert in seinem *Florilegium Politicum Auctum* (1640) den Gedanken in einer der

Zeit geläufigen Zuspitzung: »Wann das Haupt wurmstichig ist / seynd alle Glieder krank« (S. 583). Grundsätzlich wirken Körper und Seele wechselseitig aufeinander. Sie sind »gegeneinander-entpfindlich«, denn sie stehen in »göttlicher Verknüpfung; Die Seele ist himlisch / geistlich / unsichtbar / unbegreifflich; Hergegen der Leib ist irrdisch / leiblich / sichtbar / begreiflich« (Schottel, S. 139f.). Wenn es um körperliche Gebrechen geht, steht für die Zeitgenossen jedoch außer Frage, daß »ein Schmertz des Gemütes / auch eine Pein des Leibes [ist]: Muhtkränklich seyn (animo laborare) machet den Leib mit krank / Muhtkränklichkeit ist Leibsunpäßlichkeit« (Schottel, S. 140). Gryphius berichtet also nicht von eigenen Schmerzen als Kranker, das rollenhaft sprechende Ich stellt vielmehr einen Zusammenhang zwischen »Muhtkränklichkeit« und Hinfälligkeit her. »Muhtkränklichkeit« ist für Gryphius allem voran die Anfechtung im Glauben. Sie erscheint ihm als die gefährlichste Versuchung des Menschen. Der »Muhtkränkliche« ist der Prototyp dessen, der sich nicht als zu Füßen Christi stehend begreift und nicht von sich sagen kann: »Hir wil ich gantz nicht weg!«

Zur Vergegenwärtigung eines solchen Zustands wählt der Dichter in der Zeit anerkannte und gemeinhin verstandene Krankheitsbilder aus und fügt das Gefundene in die kunstvolle Form des Gedichts. Damit setzt er der »Muhtkränklichkeit« und den Gebrechen des Körpers die argumentativ durchsichtige und geschlossene Gestalt des Sonetts als Spiegel der Heilsordnung entgegen. Das Kunstwerk als geistige Tat – inspiriert vom Heiligen Geist (I,3) – bezeugt den Sinn der Anfechtung.

Für Gryphius und seine Zeitgenossen ist die Krankheit »Gottes Vatter Rute« (Heermann, S. 75). Dies bedeutet, daß sie wesenhaft zum sündigen Menschen gehört. Sie ist – wie auch in anderen Epochen – kein objektiv bestimmbarer Sachverhalt, sondern Element des Selbstverständnisses des Menschen. So ist es konsequent, daß Gryphius seine Aufmerksamkeit nicht der Überwindung der Krankheit oder der

Linderung der Krankheitssymptome zuwendet, sondern vielmehr der Frage nach dem Verhalten des Menschen in der Krankheit. Angesichts des Bestürmtwerdens der Seele (7) ist die Krankheit ein Prüfstein für den Menschen, ein Schauplatz seiner Bewährung. Und als solche ist sie in erster Linie ein Zeichen von Verfall und Hinfälligkeit, das die Eitelkeit alles Irdischen mit übergroßer Deutlichkeit vergegenwärtigt. Besser als alle Erfahrungen von Gesundheit, Kraft und Erfolg dient sie der Orientierung in dieser Welt. Orientierung heißt im 17. Jahrhundert aber Glaubensdisziplinierung. Und Glaubensdisziplinierung ist losgelöst von Sozialdisziplinierung nicht denkbar. Hier zeichnen sich Zusammenhänge mit der Leiden-Heil-Argumentation ab, die anhand des Kreuzigungs-Sonetts skizziert wurden. Für den Zeitgenossen ist das Verhalten im Krankheitszustand Indiz für die Fähigkeit, mit dem Bestürmtwerden der Seele, mit der Sündhaftigkeit fertig zu werden. Zwar ist nach protestantischem Verständnis das Heil des einzelnen Ausdruck von Gnade, dies enthebt ihn aber nicht der Forderung, ein gottgefälliges Leben zu führen. Die Normen menschlichen Verhaltens sind im 17. Jahrhundert ebenso wie in anderen Epochen aufs engste mit dem politischen und gesellschaftlichen Leben verbunden. Was als »gesunder Mut« gilt, hat auch mit dem zu tun, was als Qualität des Untertans erwünscht ist. Ein Krankheitssonett, das »Muhtkränklichkeit« diagnostiziert, verweist alle Ursachen der »Leibsunpäßlichkeit« in den Bereich persönlichen Vermögens oder Unvermögens und lenkt damit das Nachdenken über eine Verbesserung der Situation zurück zur Frage nach der Bewährung des einzelnen. Indem der einzelne so entschieden auf sich selbst verwiesen ist, wird jeder, auch der entfernteste Gedanke an die Relevanz von ›Umweltfaktoren‹ abgewehrt. Dies bedeutet eine Entlastung des staatlichen und gesellschaftlichen Systems. Insofern lag die enge argumentative Verknüpfung von Leiden und Heil im Interesse der Obrigkeit. Symptome des Krankseins galten als untrügliche Zeichen dafür, daß der einzelne es versäumt hatte, die richtige Lebensgesinnung zu finden. Dies erklärt nicht nur die Bereitwilligkeit, Leiden und Not auf sich zu nehmen, sondern auch die Tatsache, daß am Tod in erster Linie die Bewährung des Sterbenden interessierte. Man vergegenwärtigte und feierte sie in unzähligen »Leichabdankungen« (Totenreden). In der Literatur wurde das Todesthema bis zur Beschreibung der ›Wollust des Todes‹ gesteigert. Körperliche Gebrechen sind die große Chance des Rechtgläubigen, sein Heil zu finden. »Der Christen bestes Leben / | Ist hier in Unlust schweben«, schreibt Ernst Christoph Homburg, und er schließt das *Angst- und Trostlied* mit den Versen:

So geht es / liebe Seele /
In dieser Jammer-Höhle /
  Dein Leid wird hören auf /
Dein Kummer wird sich stillen /
Laß nur der Noht den Willen /
  Dem Wetter seinen Lauf. (S. 98 f.)

Wenn die geistige Bewältigung der Krankheit in die Verantwortung des einzelnen gestellt wird, überrascht es nicht, daß das Schwankend-Werden des Gemüts, daß »Muhtkränklichkeit« als Melancholie erfahren wird. Melancholie – im Sinne eines krankhaften Leidens an sich selbst und nicht im Sinne der erkenntnisfördernden Schwermut des genialen Menschen (vgl. das Sonett *Einsamkeit*) – gilt im 17. Jahrhundert als eine Folge der ›acedia‹, der Glaubensträgheit. Sie ist die barocke Spielart einer europaweit verbreiteten Melancholie-Tradition und damit Teil jener Temperamenten- und Säftelehre, die den trauernd-leidenden Gemütszustand mit Schwarzgalligkeit, Kälte und Trockenheit des Körpers erklärt. Die Ursache des krankhaften Säfteflusses wurde meist in der Unfähigkeit gesehen, inneren Bedrohungen standzuhalten. Dies führte dazu, daß man alle Krankheitserscheinungen, die sich als Folge von »Muhtkränklichkeit« deuten ließen, mit Sündhaftigkeit in Verbindung brachte, dämonisierte und verteufelte. Melancholie als Ausdruck sündhaften Krankseins war in besonderer Weise davon betroffen. War es üblich, sie von der Glaubensträgheit abzuleiten, so lag es auch nahe, sie als Folge jeder Art von Abweichung auszugeben. Was im Interesse der staatlichen und gesellschaftlichen Ordnung als Gefahr galt, konnte mit dem Hinweis auf Krankheit und Melancholie diffamiert werden (vgl. Schmitz). Gryphius spricht nicht von Melancholie, aber er nutzt die disziplinierenden Möglichkeiten, die mit der Drastik körperlicher Verfallserscheinungen gegeben sind: in den Krankheitssonetten nicht weniger als etwa in den *Kirchhof-Gedanken*. Trunz schreibt: »Der Klang des ganzen Gedichts ist tiefe Traurigkeit« (S. 75). Traurigkeit ist hier nicht einfach Stimmung, sondern Ausdruck der ungeheueren Gefährdung der menschlichen Seele, die immer dann, wenn bedrohliche Affekte sie überwältigen, die Fähigkeit verliert, am Fuß des Kreuzes fröhlich zu singen.

Zitierte Literatur: Johann Michael DILHER: Freud und Leid [...]. Nürnberg [3]1653. – Andreas GRYPHIUS: Gesamtausgabe der deutschsprachigen Werke. Hrsg. von Marian Szyrocki und Hugh Powell. 8 Bde. Tübingen 1963–72. [Zit. mit Band- und Seitenzahl.] – Andreas GRYPHIUS: Lyrische Gedichte. Hrsg. von Hermann Palm. Tübingen 1884. Repr. Darmstadt 1961. [Zit. als: Palm.] – Johannes HEERMANN: Poetische Erquickstunden. Bd. 2. Nürnberg 1656. – Ernst Christoph HOMBURG: Geistliche Lieder. Jena 1659. – Christoph LEHMANN: Florilegium Politicum Auctum [...]. Bd. 1. Francckfurt 1640. – Heinz-Günter SCHMITZ: Melancholie als falsches Bewußtsein. Wie man weltanschauliche Gegner verteufelt. In: Neue Rundschau 71 (1974) S. 27–43. – Justus Georg SCHOTTEL: Ethica. Wolfenbüttel 1669. Repr. Bern/München 1980. – Erich TRUNZ: Andreas Gryphius. Thränen in schwerer Krankheit. In: Wege zum Gedicht. Hrsg. von Rupert Hirschenauer und Albrecht Weber. München/Zürich 1956. S. 71–76.
Weitere Literatur: Vgl. S. 221.

Andreas Gryphius

Einsamkeit

In diser Einsamkeit / der mehr denn öden Wüsten /
Gestreckt auff wildes Kraut / an die bemoßte See:
Beschau' ich jenes Thal und diser Felsen Höh'
Auff welchem Eulen nur und stille Vögel nisten.
Hir / fern von dem Pallast; weit von des Pövels Lüsten /
Betracht ich: wie der Mensch in Eitelkeit vergeh'
Wie / auff nicht festem Grund' all unser Hoffen steh'
Wie die vor Abend schmähn / die vor dem Tag uns grüßten.
Die Höl' / der rauhe Wald / der Todtenkopff / der Stein /
Den auch die Zeit aufffrist / die abgezehrten Bein /
Entwerffen in dem Mutt unzehliche Gedancken.
Der Mauren alter Grauß / diß ungebau'te Land
Ist schön und fruchtbar mir / der eigentlich erkant /
Daß alles / ohn ein Geist / den Gott selbst hält / muß
wancken.

Abdruck nach: Andreas Gryphius. Gedichte. Eine Auswahl. Text nach der Ausg. letzter Hand von 1663. Hrsg. von Adalbert Elschenbroich. Stuttgart: Reclam, 1968 [u. ö.]. (Reclams Universal-Bibliothek. 8799 [2].) S. 13.
Erstdruck: Sonnette. Das Ander Buch. Frankfurt a. M.: Hüttner, 1650.

Wolfram Mauser

Andreas Gryphius' *Einsamkeit*. Meditation, Melancholie und Vanitas

Das Sonett vollzieht den Erkenntnisweg, den der Gläubige gehen sollte. Die Stufen der Einsicht sind am verbalen ›Rückgrat‹ des Gedichtes ablesbar: beschauen (3), betrachten (6), (Gedanken) entwerfen (11), (eigentlich) erkennen (13). Die Abfolge der Verben entspricht sowohl den weitgehend vorgegebenen Erkenntnisschritten als auch dem Gewicht der Dinge. Das Ich, das hier spricht, ›beschaut‹ zunächst Tal und Höhe, also die naturhafte Umwelt des Menschen, und ›betrachtet‹ sodann die menschlichen Erscheinungen in dieser Welt. Die beiden Bereiche unterscheiden sich nicht in Hinblick auf ihre Kreatürlichkeit – deshalb können sie in den Versen 9 f. auch zusammen genannt werden –, für den Menschen ist das eigene Schicksal aber von größerer Bedeutsamkeit. Für ihn ist die Frage nach seiner eigentlichen Bestimmung die Kernfrage der Existenz. »[...] beschauen ist inniger als besehen, und betrachten nachdenklicher als beschauen, [...] der beschauende sinnt nach, der betrachtende denkt nach. man kann keine beschauungen machen, sie erfolgen von selbst, betrachtungen aber müssen gemacht werden (Grimm, Bd. 1, Sp. 1705 f.). Der Mensch und das von ihm Geschaffene legen eine intensivere Art geistiger Beschäftigung nahe als die Gegenstände der Natur. Für den meditierenden Christen – so das Gedicht – lohnt überhaupt nur *ein* Aspekt des Menschseins der Reflexion: die Tatsache der Eitelkeit alles Irdischen. Das Betrachten erfolgt zwar in der »Einsamkeit« in einer »mehr denn öden Wüsten« (1), fern von dem Palast und »von des Pövels Lüsten« (5), der Gegenstand der Betrachtung kann aber nur die heilsgeschichtliche Bestimmung des Menschen sein. Die betrachtende Vergegenwärtigung von Dingen, die dem Gesetz der Zeit, des Verfalls, der Sterblichkeit unterliegen (9 f.), lenkt das Denken auf die christlichen Grundwahrheiten. Diese Gedanken werden »in dem Mutt« (11) entworfen, d. h. die Erkenntnis der Hinfälligkeit alles Diesseitigen ist nicht nur ein denkerischer Akt, sie bewegt vielmehr den gesamten affektiven und kognitiven Bereich. Das Wort ›Mut‹ hat »den allgemeinen sinn des menschlichen innern als sitz des fühlens, denkens, begehrens, strebens überhaupt«, und zwar »auf dem deutlichen grunde des bewegten gefühlslebens« (Grimm, Bd. 6,

Sp. 2781 f.). Umfassend betroffen zu sein ist die Voraussetzung dafür, daß der Mensch wirklich erkennt, daß ohne den Geist Gottes alles ins Wanken gerät (14). Die Schritte meditativ gewonnener Einsicht werden als Erkenntnisse eines Ichs geboten, das sich – wie in anderen Sonetten – nicht biographisch, sondern rollenhaft-exemplarisch versteht. Der Erkenntnisweg, der an diesem Ich beispielhaft vorgeführt wird, hat argumentative Funktion in Hinblick auf den Leser, d. h., der exemplarisch aufgezeigte Weg zur Wahrheit interessiert nicht in erkenntnistheoretischer Hinsicht, sondern hat auffordernden Charakter, so wie die beispielhafte Darstellung der Leiden christlicher Märtyrer den Gläubigen zu christlicher Lebensführung anhalten will. Das Sonett formuliert die dafür brauchbare Argumentationsstruktur und verkörpert sie zugleich in der Gestalt des Gedichts, das von der Anschauung (in den beiden Vierzeilern) zur Auswertung (in den beiden Dreizeilern) fortschreitet.

Das Sonett ist kein Landschaftsgedicht. Die christliche Tradition – jedenfalls vor Brockes (Physiko-Theologie) – kennt Landschaftsdarstellungen im eigentlichen Sinne nicht. Es geht hier vielmehr um eine geistige Auseinandersetzung mit Elementen der Natur. Diese geschieht nicht um ihrer selbst oder der landschaftlichen Schönheit willen, sondern in Hinblick auf die eschatologische Bestimmung des Menschen. Von daher erfolgt die Entscheidung für den Ort, an dem die Meditation erfolgt, und für die Auswahl und Zusammenstellung der Gegenstände. Der Dichter geht also nicht von einer vorgegebenen und erfahrenen Landschaft aus, sondern fügt bestimmte Naturelemente aneinander. Die Gemeinsamkeit dieser Naturelemente erschöpft sich darin, daß sie Träger analoger Bedeutung sind. In Hinblick auf die Wiedergabe der erfahrbaren äußeren Wirklichkeit brauchen die einzelnen Elemente nicht zusammenzupassen, ja sie können sich geradezu ausschließen, wie hier die Vorstellung von »öder Wüste« und »rauhem Wald« (9).

Da der Aspekt geistiger Bedeutung und Bedeutsamkeit

absoluten Vorrang vor der landschaftlich-topographischen Genauigkeit hat, liegt es im 17. Jahrhundert nahe, Orte und Requisiten zu wählen, deren geistiger Sinnhorizont weitgehend festliegt. Dies gilt auch für die ›Einsamkeit‹. Von ihr sagt Laurentius Beyerlinck in seinem *Magnum Theatrum vitae humanae*, einem Monumentalwerk allegorischer Weltdeutung:

[Solitudo] est locus desertus, inhabitatus, ad quem raro homines veniunt, accipitur pro omni loco ad quem aliquis secedit, ut liberius contemplationi aut meditationi vacare possit, à curis & perturbatione solutus & vacans. Etiam S. idem est quod vita solitaria, cuius comendationem & laudes, tam Sacri quam profani Scriptores suis scriptis celebrarunt.

(»[Die Einöde] ist ein verlassener, unbewohnter Ort, zu dem selten Menschen kommen; man versteht darunter jeden Ort, an den sich jemand zurückzieht, um sich freier der Betrachtung oder geistigen Versenkung [Meditation] weihen zu können, losgelöst und frei von Sorgen und Verwirrung. Auch ist ›Einöde‹ dasselbe wie das Leben in der Einsamkeit, dessen Annehmlichkeit [Empfehlung] und dessen Lobeserhebungen die geistlichen ebenso wie die weltlichen Schriftsteller in ihren Schriften gefeiert haben.«) (S. 272.)

In der Renaissance entdeckte man die Einsamkeit als Ort, der dem schöpferischen Geist förderlich ist (Boccaccio, Franz von Assisi). Im 17. Jahrhundert häufen sich dagegen Warnungen vor der Einsamkeit. Sie widerspreche der Art und Natur des Menschen und verführe ihn zu Sünde und Laster. Die Stätte der Anfechtung erweist sich aber zugleich als bevorzugter Ort einer Meditation über die Eitelkeit alles Irdischen. Die einzelnen Requisiten: Eulen, rauher Wald, Tal, Höhle, geborstene Mauern, brachliegende Felder, wurden von Gryphius nicht erfunden; er fand sie vielmehr in der Bibel (Jöns, S. 89), im reichen Arsenal der enzyklopädisch-allegorischen Handbücher und Florilegien der Zeit (Nanus Mirabellius/Lang, Lauretus, Gruterus, Beyerlinck, Spanner, Weinrich u. a.), in denen festliegende Bedeutungszuordnungen verfügbar gehalten wurden (Mauser, S. 61 f.).

Gelehrsamkeit und auch Kunstfertigkeit bestanden im 17. Jahrhundert unter anderem darin, im Rahmen bestehender Bedeutungszuordnungen zu variieren. Dies gilt für die Poesie nicht weniger als für Predigt- und Erbauungsliteratur, für die Emblematik ebenso wie für jede Art bildlicher Darstellung. So finden sich die Requisiten der Vanitas-Meditation (Eule, Wald, geborstene Mauern, Skelett u. a.) in der Radierung »Democritus in Meditation« von Salvator Rosa (Abb. S. 236) und »Trauernder Philosoph« von Johann Heinrich Schönfeld (Abb. S. 237, Radierung von Gabriel Ehinger nach Schönfeld). Die Einsamkeit ermöglicht und fördert Nachdenken und Erkenntnis. Das Ergebnis des Nachdenkens ist aber offenbar abhängig vom Ort, an dem es geschieht, und von Gegenständen, die den Meditierenden umgeben. Diese Korrelation Bild – Gedanke ist zwingend, wenn der Leser nicht irregeleitet werden soll. Das Nachdenken unter dem Kreuz Christi, das Nachdenken über die Gebrechlichkeit, das Leiden und die Eitelkeit des Irdischen könnte demnach nicht an einem lieblichen Ort, in fruchtbarer Landschaft erfolgen. Die Einsamkeit der amönen (lieblichen) Landschaft eignet sich dazu, Tugenden und bestimmte affektive Werte zu vergegenwärtigen, nicht aber die Gewißheit, daß die Welt ein Jammertal ist. Vanitas-Gedanken stehen in einem eigenen Feld bildhaft-topischer Entsprechungen. Zu ihnen gehört eine besondere Szenerie der Einsamkeit: so die öde Wüste mit Gegenständen, die zeigen, daß alles Irdische dem Gesetz der Zeit, des Verfalls, der Sterblichkeit unterliegt (1–4, 9–12). Die »stillen Vögel« (4), die hier nisten, deuten das Unheimliche einer menschenverlassenen Gegend an. Keine liebliche Landschaft (›locus amoenus‹), sondern eine anti-amöne wird hier als Meditations-Rahmen und Äquivalent vorgestellt: ein ›locus desertus‹ (Drux, S. 37) oder ›locus terribilis‹ (Garber, S. 240–264). Die genannten Gegenstände der Natur sind Sinn-Bilder, Abbilder, Zeichen. Sie vermögen die heilsgeschichtliche Bedeutung der Welt vor Augen zu führen. Wer, wie das Ich des Sonetts, den Schritt der Deutung zu vollzie-

Salvator Rosa: Democritus in Meditation. Radierung 1662, nach einem Gemälde von 1650

Gabriel Ehinger: Trauernder Philosoph. Radierung um 1655, nach einem Gemälde von Johann Heinrich Schönfeld

hen vermag, für den ist das öde, verlassene, unfruchtbare (»ungebau'te«) Land »schön und fruchtbar« (12f.). In einer sinnreichen Wendung vollzieht Gryphius den Schritt von der heilsgeschichtlichen Dimension des Sonetts zum Aspekt des Seelenheils des einzelnen.
Perspektiven traditioneller Schrift-Exegese nach dem bis ins frühe 18. Jahrhundert verbreiteten Schema des vierfachen Wortsinnes zeichnen sich ab. Danach folgt die raffende Darstellung der Natur und der Menschenwelt, die Tal und Höhe, Palast und Pöbel umfaßt, den Tatsachen, dem Wortsinn (1–8). Im ersten Terzett wird die Betrachtung der Gegenstände auf die Gedanken »in dem Mutt«, d. h. auf die heilsgeschichtliche Deutung der Verfallserscheinungen ausgeweitet (9–11) und damit der allegorische Sinn erschlossen. Das zweite Terzett eröffnet mit der Wendung zum Seelenheil des einzelnen – »schön und fruchtbar mir« (12f.) – die moralisch-tropologische Perspektive. Und der letzte Vers enthält mit dem Ausblick auf die im Jenseits, in Gott sich erfüllende Verheißung den anagogischen Sinn des vorgestellten Bildes. Zugleich nähert sich das Sonett – wie eine Reihe anderer, so z. B. *An die Welt* (I,61) – der sprachlichen Verwirklichung dessen, was auch ohne Bildbeigabe als Emblem bezeichnet werden kann, d. h. als kommunikative Einheit von Inscriptio/Überschrift (hier: »Einsamkeit«), Pictura/Bild (hier: Metapher der ›öden Wüste‹ mit den ›Requisiten‹ in den beiden Vierzeilern) und Subscriptio/Epigramm (hier: zusammenfassende Auswertung, Schlußfolgerung in den beiden Terzetten). In mehrfacher Hinsicht erweist sich so das Sonett als Sinn- und Formkonzentrat hohen Ranges.
Das Sonett *Einsamkeit* benennt Meditationsschritte von grundlegender Bedeutung. Zugleich realisiert es sie in der Gestalt des Gedichts. Gryphius stellt sich nicht nur als Poet (›artifex‹) dar, der von den rhetorischen Mitteln souverän Gebrauch macht, sondern auch als Poeta doctus, als gelehrter, meditierender Dichter, der für sich und stellvertretend für die Menschheit über das Selbstverständnis des Menschen

nachdenkt. Als Nachdenkender, der die Dinge der Welt beurteilt und in das umfassende System christlicher Weltdeutung einordnet, erfüllt er eine überragende Aufgabe. Dabei verbindet er humanistisch-philosophisches und theologisch-konfessionelles geistiges Verhalten. Glaubenslehre ist auch Philosophie, und Philosophie dient auch der christlichen Lebensführung. An die Seite der Glaubensleistung tritt die Denkleistung. Die Zeitgenossen schätzten Gryphius als Gelehrten; das Amt des Syndikus der Glogauischen Landstände verdankte er nicht nur seiner Rechtgläubigkeit, sondern vor allem auch seinem Rang als Gelehrten; selbstbewußt signierte er mit »Philosophus et Poeta«.
Nicht nur der Ort des Nachdenkens wird im Gedicht mit geeigneten Allegorien ausgestattet, das nachdenkende Ich selbst nimmt einen Gestus an, der durch die Tradition beglaubigt ist und allein schon deshalb Gewähr für die Richtigkeit der Denkinhalte gibt. Über die Jahrhunderte hin wurden die inneren und äußeren Voraussetzungen ertragreichen Denkens in der Figur des Demokrit zusammengesehen. Der Name erscheint nicht im Gedicht des Gryphius, aber in Schriften und Darstellungen des 17. Jahrhunderts (vgl. Abb. S. 236) taucht er häufig auf. Demokrit ist als Nachdenkender zugleich der Inbegriff des Melancholikers. Er verkörpert aber nicht die krankhaft-melancholische Gefährdung (vgl. das Sonett *Thränen in schwerer Kranckheit*), sondern den – heute würde man sagen – durch umfassende Studien Sensibilisierten, den aufgrund von Erkenntnis ›Bekümmerten‹. Eine weitgespannte europäische Melancholie-Tradition im Zeichen Saturns, der Macht ausübenden und Macht verleihenden Gottheit, wird erkennbar, die den Begabten, den Schöpferischen, den Einsichtigen auszeichnet und die daran erinnert, daß der Vorzug des Kreativen mit der Last des Bekümmertseins zu bezahlen ist. In einem Werk, das bis auf zwei Sonette (I,70 f.) verlorengegangen ist, äußert sich Gryphius zu diesem Thema. Dies geschieht auch in den beiden *Straff-Gedichten* (III,182–192) und in *Der Weicher-Stein* (III,43–57), in dem er unter dem Decknamen

Meletomenus (›der Bekümmerte, der Betrübte‹) spricht. Diese Gedichte können ihre Nähe zu Jacob Baldes Melancholie-Gedichten nicht verleugnen. (Watanabe-O'Kelly, S. 57–66). In ihnen finden sich Verse wie: »Ich finde mich allein / und einsam / und betrübet« (I,128) oder »Ich / der ich meine Zeit in Einsamkeit vertreibe« (III,189). Der Tenor vor allem des dritten Teils von *Weicher-Stein* drückt die Stimmung melancholisch-bekümmerten Nachdenkens über die Vergänglichkeit der Welt aus. Es steht nicht nur in unmittelbarer Nachbarschaft des Sonetts *Einsamkeit*, sondern auch der Vorrede zu den *Thränen über das Leiden Jesu Christi* (*Oden*, 1657). Hier rechtfertigt Gryphius die Zierlichkeit, d. h. die poetische Sprache in geistlichen Dichtungen. Im Zusammenhang damit erscheint die ›Schwermut‹ als dasjenige Element geistlicher Betrachtung, das zu gewährleisten vermag, daß die poetische Rede den Menschen nicht auf die falsche Bahn führt:

[...] die Betrachtung der Geheimnüß deß Höchsten erquicket vns in Schwermuth / vnd begleitet / wenn wir von allem verlassen werden: Was man der Welt zu Ehren schreibet / das vergehet mit der Welt / vnd beschwärtzet offt die Finger vnd Gewissen derer / die damit bemühet. Ich weiß mich zu erinnern / daß diese / welche derer todte Leichen / die durch faulende Kranckheiten von dieser Welt abgefordert / mit Balsam vnd Kräutern vor der Verwesung bewahren wollen; Salben vnd Specerey verderbet / vnd selbst einen bösen Dampff / der ihrer Gesundheit höchst schädlich / an sich gezogen. (II,101)

Während »Salben vnd Specereyen« (das Zierliche der Rede), die den toten Körper schützen sollen, das ihn Zerstörende erst recht anziehen, sei eine der Tugendhaftigkeit adäquate Zier des Gedichts »ein Geruch deß Lebens zum Leben«. Und diejenigen, deren »wehmüttigste Blicke Petrum bekehren / vnd den am Creutze lästernden Mörder vmbkehren«, können die Gewißheit haben, das Heil zu erringen. In Schwermut erquickt sein, als melancholisch Meditierender am Fuß des Kreuzes stehen und fröhlich singen, das ist die

Gewähr dafür, daß sich der bekümmerte Christ nicht an die Welt und daß sich der Poet, der mit »poetischen Erfindungen oder Farben« das Gedicht schmückt, nicht an den Genuß des Schönen, Gefälligen und Glanzvollen verliert (II,98–101). Melancholie ist also nicht nur die Voraussetzung des Schöpferischen, sondern auch die Gewähr für das richtige Denken, für ein gottgefälliges Leben. Philosophieren und Dichten sind so abgesichert durch die seelische Kraft, die befähigt, die Einsamkeit und die Anfechtung des Geistes nicht zu meiden, sondern aufzusuchen und zur Grundlage einer Meditation zu machen, in der sich die Heilsgewißheit bestätigt.

In dem Vers »Hir / fern von dem Pallast; weit von des Pövels Lüsten« (5) wird das Bauwerk (»Pallast«) für seine Bewohner, d. h. für die Menschen hohen Standes gesetzt (Metonymie), und mit dem Hinweis auf die »Lüste« des »Pövels« wird ein kennzeichnendes Merkmal der untersten Bevölkerungsschichten – nämlich ihre Unfähigkeit, Leidenschaften zu bewältigen – für ihre Charakterisierung verwendet (Synekdoche). Die extremen sozialen Positionen zu benennen bedeutet für den in hierarchischen Ordnungskonzeptionen denkenden Menschen des 17. Jahrhunderts, sich auf die Gesellschaft als ganze zu beziehen (Drux, S. 37). Vers 5 enthält aber noch einen weiteren Aspekt. Zum Zweck der Meditation entfernt sich der Betrachtende zwar von den Menschen, gemeint ist aber insbesondere die Distanz zu dem, was sie in ihrer Verirrung für wichtig halten: Rang und Leidenschaft. Dies gilt allgemein, es bleiben aber doch schichtspezifische Aspekte erhalten: Den Hochgestellten verführen vor allem Prunk, Glanz und Macht, den Niedriggestellten vor allem die »Lüste«. Diese weitgehend schematisierten Beurteilungen haben ihre Tradition. Sie sind Ausdruck verbreiteter Wertvorstellungen und Grundlage von Disziplinierungsmaßnahmen. Über diese festliegenden und oft wiederholten Charakterisierungen hinaus formuliert das Gedicht zunächst keine Aussagen, die eine zeitgeschichtliche Auslegung erlauben. Gesellschaftlich-politisch orientiertes Weiterfragen kann jedoch – wie schon am Kreuzigungs- und Krankheitsgedicht gezeigt – von der Denkstruktur ausgehen, die die Sonette prägt, d. h. von der interdependenten Zuordnung von Leid und Heil, von ›öder Wüste‹ und Fruchtbarkeit. Die Vanitas-Dichtung variiert in vielfältiger Gestalt den Grundgedanken der Vergänglichkeit alles Irdischen. Sie erinnert auch den Fürsten an seinen Platz in der Heilsordnung. Zum Selbstverständnis der Obrigkeit gehörte es hinzunehmen, daß an den gehobenen Ständen und am ›Regiment‹ das Prinzip der Zeitlichkeit, der Vorläufigkeit und Vergänglichkeit der Welt überdeutlich vor Augen geführt wird (Fallhöhe). Diese Tatsache hat zunächst argumentative Funktion im Schrifttum mit dem Ziel, die Untertanen von den christlichen Grundwahrheiten und der Notwendigkeit einer christlichen Lebensführung zu überzeugen. Es ist aber schwer vorstellbar, daß diese in Literatur und religiösem Schrifttum weitverbreitete Argumentation ohne Wirkung auf die Einschätzung von Mißständen geblieben sein soll. Zum einen mochte das ›Bekümmertsein‹ über die Eitelkeit der Welt die Mißstände geringfügiger erscheinen lassen, als sie waren. Und die Gewohnheit, das Leiden nicht nur an das Heil zu binden, sondern Leiden und Not geradezu herbeiwünschen, um dem Heil der Seele näherzukommen, hat die Abwehr vermeidbarer Not und Unterdrückung sicher nicht gefördert. Zum anderen zeigen Werke wie die genannten *Straff-Gedichte*, daß auch ein so besonnener Dichter wie Gryphius die Vorstellung von Laster und Mißstand nicht nur topisch, sondern auch real mit dem Leben an den Höfen in Verbindung brachte. Die Vanitas-Dichtung war nicht nur in Landstrichen verbreitet, die unter dem Dreißigjährigen Krieg zu leiden hatten, sondern auch in jenen Teilen Europas, die davon verschont geblieben waren. Auch in der Zeit des wirtschaftlichen Aufschwungs, der dem Krieg folgte, beherrschte das Thema einen beträchtlichen Teil des Schrifttums. Die Vanitas-Dichtung steht so in auffallender zeitlicher Parallelität zu einer glanzvollen, repräsentationsfreudigen, machtbewußten und herrschaftsbesessenen Entfaltung des Fürstenstaates. Der Gedanke ist offenbar nicht ganz abwegig, daß die Vanitas-Dichtung (in der Praxis) der staatlichen Machtentfaltung und dem damit verbundenen sprichwörtlich lasterhaften Hofleben eher Flankenschutz bot, als daß sie sich mäßigend oder gar korrigierend ausgewirkt hätte. Es fällt auch auf, daß die Diskussion um das Recht zum Widerstand, das vom 15. und 16. Jahrhundert her eine reiche Tradition besaß, im 17. Jahrhundert zurücktrat. Die Vanitas-Dichtung unterstützte sie jedenfalls nicht, sie unterlief sie vielmehr. Die Meditation fern von ›Palast‹ und ›Pövel‹ nahm nicht die Praxis von Staat und Gesellschaft ins Visier, sondern lenkte von ihr ab und zurück auf die ›Eitelkeit‹ des Einzellebens. Den Fürstenstand und das Hofleben nicht nur – wie in vielen Äußerungen der Zeit – als ›eitel‹ zu kennzeichnen, sondern sich diesen Mächten kritisch entgegenzustellen, hätte ein selbstsicher-autonomes, kritisches Individuum vorausgesetzt, wie es sich erst im 18. Jahrhundert entfaltete. Wie sollte es im 17. Jahrhundert die innere Unabhängigkeit und die Kraft entwickeln, wenn ihm die Hinfälligkeit alles Irdischen und der Nutzen des Leides ohne Unterlaß vor Augen geführt wurde? Der Philosoph unter dem Kreuz ist auch der Nachdenkende unter dem Throne. Der melancholisch-trauernde Demokrit ist auch der Prototyp des meditierenden Untertans.

Zitierte Literatur: Laurentius BEYERLINCK: Magnum Theatrum vitae humanae. Bd. 7. Köln 1631. – Rudolf DRUX: Nachgeahmte Natur und vorgestellte Staatsform. Zur Struktur und Funktion der Naturphänomene in der weltlichen Lyrik des Martin Opitz. In: Naturlyrik und Gesellschaft. Hrsg. von Norbert Mecklenburg. Stuttgart 1977. S. 33–44. – Klaus GARBER: Der locus amoenus und der locus terribilis. Bild und Funktion der Natur in der deutschen Schäfer- und Landlebendichtung des 17. Jahrhunderts. Köln/Wien 1974. – Jacob und Wilhelm GRIMM: Deutsches Wörterbuch. Bd. 1. Leipzig 1854. Bd. 6. Leipzig 1885. – Andreas GRYPHIUS: Gesamtausgabe der deutschsprachigen Werke. Hrsg. von Marian Szyrocki und Hugh Powell. 8 Bde. Tübingen 1963–72. [Zit. mit Band- und Seitenzahl.] – Dietrich Walter JÖNS: Das ›Sinnen-Bild‹. Studien zur allegorischen Bildlichkeit bei Andreas Gryphius. Stuttgart 1966. – Wolfram MAUSER: Dichtung, Religion und Gesellschaft im 17. Jahrhundert. Die ›Sonnete‹ des Andreas Gryphius. München 1976. – Helen WATANABE-

O'Kelly: Melancholie und die melancholische Landschaft. Ein Beitrag zur Geistesgeschichte des 17. Jahrhunderts. Bern 1978.
Weitere Literatur: Willi Flemming: Die Fuge als epochales Kompositionsprinzip des deutschen Barock. In: Deutsche Vierteljahrsschrift für Literaturwissenschaft und Geistesgeschichte 32 (1958) S. 483–515. – Else Gruppe / Ursula Heise: Über die gemeinsame Schulinterpretation von Barocklyrik und Barockmusik: In: Der Deutschunterricht 7 (1955) H. 6. S. 43–56. – Marvin S. Schindler: The Sonnets of Andreas Gryphius. Use of the Poetic Word in the Seventeenth Century. Gainesville 1971. [Zur Meditation S. 140–167.] – Vgl. auch S. 221.

Georg Philipp Harsdörffer

Friedenshoffnung bey Nochschwebender Handlung
zu Münster und Oßnabruck
Der Kriegsmann wil ein Schäfer werden

Trommel und Pfeiffen / Herpaucken / Trompeten /
Donnerkartaunen und Hagelmusqueten /
eiserne Schlossen / Blitz / Kugel und Keul /
Rauben / Mord / Brennen / und Jammergeheul /
Bluttrieffende Degen /
dollrasende Waffen /
das Puffen und Paffen
der rollenden Wagen /
entweiche nun weit
des guldenen Friedens behäglicher Zeit.

2

Sicherheit baue die dankbaren Felder /
Sicherheit hege die lustigen Wälder /
setze die Baume / vergleiche den Waal /
pflantze die Gärten und pflüge den Thal.
Die Quellen erhellen
vermählet den Auen;
das silberne Tauen /
beblume die Schwellen
an Ceres Altar /
Glück Segen und Wonne bekröne das Jahr.

3

Zieret ihr Lantzen und Pantzer die Posten
Harnisch und Spiese verfaulen und rosten /
Häcker und Wintzer vergessen das Leid /
Hirten und Heerde geniessen der Weid.
An Schiffbaren Flüssen /
erschallen die Flöten /

der Meisterpoeten /
den Frieden zu grüssen.
Ich lasse das Schwert
30 und führe (nicht Heere) die wollichte Heerd.

4

Ströme / so vormals die Threnen vermehret /
werden mit wehrten Gedichten verehret:
Bober und Elbe / die Donau / der Rhein
schenken für Lieder den niedlichsten Wein.
35 Die Najaden springen /
die Heleconinnen
viel Neues ersinnen /
Sie pflegen zubringen
Ruhm würdige Lehr.
40 Ich schweige / dir Rumpler zu geben Gehör.

Abdruck nach: Die Pegnitz-Schäfer. Nürnberger Barockdichtung. Hrsg. von Eberhard Mannack. Stuttgart: Reclam, 1968. (Reclams Universal-Bibliothek. 8545 [4].) S. 85 f.
Erstdruck: Des Jesaias Rompler von Löwenhalts erstes gebüsch seiner Reim-getichte. Straßburg: Mülb, 1647.
Weiterer wichtiger Druck: Georg Philipp Harsdörffer: Poetischer Trichter. T. 2. Nürnberg: Endter, 1648.

Ingeborg Springer-Strand

»Der Kriegsmann wil ein Schäfer werden« oder: Krieg, Frieden und Poesie in Harsdörffers *Friedenshoffnung*

Die letzte Zeile des Gedichts verrät den Anlaß: Es ist entstanden als Widmungs- und Freundschaftsgedicht zur Gedichtsammlung des Jesaias Rompler von Löwenhalt (*Erstes gebüsch seiner Reim-getichte*, Straßburg 1647). Harsdörffer und Rompler folgten damit nur einem weitverbreiteten Brauch, denn die Poeten des 17. Jahrhunderts schmückten ihre Veröffentlichungen gerne mit Lob- und Empfehlungsgedichten anderer Verfasser und stellten sich und ihren Schriften gegenseitig die besten Zeugnisse aus. Harsdörffers Gedicht unterscheidet sich aber in durchaus wohltuender Weise von der Mehrzahl derartiger Verse, indem es darauf verzichtet, Rompler mit aufdringlichen Komplimenten zu überschütten, ihn als deutschen Pindar, Horaz oder Vergil zu feiern und der Unsterblichkeit zu versichern, wie es bei dieser Art von Gelegenheitspoesie häufig genug der Fall ist. Harsdörffer geht einen anderen Weg und vermeidet – sieht man von der Schlußzeile ab – eine direkte Anspielung auf den Adressaten und sein Werk (über das er wahrscheinlich ohnehin nicht genau Bescheid wußte), trifft sich aber thematisch mit Romplers patriotischen Gefühlen, die in der Mahnung an die Mitglieder der von ihm gegründeten (oder mitbegründeten) Straßburger »Aufrichtigen Tannengesellschaft« erkennbar werden, nämlich sich »alter Teütscher aufrichtigkeit / und rainer erbauung unserer währten Mutersprach [...] zubefleisen« (zit. nach Otto, S. 59). Das Friedensthema, das Harsdörffer in seinem Gedicht anschlägt, findet sein Echo in der Klage Romplers:

Ach / elend-Teütsches land / wan hat man doch zuhoffen /
Daß die gemeyne straf / die iederman betroffen /
Ein end gewinnen werd? Ei komm / gold-währter Frid!
Es seüftzt das gantze Reich / es seüftzt ein iedes glid
Nach dir / dem höhsten gut. Du / du kanst Länder mehren
Und alles gut darinn: der Krieg geht mit verhéren
Und grimmem morden um. O / würd' es frid imm land /
Und blühet' auf ein näus bei einem ieden stánd
Die alte Teütsche Träu / der aufrecht-redlich handel / [...].
(*Gedichte des Barock*, S. 78.)

Das sind Töne, die in der deutschen Literatur immer häufiger, immer intensiver werden, je länger der Dreißigjährige Krieg dauert, je verheerender seine Auswirkungen werden,

je weniger noch ein Sinn des blutigen Unwesens auszumachen ist. Doch von diesen politischen Zeitklagen, von den Klagen über das vom Krieg heimgesuchte Deutschland, wie sie in Gryphius' *Thränen des Vaterlandes* ihren beispielhaften Ausdruck gefunden haben, unterscheidet sich Harsdörffers Gedicht durch den leichteren Ton, der sich aus einer Verschiebung des thematischen Schwerpunktes ergibt: Die Darstellung der Greuel des Krieges tritt hinter die »Friedenshoffnung« zurück, die eine erneuerte Welt und eine neue Blüte von Kunst und Wissenschaft verspricht. Grund für diese Hoffnung bieten die Friedensverhandlungen von Münster und Osnabrück, die schon 1641 ins Auge gefaßt, doch erst Ende 1644 in Gang gebracht wurden und nun einem greifbaren Ergebnis nahe scheinen.
Georg Philipp Harsdörffer war – mit Johann Klaj – einer der Gründer des »Pegnesischen Blumenordens« in Nürnberg, eines Dichtervereins, der sich vor allem der Schäferdichtung verschrieben hatte. Am Beginn steht das von Harsdörffer und Klaj gemeinsam verfaßte *Pegnesische Schäfergedicht* (1644), an dem sich erkennen läßt, daß man es sich zu einfach macht, wenn man die Schäfermaske nur als literarisches Versteckspiel betrachtet, die den Blick auf die geschichtliche Wirklichkeit verstellt. Auch in die Welt der Schäfer dringen die Schrecken des Krieges ein, so wenn »die Melancholische Schäferin Pamela« auftritt, »die ihr sicherlich einbildete / sie were das in letzten Zügen liegende Teutschland«, und in ihrer »Raserey« anhebt:

Es schlürfen die Pfeiffen / es würblen die Trumlen /
Die Reuter und Beuter zu Pferde sich tumlen /
  Die Donnerkartaunen durchblitzen die Lufft /
  Es schüttern die Thäler / es splittert die Grufft /
Es knirschen die Räder / es rollen die Wägen /
Es rasselt und prasselt der eiserne Regen /
  Ein jeder den Nechsten zu würgen begehrt /
  So flinkert / so blinkert das rasende Schwert.

(*Pegnesisches Schäfergedicht*, T. 1, S. 14.)

Der Einbruch der geschichtlichen Wirklichkeit in die von Schönheit, Kunst und Tugend geprägte Welt der Schäfer ist im *Pegnesischen Schäfergedicht* zwar nur Zitat und Allegorie, scheint auch durch die sprachliche Ästhetisierung, durch die überwiegend über die Sinnesorgane gerichtete Wirkungsstrategie den blutigen Ernst eher zu verharmlosen, bekommt aber schließlich durch das »rasende Schwert« doch noch so etwas wie eine apokalyptische Qualität.
Die Verfasser des *Pegnesischen Schäfergedichts* nehmen dabei nur die Möglichkeiten wahr, die schon Vergil der Hirtendichtung eröffnet hatte und seitdem nicht mehr von ihrer Tradition wegzudenken sind: Zu ihnen gehört nicht nur die Identität von Hirt und Dichter, sondern auch die Möglichkeit, in der Hirtendichtung auf politische Ereignisse der Gegenwart anzuspielen und den Kontrast zwischen dem idyllischen Leben in der Natur und der sozialen und politischen Realität herauszuarbeiten. (Eine ebenso lange Geschichte hat der folgenreiche topische Gegensatz von Stadt und Land, für den Horaz [»Beatus ille...«] traditionsbildend wurde.)
Schäferdichtung und Bezug zur Wirklichkeit schließen sich also nicht aus, die schäferliche Idylle wird zum Gegenpol der Welt des Krieges: »Der Kriegsmann wil ein Schäfer werden.« Dieser Gegensatz von goldenem Frieden, repräsentiert durch das Schäferleben, und Krieg strukturiert das Gedicht; die Bewegung geht vom Krieg zum Frieden. Die erste Strophe handelt scheinbar noch von den Schrecken des Krieges, evoziert sie durch eine Aufzählung des martialischen Instrumentariums und eine Andeutung der mit dem Krieg verbundenen Leiden der Menschen (4), aber diese Momente werden nur genannt, um endgültig verabschiedet zu werden. Dadurch, daß das Verb bis zur vorletzten Zeile dieser im wörtlichen Sinn einsätzigen Strophe zurückgehalten wird, bleibt es bis zuletzt offen, wohin die Enumeratio partium führt: Sie führt zur beschwörenden Aufforderung, dem Frieden, »des guldenen Friedens behäglicher Zeit« (10), Platz zu machen.

Was diese Friedenszeit bedeutet oder bedeuten würde, schildern die folgenden Strophen, ohne daß dabei vergessen würde, daß diese Zeit noch nicht gekommen ist. Auch da, wo die künftige Friedenszeit ausgemalt wird, bleibt als Folie die Erinnerung an die Gegenwart des Krieges: Wenn in der zweiten Strophe das Wort »Sicherheit« (11 f.) zweimal an exponierter Stelle anaphorisch auftaucht, wird deutlich, was hinter dieser Beschwörung steckt, nämlich das Erlebnis der fundamentalen Unsicherheit des menschlichen Lebens im Krieg; wenn hier die Aufforderung ergeht, Wälle abzutragen (13: »vergleiche den Waal«), steht dahinter die Erkenntnis, daß im Frieden eine andere Art von Sicherheit gewährleistet ist als im Krieg; und wenn dieses Leben in Sicherheit erreicht ist, verlieren Kriegswerkzeuge ihren Sinn, taugen sie allenfalls noch als Zierat, tritt die Herde, wie es mit einem Wortspiel heißt, an die Stelle des Heeres (30).
Friede und Dichtkunst sind einander zugeordnet: Das »Ich«, der Kriegsmann, der Schäfer werden und der »wollichten Heerd« (30) vorstehen will, ist der Dichter selber, das Hirtentum ist allegorisch zu verstehen. So erklärt die Vorrede zum *Pegnesischen Schäfergedicht*, daß die »Schäfer durch die Schafe ihre Bücher / durch derselben Wolle ihre Gedichte / durch die Hunde ihre von wichtigen Studieren müssige Stunden bemerket haben« (T. 1, S. 4), und im *Poetischen Trichter* weist Harsdörffer darauf hin, daß es die Funktion der Hirtendichtung sei, »die guldne Tugendzeit / und die alte Redlichkeit / Frömmigkeit und Erbarkeit« vorzustellen und daß die Poeten »solche Gedanken / Wort und Werke hören lassen [müssen] / welche Baurenhändel übertreffen / und sich gleichstellen denen Hirten / so vor Zeiten mit den Nymphen und Göttern Gemeinschafft gehabt / wie die heydnischen Poeten dichten« (*Poetischer Trichter*, T. 2, S. 102 f.). Daß die Zeit des Friedens und die der Dichtkunst identisch sind, macht vollends das Treiben der Musen in der letzten Strophe deutlich, obwohl auch hier noch die Erinnerung an den Krieg wachgehalten wird (31).

Und schließlich gehört es auch in diesen Zusammenhang, daß Elbe und Bober, berühmt im Barock als Heimat des in Bunzlau am Bober geborenen Martin Opitz, als Weinanbaugebiete herhalten müssen. Denn Harsdörffer sieht den Wein nicht nur als »Sorgenstiller« und »Hertzentröster«, sondern nennt ihn auch »der Dichter Prob und Wetzstein der ihre Geister schleifft« (*Poetischer Trichter*, T. 3, S. 483) und zitiert Andreas Tschernings Epigramm (das er allerdings Fleming zuschreibt):

Der Wein begeistert mich ein gutes Lied zu machen;
Wer kaltes Wasser trinkt / der schreibet kahle Sachen.
(*Poetischer Trichter*, T. 3, S. 484; vgl. *Gedichte des Barock*, S. 82.)

Daß in dem nun friedlichen Land die »Meisterpoeten« ihre Flöten erschallen lassen (26 f.), daß die deutschen Flüsse besungen werden (31–34) und die Musen hier »viel Neues ersinnen« (36 f.), eröffnet eine weitere Perspektive, die über die Kontrastierung von Krieg und Frieden, von Zerstörung und schäferlicher Idylle hinausgeht. Denn auch die Nürnberger ordnen sich in die kulturpatriotischen Bestrebungen ein, die hinter einem Großteil der dichterischen, poetologischen und linguistischen Bemühungen des 17. Jahrhunderts stehen, ohne dabei ihre Eigenart zu verleugnen. Es ist kein Zufall, daß Sigmund von Birken in einer späteren Schäferei, allerdings mit stark religiöser Motivation, den Vorschlag macht, den heidnischen Parnaß durch einen bei Nürnberg gelegenen christlichen Musenberg zu ersetzen (vgl. *Gedichte des Barock*, S. 158, 335). Im *Pegnesischen Schäfergedicht* geht es freilich noch allgemein um den Erweis der Literaturfähigkeit der deutschen Sprache, nicht um einen Gegensatz von christlicher und heidnischer Dichtung, gilt es doch zunächst einmal, die schlummernden Talente zu wecken. So schreibt Birken in der Vorrede zur *Fortsetzung Der Pegnitz-Schäferey*, daß die Deutschen »zwar iederzeit in Künsten und Wissenschaften alle Völker weit hinter sich gelassen / in Ausübung aber eigner Muttersprache eine Zeitlang andern williglich den Vorzug eingeräumet« hätten, daß es aber jetzt den Anschein habe, als würde die deutsche Sprache

> kurtzkünftig allen fremden Sprachen an Mänge zierlöblicher Schrifften den Vorsitz abdringen. Massen sich dann nächstverflossener Jahren viel ädle Teutsche Gemüter daran gerichtet / und ihrer Sinnen Kunstvermögen nicht allein in nutzlichen Schrifften / Teutscher Sprache Aufnehmen betreffende / sondern auch in anmutigen Feldabhandlungen der Welt kund gemachet / womit sie zugleich bezeuget / daß Teutschland unter einem ja so milden Himmel lige / als Frankreich / Spanien / Welschland / und andere; und mangle es zwar bey etlichen Teutschen an dem Willen / nicht aber am Verstand / ihre Muttersprach weltberümt zu machen.
>
> (*Pegnesisches Schäfergedicht*, T. 2, Vorbericht.)

Bei dieser Haltung verwundert es nicht, daß die Forderung, »in angebohrner Sprache berümt zu werden«, nicht nur programmatisch zum Ausdruck gebracht wird, sondern daß die Dichtungen der Nürnberger »des öfteren zu einer Sammlung von Beispielen [geraten], an denen der Reichtum der deutschen Sprache wie auch die Vielfalt der in ihr angelegten Möglichkeiten demonstriert werden kann« (Mannack, S. 165). Dazu gehören die zahlreichen formalen Kunststücke, die Vorliebe für eine metaphernreiche Sprache und vor allem das Spiel mit den klanglichen Möglichkeiten der Sprache, das die Nürnberger wie niemand sonst im 17. Jahrhundert betrieben und das ihr ›Markenzeichen‹ wurde.

Wie die meisten deutschen Dichter im 17. Jahrhundert bauten sie zwar auf den von Opitz gelegten Fundamenten auf, doch blieben sie nicht bei einer Imitatio des großen Vorbildes stehen, sondern sie sprengten die klassizistische Starrheit zugunsten einer neuen, in der deutschen Dichtersprache bisher unerreichten Geschmeidigkeit. Vermittler war August Buchner, der zwar als Professor der Poesie und Rhetorik das Opitzsche Reformprogramm vertrat, zugleich aber zur Lockerung einiger restriktiver Vorschriften beitrug und zum Lehrer einer ganzen Dichtergeneration wurde

(Philipp von Zesen, Justus Georg Schottelius, Johann Klaj, Paul Gerhardt u. a. zählten zu seinen Schülern), die seine Vorstellungen verbreiteten.
Folgenreich war Buchners Eintreten für den Daktylus und damit die Aufgabe des strengen Alternationsprinzips, das Opitz vertreten hatte. Die neuen Möglichkeiten wurden rasch aufgegriffen. Wie der *Poetische Trichter* betont und die Dichtungen der Nürnberger belegen, gibt es nun kaum mehr Grenzen der Variations- und Kombinationsmöglichkeiten verschiedener Versmaße, Strophenformen und Reimschemata. Auch Harsdörffers Friedens-Gedicht illustriert die Möglichkeiten daktylischer Verse, die sich – so wollen es die Poetiker – vor allem zur Darstellung angenehmer Gegenstände und freudiger Ereignisse eignen. Die zehnzeilige Strophe beginnt mit vier daktylischen Vierhebern ohne Auftakt, das erste Reimpaar mit weiblichem, das zweite mit männlichem Ausgang (aabb); es folgen vier zweihebige daktylische Kurzverse mit Auftakt und weiblichem Versende (cddc); den Abschluß bildet ein Reimpaar (cc) aus einem zweihebigen und einem vierhebigen Daktylus mit männlichem Ausgang.
Die größte Zier »gekürtztlanger« (daktylischer) und »langgekürtzter« (anapästischer) Verse besteht jedoch in ihrer Verbindung mit den klanglichen Möglichkeiten der Sprache, nämlich »wann man mitten in dem Vers die Reimwort häuffen kan«, wie Harsdörffer schreibt (*Poetischer Trichter*, T. 1, S. 64 f.). Beispiele dafür finden sich in den Binnenreimen und Assonanzen des Gedichts an Rompler (15: »Quellen erhellen«, 9: »entweiche nun weit«, 21: »Lantzen und Pantzer«, 31: »Threnen vermehret«, 32: »werden mit wehrten Gedichten verehret«), wenn auch das Klangliche sich hier nicht so vordrängt wie in der zitierten Klage der Schäferin Pamela, wo »Reuter und Beuter« in einem sinnigen Klang- und Wortspiel zusammengebracht werden, wo es »rasselt und prasselt« und »flinkert« und »blinkert«: Lyrik als Klanggemälde. Es ist allerdings kein rein akustisches Schlachtgemälde, nicht nur in dem Sinn, daß Harsdörffer

keineswegs immer wirkliche Geräusche nachzuahmen sucht, sondern auch deswegen, weil stellenweise das Visuelle vorherrscht (»durchblitzen«, »So flinkert / so blinkert«). Letztlich scheint es eher darum zu gehen, den Klang der Verse an sich »durch Reime, Assonanzen, Wiederholungen von Konsonanten und Vokalen« eindringlich zu machen (Kayser, S. 46), nicht um eine naturalistische Technik der Klangnachahmung und Lautmalerei: »Harsd. haftet nicht an der Natur, am Objekt, sondern am Wort- und Versklang« (Kayser, S. 67). So gesehen steht Harsdörffer der mystischen Natursprachenlehre Jacob Böhmes fern, die von einer Identität von Klanggestalt und Wortsinn ausgeht und bei Harsdörffers Mitschäfer Johann Klaj seine Spuren hinterlassen hat (Wiedemann, S. 72 f.). Doch gelten für ihn wie für Harsdörffer die klangnachahmerischen Fähigkeiten der deutschen Sprache als Beweis für ihre Vortrefflichkeit, geht es doch bei allem Anschein des Spielerischen darum, der deutschen Literatursprache neue Möglichkeiten zu eröffnen, sie im europäischen Kontext ›konkurrenzfähig‹ zu machen. Um so besser daher, daß die Natur »in allen Dingen / welche ein Getön von sich geben / unsere Teutsche Sprache« redet (*Frauenzimmer Gesprächspiele*, S. 357).

Zitierte Literatur: Gedichte des Barock. Hrsg. von Ulrich Maché und Volker Meid. Stuttgart 1980. – Georg Philipp HARSDÖRFFER: Frauenzimmer Gesprächspiele. Hrsg. von Irmgard Böttcher. T. 1. Tübingen 1968. – Georg Philipp HARSDÖRFFER: Poetischer Trichter. 3 Tle. Repr. Darmstadt 1969. – Georg Philipp HARSDÖRFFER / Sigmund von BIRKEN / Johann KLAJ: Pegnesisches Schäfergedicht. 1644–1645. Hrsg. von Klaus Garber. Tübingen 1966. – Wolfgang KAYSER: Die Klangmalerei bei Harsdörffer. Ein Beitrag zur Geschichte der Literatur, Poetik und Sprachgeschichte der Barockzeit. Göttingen ²1962. – Eberhard MANNACK: ›Realistische‹ und metaphorische Darstellung im »Pegnesischen Schäfergedicht«. In: Jahrbuch der deutschen Schillergesellschaft 17 (1973) S. 154–165. – Karl F. OTTO: Die Sprachgesellschaften des 17. Jahrhunderts. Stuttgart 1972. – Conrad WIEDEMANN: Johann Klaj und seine Redeoratorien. Untersuchungen zur Dichtung eines deutschen Barockmanieristen. Nürnberg 1966.
Weitere Literatur: Angelo George de CAPUA: German Baroque Poetry. Interpretive Readings. Albany 1973. S. 71–78. – Klaus GARBER: Der locus amoenus und der locus terribilis. Bild und Funktion der Natur in der deutschen Schäfer- und Landlebendichtung des 17. Jahrhunderts. Köln/Wien 1974.

Friedrich von Logau

Sinngedichte

Die letzte Brunst der Welt

Vnsre Welt ist Schläge-faul
Setzt sich wie ein stätig Gaul!
Wil sie Gott zu Stande bringen
Muß er sie mit Feuer zwingen.
Jene Welt ertranck durch Flut /
Diese Welt erfodert Glut. (I,1,91)

Lebens-Satzung

Leb ich / so leb ich!
Dem Herren hertzlich;
Dem Fürsten treulich;
Dem Nechsten redlich;
Sterb ich / so sterb ich! (I,5,22)

Deß Landes Leichendienst

Das Land ist leider tod! drum wird es nun begraben.
Die Städte / sind der Pfarr / die zum Gedächtnüß haben
Die Spolien davon: Soldaten sind die Erben
Die erben eh man stirbt / jhr Erb ist vnser sterben. (I,5,24)

Die letzte Brunst der Welt: *Brunst:* Feuersbrunst, Brand. *stätig:* widerspenstig. *zu Stande:* auf die Beine, in den Stand. *Jene Welt:* die Welt vor der Sintflut.
Deß Landes Leichendienst: *Pfarr:* Pfarrer. *Spolien:* eigtl. ›Beute‹; hier wohl der der Kirche zufallende Nachlaß.

Glauben

Luthrisch / Päbstisch vnd Calvinisch / diese Glauben alle drey
Sind verhanden; doch ist Zweiffel / wo das Christenthum dann sey. (II,1,100)

Redligkeit

Wer gar zu bieder ist / bleibt zwar ein redlich Mann
Bleibt aber wo er ist / kümmt selten höher an. (II,3,29)

Beyderley Adel

Kunst vnd Tugend / machet Adel; Adel machet auch / das Blut;
Wann sie beyde sich vermählet / ist der Adel noch so gut:
Adel / den die Kunst gebieret / hat gemeinlich diesen Mut
Daß er mehr für Geld als Ehre / jmmerzu das seine thut. (III,6,11)

Auff Glissam

Glissa lieset gern in Büchern; Arndt / jhr liegt dein Paradiß
Stets zur Hand / doch für den Augen deine Biebel / Amadiß. (III,10,85)

Redligkeit: *bieder:* rechtschaffen, anständig (zu Logaus Zeit nicht mehr gebräuchlich; vgl. Henne, S. 76).
Beyderley Adel: *noch so gut:* noch einmal so gut.
Auff Glissam: *Arndt ... Paradiß:* Johann Arndts *Paradiesgärtlein* (1612), ein viel gelesenes Erbauungsbuch. *Amadiß:* in Spanien entstandener ritterlicher Liebesroman mit vielen Fortsetzungen, in Deutschland seit 1569 erschienen und hier wie in ganz Europa überaus erfolgreich; für Logau der Inbegriff einer neuen höfischen Literatur, deren Haltung ihm fremd ist.

Abdruck nach: Salomons von Golaw Deutscher Sinn-Getichte Drey Tausend. Breslau: Kloßmann, [1654]. [Erstdruck.] Repr. Hildesheim: Olms, 1972. [Die Schreibung m̄ wurde zu mm aufgelöst.]
Weitere wichtige Drucke: Friedrichs von Logau Sinngedichte. Zwölf Bücher. Mit Anm. über die Sprache des Dichters hrsg. von C. W. Ramler und G. E. Lessing. Leipzig: Weidmannsche Buchhandlung, 1759. – Friedrich von Logau: Sämmtliche Sinngedichte. Hrsg. von Gustav Eitner. Tübingen: Literarischer Verein Stuttgart, 1872. (Bibliothek des Literarischen Vereins. 113.) Repr. Hildesheim: Olms, 1974.

Ernst-Peter Wieckenberg

Logau – Moralist und Satiriker

Die Ausgabe der »Sinn-Getichte« von 1654

Nicht »Drey-Tausend« Epigramme enthält die Gesamtausgabe der Gedichte Logaus, sondern 3560; denn dem »Andren Tausend« ist noch eine »Zu-Gabe« von 201 Gedichten angehängt, und auf das letzte Tausend folgen gleich zwei Zugaben, deren Zählung bis 102 bzw. 257 geht. Wer aus dieser Fülle nur *ein* Epigramm auswählte, würde keinen Eindruck vermitteln vom Wechsel der Versarten und Gedichtformen und von der Vielfalt der Themen in Logaus Gedichtsammlung. Eine Auswahl von einigen Epigrammen vermag das schon eher zu leisten, wenngleich die langen Gedichte – die es in der Sammlung in gar nicht einmal geringer Zahl gibt – auch hier nicht repräsentiert sein können.
Die Überschrift zur letzten Zugabe der Sammlung lautet: »Folgende Sinn-Getichte sind unter wehrendem Druck eingelauffen« (Eitner, S. 635). Das darf man sicher wörtlich verstehen: Logau hatte das Manuskript seiner Sinngedichte unter Einschluß der vorletzten Zugabe bei seinem Verlag abgeliefert, und man hatte mit dem Satz begonnen. Inzwi-

schen aber waren weitere Gedichte entstanden. Sie wurden der schon bestehenden Sammlung einfach angehängt. Damit verstieß Logau nicht gegen die Strukturgesetze seines Werkes, denn dessen Bauprinzip ist die Reihung. Die hier abgedruckten Epigramme sind verschiedenen Büchern entnommen, aber sie könnten durchaus auch nebeneinander stehen.

Gustav Eitner hat nachgewiesen, daß die Sammlung der Sinngedichte chronologisch in der Reihenfolge ihrer Entstehung angeordnet ist. Den Beginn der Niederschrift kann man nicht genau datieren, er muß vor 1637 liegen; die letzten Texte wurden 1653 verfaßt. Zahlreiche Gedichte oder Gedichtgruppen stehen im Zusammenhang mit bestimmten historischen Geschehnissen oder mit Ereignissen in Logaus Leben. Da gibt es Zeitgedichte und Lobgedichte auf historische Personen, gereimte Beiträge zu höfischen Festen und Gedichte auf Ereignisse in der Familie der Herzöge von Brieg, aber auch private Stammbucheinträge, Episteln an einen Freund, Hochzeitscarmina und Grabschriften. Eitner hat sich durch den Aufbau der Gedichtsammlung und von der Datierbarkeit vieler Gedichte zu der Annahme verführen lassen, es lasse sich aus dem Werk eine äußere und innere Biographie des Dichters erschließen. Aber davor muß gewarnt werden. Kein Interpret kann bei Texten dieses Jahrhunderts Rollengedichte von direkter Selbstaussprache unterscheiden, ja mit guten Gründen geht die Barockforschung davon aus, daß die Epoche eine unverhüllte Selbstaussprache, wie sie uns in Gedichten der Goethezeit begegnet, noch gar nicht kennt.

Wenn Logau die Gedichte, so wie sie entstanden, aneinanderreihte, dann steht dahinter wohl ein anderer Plan als der, eine Autobiographie in poetischen Texten entstehen zu lassen. Worauf es ihm ankommt, verrät eines der letzten Epigramme der Sammlung:

Die Menge Menschlichen Fürhabens

Kein Deutscher hat noch nie / (ließ ich mich recht berichten)
Gevöllt ein gantzes Buch / mit lauter Sinn-Getichten:
Was mache denn nun ich / daß ich sie heuffig bringe
Und mache sie durch Meng vnd Uberfluß geringe?
O lieber wie viel ists / das ich pflag zubesinnen?
Geh zehle mir die Stern vnd Menschliches Beginnen!
(III, [2.] Zu-Gabe, 254; Eitner, S. 674.)

Der Sprecher dieses programmatischen Gedichts behauptet von sich, daß er die Zeugnisse der Größe Gottes (»die Stern«) und die menschlichen Handlungen (»Menschliches Beginnen«) Revue passieren lasse. Beide werden als unzählbar vorgestellt. Daher kann der, der sie beschreibt, die Zahl seiner Gedichte immer wieder vermehren.
Darin, daß der Autor es sich gestattet, beim Niederschreiben seiner Gedichte dem Gebot der Stunde oder auch nur seinem Einfall zu folgen, drückt sich noch etwas anderes aus: das Bewußtsein, in einer Welt zu leben, in der alle überkommenen Ordnungen nicht mehr gelten. »Die Welt ist umgewand«, heißt es in einem Sinngedicht (III,6,2; Eitner, S. 527). Wer diese verkehrte Welt darstellen will, der kann das durch ihre Beschreibung leisten, aber auch dadurch, daß er ihre Unordnung und Regellosigkeit im ›ordo neglectus‹, der kunstvoll vernachlässigten Anordnung seines Werkes sich widerspiegeln läßt.

Theorie des Epigramms und Formen des Epigramms bei Logau

Der Ausdruck ›Sinngedicht‹ ist wahrscheinlich von Philipp von Zesen als Übersetzung von ›Epigramm‹ in die deutsche Sprache eingeführt worden. Wenn Logau ihn aufgreift, dann bedient er sich einer zweifellos gelungenen Wortprägung, aber vielleicht kommt in der Wahl des Wortes auch das Bewußtsein zum Ausdruck, daß zwischen der Epigrammtheorie des Jahrhunderts und seiner poetischen Praxis eine beträchtliche Differenz besteht.

»Das Epigramma setze ich darumb zue der Satyra / weil die Satyra ein lang Epigramma / vnd das Epigramma eine kurtze Satyra ist: denn die kürtze ist seine eigenschafft / vnd die spitzfindigkeit gleichsam seine seele vnd gestallt; die sonderlich an dem ende erscheinet / das allezeit anders als wir verhoffet hetten gefallen soll: in welchem auch die spitzfindigkeit vornemlich bestehet«, hat Martin Opitz, Scaligers Epigrammdefinition aufgreifend, in seiner Poetik (S. 28) geschrieben. Logau hat sich weder an die Forderung gehalten, daß ein Epigramm satirisch sein solle – obwohl er sie in der Vorrede *An den Leser* zitiert –, noch ist er immer dem Gebot der Kürze (›brevitas‹) gefolgt, noch hat er schließlich alle seine Epigramme unter das Gesetz der »spitzfindigkeit« (›argutia‹) gestellt. Wo er indessen sich den Gattungsvorschriften unterwirft und wo er seinen Vorbildern folgt – es sind vor allem Martial und der englische Neulateiner Owen –, da sind großartige satirische Epigramme entstanden.

Das vierte Epigramm unserer Auswahl ist ein Beispiel dafür. Es wendet sich satirisch gegen den Anspruch der drei christlichen Konfessionen, jeweils das wahre Christentum in sich zu verwirklichen. Das Gebot der Kürze ist befolgt: Knapper als in zwei Zeilen läßt sich der Gedanke des Gedichts nicht aussprechen. Und auch die Forderung nach »spitzfindigkeit«, nach einem witzigen Sprechen, das durch eine unerwartete Wendung erreicht wird, ist erfüllt. Logau erreicht das durch einen Kunstgriff, den er immer wieder in seinen satirischen Gedichten anwendet (Brinkmann): durch den schnellen Wechsel von lobender (oder jedenfalls den Sachverhalt akzeptierender) und entlarvender Aussage. Erst in der entlarvenden Aussage erweist sich das Lob oder die Hinnahme der Realität als Ironie.

Aber neben die satirischen Gedichte treten bei ihm andere, vor allem gnomische Epigramme. Sie sind sogar zahlenmäßig bei weitem die stärkste Gruppe (Weisz, S. 80 ff., 300). Der Typus des gnomischen Epigramms ist ganz anderen

Traditionen verpflichtet als das satirische Sinngedicht: Sprichwort und Reimspruch, Apophthegma und Priamel haben auf diese Gedichte ihren Einfluß ausgeübt. Neben volkssprachlichen Vorbildern gibt es auch Muster aus antiker Tradition: Walter Dietze hat etwa auf die Gnomik hingewiesen (S. 266 ff.).
Ein Beispiel für den Typ des gnomischen Sinngedichts ist *Lebens-Satzung*. Der Absicht, eine Lebensdevise zu formulieren, entsprechen die »einfach-eindringlichen Worte« (Elschenbroich). Zugleich ist das Epigramm, wie die gnomischen Gedichte sehr oft, rhythmisch außerordentlich kunstvoll angelegt.
»Logau hat wohl gerade in solchen Sinnsprüchen sein Eigenstes gesehen. Das läßt die Wahl des Pseudonyms Salomon von Golaw vermuten, denn fraglos sollte dieses die Spruchweisheit des Predigers ins Gedächtnis rufen« (Elschenbroich). Die Erklärung des Pseudonyms, das noch Eitner (S. 742) Rätsel aufgab, ist überzeugend. Die Annahme jedoch, die gnomischen Gedichte seien gleichsam der eigentliche Logau, scheint mir problematisch. Die Sprüche Salomonis und die Reden des sogenannten Predigers sind ja gleichfalls nicht nur Sinnsprüche, sondern Weisheitsrede und Lasterschelte in einem. Wo Logau seine eigenen Epigramme charakterisiert, da kennzeichnet er sie als Satiren; bei der Wahl des Ausdrucks ›Sinngedicht‹ mag aber der Wunsch mitgespielt haben, die gnomischen Epigramme begrifflich mit zu erfassen. Ich neige jedenfalls dazu anzunehmen, daß Logau in sich den Satiriker und den Moralisten nicht hat unterscheiden mögen.

Hofkritik, Stadtkritik, Kirchenkritik

Logaus Satire wendet sich vor allem gegen den Hof. Beispiele sind die Gedichte *Redligkeit*, aber auch *Beyderley Adel* und *Auff Glissam*. Man darf sie nicht so verstehen, als würde hier der Hof als Institution schlechthin verurteilt.

Logau war ja selber Hofmann, wie ein Abriß seines Lebens zeigen mag.
Er wurde 1604 auf Gut Brockut im damaligen Herzogtum Brieg geboren und gehörte einer angesehenen schlesischen Adelsfamilie an. Nach dem Besuch des Gymnasiums in Brieg studierte er – vermutlich in Altdorf – Jurisprudenz. Um 1633 übernahm er das verschuldete väterliche Gut; zeit seines Lebens ist es ihm nicht gelungen, seine wirtschaftliche Lage entscheidend zu verbessern. Bald nach seiner Rückkehr vom Studium dürfte er in die Dienste des Herzogs Johann Christian von Brieg eingetreten sein. Als nach dessen Tod seine drei Söhne gemeinsam die Regierung des Herzogtums antraten, wurde Logau in den Hofstaat Ludwigs von Brieg aufgenommen. 1653 fielen Liegnitz und Wohlau den drei Brüdern zu, und man teilte das jetzt erweiterte Herrschaftsgebiet auf. Logau folgte seinem Herrn 1654 nach Liegnitz. Dort starb er bereits am 24. Juli 1655.
Logaus Kritik gilt einem Hof, an dem ein neuer Typ von Beamten die Verwaltungsstellen an sich gezogen hat: dem absolutistischen Hof und seinen Räten, die häufig nicht mehr dem landsässigen Adel, oft sogar dem Bürgertum entstammen. Dem Hof, an dem der »redlich Mann« nichts mehr gilt, und dem neuen Typus des Hofmanns, der fachlich qualifiziert und weltgewandt ist, dem aber die alten Adelstugenden weniger wichtig sind als der eigene Vorteil (»mehr für Geld als Ehre« kommt er seinen Pflichten nach), stellt Logau das Idealbild eines patriarchalisch regierten Hofes und eines Ratgebers gegenüber, der mit seinem Herrn durch ein persönliches Treueverhältnis verbunden ist:

Leb ich / so leb ich!
Dem Herren hertzlich;
Dem Fürsten treulich;
[...].

Es scheint so, als sei in Brieg und auch später in Liegnitz eher der von Logau gewünschte Herrschaftsstil praktiziert worden. Auf jeden Fall hatte er, wie manche Indizien zeigen, das Vertrauen seiner Herren. Aber auch wenn seine Satire nur Warnung vor möglichen Fehlentwicklungen war: man spürt doch die Angst vor Veränderungen, die den Landesfürsten innerlich wie äußerlich vom landsässigen Adel entfernen mußten und Männern wie Logau einen Machtverlust bringen, im Extremfall ihre Existenzgrundlage entziehen konnten (vgl. dazu Wieckenberg).

Logaus Satire wendet sich ferner gegen die Städte. *Deß Landes Leichendienst* ist ein Beleg dafür. Im Krieg – das hat der Autor selber erfahren müssen – wird vor allem das Land verwüstet; den Landadligen und den Bauern wird ihre Lebensgrundlage zerstört (»Das Land ist leider tod«). Die Städte werden nicht nur häufig vom Kriege verschont, sie werden auch noch zum Nutznießer der Not vor ihren Toren (sie haben »die Spolien davon«). Vermutlich hat Logau es nicht selten erlebt, daß Stadtbürger über Kreditgewährung oder direkt durch Kauf Landgüter an sich brachten. Aber auch nur die Erfahrung, daß man als vom Lande geflüchteter, verschuldeter Grundbesitzer in der Stadt leben und seinen Lebensunterhalt mit Geld bestreiten mußte, mag zu einem Gefühl der Bedrohung beigetragen haben, das sich in satirischen Angriffen Luft machte.

Die Satire wendet sich schließlich gegen die Kirche, nicht gegen die Kirche als Corpus Christi, sondern gegen die Welt- und Machtkirche. Es gibt viele, z. T. sehr drastische Epigramme des Autors, die sich gegen die Machtgier des hohen Klerus sowie gegen die Habsucht und den alles andere als gottgefälligen Wandel der niederen Geistlichen wenden.

Wie viele Schriftsteller der Epoche ist Logau ein irenischer Geist. Gegen den Anspruch der Konfessionen, jeweils das wahre Christentum zu vertreten (vgl. *Glauben*), stellt er die Forderung nach einer überkonfessionellen Herzensfrömmigkeit (»dem Herren hertzlich«), die sich nicht in Bekenntnis und kirchlicher Praxis bewährt, sondern darin, daß der Gläubige sein Leben als Auftrag begreift und das Sterben willig auf sich nimmt (vgl. vor allem *Lebens-Satzung*).

Lob des Überkommenen

Logaus Interesse ist auf eine Bewahrung der Zustände gerichtet, die – nach seiner Vorstellung – vor noch nicht allzu langer Zeit in der Welt geherrscht haben. Daher ist er ein Feind jeder Neuerung und ein unermüdlicher Laudator temporis acti, ein Verteidiger des Überlieferten und angeblich Bewährten. Inbegriff des Neuen ist für ihn die politische und gesellschaftliche Sphäre des absolutistischen Hofes. Dort wird die alte Ständehierarchie aufgehoben (»Adel / den die Kunst gebieret« kommt hoch); dort werden die Tugenden der altständischen Gesellschaft zersetzt (eine neue, ›politische‹ Moral, die dem »redlich Mann« keine Chance mehr läßt, darf sich breitmachen); dort lassen französische Kleidung (Kleidung à la mode), französische Sprache und französische Literatur (»Amadiß«) eine ganz neue Atmosphäre entstehen. Dieser Realität hält Logau immer wieder das – in die Vergangenheit projizierte – Bild einer Welt entgegen, die hierarchisch geordnet und statisch war, in der Tugenden wie Ehrliebe, Treue, Redlichkeit, Frömmigkeit herrschten und die ›deutsch‹ in Kleidung, Sprache und Gesinnung war.

Die dem Neuen feindliche, der (idealisierten) Vergangenheit zugewandte Haltung Logaus findet auch sprachlich in seinen Epigrammen Ausdruck: im Gebrauch von Archaismen (Henne, S. 76). Das Wort »bieder« z. B. (vgl. *Redligkeit*) war zu seiner Zeit schon untergegangen. Mit der »Sprache der Vergangenheit« sollen hier ohne Zweifel »vergessene Tugenden und Sachen« heraufbeschworen werden (vgl. Henne, S. 76 ff.).

Man würde dem vielfältigen Lob der Vergangenheit bei Logau aber nicht gerecht werden, wenn man moderne Begriffe wie ›Rückwärtsgewandtheit‹ oder ›Reaktion‹ zu seiner Deutung heranzöge. Erst die Aufklärung kennt die Denkfigur, die Kritik der Zeit und Zukunftsentwurf miteinander verbindet. Es gibt im übrigen auch Stellen in Logaus Werk, an denen er die Laudatio temporis acti als Instrument der Kritik aufgibt. Wo die Zeit sich nicht mehr in Kategorien des Verfalls deuten läßt, da reicht das Konfrontationsmodell – hier ›verkehrte‹ Welt, dort, in der Vergangenheit, das ›richtige‹ Leben – nicht mehr aus. Vor allem die Schrekken des Krieges setzen dieses Deutungsmodell außer Kraft. Auf sie kann Logau oft nur mit Verzweiflung oder mit apokalyptischen Visionen antworten. *Die letzte Brunst der Welt* ist ein Beispiel dafür. In anderen Gedichten hat Logau der Schreckenserfahrung wie viele seiner Zeitgenossen einen christlich getönten Stoizismus entgegengesetzt.

Schlußbemerkung

Keine Deutung der Wirklichkeit kann sich bei Logau so sehr durchsetzen, daß sie eine Einheit seiner Gedichtsammlung herstellte. Nur zwei Gedanken scheinen alles zu beherrschen: daß die Welt in Unordnung geraten ist und daß der Moralist und Kritiker (eben deshalb) bei ihrer Beschreibung kein Ende finden kann. Diese Gedanken verbinden sich mit einer wenig präzisen Vorstellung vom Wesen des Epigramms. Das erlaubt es dem Autor, die Sprechrollen je nach der Redesituation beliebig zu wechseln: Vom Lobgedicht geht er über zur Satire, von der »Lebens-Satzung« zum unterhaltenden Epigramm.
Der schnelle Wechsel der Sprechrollen und das Gebot »spitzfindigen«, d. h. witzigen Ausdrucks erlauben dem Autor freilich auch nicht mehr, die Spannungen und widersprüchlichen Interessen zu verbergen, von denen sein Leben bestimmt ist. Im Gegenteil: gerade im witzigen Sprechen kommen sie zur Geltung. So entsteht ein ganz gewiß nicht unparteilich gezeichnetes Bild der Epoche, aber doch eines, das uns viele Züge der damaligen Wirklichkeit enthüllt.

Zitierte Literatur: Wiltrud Brinkmann: Logaus Epigramme als Gattungserscheinung. In: Zeitschrift für deutsche Philologie 93 (1974) S. 507–522. – Walter Dietze: Abriß einer Geschichte des deutschen Epigramms. In: W. D.:

Erbe und Gegenwart. Aufsätze zur vergleichenden Literaturwissenschaft. Berlin/Weimar 1972. S. 247–391. [Anmerkungen S. 525–588.] – Adalbert ELSCHENBROICH: Friedrich von Logau. [In Vorbereitung; mit freundlicher Genehmigung des Autors nach dem Manuskript zitiert.] – Salomons von Golaw [...] Sinn-Getichte. [Siehe Textquelle. Zit. mit Buch- und Gedicht-Nummer und Seitenzahl der Ausgabe von Eitner.] – Helmut HENNE: Hochsprache und Mundart im schlesischen Barock. Studien zum literarischen Wortschatz in der ersten Hälfte des 17. Jahrhunderts. Köln/Graz 1966. – Friedrich von LOGAU: Sämmtliche Sinngedichte. [Siehe Textquelle. Zit. als: Eitner.] – Martin OPITZ: Buch von der Deutschen Poeterey (1624). Hrsg. von Cornelius Sommer. Stuttgart 1970 [u. ö.]. – Jutta WEISZ: Das deutsche Epigramm des 17. Jahrhunderts. Stuttgart 1979. – Ernst-Peter WIECKENBERG: Herrscherlob und Hofkritik bei Friedrich von Logau. In: Europäische Hofkultur im 16. und 17. Jahrhundert. Bd. 2. Hamburg 1981. S. 67–74.

Friedrich Spee

Liebgesang der Gesponß Jesu,
im anfang der Sommerzeit

I

Der trübe winter ist fürbey /
  Die Kranich widerkehren;
Nun reget sich der Vogel schrey /
  Die Nester sich vermehren:
Laub mit gemach
    Nun schleicht an tag;
  Die blümlein sich nun melden.
Wie Schlänglein krumb
    Gehn lächlend vmb
  Die bächlein kühl in Wälden.

II

Der brünnlein klar / vnd quellen rein
  Viel hie / viel dort erscheinen /
All silber-weiße töchterlein
  Der holen Berg / vnd Steinen:
In großer meng
    Sie mit gedreng
  Wie pfeil von Felsen ziehlen;
Bald rauschens her /
    Nit ohn gepleer /
  Vnd mit den steinlein spielen.

III

Die jägerin Diana stoltz /
  Auch wald- vnd wasser-Nymphen /
Nun wider frisch in grünem holtz
  Gahn spielen / schertz- vnd schimpffen.

24 *schimpffen:* scherzen, spielen.

25 Die reine Sonn /
Schmuckt jhre Cron /
Den kocher fült mit pfeilen:
Ihr beste roß /
Läst lauffen loß /
30 Auff marmer-glatten meilen.

IV

Mit jhr die kühle Sommer-wind /
All jüngling still von sitten /
Im lufft zu spielen seind gesinnt /
Auff wolcken leicht beritten.
35 Die bäum vnd näst
Auch thun das best /
Bereichen sich mit schatten;
Da sich verhalt
Daß Wild im waldt,
40 Wans pflegt von hitz ermatten.

V

Die meng der Vöglein hören last
Ihr Schyr- vnd Tyre-Lyre;
Da sauset auch so mancher nast /
Sampt er mit musicire.
45 Die zweiglein schwanck
Zum vogelsang
Sich auff / sich nider neigen;
Auch höret man
Im grünen gahn
50 Spatziren Laut- vnd Geigen.

VI

Wo man nur schawt / fast alle Welt
Zun frewden sich thut rüsten:

30 *meilen:* Wegen. 35 *näst:* Äste. 37 *bereichen:* bereichern. 38 *sich verhalt:* sich verborgen hält. 44 *Sampt:* als ob.

Zum schertzen alles ist gestelt /
Schwebt alles fast in lüsten.
Nur ich allein /
Ich leide pein /
Ohn end ich werd gequeelet /
Seit ich mit dir /
Vnd du mit mir /
O JEsu / dich vermählet.

VII

Nur ich / O JESU / bin allein
Mit stätem leyd vmbgeben;
Nur ich / muß nur in schmertzen sein /
Weil nit bey dir mag leben /
O stäte klag!
O wehrend plag!
Wie lang bleib ich gescheiden?
Von großem wee,
Daß dich nit seh,
Mir kombt so schwäres leiden.

VIII

Nichts schmäcket mir auff gantzer welt /
Als JESU lieb alleine:
Noch spiel / noch schertz mir je gefelt /
Biß lang nur Er erscheine:
Vnd zwar nun frey
Mit starckem schrey
Ruff im so manche stunden:
Doch nie kein tritt /
Sich nahet nit;
Solt michs nit hart verwunden?

IX

Was nutzet mir dan schöne zeit?
Was glantz / vnd schein der Sonnen?

54 *fast:* sehr. 67 *gescheiden:* geschieden. 74 *Biß lang:* solange bis.

Waß Bäum gar lieblich außgebreit?
Waß klang der klaren Bronnen?
85 Waß Athem lind
Der kühlen wind?
Waß Bächlein krum geleitet?
Waß edler Mey /
Waß vogelschrey?
90 Waß Felder grün gespreitet?

X

Waß hilft all frewd / all spil / vnd schertz?
All trost / vnd lust auff Erden?
Ohn jhn ich bin doch gar in schmertz /
In leyd vnd in beschwerden.
95 Groß hertzen brand
Mich tödt zuhandt /
Weil JESU dich nit finde;
Drumb nur ich wein /
Vnd heul / vnd grein /
100 Vnd seufftzer blaß in winde.

XI

Ade du schöne Frühlingszeit /
Ihr Felder / wäld / vnd wisen /
Laub / graß / vnd blümlein new gekleid /
Mit süßem taw berisen:
105 Ihr wässer klar /
Erd / himmel gar /
Ihr pfeil der gülden Sonnen;
Nur pein vnd qual /
Bey mir zumahl
110 Hat vberhandt gewonnen.

XII

Ach JEsu / JEsu / trewer heldt /
Wie kränckest mich so sehre!

104 *berisen:* überdeckt.

Bin je doch hart / vnd hart gequeelt;
  Ach nit mich so beschwere.
Ja wiltu sehn /
      All pein vnd peen
  Im Augenblick vergangen?
Mein augen beid /
      Nur führ zur weid /
  Auff dein so schöne wangen.

Abdruck nach: Trutznachtigall von Friedrich Spee. Mit Einl. und krit. App. hrsg. von Gustave Otto Arlt. Unveränd. Nachdr. der 1. Aufl. Halle a. S.: Niemeyer, 1967. (Neudrucke deutscher Literaturwerke. 292–301.) S. 35–40. [Die Kürzel wurden aufgelöst (n̄ zu nn bzw. nd, ā zu an, vn̄ zu vnd). Druckfehler wurden korrigiert: 30 marmer-glatten meilen] marmer glatten-meilen 95 brand] band (in beiden Fällen in Übereinstimmung mit dem Text im *Güldenen Tugend-Buch* und in den Handschriften der *Trutznachtigall*).]
Erstdrucke: Fridericus Spee: Güldenes TVGEND-BVCH, das ist / Werck vnnd übung der dreyen Göttlichen Tugenden. Köln: Wilhelm Friessem, 1649. – Fridericus Spee: Trvtz Nachtigal, oder Geistlichs-Poetisch Lvst-Waldlein. Köln: Wilhelm Friessem, 1649.
Weitere wichtige Drucke: Verzeichnet in Gustave Otto Arlts *Trutznachtigall*-Ausgabe, S. XXII–XXIV.

Urs Herzog

Geistlicher »Augenblick«. Zu Friedrich Spees *Liebgesang der Gesponß Jesu, im anfang der Sommerzeit*

»Begierig seind wir der schöne.
In Gott ist alle schöne.«
Friedrich Spee

I

Das Gedicht, im *Trutznachtigall*-Zyklus das achte, steht in *Des Knaben Wunderhorn* unter dem reichlich unbarocken Titel *Frühlingsbeklemmung*. Allerdings hat Brentano, den ganzen zweiten Teil fallenlassend, auch den barocken Gedanken des Gedichts nahezu unkenntlich gemacht.

Liebgesang der Gesponß Jesu: In Spees *Güldenem Tugend-Buch* ist dieser Gesang, zwischen weiteren Übungen der »begierlichen liebe«, überschrieben mit *Andere Seufftzen der Gesponß* JESU (S. 234–236). »Seufftzen«, das sind jene »suspiria animae amantis«, die in Herman Hugos *Pia desideria* von 1632 den dritten und letzten Teil bilden. Im Eingang der *Trutznachtigall* sucht und fragt die liebende Seele seufzend nach dem göttlichen Geliebten, der sich ihr entzogen hat; nach dem sie, eine andere Schulammit, über alles hinaus brennend verlangt. Über alles, über alle vorletzte Schönheit hinaus.

»Der trübe winter ist fürbey« (»Jam enim hiems transiit [...]. Flores apparuerunt«, Hohesl. 2,11 f.). Leuchtend und klingend hält der Frühling Einzug ins Land, das mit dem zeitig wiederkehrenden Kranich (Jer. 8,7) von neuem sich regt und belebt. Statt den Frühling, den »edlen Mey« (88), »des Jahres Herz« (Simon Dach), als einen Zustand zu schildern, läßt ihn Spee geradezu szenisch sich ereignen. Selbst das Laub »schleicht an tag« (6), und die Blumen »sich nun melden« (7). Die Bäche, wie »Schlänglein krumb« (8) gewunden, »Gehn lächlend vmb« (9) und gehen in leichtem Spiel über in die »brünnlein klar / vnd quellen rein« (11). Die Grenze zwischen der ersten und der zweiten Strophe ist ›liquidiert‹, lose und weich, wie auch die folgenden Strophen fließend einander ablösen. Eines winkt das andere heran. Die »pfeil« (17) der zweiten Strophe zeigen assoziativ nach den »pfeilen« (27), mit denen in der dritten die Sonne ihren Köcher füllt; den »silber-weißen töchterlein« (13) assoziieren sich wie im Reigen die »jüngling still von sitten« (32). Spielend, wie mit zierlichen Schritten getanzt, ist die Sprache gestisch in Bewegung gesetzt: »Wie Schlänglein krumb | Gehn lächlend vmb | Die bächlein kühl in Wälden« (8–10). »Lächelnd« dreht sich der Satz in seinen syntaktischen Inversionen und gibt den Sätzen, die folgen, den Rhythmus mit: ein schwebendes Hin und Her (12: »Viel hie / viel dort

erscheinen«) und Auf und Ab (47: »Sich auff / sich nider neigen«) – »Schwebt alles fast in lüsten« (54).
Nach dem trüben Winter leuchtet, ein einziger Locus amoenus, die Welt auf in lauter Glanz. Hell ist auch die Sprache getönt. Die vielen Diminutive (»blümlein«, »Schlänglein«, »bächlein«, »brünnlein« usw.) idyllisieren das Bild und sind wie immer bei Spee »der gemäße sprachliche Name für die Dinge, da er sie liebend sah, Werk und Zeichen der göttlichen Schöpferliebe« (Hankamer, S. 165). Den sprachlichen Ton melodisch aufzuheitern (Blume/Blümlein) ist hier ihre wichtigste Aufgabe. Der Vokalismus, in der zweiten Strophenhälfte die Binnenreime, alles soll klingen und klingeln bis hinauf zu dem lautmalerischen »Schyr- vnd Tyre-Lyre« (42) der fünften Strophe. Spee hat das Klangmittel der Diminutive sehr kalkuliert eingesetzt; denn es finden sich im ersten Teil des Gedichts ganze acht, im zweiten aber nur mehr zwei verkleinerte Formen (87: »Bächlein«, 103: »blümlein«, die beide dann auch nur das leise Echo sind aus dem ersten Teil). »Mein äuglein beid«, wie es im *Tugend-Buch* noch gestanden hat, erscheint in der *Trutznachtigall*-Version abgeändert als »Mein augen beid« (118).
Eichendorff hat in Spees Liedern die »herzlichen Naturlaute« bewundert und gefunden, es seien darin »die verborgenen Stimmen der Natur belauscht« (S. 180 f.). Das Künstliche, das kultivierte literarische Spiel, mit dem hier und überall in der *Trutznachtigall* Natur als Natur-Szenerie arrangiert ist, fällt heute ungleich mehr ins Auge. Eine, im Falle dieses *Liebgesangs*, antikisch zurechtgemachte Szenerie, bevölkert mit »wald- vnd wasser-Nymphen« (22), ausgeleuchtet von einer Sonne, die im Wagen des Helios den pompösen Lauf ihrer »marmer-glatten meilen« (30) geht.

II

Die sechste, die Schlußstrophe des ersten Teils, bringt die Peripetie des Ganzen: die Kehre, mit der das Ich der Gesponß Jesu diesem Spiel und weltlichen »schertzen« (53)

Einhalt gebietet. Der Musik, die die »meng der Vöglein hören last« (41), der Vollendung allen Natur-Spiels, ist in der vorangehenden Strophe die menschliche Musik des »Laut- vnd Geigen«-Spiels (50) gefolgt. Dem »vogelsang« (46) fügt sie sich nicht mehr ein; im Gegenteil, es bricht mit diesem Kunst-Spiel die bis da gewahrte Objektivität der Erscheinungen zum ersten Mal auf: »Auch höret *man*« (48), »Wo *man* nur schawt« (51) – was alles bisher gleichsam aperspektivisch frei sich entfaltet hat, erscheint im Aspekt menschlicher Reflexion plötzlich gebrochen. Der Moment der Peripetie, in dem die beiden Hälften des Gedichts auseinandertreten, ist, leicht exzentrisch, genau in die Mitte der sechsten Strophe verlegt, deren Aufgesang in einem letzten großen Blick alles »Geschaute« noch einmal zusammenschließt – deren Abgesang klagend sich wegkehrt, hin zu Jesus, dem Vermählten.

Nur ich allein,
Ich leide pein /
Ohn end ich werd gequeelet /
Seit ich mir dir /
Vnd du mit mir /
O JEsu / dich vermählet. (55–60)

Uralte Sprache der Liebe, im Volkslied wie schon im Minnesang: »ich mit dir, vnd du mit mir« – worin auch die Klage der Braut aus dem Hohenlied anklingt (»Dilectus meus mihi, et ego illi«, 2,16; »Ego dilecto meo, et dilectus meus mihi«, 6,2). In der chiastischen Verschränkung stellt die innerste Innigkeit der Vermählten, doch nun Geschiedenen (67) sich dar. Wenn an der Grenze der Strophe wiederum kein Halten mehr ist (55, 61, 63: »Nur ich ...«), dann anders als zuvor jetzt unterm Pathos grenzenloser Klage, endloser Qual (57). War zuvor alles ein einziges heiteres Spiel (20, 24, 33) – »Zum schertzen alles ist gestelt« (53) –, herrschen jetzt »ohn end« nur »leid«, »pein«, »qual«, »schmertz«, »plag«, »wee« ... Dem leicht schwebenden Spiel der Welt mit seinem »süssen Reym-geschwätz« (*Trutz-*

nachtigall, S. 214) sieht »so schwäres leiden« (70) sich gegenüber. »Ohn jhn ich bin doch gar in schmertz / | In leyd vnd in beschwerden« (93 f.).

Schmachtend verlangt die Seele nach ihrem Geliebten, »Biß lang nur Er erscheine« (74). Ihn möchte sie »*sehen*« (69), ihn kommen *hören* (78 f.: »Doch nie kein tritt / | Sich nahet nit«). Gehör und Gesicht, vorher ganz nach außen offen, sind nach innen gekehrt. »Alle vppigkeit vnd schönheit der Creaturen« (*Güldenes Tugend-Buch*, S. 202) ist ausgelöscht in der Nacht des Leidens, des unerhörten Verlangens nach dem göttlichen Geliebten. Das Gefallen, das die »Creaturen« in ihrer Herrlichkeit sind, ist vereitelt, der Geschmack vergällt: »Nichts schmäcket mir auff gantzer welt« (71). Denn – ein Wort, das dem heiligen Ignatius zugeschrieben wird – »O Gott, wie stincket mir die Erde, wan ich gen himmel schawe?« (*Güldenes Tugend-Buch*, S. 210; »O quam sordet terra, dum coelum aspicio«).

»Noch spiel / noch schertz mir je gefelt« (73). Mit den Strophen 9, 10 und 11 wird revoziert, was an irdischer Schönheit in Erscheinung getreten ist. Revoziert im doppelten Sinne: ein letztes Mal, im Abschied, zurückgerufen und ineins auch versagt. Die Palinodie der neunten Strophe ist gleichsam das Echo, aber wehmütig auch der Widerruf des ersten Teils: dunkles Arioso, das wieder wie zuvor die Klage »Nur ich ...« mit der Strophengrenze 9/10 (»Was nutzet ...« / »Waß hilft ...«; das anaphorische »Was« neunfach wiederholt) alle Grenzen irdisch-endlichen Verlangens – »All trost / vnd lust auff Erden« (92) – pathetisch unter sich läßt.

Die Pracht der Welt preisend zu erheben, um dann auf dem Scheitel der Fallhöhe sie zu vernichten: die Geste ist von Grund auf barock. Der verführerische Zauber der Schönheit wird gebrochen, die alte Frau Welt verstoßen:

Ade, fahr deine strassen,
  Du schnöd vnd böse welt [...].
(*Güldenes Tugend-Buch*, S. 190.)

Ade, Ade, ô schnöde falsche welt [...].
(*Güldenes Tugend-Buch*, S. 210.)

Ade zu tausend jahren,
O Welt, zu guter nacht!
(*Güldenes Tugend-Buch*, S. 224.)

Ungleich weicher und in seiner sanft verhaltenen Trauer um so berückender ist das »Ade Welt« der elften Strophe:

Ade du schöne Frühlingszeit /
Ihr Felder / wäld / vnd wiesen [...]. (101 f.)

Fern aller erbitterten Weltverachtung, schwingt in dieser Absage noch immer die Zuneigung mit; und noch die Welt, die doch zu lassen ist, erklingt im reinen Melos der Sprache und der Bilder, die versinken, »als ob der Finger Gottes leise über die unsichtbaren Saiten der Schöpfung glitte« (Eichendorff, S. 181). Denn als kreatürliche, als göttlich geschaffene ist die Schönheit dieser Welt doch bleibend der Abglanz, nein mehr noch: die Offenbarung der »schönsten Schönheit«, wie einmal Harsdörffer Gott, den Schöpfer, angesprochen hat. Und wer im deutschen 17. Jahrhundert hätte um dieses Geheimnis tiefer gewußt und es gültiger bezeugt als der Dichter der *Trutznachtigall*, Friedrich Spee, einer der Großen unter den Dichtern der »Herrlichkeit« (Balthasar, S. 14).

Ein anderes ist, vom Schöpfer abgekehrt, die sündhafte Conversio ad creaturas. »Schlug mich zun Creaturen« (*Trutznachtigall*, S. 91), heißt es im *Bußgesang eines zerknirschten hertzens*. Gegen diese den Schöpfer in seinem Geschöpf veruntreuende, ›ungeordnete‹ Hinwendung des Menschen »zun Creaturen« spricht das kleine Gebet an, das im *Güldenen Tugend-Buch* steht: »O Jesu, ich wende mich so offt zun Creaturen: Nun mache mich so matt, vnd kranck an deiner liebe; verwunde mich so tödlich, daß ich mich in ewigkeit nit mehr bewegen, noch von dir eine handbreit wenden könne« (S. 202).

Von ihrem Liebsten geschieden, ist die Seele »von liebe kranck« (*Trutznachtigall*, S. 27); »amore langueo«, sagt das Hohelied (2,5; 5,8). Bald möchte die Seele immer noch mehr und tiefer verwundet (»verwunde mich«), bald wieder von der »pein vnd qual« (108) erlöst werden. In paradoxer Einheit ist diese mystische Passion zugleich Wonne und Qual, »süß ohn massen! O bitter auch ohn ziel!« (*Trutznachtigall*, S. 9). Das ist die Sprache des Petrarkismus, ins Geistliche travestiert:

O süssigkeit in schmertzen!
O schmertz in süssigkeit!
(*Trutznachtigall*, S. 8.)

Petrarkistisch – im Grunde aber älter, aus dem Gut mittelalterlicher Mystik – sind die Bilder, deren sich Spee bedient. Die Liebe ist ein süßer Streit, in dem die Liebenden einander tödlich verwunden, mit Pfeilen der Liebe (»Mein Seel hast du durchstochen«, *Trutznachtigall*, S. 34), mit Feuer und Brand (»fewr / vnd hertzen-brandt«, *Trutznachtigall*, S. 24). Intrikater noch, wenn die Blicke des Geliebten als brennende Pfeile ins Herz treffen:

Die pfeil da kamen loffen
Von deinen äuglein thewr /
So mir das hertz getroffen /
Mit bitter-süssem fewr.
(*Trutznachtigall*, S. 48.)

Die Pfeile (17, 27), die in der aufbrechenden Frühlingsnatur »fliegen«, sind Chiffren, die sich von ihrer geistlichen Auflösung her als erotische erklären (Str. 11); die »jägerin Diana« (21) ist im natürlichen Raume, was im mystischen das jagend-gejagte Verlangen der nach Gott »begierlichen liebe«. Im Natürlichen spiegelt sich Übernatürliches ab, parodistisch ebenso, wie in einer späteren Ekloge der eine Hirte »allweg nachspielend auff daß Geistlich deutet und ziehet«, was der andere »vorspielet« (*Trutznachtigall*,

S. 314). Der Frühling, der aus Dunkel und Kälte entspringt, meint so den brennenden Aufbruch des Herzens, das Blühen des Innern: »Blüh auf, gefrorner Christ, der Mai ist für der Tür« (Angelus Silesius, *Cherubinischer Wandersmann* III,90, S. 8).

Die liebende Seele brennt »in marck vnd bein« (*Trutznachtigall*, S. 196), denn »die lieb ist fewr« (*Trutznachtigall*, S. 33). Hier spricht, wie sehr auch immer barock stilisiert, Augustinus mit, der Heilige des brennenden Herzens: »O Gott wan ich Sanct Augustinum gemahlet sehe mitt einem fewrigen vnd verwundtem hertzen, so blutet mir mein hertz, weils nicht auch verwundet ist. Ach Gott wie würd es bluten, wan es verwundtet were? Nun bitt ich dich, nim hin den pfeil auß ienem hertzen, oder nim auch hin die blütige lantzen auß deinem eigenen hertzen, vnd durchdringe mir mein hertz, daß ich für liebe sterben möge« (*Güldenes Tugend-Buch*, S. 215).

III

Die Gesponß weint, ja sie »heult und greint« (99), solange sie sucht und nicht findet. Daß in diesem Trauern kein Selbstgenuß (keine falsche Fruitio sui) sich verbirgt, daran besteht kein Zweifel. Melancholie ist hier in diesem *Liebgesang* und in der ganzen *Trutznachtigall* nie ein Letztes; drum, drum *auch*, die Bitte »Ach nit mich so beschwere« (114). Das Letzte ist eine mit nichts Vorläufigem je zu stillende, blutend-brennende Sehnsucht nach der Anschauung des Herrn: »Ostende mihi faciem tuam« (Hohesl. 2,14); »O Herr zeyge mir dein angesicht, laß sehen deine schöne« (*Güldenes Tugend-Buch*, S. 213). Mit dem Schluß des Gedichts ist, noch einmal ans Hohelied anspielend, die Bitte ins Concettistische gedreht:

Ja wiltu sehn /
        All pein vnd peen
  Im Augenblick vergangen?

Mein augen beid /
Nur führ zur weid /
Auff dein so schöne wangen. (115–120)

Spee hat das Wort- und Lautspiel, das aus der Frage selber die Antwort enträtselt, nicht gescheut. »Im Augenblick«? – im *Augen-blick* der »augen beid«, die auf die Weide der »so schönen wangen«, der »tausendschönen Wangen« (Angelus Silesius, *Heilige Seelenlust*, S. 55) des Geliebten geführt sein möchten, wäre vollkommenes Glück für immer. Eine Lösung ganz nach dem barocken Sinn für scharfsinnige, elegant pointierte Schlüsse. Dem theologischen Ernst ist trotzdem nicht Abbruch getan. Spee ist virtuos, ohne drum verspielt zu sein. In dem geglückten Sprachspiel scheint, für einen letzten »Augenblick«, Licht auf, das nicht von dieser finstern Welt ist.

Vermutlich ist das Gedicht um 1630 geschrieben worden, auf dem ländlichen Gut von Falkenhagen, wo sich Spee von den schweren Folgen eines Mordanschlags langsam erholt hat (Rosenfeld, S. 125 f.). Fünf Jahre später ist der Dichter gestorben, dahingerafft im selbstlosen Dienst an kriegsversehrten Kranken – auf dem Weg des Leidens, der Via crucis.

»In Gott ist alle schöne« (*Güldenes Tugend-Buch*, S. 21). Aber die Seele, die ihren Geliebten, ihren »schönen Gott« (*Trutznachtigall*, S. 3), um alles in der Welt sucht, folgt ihm nach auf dem Kreuzweg – an den Ölberg (*Die Gespons Jesu sucht jhren geliebten, vnd find jhn im Garten, alda er gefangen wird*, *Trutznachtigall*, S. 40: das Gedicht, das auf den Liebgesang unmittelbar folgt) – hinauf zum Kreuz (*Die gesponß Jesu sucht jhren Bräutigam, vnd findet jhn auff dem Creutzweg*, *Trutznachtigall*, S. 47). Wo die Braut ihren Bräutigam und Erlöser findet – am Kreuz; denn »meine Liebe ist gekreuzigt« (Ignatius von Antiochien) –, dort ist »alle schöne« Gottes furchtbar verhüllt.

O wie vor so schöne wangen!
  O wie vor so lefftzen rein!
Alle schönheit ist entgangen /
  Aller glantz / vnd augen-schein.
    (*Trutznachtigall*, S. 253.)

Zitierte Literatur: ANGELUS SILESIUS: Cherubinischer Wandersmann. Ausw. und Nachw. von Hans Urs von Balthasar. Einsiedeln [2]1980. – ANGELUS SILESIUS: Heilige Seelen-Lust oder geistliche Hirtenlieder [...]. Hrsg. von Georg Ellinger. Halle a. S. 1901. – Hans Urs von BALTHASAR: Herrlichkeit. Eine theologische Ästhetik. Bd. 2: Fächer der Stile. Einsiedeln 1962. – Joseph von EICHENDORFF: Sämtliche Werke. Hist.-krit. Ausg. Bd. 9,3. Hrsg. von Wolfram Mauser. Regensburg 1970. – Paul HANKAMER: Deutsche Gegenreformation und deutsches Barock. Die deutsche Literatur im Zeitraum des 17. Jahrhunderts. Stuttgart 1935. – Emmy ROSENFELD: Neue Studien zur Lyrik von Friedrich von Spee. Mailand/Varese 1963. – Friedrich SPEE: Güldenes Tugend-Buch. Hrsg. von Theo G. M. van Oorschot. München 1968. – Friedrich SPEE: Trutznachtigall. [Siehe Textquelle.]
Weitere Literatur: Eric JACOBSEN: Die Metamorphosen der Liebe und Friedrich Spees »Trutznachtigall«. (Studien zum Fortleben der Antike. 1.) Kopenhagen 1954. – Editha LEONI: Clemens Brentano und die deutsche Barocklyrik. Diss. Frankfurt a. M. 1932. – Ilse MÄRTENS: Die Darstellung der Natur in den Dichtungen Friedrichs von Spee. In: Euphorion 26 (1925) S. 564–592. – Emmy ROSENFELD: Friedrich Spee von Langenfeld. Eine Stimme in der Wüste. Berlin [West] 1958. – Marie-Luise WOLFSKEHL: Die Jesusminne in der Lyrik des deutschen Barock. Diss. Gießen 1934.

Paul Gerhardt

Sommer-Gesang

1

Geh aus mein Hertz und suche Freud
In dieser lieben Sommerzeit
  An deines Gottes Gaben:
Schau an der schönen Garten-Zier /
Und siehe wie sie mir und dir
  Sich außgeschmücket haben.

2

Die Bäume stehen voller Laub /
Das Erdreich decket seinen Staub /
  Mit einem grünen Kleide:
Narcissus und die Tulipan
Die ziehen sich viel schöner an
  Als Salomonis Seyde.

3

Die Lerche schwingt sich in die Lufft /
Das Täublein fleucht aus seiner kluft
  Und macht sich in die Wälder:
Die hochbegabte Nachtigall
Ergötzt und füllt mit ihrem Schall
  Berg / Hügel / Thal und Felder.

4

Die Glukke führt ihr Völcklein aus /
Der Storch baut und bewohnt sein Haus /
  Das Schwälblein speißt ihr Jungen:
Der schnelle Hirsch / das leichte Reh'
Ist froh und kommt aus seiner Höh
  Ins tieffe Graß gesprungen.

5

25 Die Bächlein rauschen in dem Sand
Und mahlen sich und ihren Rand
Mit schatten reichen Myrten:
Die Wiesen ligen hart dabey
Und klingen gantz von Lust-Geschrey
30 Der Schaff und ihrer Hirten.

6

Die unverdroßne Bienenschaar
Zeucht hin und her / sucht hier und dar
Ihr edle Honigspeise:
Des süssen Weinstocks starcker safft
35 Kriegt täglich neue stärck und krafft
In seinem schwachen Reise.

7

Der Weitzen wächset mit Gewalt
Darüber jauchtzet Jung und Alt /
Und rühmt die grosse Güte
40 Deß / der so überflüßig labt'
Und mit so manchem Gut begabt
Das Menschliche Gemüthe.

8

Ich selbsten kan und mag nicht ruhn:
Des grossen Gottes grosses Thun
45 Erweckt mir alle Sinnen:
Ich singe mit / wenn alles singt /
Und lasse was dem höchsten klingt
Aus meinem Hertzen rinnen.

9

Ach denck ich / bist du hier so schön /
50 Und läßst dus uns so lieblich gehn
Auf dieser armen Erden:

Was wil doch wol nach dieser Welt
Dort in dem reichen Himmelszelt
   Und güldnem Schlosse werden?

10

Welch hohe Lust / welch heller Schein
Wird wol in Christi Garten seyn?
   Wie muß es da wol klingen /
Da so viel tausent Seraphim /
Mit eingestimmtem Mund und Stim
   Ihr Alleluja singen.

11

O wär ich da! o stünd ich schon /
Ach süsser Gott / für deinem Thron
   Und trüge meine Palmen;
So wolt' ich nach der Engel Weis
Erhöhen deines Namens Preis
   Mit tausent schönen Psalmen.

12

Doch wil ich gleichwol / weil ich noch
Hier trage dieses Leibes-Joch /
   Auch nicht gar stille schweigen:
Mein Hertze sol sich fort und fort /
An diesem und an allem Ort /
   Zu deinem Lobe neigen.

13

Hilf nur / und segne meinen Geist
Mit Segen / der von Himmel fleußt /
   Daß ich dir stetig blühe:
Gib / daß der Sommer deiner Gnad'
In meiner Seelen früh und spat
   Viel Glaubensfrücht erziehe.

14

Mach in mir deinem Geiste Raum /
80 Daß ich dir werd' ein guter Baum /
Und laß mich wol bekleiben:
Verleihe / daß zu deinem Ruhm
Ich deines Gartens schöne Blum
Und Pflantze möge bleiben.

15

85 Erwehle mich zum Paradeis /
Und laß mich bis zur letzten Reis
An Leib und Seele grünen:
So wil ich dir und deiner Ehr
Allein / und sonsten keinem mehr /
90 Hier und dort Ewig dienen.

Abdruck nach: Gedichte des Barock. Hrsg. von Ulrich Maché und Volker Meid. Stuttgart: Reclam, 1980. (Reclams Universal-Bibliothek. 9975 [5].) S. 171–174. [Text nach Ebeling.]
Erstdruck: Praxis Pietatis Melica. Das ist: Vbung der Gottseligkeit in christlichen und trostreichen Gesängen. Hrsg. von Johann Crüger. 5. Ausg. Berlin: Runge, 1653.
Weitere wichtige Drucke: Paul Gerhardt: Geistliche Andachten Bestehend in hundert und zwantzig Liedern. Hrsg. von Johann Georg Ebeling. Berlin: Ebeling, 1667. Repr. Bern/München: Francke, 1975. – Paulus Gerhardts geistliche Lieder. Hist.-krit. Ausg. Hrsg. von Johann Friedrich Bachmann. Berlin: Oehmigke, 1866. [Text der ältesten Drucke.] – Paul Gerhardts Geistliche Andachten in 120 Liedern. Neue Ausg. Hrsg. von Otto Schulz. Berlin: Nicolai, 1869. [Text nach Ebeling; geschichtliche Einleitung, dokumentarischer Anhang, Erläuterungen.] – Paul Gerhardts Dichtungen und Schriften. Hrsg. von Eberhard von Cranach-Sichart. München: Paul Müller, 1957. [Text nach Bachmann; enthält auch die lateinischen Gedichte, Predigten, Briefe, das Testament.]

Lothar Schmidt

Hertz und Garten-Zier. Paul Gerhardts *Sommer-Gesang*

1. Das Gedicht beginnt mit einer Anrede des Dichters an sein eigenes Herz; sie umfaßt die erste Strophe und stellt ein Exordium im Sinne der rhetorischen Tradition dar: es wird die Aufmerksamkeit angezogen und zugleich das Thema angeschlagen, das im weiteren Verlauf (Str. 2–8) auszuführen ist. Der Dichter fordert sein Herz auf, sich an der sommerlichen Natur zu erfreuen, denn – und damit wird die Strophe zur Definitio – die Welt ist Gottes Garten, ihre Schönheit Gottes Gabe an den Menschen. Diese Aussage wird in zwei Satzbögen entfaltet, die jeweils eine Halbstrophe umspannen. Das erste Satzgefüge ist allgemeiner formuliert, im zweiten wird variiert und präzisiert; diese Gedankenfigur erscheint wiederholt im *Sommer-Gesang*, sie wird durch den Bau der Strophe nahegelegt und ist am Parallelismus membrorum der Psalmen orientiert. Schon die Einleitung erinnert somit daran, daß das Vorbild der Kirchenliederdichtung zu allen Zeiten die alttestamentliche Psalmdichtung war. Die Anrede an das eigene Herz ist ein geläufiger Topos, der sich in der deutschen Lyrik von Friedrich von Hausen bis Christine Busta nachweisen läßt. Im Kirchenlied des 17. Jahrhunderts erfreut er sich besonderer Beliebtheit; hier tritt er vor allem – neben Anreden an den Geist, die Seele, das Gemüt und die Sinne – als Einleitungsformel auf, wobei wieder die Psalmen mit der dort verbreiteten Personifizierung des Herzens sowie der einleitenden Anrede an die eigene Seele Vorbild gewesen sein dürften. Sicherlich soll eine solche Anrede des Zentrums der Person neben einer Evozierung des Gemütskomplexes, der mit ›Herz‹ traditionell verbunden ist, darauf aufmerksam machen, daß existentielle Dinge zur Sprache kommen – der Affectus cordis ist nach der altprotestantischen Dogmatik, in der Gerhardt zu

Hause war, wesentliches Ziel aller Theologie (Schmid, S. 28 f.).
Der Imperativ »suche Freud« im ersten Satz wird durch »Schau an [. . .] Und siehe« im zweiten erläutert. Die Freude besteht demnach in der Betrachtung, und bei dieser muß es sich um ein kontemplatives Schauen handeln, falls jene nicht ganz äußerlich bleiben soll. Die reflexivische Konstruktion »Sich außgeschmücket haben« ist im Sinne des biblischen Passivs zu verstehen: Gott als Urheber der Handlung soll möglichst nicht mit Namen genannt werden. Von der numinosen Scheu, die bei dieser Redeform früher im Hintergrund stand, ist hier nichts mehr zu spüren. Geblieben ist jedoch die Sprachfigur, die gegen den vordergründig aufgefaßten Wortlaut und in Übereinstimmung mit Vers 3 anzeigt, daß die Natur nicht als autonomer Bereich, sondern als Schöpfung gesehen wird. Deren Ausschmückung gilt »mir und dir«; diese Wendung – eine der zahllosen zweigliedrigen Formeln Gerhardts – faßt Sprecher und Angeredeten zusammen, meint also den Menschen überhaupt. Dem Ich der Dichtungen Gerhardts fehlen hier wie anderswo nahezu alle subjektiven Züge. Es bezeichnet kein unverwechselbares Individuum, sondern jeder, der den Text liest oder singt, ist aufgerufen, sich mit ihm zu identifizieren. Der vielberufene Gegensatz zwischen den Wir-Liedern Luthers und den Ich-Liedern Gerhardts kennzeichnet (noch) nicht den Übergang vom ›objektiven Bekenntnislied‹ zum ›subjektiven Erlebnislied‹. Vielmehr meint das religiöse Gedicht des 17. Jahrhunderts fast immer den einzelnen als Vertreter einer Gruppe; es spricht aus der Sicht des Menschen, der im Raum der Kirche lebt und sich dort seiner selbst zu vergewissern sucht. »Die Innerlichkeit steht nur im Bekenntniszusammenhang zur Verfügung« – von dieser Voraussetzung aus ist auch Gerhardts Lied zu sehen, und von hier aus ergeben sich direkte Bezüge zur rhetorischen Formensprache (Böckmann, S. 334 ff.).
2. In den Strophen 2–7 wird das Thema entfaltet. Die Perspektive wechselt vom Ich zum Es, an die Stelle des

Anredens tritt das Benennen. Die Anlage dieses Abschnitts ist die der (barocken) Bildreihe, genauer: der parallelen Enumeratio partium. Der Dichter führt die schöne »Garten-Zier« im einzelnen vor: Bäume, Blumen, Vögel, Hirsch und Reh, Bächlein, Wiesen usw. In epischer Breite rollt er vor dem Leser ein Naturbild auf, das durch keinen Mißklang getrübt wird, ein irdisches Paradies, in dem es ein ›Seufzen der Kreatur‹ nicht gibt. Die Einzelheiten werden beschrieben, aber nicht zueinander in Beziehung gesetzt; so entsteht kein abgerundetes Bild, keine ›Landschaft‹ im neueren Sinne. Die gereihten Aussagen, 14 an der Zahl, sind nach demselben Schema gefügt: Subjekt – Prädikat – Ergänzungen und Erweiterungen. Die Teile der »Garten-Zier« halten dabei stets die Subjektstelle besetzt. Geschickt vermeidet der Dichter die bei solcher Reihung drohende Monotonie; er wechselt zwischen einfachen und doppelten Subjekten sowie zwischen solchen mit und ohne Attribut; er streckt die Sätze über 1, 2 oder 3 Verse und variiert dabei zwischen leichten und schwereren Zeilensprüngen; er hält sich an den von der Strophenform nahegelegten Einschnitt nach dem dritten Vers, läßt jedoch nie zwei syntaktisch gleich gebaute Halbstrophen aufeinander folgen; er gibt den Versen bei glattem rhythmischem Verlauf einen lebhaften Wechsel zwischen Haupt- und Nebenhebungen.

Den harmonischen Inhalt und die ebenso harmonische Form dieser Strophen hat man zusammen mit dem gemüthaften Ton des Liedes früher und gelegentlich noch heute als Beleg für das unbefangene religiös-ästhetische Welterleben, den naiven Realismus Gerhardts genommen und darin den »Anfang jener unvergleichlichen modernen deutschen Lyrik, des höchsten Stolzes unserer neueren Poesie« gesehen (Scherer, S. 263). Doch das ist wohl ein Mißverständnis. Gewiß hat der Bauernsohn Paul Gerhardt Lerchen, Tauben und Nachtigallen gesehen und gehört, von Glucken und Schafen gar nicht zu reden. Sein Gedicht ist jedoch weder realistisch noch ›erlebt‹ im Sinne des 19. und 20. Jahrhunderts; es atmet weder »spürbaren Erdgeruch«, noch ist des

Dichters Standpunkt der »des landwirtschaftlich interessierten Kleinstädters« (so Petrich, S. 277f.). Schon Tatsachen wie die, daß Lerche und Nachtigall nicht gleichzeitig singen, daß es in Mitteleuropa keine »schatten reichen Myrten« (27) gibt und daß man im 17. Jahrhundert die Versuche, in der Mark Brandenburg Wein anzubauen, wegen unerfreulicher Resultate eingestellt hatte, sprechen dagegen. Der Dichter schildert nicht, was er sieht, sondern was er weiß; sein Naturbild ist weniger erlebt als vielmehr gekonnt, es ist ein der literarischen Tradition entnommener Locus amoenus. Dazu gehören seit Homer Bäume, Quellen und Wiesen, seit der Spätantike auch Blumenteppich, Vögel, Hirten und Herde, seit dem Mittelalter noch Wein, Bienen, Honig u. a. (Curtius, S. 189–207). Die durch die Schule vermittelte lateinische Dichtung vom Altertum bis zum Humanismus hat auch Gerhardt geprägt (Petrich bringt seitenweise Belege, S. 217ff.). Freilich ist seine Darstellung auch mit Details versehen, die nicht der Tradition, sondern der Umwelt entstammen. Störche und Hühner sind keine poetischen Vögel und gehören ebensowenig zur herkömmlichen literarischen Landschaft wie der Weizen als unmittelbaren Lebensbedürfnissen dienende Pflanze. Auch Narzissen und Tulpen entstammen nicht der Tradition; sie sind hier in einen gedanklichen Zusammenhang eingefügt, in dessen biblischem Vorbild die Lilie steht (Matth. 6,28f.). Die Tulpe, die Lieblingsblume der Barockdichter, hatte sich zu jener Zeit gerade in Europa eingebürgert (die Tulpomanie in Holland endete gegen 1640). In diesen ›modernen‹ Einsprengseln deutet sich vielleicht eine künftige realistische Naturdarstellung an, sie brechen jedoch das traditionelle Naturbild nicht zugunsten einer ›erlebten Landschaft‹ auf, sondern fügen sich ungekünstelt der Bildreihe ein. Gerhardt bleibt auf dem Boden der Vorstellungswelt, nach der man vom Altertum bis ins 18. Jahrhundert Landschaft mit Vorliebe dichtete: »[. . .] vnd soll man auch wissen / das die gantze Poeterey im nachäffen der Natur bestehe / vnd die dinge nicht so sehr beschreibe wie sie sein / als wie sie etwan

sein köndten oder solten« (Opitz, S. 17). Wesentlich ist für ihn nicht die Übereinstimmung der geschilderten Natur mit der Realität, sondern ihre Zeichenfunktion; das Bild des irdischen Gartens soll auf den Schöpfer und auf den himmlischen Garten verweisen. Dazu ist es naturgemäß dienlich, daß die Einzelheiten des Bildes einen eindeutigen begrifflichen Inhalt und einen traditionell feststehenden Gefühlswert besitzen sowie daß sie typisch sind, also nicht den einmaligen Fall, sondern das Gattungsmäßige bezeichnen. Diese Bedingungen erfüllt der herkömmliche Locus amoenus in besonderer Weise.
Jedoch stellt sich hier auch noch eine andere Mitgift ein, die für ein Kirchenlied problematischer sein dürfte. Die Darstellung der Natur als Locus amoenus bewegt sich im Rahmen der platonisch-aristotelischen Tradition (die freilich vielfältig mit christlichen Elementen durchsetzt ist). Das kann bedeuten, daß Zuwendung zur Natur als identisch mit Zuwendung zum alles umfassenden Göttlichen gesehen wird, daß das Schöne in der Welt als die Stimme gilt, mit der die Welt die Gottheit preist, und daß der Mensch, der diese Stimme vernimmt, dann angemessen reagiert, wenn er seinerseits in den Preis des Göttlichen einstimmt; und schließlich kann es bedeuten, daß die sinnliche Wahrnehmung als Vorstufe zur eigentlichen Erkenntnis gesehen wird, die sich in der Theoria, dem begrifflich-vernünftigen Erfassen, vollzieht (Ritter, S. 144 ff.). Es steht außer Frage, daß diese Mitgift dem Dichter im *Sommer-Gesang* nicht ungelegen sein konnte, da sie zum großen Teil mit seinen Intentionen übereinstimmt; es steht weiter fest, daß das 17. Jahrhundert hinsichtlich der Mischung idealistischer und christlicher Vorstellungen weniger empfindlich war als andere Zeiten. Wieweit sich der Dichter dennoch von dem weltanschaulichen Hintergrund dieser Tradition abhebt, wird die theologische Begründung und Deutung des Naturbildes zeigen.
Die reihend-kreisende Aufzählung der Details endet in Strophe 7. Das Naturbild wird abgeschlossen mit der Nennung der Menschen, die sich über das Wachsen des Weizens

freuen, es als Exemplum der überaus reichen Gaben Gottes erkennen (»überflüßig«: im Überfluß), den Geber dankbar preisen und damit das bewußt tun, was die Kreatur unbewußt durch ihr Dasein tut. War es in Strophe 1 die Schönheit der Natur, die den Menschen auf Gott verwies, so ist es hier ihr Nutzen. Die Nennung Gottes, die in dem langen, die ganze Strophe umspannenden Satzgefüge die Verse 40–42 einnimmt, erfolgt in Form einer Antonomasie: anstelle des Namens erscheint eine Paraphrase in zwei Attributsätzen zu einem Pronomen (»Deß / der so überflüßig labt' | Und mit so manchem Gut begabt | Das Menschliche Gemüthe«). Auch hier kann wieder das formelhaft gewordene Bestreben mitspielen, den Namen Gottes zu vermeiden, zumal er ziemlich häufig genannt werden müßte; wichtiger ist jedoch, daß diejenigen Attribute Gottes angeführt werden, die für den Sachzusammenhang funktionale Bedeutung haben. Was in den Versen 40–42 ausgesprochen wird, sind die Erkenntnisse, die den Menschen beim Anschauen der Natur aufgehen (sollen). Der Zweck der Schöpfung ist für Gerhardt die Manifestation Gottes. Und zwar führt an dieser Stelle der gedankliche Weg von der Naturbetrachtung zum Lob des Schöpfers, während er in Strophe 1 von der Kenntnis Gottes als des Schöpfers zur bestätigenden Betrachtung der Natur führte; das Ganze ist ein hermeneutischer Zirkel.

3. In Strophe 8 wechselt wieder die Perspektive, der Sprecher kehrt zur Ich-Aussage zurück. Er bezieht sich selbst in die Gruppe von Menschen ein, die in Strophe 7 gezeigt wurde. Das Mitsingen wird als selbstverständliche Reaktion dargestellt: wer das Leben der Natur, ihre Schönheit und ihren Nutzen geschaut hat, muß ihren und seinen Schöpfer preisen. Das doppelte Prädikat »kan und mag« zeigt, daß das Verhalten sowohl äußerer Notwendigkeit als auch innerer Zustimmung entspringt. Die achte Strophe weist auf die erste zurück und gibt die erste Antwort auf die dort ausgesprochene Aufforderung. Damit hat das Naturbild in den Strophen 2–7 einen Rahmen bekommen, der zugleich eine

Deutung enthält. Die Einzelheiten der Natur wurden dort nur beschrieben, aber nicht interpretiert, woraus gefolgert werden muß, daß sich für den Dichter aus der Betrachtung der Natur allein noch kein Sinn erschließt. Deren Sinn, die ›Idee‹ der Bildreihe, wird für ihn jedoch einleuchtend, wenn er sie mit der Vorgabe anschaut, daß sie Schöpfung für ihn ist (Str. 1); diese Vorgabe wird im Anschauen bestätigt (Str. 8); auf die Wahrnehmung der Taten Gottes (›notitia‹) antwortet der Mensch mit Zustimmung (›assensus‹). Damit wird zugleich seine Existenz erweitert: »Des grossen Gottes grosses Thun | Erweckt mir alle Sinnen«; der in Strophe 1 angestrebte Affectus cordis hat stattgefunden.

Der Rahmen von Strophe 1 und 8 macht deutlich, daß dem Text keine pantheisierende Naturauffassung und keine wie auch immer geartete Lehre von einer natürlichen Gotteserkenntnis, sondern eine Offenbarungstheologie zugrunde liegt. Jene den Sinn erschließende Vorgabe ist der Bibel zu entnehmen, die – in den Termini der altlutherischen Dogmatik – als Verbum dei (›Wort Gottes‹) die Divina revelatio (›göttliche Offenbarung‹) und damit das Principium cognoscendi (›Erkenntnisprinzip‹) enthält; noch nicht Cognitio dei naturalis (›natürliche Gotteserkenntnis‹), sondern Cognitio dei supernaturalis seu revelata (›übernatürliche oder geoffenbarte Gotteserkenntnis‹) ermöglicht die Aussagen des Gedichts. Die entsprechenden Lehrstücke in den Dogmatiken der Zeit (Schmid, §§ 15–20 u. a.) bestätigen dies nachdrücklich. Es kann und braucht hier nicht näher auf die differenzierten, dem heutigen Verständnis aber weitgehend entrückten Erörterungen und Distinktionen der Theologen des 17. Jahrhunderts zu diesem Thema eingegangen zu werden; ein Ausspruch Luthers kann die Position, die der strenggläubige Lutheraner Gerhardt vertritt, zusammenfassend deutlich machen:

»Wir«, sprach D. Martinus, »sind jtzt [d. h. nach Christus] in der Morgenröthe des künftigen Lebens, denn wir fahen an wiederum zu erlangen das Erkenntniß der Creaturen, die wir verloren haben durch Adams Fall. Itzt sehen wir die Creaturen gar recht an, [...] beginnen von Gottes Gnaden seine herrlichen Werk und Wunder auch aus den Blümlin zu erkennen, wenn wir bedenken, wie allmächtig und gütig Gott sey; darum loben und preisen wir ihn, und danken ihm. [...]« (S. 574, Nr. 1160.)

Damit ist auch der Unterschied zur platonisch-aristotelischen Mitgift der Traditionsstücke, die Gerhardt in seinem Gedicht verwendet, ausgedrückt.
4. Nach Strophe 8 liegt ein deutlicher Einschnitt. In dem folgenden Teil (Str. 9–12) wird auf der Grundlage der in den Strophen 7 und 8 dargestellten Einsichten ein zweiter Vorstellungskreis entfaltet: Die Natur verweist auf das Jenseits, der irdische Garten ist ein Abbild des himmlischen Gartens; irdische Schönheit und irdisches Wohlergehen, als Gaben Gottes erkannt, lassen himmlische Schönheit und himmlisches Wohlergehen ahnen.
In Vers 49 beginnt die Anrede an Gott, die bis zum Schluß beibehalten wird. Der Einleitungssatz »Ach denck ich ...« läßt den meditativen Charakter der folgenden Ausführungen erkennen; gemeint ist mit ›denken‹ hier ein inneres Sprechen, das sich im Bereich des Erwägens und der Hoffnung bewegt. Dies zeigen die davon abhängigen gereihten Objektsätze in den Versen 52–60; in ihnen ist stets das Prädikat mit einem Modal- oder Hilfsverb gebildet (»wil«, »wird«, »muß«) und jeweils die Modalpartikel »wol« beigefügt, wodurch der Gewißheitsgrad der Aussage eingeschränkt wird und die Sätze trotz formalen Indikativs in konjunktivisch-optativische Modalität rücken. Rhetorisch ist hier das Überbietungsschema, gedanklich ein (konjunktivisch abgeschwächter) Analogieschluß auf das Verhältnis Diesseits-Jenseits angewandt. Daß die Erde dabei als »arm« bezeichnet wird, überrascht zunächst. Innerhalb des *Sommer-Gesangs* gibt es nichts, was dieses Attribut rechtfertigt, man müßte vielmehr das Gegenteil erwarten. Im größeren Kontext der Dichtungen Gerhardts jedoch hat die Bezeichnung nichts Überraschendes. In ihr bricht eine Einsicht

durch, die zu den Grundaussagen des Dichters (und sicher auch zu seinen persönlichen Grunderfahrungen) gehört, nämlich, daß Schönheit, Freude und Ordnung immer vor dem Hintergrund von Grauen, Leid und Chaos stehen:

Die Welt, die deucht uns schön und groß
Und was für Gut und Gaben
Sie trägt in ihrem Arm und Schoß,
Das will ein jeder haben:
  Und ist doch alles lauter Nichts;
Eh als mans recht genießt, zerbrichts
Und geht im Hui zugrunde.
(Cranach-Sichart, S. 329.)

Von der »armen« Erde wendet sich der Sprecher fragend dem »reichen« Himmelszelt zu, von der Lust des irdischen Gartens zur »hohen Lust« des Gartens Christi (›Lust‹, ein Wort botanischer Herkunft, bezeichnet ursprünglich das sprießende grüne Laub und wird hier in einem dem Ursprung nahen Sinn gebraucht); vom irdischen Gesang (Str. 7 f.) wendet er sich zum himmlischen Gesang. Die Antworten werden durch Überbietung und Analogie nahegelegt: wenn die Menschen hier bereits so »lieblich« (›liebevoll‹) behandelt werden, werden sie es dort in noch höherem Maße; wenn der Garten hier schon so schön ist, muß er dort noch viel schöner sein. Die einzige direkte Antwort bezieht sich auf den Gesang der Seraphim (57–60), sie hat biblische Grundlagen (etwa Jes. 6,2 f. und Offb. 7,11 ff.). Bemerkenswert ist, mit welcher Zurückhaltung sich der Dichter auf diesem theologisch abschüssigen Gebiet bewegt, wie wenig er ausmalt, welch positives Bild er aber andererseits durch Anspielung sowie durch Alliteration und Vokalwechsel rein atmosphärisch erzeugt.

An solch hochgespannte Erwartung schließt sich folgerichtig der Ausdruck des Jenseitsverlangens an: »O wär ich da!« (61). Dies ist die einzige stärker affektive Aussage in dem sonst so wohltemperierten Text. Der Wunsch des Sprechers geht dahin, in den himmlischen Chor aufgenommen zu werden, der vor Gottes Thron singt. Hier liegt die mystische Vorstellung zugrunde, daß das Lob Gottes die einzige Aufgabe der Erlösten ist. Sie kann Gerhardt in der zeitgenössischen Erbauungsliteratur, etwa in Johann Arndts *Paradiesgärtlein* (III,10), begegnet sein. Aus diesem Umkreis werden gleichfalls die Metaphern von der Schönheit Gottes (49) und der Süße Gottes (62) stammen, die nur spärliche biblische Wurzeln haben, aber bei Kirchenvätern und Mystikern ausgedehnte Bildfelder entwickelten. Auch sie treten bei Arndt auf (*Sechs Bücher vom wahren Christentum* II,30; V,2,14).

Strophe 12 schließt diesen Teil ab. Nach seinem gedanklichen Höhenflug kehrt der Sprecher auf die Erde zurück, er nimmt die Aussagen von Strophe 8 wieder auf und erweitert sie. Im Vertrauen auf die künftigen himmlischen Freuden will er die gegenwärtige irdische Mühsal tragen und Gott loben und anbeten. Gleichzeitig weist er damit auf die erste Strophe zurück. Dort wurde die Aufforderung zur Wahrnehmung der Taten Gottes (›notitia‹) ausgesprochen; in der achten Strophe erfolgte die Zustimmung zu Gott und seiner Welt (›assensus‹); hier in der zwölften kommt das Vertrauen auf Gott als den Erhalter und Erlöser (›fiducia‹) zum Ausdruck. Notitia, Assensus und Fiducia sind nach altprotestantischer Lehre die drei Bestandteile des christlichen Glaubens (Schmid, §41); ihr Erscheinen im *Sommer-Gesang* zeigt an, daß das Thema auch dieses Liedes (wie der meisten Lieder Gerhardts) die christliche Existenz schlechthin und nicht irgendein Teilaspekt ist, daß es dem Dichter nicht um ein Naturbild, sondern um Glauben angesichts der Natur geht. Nicht zufällig sind die drei genannten Strophen auch diejenigen, in denen das Wort »Hertz« (als logisches Subjekt) erscheint. »Hertz« ist das Leitmotiv des Gedichts; es macht deutlich, daß dessen Aussage nicht theoretisch (im Sinne der philosophischen Theoria), sondern »tam intellectualis quam affectiva« (im Sinne Luthers) gemeint ist, also den Menschen mit rationalen und emotiven Schichten erfassen will. Die achte und zwölfte Strophe geben jeweils, nach einem meditativen Komplex, eine direkte Antwort auf die Aufforderung an das Hertz in der ersten; sie markieren Abschnitte und verklammern den Text.

5. An das Versprechen, Gott weiterhin zu loben (70–72) schließt sich ein Gebet, das die letzten drei Strophen umfaßt. Jede der Strophen enthält zwei Bitten, zunächst eine in jeder Halbstrophe, in der fünfzehnten jedoch beide in der ersten Hälfte, während die zweite mit dem Gelöbnis, Gott im Diesseits wie im Jenseits dienen zu wollen, das Gedicht abschließt. Die Bitten sind parallel gebaut; die Reihung der Imperative am Versbeginn korrespondiert mit der der Partikeln im zweiten Teil und der der Subjekte im ersten Teil des Gedichts. Die Aussageweise ist allegorisch. In jeder Bitte werden Einzelheiten des Naturbildes des ersten Teils gleichnishaft auf den Menschen übertragen, wodurch wieder eine Verklammerung und Abrundung des Textes erzielt wird. Leitbilder der Allegorie sind der Baum und die Blume, sie gehen teilweise ineinander über. Unter diesen Bildern möchte sich der Sprecher im Garten Gottes wurzeln (»bekleiben«), blühen, grünen und Früchte tragen sehen. Der Dichter greift hier mehrfach auf die Bibel zurück und übernimmt die dort vorgeprägten Gleichnisbilder (Ps. 1,3; 92,13–16; Matth. 7,17; Luk. 8,13). Der Abschnitt ist als Peroratio gestaltet: in eindringlicher Rede und vielfacher Variation bittet der Sprecher darum, daß er so wird, wie der Mensch nach Gottes Willen sein soll, und macht zugleich deutlich, daß Selbsterkenntnis nur möglich ist, wenn man sich ›vor Gott‹ erkennt.

6. Der *Sommer-Gesang*, der bei flüchtigem Lesen den Eindruck eines locker gereihten Textes macht, erweist sich bei genauerem Hinsehen als streng komponiert. Eine schematische Übersicht, die das bisher Gesagte zusammenfaßt, kann dieses verdeutlichen:

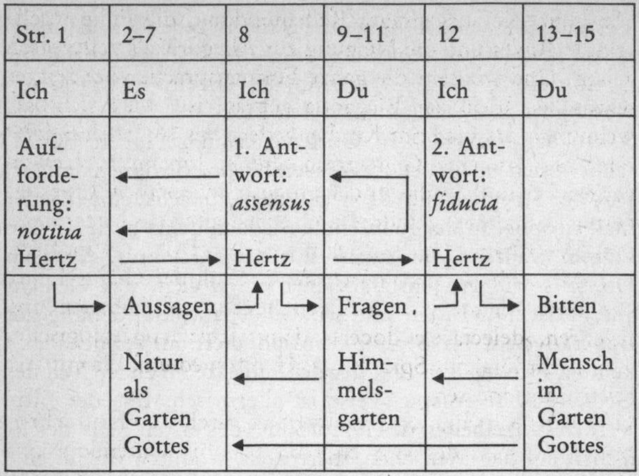

Str. 1	2–7	8	9–11	12	13–15
Ich	Es	Ich	Du	Ich	Du
Auf- forde- rung: *notitia* Hertz	← ← →	1. Ant- wort: *assensus* Hertz	← →	2. Ant- wort: *fiducia* Hertz	
→	Aussagen Natur als Garten Gottes	↑ → ← ←	Fragen Him- mels- garten	↑ → ←	Bitten Mensch im Garten Gottes

Das Gedicht bewegt sich auf zwei Ebenen, einer erzählenden und einer deutenden, zwischen denen dichte lineare und übergreifende Bezüge bestehen. Seine Grundstruktur ist emblematisch. Strophe 1, der geraffte Ausdruck einer allgemeinen Erkenntnis, entspricht der Inscriptio, das Naturbild der Strophen 2–7 der Pictura, die Strophen 8–11 dienen als erste, 12–15 als zweite Subscriptio und erklären den »verborgenen und nachdenklichen Sinn« (Harsdörffer) des Bildes. Das Ganze bewegt sich im fest gezogenen Rahmen von Bibel, humanistischer Tradition und altlutherischer Dogmatik.

Damit bleibt das Gedicht im Kreis der barocken Poetik, wenngleich es sonst von den dominierenden Stilvorstellungen der Zeit weniger berührt scheint. Die gesteigerte Metaphorik fehlt ebenso wie die meisten anderen Stilmittel, die das Bild der Lyrik des 17. Jahrhunderts vorrangig bestimmen, etwa mythologischer Zierat, zugespitzte Pointen, Wechselsatz, Correctio, Klangmalerei. Hingegen können

vor allem die ausgeprägte Reihenbildung, die Fülle wechselnder Bilder und die Neigung zur Allegorie als zeittypisch gelten. Und wie sehr die ganze Formensprache vom zeitgenössischen Ideal der Elegantia geprägt ist, wird sichtbar, wenn man das Lied mit Kirchenliedern des 16. Jahrhunderts oder des um eine Generation älteren Johann Heermann vergleicht: dort rauhe und kantige bzw. rhetorisch gesteigerte, hier glatte, gefällige und gemäßigte Ausdrucksweise und Versform (vgl. Böckmann, S. 414 ff.; Windfuhr, S. 370 ff.). Hierin macht sich der Einfluß der Genus-Lehre der Rhetorik geltend. Das Kirchenlied soll erbauen und belehren, ›delectare et docere‹, damit ist nach poetologischer Vorschrift für seine Sprache das Genus medium, die mittlere Stilart, angemessen.
Gerhardts Stilwille wird maßgeblich durch August Buchner beeinflußt sein, der von 1625 bis 1661 in Wittenberg eine Professur für Poetik innehatte und u. a. Schottel, Schirmer, Klaj und Zesen zu seinen Schülern zählte. Gerhardt war wahrscheinlich von 1628 bis 1642 in Wittenberg. Direkt ist zwar ein Einfluß Buchners auf ihn nicht belegt, doch haben Untersuchungen der Metrik des Dichters ihn als nahezu sicher erwiesen (Hahne). Buchner empfiehlt, in weitgehender Übereinstimmung mit den normativen Forderungen der Poetiken seiner Zeit, den allgemeinen Sprachgebrauch (d. h. den der Gebildeten) und die ›normale‹ Grammatik als Vorbild; seine Stilideale sind Verständlichkeit, Anmut und Wohlklang – Vorstellungen, denen Gerhardts Lied entspricht, in denen es sich aber von vielen Gedichten vieler seiner Zeitgenossen unterscheidet.
Im übrigen macht Gerhardt, wieder in Übereinstimmung mit der Dichtungstheorie seiner Zeit, den ästhetischen Aspekt nicht zum letzten Maßstab für das geistliche Lied, sondern stellt die theologische Aufgabe an die erste Stelle, wie das Widmungsgedicht zeigt, das er einem Liederheft Joachim Paulis (wohl 1665) mit auf den Weg gab:

Unter allen, die da leben,
Hat ein jeder seinen Fleiß
Und weiß dessen Frucht zu geben;
Doch hat der den größten Preis,
Der dem Höchsten Ehre bringt
Und von Gottes Namen singt.

Unter allen, die da singen
Und mit wohlgefaßter Kunst
Ihrem Schöpfer Opfer bringen,
Hat ein jeder seine Gunst;
Doch ist der am besten dran,
Der mit Andacht singen kann.
(Cranach-Sichart, S. 144.)

7. Über Quellen des *Sommer-Gesangs* ist trotz mancher Untersuchungen bisher nichts Sicheres festgestellt.
Einerseits hat man in zwei Liedern des 16. Jahrhunderts unmittelbare Vorlagen Gerhardts gesehen (Aellen, S. 7–14). Hierbei handelt es sich um *Gottlob es ist vorhanden* von Bartholomäus Ringwald (Wackernagel, Bd. 4, S. 1526), 1578 zuerst gedruckt, das den ersten Teil des *Sommer-Gesangs* beeinflußt haben soll, sowie um Johannes Walthers bekanntes Lied *Herzlich tut mich erfreuen* (Wackernagel, Bd. 3, S. 219) aus dem Jahre 1552, das für den zweiten Teil Vorbild gewesen sein soll. Außer thematischen Parallelen, die so allgemein sind, daß sie zu beinahe jedem Lied gezogen werden können, welches den Frühling oder das Jenseits besingt, sind hier keine näheren Beziehungen zu entdecken. Vermutlich wird Gerhardt die beiden Lieder gekannt haben, nichts weist jedoch auf ihre Benutzung als Vorlage hin.
Andererseits hat man den *Sommer-Gesang* für eine ›Eindeutschung‹ des 104. Psalms, diesen für die ›biblische Mitte‹ des Liedes gehalten (Köhler, S. 533 f.). Auch das ist nicht überzeugend. Psalm 104 ist ein kosmogonischer Hymnus, schon damit hat er ein wesentlich anderes Thema als Gerhardts Lied. Auch in Intention, Stilhöhe, Sprecherperspektive und der Rolle des Ichs unterscheiden sich beide Texte

grundlegend. Übereinstimmungen bestehen nur in einer Reihe von sekundären Einzelheiten, die mit der Naturthematik zusammenhängen.
Zum gesicherten Quellenmaterial zählen biblische Einzelstellen. Die wichtigsten wurden bereits genannt (weitere finden sich in der von Köhler zusammengestellten Liste); keine von diesen hat jedoch eine zentrale Rolle als Vorlage oder ›biblische Mitte‹. Nicht ohne Einfluß auf Gerhardts Lied dürfte Johann Rists *Achter Lobgesang* (Fischer/Tümpel, Bd. 2, S. 234; Berger, S. 212 f.) gewesen sein. Weitere Anregungen kann der Dichter aus Johann Arndts *Büchern vom wahren Christentum* geschöpft haben. Hier finden sich mehrere Textstellen mit gleichen Vorstellungskreisen, ähnlicher Sprachhaltung und z. T. auch wörtlichen Anklängen (z. B. II,7,1–3; II,16,4; II,36,2–5). Vor allem kommt das (4.) *Buch der Natur* in Frage. Als Beispiel sei der Schluß des 16. Kapitels angeführt:

> Gebet um Gnade, ein fruchtbarer Liebes-Baum zu seyn.
> Heiliger Erlöser, du bist gesandt, zu schaffen, daß deine Elende würden Bäume der Gerechtigkeit, Pflantzen, den Herrn zu preisen, laß auch mich als einem in dir gepflantzten Zweig, voll Safts stehen, grünen, blühen, und zum Preiß meines Schöpfers in aller Einfalt meines Hertzens unverdroßne, schuldige und angenehme Früchte bringen, Amen.

Die Übereinstimmung mit *Sommer-Gesang* (Str. 12–15) ist so deutlich, daß trotz der gemeinsamen Vorlage (Ps. 92,13–16) an einer engeren Beziehung nicht zu zweifeln ist.
8. Paul Gerhardt hat seine jüngeren Zeitgenossen und die folgenden Dichtergenerationen nachhaltig beeinflußt. Der von ihm angeschlagene natürlich-gedämpfte Ton wird fortan für das geistliche Lied bestimmend. Zwei seiner Lieder mit Naturthematik haben auch direkte Nachfolger gefunden. Das Abendlied *Nun ruhen alle Wälder* regte Matthias Claudius zu seinem Abendlied *Der Mond ist aufgegangen* (1779)

an. Und der *Sommer-Gesang* hat Gerhard Tersteegens Lied *Innige Frühlingsbelustigung* (zwischen 1745 und 1751) mitgeprägt:

Komm, laß uns gehn, mein Freund, hinaus aufs Feld;
Laß uns besehn des Frühlings Pracht und Freude:
Schau da dein Werk! die Erd im neuen Kleide:
Es grünt, es blüht; dir jauchzet alle Welt.

Der Vöglein Schaar singt lustig Tag und Nacht;
Das Bienlein saugt gar emsig bei dem Wetter.
Wie süß bestrahlt die Sonne Blum und Blätter!
Du bist's, mein Licht! der alles fröhlich macht.
(S. 459 f., Str. 1–2.)

In Darstellungen der Literaturgeschichte wie der Geschichte des Kirchenlieds wird der *Sommer-Gesang* meist lobend erwähnt; die Wirkung eines solchen Textes läßt sich jedoch eher an seiner Aufnahme in Gesangbücher und Anthologien ablesen, und da schneidet er weniger gut ab. Im 17. Jahrhundert erscheint er zwar von 1653 ab in allen Auflagen von Crügers *Praxis pietatis melica*, und das sind bis 1736 mehr als 40, auch wird er in der Ebelingschen Gesamtausgabe verbreitet; darüber hinaus findet er aber keinen Eingang in die Gesangbücher. Das hat seinen Grund zuerst in dem festliegenden Kanon von Liedern, die den Perikopen und Predigttexten zugeordnet waren. Neue Kirchenlieder konnten nur außerhalb des liturgischen Gottesdienstes Verwendung finden, neben dem Chorgesang also in Haus und Schule. Ihre Aufnahme in die Gesangbücher wurde dadurch zwar nicht ausgeschlossen, aber auch nicht gerade gefördert. Auch als sich jener Liederkanon lockerte, besserte sich die Lage für den *Sommer-Gesang* nicht grundsätzlich, da das Lied nur schlecht in die üblichen Sparten eines Gesangbuchs paßt und auf Grund seiner Thematik nur beschränkt zu verwenden ist. Erst im späteren 18. Jahrhundert dringt es stärker in die Gesangbücher ein, doch ist ihm ein Platz dort auch im 19. Jahrhundert noch keineswegs sicher; den hat es vielmehr erst seit dem *Deutschen Evangelischen Gesangbuch* von 1916 (wenngleich als ›geistliches Volkslied‹ im Anhang). Von dort geht es in die regionalen Gesangbücher über. Im *Evangelischen Kirchengesangbuch* von 1950 steht es im Stammteil.

Zitierte Literatur: Eugen AELLEN: Quellen und Stil der Lieder Paul Gerhardts. Diss. Basel 1912. – Johann ARNDT: Sechs Bücher vom wahren Christentum [...]. Erfurt 1735. – Kurt BERGER: Barock und Aufklärung im geistlichen Lied. Marburg 1951. – Paul BÖCKMANN: Formgeschichte der deutschen Dichtung. Bd. 1. Hamburg 1949 [u. ö.]. – Ernst Robert CURTIUS: Europäische Literatur und lateinisches Mittelalter. Bern 1948 [u. ö.]. – Das deutsche evangelische Kirchenlied des 17. Jahrhunderts. Hrsg. von Albert F. W. Fischer und Wilhelm Tümpel. 6 Bde. Gütersloh 1904–16. Repr. Hildesheim 1964. [Zit. als: Fischer/Tümpel.] – Das deutsche Kirchenlied von der ältesten Zeit bis zum Anfang des 17. Jahrhunderts. Hrsg. von Philipp Wackernagel. 5 Bde. Leipzig 1864–77. Repr. Hildesheim 1964. [Zit. als: Wackernagel.] – Paul Gerhardts Dichtungen und Schriften. [Siehe Textquelle. Zit. als: Cranach-Sichart.] – F. HAHNE: Paul Gerhardt und August Buchner. In: Euphorion 15 (1908) S. 19 bis 34. – Rudolf KÖHLER: Die biblischen Quellen der Lieder. In: Handbuch zum Evangelischen Kirchengesangbuch. Bd. 1,2. Göttingen 1965. S. 533–535. – D. Martin Luthers Werke. Krit. Gesamtausg. (Weimarer Ausg.). Tischreden. Bd. 1. Weimar 1912. – Martin OPITZ: Buch von der Deutschen Poeterey (1624). Hrsg. von Cornelius Sommer. Stuttgart 1970 [u. ö.]. – Hermann PETRICH: Paul Gerhardt. Ein Beitrag zur Geschichte des deutschen Geistes. Gütersloh 1914. – Joachim RITTER: Landschaft. Zur Funktion des Ästhetischen in der modernen Gesellschaft. In: J. R.: Subjektivität. Sechs Aufsätze. Frankfurt a. M. 1974. S. 141–163. – Wilhelm SCHERER: Geschichte der deutschen Literatur. Berlin 1883. Repr. Berlin 1928. – Heinrich SCHMID: Die Dogmatik der evangelisch lutherischen Kirche, dargestellt und aus den Quellen belegt (1843). Hrsg. von Horst Georg Pöhlmann. Gütersloh 1979. – Gerhard TERSTEEGEN: Geistliches Blumengärtlein inniger Seelen. Frankfurt a. M. / Leipzig ¹²1818. – Manfred WINDFUHR: Die barocke Bildlichkeit und ihre Kritiker. Stuttgart 1966.
Weitere Literatur: Hans Heinrich BORCHERDT: Augustus Buchner und seine Bedeutung für die deutsche Literatur des 17. Jahrhunderts. München 1919. – Joachim DYCK: Ticht-Kunst. Deutsche Barock-Poetik und rhetorische Tradition. Bad Homburg / Berlin / Zürich ²1969. – Gerhard EBELING: Cognitio Dei et hominis. In: G. E.: Lutherstudien. Bd. 1. Tübingen 1971. S. 221–272. – Paul Gerhardt – Dichter, Theologe, Seelsorger. Beiträge der Wittenberger Paul-Gerhardt-Tage 1976. Hrsg. von Heinz Hoffmann. Berlin [Ost] 1978. – Paul Gerhardt. Weg und Wirkung. Hrsg. von Markus Jenny und Edwin Nievergelt. Zürich 1976. – Wilhelm LÜTGERT: Schöpfung und Offenbarung. Gütersloh 1934. – Waldtraut Ingeborg SAUER-GEPPERT: Paul(us) Gerhardt. In: Neue Deutsche Biographie. Bd. 6. Berlin [West] 1964. S. 286–288. – Elfriede STUTZ:

Das Fortleben der mittelhochdeutschen Zwillingsformel im Kirchenlied, besonders bei Paul Gerhardt. In: Festschrift für Walther Bulst. Heidelberg 1960. S. 238–252. – Wolfgang Trillhaas: Paul Gerhardt. In: Die großen Deutschen. Bd. 1. Berlin [West] 1965. S. 533–546. – Fritz Tschirch: Die geschichtlichen Grundlagen der sprachlich-künstlerischen Gestalt des evangelischen Kirchenliedes. In: Handbuch zum Evangelischen Kirchengesangbuch. Bd. 3,1. Göttingen 1970. S. 3–33. – Winfried Zeller: Paul Gerhardt, der Dichter und seine Frömmigkeit. In: W. Z.: Theologie und Frömmigkeit. Hrsg. von Bernhard Jaspert. Marburg 1978. S. 122–149. – Joseph Ziegler: Dulcedo Dei. Ein Beitrag zur Theologie der griechischen und lateinischen Bibel. Münster 1937.

Angelus Silesius
(Johannes Scheffler)

Geistreiche Sinn- und Schlußreime

Die Rose

Die Rose / welche hier dein äußres Auge siht /
Die hat von Ewigkeit in GOtt also geblüht.* (I,108)

* idealiter

Es ist noch alls in GOtt

Ists / daß die Creatur auß GOtt ist außgeflossen:
Wie hält Er sie dannoch in seiner Schoß beschlossen? (I,107)

Die Geschöpffe

Weil die Geschöpffe gar in GOttes Wort bestehn:
Wie können sie dann je zerwerden und vergehn? (I,109)

Ohne warumb

Die Ros' ist ohn warumb / sie blühet weil sie blühet /
Sie achtt nicht jhrer selbst / fragt nicht ob man sie sihet.
(I,289)

GOtt kennt man am Geschöpffe

GOtt der verborgne GOtt wird kundbahr und gemein /
Durch seine Creaturn / die sein' entwerfffung seyn. (II,48)

Von den Rosen

Die Rosen seh ich gern: denn sie sind weiß und roth /
Und voller Dornen / wie mein Blutt-Bräutgam mein GOtt.
(III,84)

Auch untern Dornen blühen

Christ / so du Unverwelkt in Leyden Creutz und Pein /
Wie eine Rose blühst / wie seelig wirstu seyn! (III,86)

Dich aufftbun wie die Rose

Dein Hertz empfähet GOtt mit alle seinem Gutt /
Wann es sich gegen jhm wie eine Ros' aufthut. (III,87)

Es muß Gecreutzigt seyn

Freund wer in jener Welt wil lauter Rosen brechen /
Den müssen vor allhier die Dornen gnugsam stechen.
(III,88)

Die Schönheit

Die Schönheit lieb' ich sehr: doch nenn ich sie kaum schön /
Im fall' ich sie nicht stätts seh' untern Dornen stehn. (III,89)

Jetzt mustu blühen

Blüh auf gefrorner Christ / der Mäy ist für der Thür:
Du bleibest ewig Todt blühstu nicht jetzt und hier. (III,90)

Die geheimbe Rose

Die Ros' ist meine Seel / der Dorn deß Fleischeslust /
Der Frühling Gottes gunst / sein Zorn ist Kält und Frost:
Jhr blühn ist guttes thun / den Dorn jhr Fleisch nicht achten/
Mit Tugenden sich ziehrn / und nach dem Himmel trachten:
Nimmt sie die Zeit wol wahr / und blüht weils Frühling ist /
So wird sie ewiglich für GOttes Ros' erkiest. (III,91)

Roth und Weiß

Roth von deß HErren Blut wie Sammet Röselein /
Durch Unschuld weiß wie Schnee sol deine Seele seyn.
(IV,44)

Die Dornene Kron

Die Dornen die das Haupt deß Herrn zerstechen gantz /
Sind meines Haubtes Kron und ewger Rosenkrantz:
Was auß den Wunden fleust ist meiner Wunden heil:
Wie wol wird mir sein Spott / und seine Pein zutheil! (IV,51)

Abdruck nach: Angelus Silesius: Der Cherubinische Wandersmann. Hrsg. von Louise Gnädinger, Stuttgart: Reclam. [In Vorbereitung.]
Erstdruck: Johannis Angeli Silesii Geistreiche Sinn- und Schlußreime. Wien: Kürner, 1657.
Weitere wichtige Drucke: Johannis Angeli Silesij Cherubinischer Wandersmann oder Geist-Reiche Sinn- und Schluß-Reime zur Göttlichen beschauligkeit anleitende. Glatz: Schubarth, 1675. – Angelus Silesius: Sämtliche poetische Werke nebst Urkunden, Dokumenten und Abbildungen, mit einer Geschichte seines Lebens und seiner Werke. Hrsg. von Hans Ludwig Held. 3 Bde. München: Hanser, ^{3}1949–52. – Angelus Silesius: Cherubinischer Wandersmann (Geistreiche Sinn- und Schlussreime). Abdr. der 1. Ausg. von 1657. Mit Hinzufüg. des 6. Buches nach der 2. Ausg. von 1675. Hrsg. von Georg Ellinger. Halle a. S.: Niemeyer, 1895. (Neudrucke deutscher Literaturwerke. 135–138.)

Louise Gnädinger

Die Rosen-Sprüche des *Cherubinischen Wandersmann* als Beispiel für Johannes Schefflers geistliche Epigrammatik

Johannes Scheffler mit dem programmatischen Dichternamen Angelus Silesius – schlesischer (Himmels-)Bote, elysischer Künder (SYLESIUS ergibt anagrammatisch ELYSIUS) – arbeitete, mindestens teilweise, gleichzeitig an scheinbar ganz verschieden gearteten Dichtungen: an den »Der Ewigen Weißheit GOtte« zugeschriebenen *Geistreichen Sinn- und Schlußreimen* und an der »JESU Christo Dem Liebwürdigsten unter allen Menschen-Kindern« gewidmeten *Heiligen Seelen-Lust Oder Geistliche Hirten-Lieder*. Beide Werke erschienen erstmals 1657, beide wurden erweitert, sonst aber praktisch unverändert, 1668 und 1676 vom Autor nochmals herausgegeben. Die *Geistreichen Sinn- und Schlußreime* erhielten in der Zweitauflage den Haupttitel *Cherubinischer Wandersmann*. Er war im Titelkupfer der Erstausgabe bereits angelegt und vermutlich von ihm suggeriert. Denn da umgeben die auf Adlersflügeln zur göttlichen Sonne aufsteigende Seele vier emblematische Bilder, die sich auf das Buch der Sinnsprüche beziehen. Neben einem Kompaß und Leitstern steht: »Es zeigt den rechten weg«; neben einer Kerze, die von einer anderen angezündet wird, der Satz: »Es zündt andre an«; bei einer weiblichen Figur, die das Glockenseil zieht: »Es wekket auf vom Schlaffe«; bei einer gleichen Figur, die das eucharistische Brot vor einem Bienenstock in die Höhe hält: »Es speist vnd schmekt süsse«. Diese Embleme auf dem Titelbild geben sicher Schefflers eigene Interpretation des an die Barockpoesie

---

J. Angeli Silesii Geistreiche Sinn- und Schlussreime. Wien 1657. Titelkupfer

Johannis
Angeli Siles
Geistreiche Si
vnd Schlußr
me.

allgemein gestellten Anspruchs von Prodesse et delectare wieder; sie zeigen speziell die einem Wanderer und Pilger auf dem Weg zur Anschauung Gottes nötigen Requisiten zum Ansporn und zum Unterhalt, weshalb nun *Cherubinischer Wandersmann* die endgültige Überschrift wird. Beide poetischen Werke Schefflers – er ist Doctor philosophiae et medicinae – gehen in ihren Anfängen auf die Jahre der Freundschaft mit Abraham von Franckenberg (gest. 1652) und die nachfolgende Zeit der eigenen Konversion zum katholischen Glauben zurück. Dem frommen intimen Freundeskreis um Franckenberg, einer starren lutherischen Orthodoxie abhold, und der Entwicklung zum öffentlichen Bekenntnis in der weiten katholisch-kirchlichen, gegenreformatorisch sich erneuernden Gemeinschaft sind die *Geistreichen Sinn- und Schlußreime* wie die *Heilige Seelen-Lust* zu verdanken.

Während die *Heilige Seelen-Lust Oder Geistliche Hirten-Lieder Der in jhren* JESUM *verliebten Psyche* von Johannes Angelus Silesius »gesungen«, mit den Melodien des Herrn Georgius Josephus »geziert« erscheint und so »Allen liebhabenden Seelen zur Ergetzligkeit« gereicht, sind die Sinn- und Schlußreime des *Cherubinischen Wandersmanns* »zur Göttlichen beschauligkeit anleitende«. Scheffler sendet den »Seraphinischen begiehrer« in der *Heiligen Seelen-Lust* und den Cherubinischen Wandersmann in den *Sinn- und Schlußreimen* seinem Leser «zu einem gefehrten an« (*Cherubinischer Wandersmann, Erinnerungs Vorrede*, S. 5), um den Affekt der Gottesliebe zu entzünden und die »Augen deiner Seele« zur Kontemplation Gottes zu erheben. Auf dem mystischen Weg geht das eine nicht ohne das andere. Während der *Cherubinische Wandersmann* in der stark intellektuell zugespitzten, in der von Antithetik und Paradox bestimmten Form des barocken Epigramms die diskursive Denkkraft und den nach Begrifflichkeit hungernden Verstand beschäftigt, ihn so zu den Einsichten der mystischen Theologie führend, bindet die *Heilige Seelen-Lust* die Gefühlskräfte auf dasselbe Ziel hin. In seraphischer und cherubischer, also engelgleicher Verhaltensweise ist der Mensch, der Leser wie Scheffler (*Angelus* Silesius) selbst, in die Totalität mystischer Erkenntnis eingefordert. Der im *Cherubinischen Wandersmann* und in der *Heiligen Seelen-Lust* doppelt aufgezeigte mystische Weg ist in Wirklichkeit nur ein einziger zwiefacher.

Trotz der sonst in barocker lyrischer Dichtung geübten inneren Distanzhaltung des Autors zu seiner Aussage ist im Falle Schefflers die Sammlung geistlicher Epigramme im *Cherubinischen Wandersmann* wie die Liedersammlung in der *Heiligen Seelen-Lust* in ihrem Ursprung autobiographisch bestimmt. Der eigene geistliche Weg findet darin seine objektiv dichterische Ausformung, indem das persönliche Ich ins Exemplarische erweitert und überstiegen wird. Bereits Johann Theodor von Tschesch, schon vor Scheffler ein Vertrauter Abraham von Franckenbergs, formuliert sein Christus-Erlebnis epigrammatisch in seinen lateinisch abgefaßten *Vitae cum Christo, Sive Epigrammatum Sacrorum, Centuriae XII* (1644), wie auch der Schlesier Andreas Gryphius ins erste Buch seiner *Epigrammata Oder Beyschrifften* (1643) bereits persönlich-biographische Aussagen (LXI. *Uber die Nacht meiner Geburt* u. a.) aufnimmt. Doch verweilt Scheffler in seinen geistlichen Epigrammen nicht nur beispielhaft beim Bedenken des eigenen Lebenslaufes, vielmehr sucht er in seiner cherubinischen wie in seiner seraphischen Dichtung das eigene religiöse Ich derart ins Spiel zu bringen und auch zu transzendieren, daß es zum allgemein verbindlichen Vorbild werden kann.

Sagt der Jesuit Daniel Schwarz in der Leichenrede auf Scheffler von der *Heiligen Seelen-Lust*: »Denn es ist das gantze Buch nichts als ein Köcher, in welchem der Herr Doctor seines Hertzens lebendige Anmuttungen zu der Gottheit und Gottes Menschheit eingesteckt, als feurige Pfeiler aber und abermal auff den Bogen zu legen hinauff gen Himmel« (*Engel-Art*, in: Held, Bd. 1, S. 346), so gleichen die *Geistreichen Sinn- und Schlußreime* nicht weniger den der Affektmystik zur Verfügung stehenden Oratiuncula iaculatoria, deren Form die Suspiria der Seele anzunehmen pflegen. Die epigrammatische Brevitas jedenfalls bringt sie in die Nähe der im Barock so sehr empfohlenen Schußgebete (›oratiuncula iaculatoria‹), in deren Gebetsweise eine ganze Passage der *Erinnerungs Vorrede an den Leser* zum *Cherubinischen Wandersmann* (S. 15 f.) plötzlich übergeht.

Versteht man den *Cherubinischen Wandersmann* und die *Heilige Seelen-Lust* als zwei der literarischen Gattung nach zwar verschiedene, sich jedoch ergänzende poetische Ausformungen des einen, vorerst gleichsam doppelspurig erfaßten mystischen Wegs, verwundert es nicht, daß das Rosen-Thema in beiden Dichtungen in verschiedenen Abwandlungen aufgenommen wird. Mittelpunkt der affektmystischen *Heiligen Seelen-Lust* ist der pastoral kostümierte Gottessohn Jesus Christus; er ist »der huldselige Daphnis, der sorgfältige Corydon, der treue Damon« (*Vorwort*, in: Held, Bd. 1, S. 304). Sein Name ist ein »Name, schön wie Rosen« (*Heilige Seelen-Lust*, I,36,4; jeweils zit. nach Held, Bd. 2). Um die verliebte Psyche von der »schnöden Welt« abzuziehen, zeigt er ihr seiner »Schönheit Rosen« (I,9,2). Sie sollen sie zur Liebe anreizen. Parodistisch zum erotischen Porträtgedicht des Barock verweist Scheffler im Vorwort zur *Heiligen Seelen-Lust* wie in etlichen Liedern auf das unvergleichliche Angesicht des Schäfers Jesus: »Hier blühen die unverwelkliche Rosen und Lilien, seine Wangen« (Held, Bd. 1, S. 304). In solcher Metaphorik erscheint die Rose als die in den geistlichen Sinnbezirk transponierte Venusblume. Sie wirkt auch, innerhalb der mystischen Bienen- und Kußbildlichkeit und in dem das Hohelied imitierenden Brautschaftsverhältnis der Psyche zu ihrem Christus, in der geistlichen Begier nach Christi »Rosenmund« (III,84,5), nach dessen »Mund von Rosen« (III,96,6) – die Lippen sind »zwei Sammetröselein« (I,37,8). Im Erlösungsleiden wird diese Rosenschönheit scheinbar zwar zerstört: »Alle Rosen deiner Wangen | Sind verwelket und vergangen, | Alle Schönheit ist verheert« (II,57,3); »Dein schönes Angesicht, dein roter Rosenmund | Ist Augenblicks dahin, verstellt und ungesund« (V,200,4). Doch nun verkehrt sich die Ästhetik im Sinne des *Mundus symbolicus* (1687; italienische Ausgabe 1653) von Filippo Picinelli, wonach in bezug auf den Gekreuzigten der Grundsatz gilt: »E punge, E piace; Ferit et delectat« (Liber 11, Cap. 18: *Rosa*, S. 669a/201); im Munde der Schefflerschen verliebten Psyche: »Dein ganz verblichner Rosenmund | Hat mir schon Leib und Seel verwundt« (II,58,2). Die vollbrachte Erlösung erscheint sinnbildlich im »Rosenblut« (IV,140,6), in den »Rosenwunden« (II,52 und 46,15), in der »Rosenblume« (V, 174,6), als welche die offene Seitenwunde Christi angesprochen wird. Weiße und rote Rosen sind Gleichnis des durch die Passion gegangenen Bräutigams (III,109,7) – nach Picinelli sind sie die Rosen der Jungfrauschaft und des Martyriums (S. 668/191) –, dem die schäferliche Psyche ihr Herz schenkt: »Fort schenk ichs als eine Rose, | Die dein Atem liebekose | Und ohn Aufhörn in sich zieh« (V,161,6). So verkehrt Scheffler in der *Heiligen Seelen-Lust* die Rose der weltlichen Liebeslyrik, wohl vor dem Hintergrund von Friedrich von Spees *Trutz-Nachtigall*, in die seraphisch betrachtete Rosa mystica. Doch rückt Scheffler die vorwiegend affektive *Heilige Seelen-Lust* unlöslich in die Nähe zum hauptsächlich intellektiven *Cherubinischen Wandersmann*, indem er da wie dort fordert: »Wie Cherubim und Seraphim« (V,184,7), ja eigentlich dreifach engelgleich zu sein:

Des GOttverliebten Wunsch

Drey wünsch' ich mir zu seyn: erleucht wie Cherubim /
Geruhig wie ein Thron / entbrandt wie Seraphim. (III,165)

Schefflers *Geistreiche Sinn- und Schlußreime* tragen alle typischen Merkmale des im Barock beliebten Epigramms. Der größte Anteil der Sinnsprüche verwirklicht als paarweis gereimte alexandrinische (zwölf Silben zählende) Zweizeiler mit variabel gehandhabter Mittelzäsur das Ideal der Brevitas;

er realisiert zudem das im 17. Jahrhundert hochgeschätzte Acumen und die gern gesehene Argutia, worauf ja im Titel bereits hingewiesen wird: geistreich, spitzfindig, brillant-überraschend sind die pointierten Reime zumeist. Eine Form der Kleinlyrik also, die sich für antithetische, paradoxe Aussagen, »widersinnische Reden« (*Erinnerungs Vorrede*, S. 6) ausgezeichnet eignet, geradezu anbietet, wenn auch, oder gerade weil, die Kürze und Pointierung zu schroffen Behauptungen und stark vereinfachten Feststellungen anreizt und verleitet. Die dadurch entstehende scharfe, aber doch nur blitzartig aufscheinende Kontur des Gedankens gehört zu Schefflers cherubinischen Sinnsprüchen besonders. Sie wirken einerseits leicht wie ein blendendes Sprühwerk, andererseits wie kaleidoskopisch gleitende Abrisse und sich verschiebende metaphorische Bilder.
Dennoch soll der Cherubinische Wandersmann, auch in diesem Dichtwerk, auf zwei geistlichen Füßen gehen, damit er nicht hinke:

Mysticus duos fingitur habere Pedes spirituales, qui sunt *Intellectus* & *affectus* amorosus. Quos pariter ambulare necesse est, vt secreta Contemplationis itinera feliciter percurrat. Alioquin *Intellectus* sine amoroso affectu claudus est, nec potest progredi: *Affectus* sine intellectu, caecus est, & viam ignorat, & errat in ea.

(»Der Mystiker nimmt in bildlicher Vorstellung an, er habe zwei geistliche Füße: den begreifenden Verstand und den liebenden Affekt. Es ist notwendig, auf beiden vorwärtszuschreiten, damit man die geheimen Wege der Beschauung glücklich bis ans Ende zu begehen vermag. Denn der Intellekt hinkt ohne den liebenden Affekt und käme nicht rüstig voran; die Liebesneigung ohne den Verstand aber ist blind, sie fände den Weg nicht und müßte sich verirren.«

(Harphius, Liber 3, Cap. 9, S. 2; zit. in: *Maximiliani Sandaei Pro Theologia Mystica Clavis*, S. 302 b: *Pes.*)

Will der *Cherubinische Wandersmann* gewiß und vor allem die diskursive Denkkraft beschäftigen und unterhalten, so nehmen dessen epigrammatische Sinnsprüche dennoch in einer den Verstand überschreitenden Erfahrung Schefflers ihren Anfang, so daß ihm die 302 Sprüche des ersten Buches »meisten theils ohne Vorbedacht und mühsames Nachsinnen in kurtzer Zeit von dem Ursprung alles gutten einig und allein gegeben worden auffzusetzen; also daß er auch daß erste Buch in vier Tagen verfertiget hat« (*Erinnerungs Vorrede*, S. 17 f.). Die Rosensprüche treten denn auch, im bildlichen Anklang an die *Heilige Seelen-Lust*, als ›geistlicher Fuß des liebenden Affektes‹ innerhalb der spekulativ bestimmten Sinnsprüche auf.

In dem von Jesus-Frömmigkeit durchdrungenen Buch III der Schlußreime bilden die Rosensprüche eine assoziativ verbundene Gruppe (III,84–91). Die Rosen-Metaphorik des ersten Epigramms in dieser Reihe, *Von den Rosen*, schließt deutlich bei der aus der *Heiligen Seelen-Lust* vertrauten Brautmystik an. Der in der Rosen-Emblematik geläufige Gegensatz rot/weiß – ein Echo davon findet sich in Spruch IV,44 *Roth und Weiß* – und Rosen/Dornen wird auf den Mensch gewordenen Gott in seiner Passion bezogen: an ihm soll alles lieb werden. Der anschließende Sinnspruch (III,85) bestimmt die metaphorische Bedeutung der Farben Rot und Weiß als Erfüllung eines eigenen spirituellen Herzenswunsches:

Du solt seyn Weiß und Roth

Von Hertzen wünsch ich mir ein Hertze / HErr mein Gott /
In deiner Unschuld weiß / von deinem Blutte roth.

Scheffler wandelt damit die von Picinelli im *Mundus Symbolicus* (S. 668/191) verzeichnete Sinnbeziehung, weiß: Jungfrauschaft, rot: Martyrium, nur leicht ab. Das folgende Epigramm (III,86) setzt die Dornen konventionell mit »Leyden Creutz und Pein« gleich; dabei darf sich die Vanitas der Rose, die Kurzfristigkeit ihrer Blüte, nicht verwirklichen: »Unverwelkt« muß der Christ im Leiden fortgesetzt blühen, um die Seligkeit zu erlangen. Der übertragene Sinn des Blühens der Rose erläutert sich III,87: *Dich aufftthun wie die Rose*, ohne daß das Bild der Rose je verlassen würde; das Blühen steht für die Empfänglichkeit des Menschen für Gott.

Das Epigramm III,88 setzt wiederum Dornen für Leiden, dazu neu die sonst in der weltlichen Liebeslyrik beheimatete Metapher »Rosen brechen« – sie meint dort den erotischen Genuß – parodistisch für die Wonne der Gotteinung. Diesseits und Jenseits stehen sich dabei antithetisch gegenüber, »allhier die Dornen« – »in jener Welt [...] lauter Rosen«. Nochmals, freilich in der verkürzt epigrammatischen Form, schließt III,89 sich der von Gottes Schönheit animierten Brautmystik der *Heiligen Seelen-Lust* an. Die geliebte Schönheit zeigt sich, paradox, mit dem »Blutt-Bräutgam« (III,84) identisch, denn sie ist nur mehr »untern Dornen«, eben in Leiden, zu finden. Ohne die Rose verbaliter zu nennen, steht Spruch III,90 im Kontext ihres Blühens. In bildlich verschlüsselter Rede entsteht ein Korrektiv zu dem in III,88 statuierten Gegensatz hier / dort. »Jetzt und hier« kann Gott empfangen werden, gleich III,87; winterliches Gefrieren und Tod kontrastieren mit frühlingshaftem Blühen, das stets bevorsteht. III,91 endlich gibt eine allegorische Ausdeutung aller Elemente der »geheimen Rose«, der Rosa mystica.

Scheffler spricht in der Reihe der Rosen-Epigramme im Namen des eigenen Ich wie, stellvertretend und provokativ, im Namen des angesprochenen Lesers; er gebraucht, dem ursprünglich dialogischen Charakter einer ›Auf-Schrift‹ – etwa der antiken Grabschrift – entsprechend, das intim anredende Du; er typisiert im Aufruf »Christ« und »Freund«.

In Nachahmung der emblematischen Subscriptio steht, innerhalb der Rosen-Metaphorik, Spruch IV,82 solitär:

Die heilige Schrifft

Gleich wie die Spinne saugt auß einer Rose Gifft:
Also wird auch verkehrt vom bösen Gottesschrifft!

Die epigrammatische Brevitas führt hier zu einer Verstümmelung der üblichen emblematischen Devise, die nach Picinellis *Mundus Symbolicus* (S. 665a; Originalpag. fälschlich 666) als ganze lauten müßte: »Uni salus, alteri pernicies«, d. h. die Biene gewinnt aus der Rose Honig, die Spinne oder der Käfer dagegen Gift. Nur die schlechte Hälfte der Subscriptio wird von Scheffler aktualisiert: die Rose ist bildliche Übertragung der Schrift, die Spinne die des bösen Menschen, wohl eigentlich des Ketzers.
Nebst der ursprünglich bukolischen, ins Vokabular der Passionsfrömmigkeit und der Heilsgeschichte übertragenen Rosengruppe gibt es im ersten Buch des *Cherubinischen Wandersmanns* zwei andere Rosen-Sprüche, die in ganz anderem theologisch-mystischen Kontext stehen. Sie verweisen gerade in der Rosen-Metapher in den Bereich der Erkenntnis- und Wesensmystik und der daraus abgeleiteten Askese des Entwerdens und der Gelassenheit menschlicherseits. Die Rose, mit all ihren vielfältigen Konnotationen, wird da, recht eigentlich cherubinisch, in den Dienst einer mystischen Bildlehre und eines in den Sinnsprüchen Schefflers punktuell aufscheinenden Exemplarismus gestellt. Zugleich gehört das Rosen-Epigramm I,108: *Die Rose*, in die Nähe all jener Sinnsprüche, die sich auf die mystische Lehre von den zwei Augen der Seele abstützen. Die in den barocken Epigrammsammlungen oft verwendete erklärende Glosse, hier »idealiter«, gemahnt eindringlich an den in diesem Spruch evozierten Hintergrund der sogenannten mittelalterlichen spekulativen Mystik, wie sie in der Lehre Meister Eckharts ihre wirksamste Ausformung fand. Eckhart zieht die Rose bei, um das Wirken der Denkkraft zu illustrieren:

Disiu kraft bildet in sich diu dinc, diu niht gegenwertic ensint, daz ich diu dinc als wol bekenne, als ob ich sie saehe mit den ougen, und noch baz – ich gedenke wol eine rôsen in dem winter – und mit dirre kraft würket diu sêle in unwesene und volget gote, der in unwesene würket. (I, Predigt 9: *Quasi stella matutina*, S. 151, Z. 8–12.)

Scheffler meint in seinem Rosen-Epigramm, wie Meister Eckhart, daß das Auge des Geistes, das innere Auge, über den Anblick der Rose durch das äußere Auge, bis zu deren Ursprung in Gott vorzudringen vermag, bis zum göttlichen Urbild der Rose. Der Rosenspruch I,108 steht in einem Umkreis von Sinnsprüchen, die das Thema der Deificatio und ganz allgemein das Verhältnis des Schöpfers zum Geschöpf anzielen (vgl. I,103–107,109,110).
Als exemplarisches Urbild in Gott ist die Rose der Sinnfrage enthoben, denn ihr Sein in Gott ist ihr Sinn. Scheffler benutzt in diesem Zusammenhang die traditionsreiche Formel »ohn warumb« (I,289). Das vorangehende Epigramm (I,288) spricht über die »gelassene Schönheit«, über jene mystische Interesselosigkeit, die der göttlichen Selbstgenügsamkeit analog ist. Das Gott ähnlich machende »ohn warumb« fand Scheffler vorgeprägt wiederum bei Meister Eckhart (I, Predigt 5b: *In hoc apparuit*, S. 92, Z. 1–6, u. a.), aber auch bei Beatrijs von Nazareth, Marguerite Porete, Hadewijch von Anvers, Jan van Ruisbroeck, Jacopone da Todi, Katharina von Genua und in der *Theologia Deutsch*. Die Rose ohne Warum ist im *Cherubinischen Wandersmann* transparent auf die Unio mystica (vgl. I,287,288,290–292), auf das Schefflersche Lieblingsthema der Deificatio, zu dessen Legitimation er in der *Erinnerungs Vorrede an den Leser* eine lange Reihe von Zeugen selbst anführt, unter denen sich auch die *Theologia Mystica* (1627) und die *Pro Theologia Mystica Clavis* (1640) des Jesuiten Maximilianus Sandaeus befanden – beide Kompendien aus dem Nachlaß Franckenbergs in den Besitz Schefflers übergegangen.
Seraphisch oder cherubisch verstanden, immer sind Schefflers Rosensprüche im *Cherubinischen Wandersmann* Teil jener mystischen Rätselrede, die sich in der paulinischen Theologie verankert: »Videmus nunc per speculum in aenigmate: tunc autem facie ad faciem« (1. Kor. 13,12: »Jetzt schauen wir ein Spiegel- und Rätselbild: dann aber von Angesicht zu Angesicht«). Solcher Rätselrede in Form des

alexandrinischen Epigramms macht Scheffler sämtliche vor ihm ausgebildeten terminologischen Systeme und Begrifflichkeiten dienstbar. Sie bewirken zur Hauptsache die Multiplicitas seiner geistlichen Epigrammsammlung. Im Überschwang und Blitz der eigenen Erfahrung formt Angelus Silesius alle sprachlichen Anleihen aus der theologisch-mystischen Literatur in die Prägnanz des epigrammatischen Zweizeilers um. Es gelingt ihm so, immer partiell Treffendes auszusagen, ohne paradoxe Formulierungen und gefährliche Widersprüchlichkeiten abmildern oder glätten zu müssen, denn gerade in der sich stets als inadäquat erweisenden Sprache und Dichtungsgattung erreicht er sein Ziel, den unaussprechlichen Gott in seiner Beziehung zum Menschen.

Zitierte Literatur: Angelus Silesius: Sämtliche poetische Werke. [Siehe Textquelle. Zit. als: Held.] – Johannis Angeli Silesij Cherubinischer Wandersmann. [Siehe Textquelle.] – Meister Eckhart: Deutsche Predigten und Traktate. Hrsg. und übers. von Josef Quint. München 1955. – Henricus Harphius: Theologia Mystica [...]. Köln 1538. – Filippo Picinelli: Mundus symbolicus [...]. Köln 1687. / Mondo simbolico [...]. Milano 1653. – Maximiliani Sandaei Pro Theologia Mystica Clavis. Köln 1640.

Weitere Literatur: Horst Althaus: Johann Schefflers »Cherubinischer Wandersmann«: Mystik und Dichtung. Diss. Gießen 1956. – Jean Baruzi: Création religieuse et pensée contemplative. II: Angelus Silesius. Paris 1959. S. 99–239. – M. Hildburgis Gies: Eine lateinische Quelle zum Cherubinischen Wandersmann des Angelus Silesius. Untersuchungen zwischen der mystischen Dichtung Schefflers und der »Clavis pro theologia mystica« des Maximilian Sandäus. Breslau 1929. – Louise Gnädinger: Die spekulative Mystik im Cherubinischen Wandersmann des Johannes Angelus Silesius. In: Studi germanici. N. S. 4 (1966) S. 29–59, 145–190. – Louise Gnädinger: Rosenwunden. Des Angelus Silesius »Die Psyche begehrt ein Bienelein auff den Wunden JEsu zu seyn« (Heilige Seelenlust II.52). In: Deutsche Barocklyrik. Gedichtinterpretationen von Spee bis Haller. Hrsg. von Martin Bircher und Alois M. Haas, Bern/München 1973. S. 97–133. – Bernard Gorceix: Flambée et Agonie. Mystiques du XVIIe siècle allemand. Sisteron 1977. S. 233–275. – Alois M. Haas: Angelus Silesius – Die Welt, ein wunderschönes Nichts. In: Sermo mysticus. Studien zu Theologie und Sprache der Deutschen Mystik. Freiburg i. Ue. 1979. S. 378–391. – Hermann Kunisch: Angelus Silesius, 1624–1677. In: H. K.: Kleine Schriften. Berlin [West] 1968. S. 165–175. – Elisabeth Meier-Lefhalm: Das Verhältnis von mystischer Innerlichkeit und rhetorischer Darstellung bei Angelus Silesius. Diss. Heidelberg 1958. – Jean Orcibal: Les sources étrangères du »Cherubinischer Wandersmann« (1657) d'après la bibliothèque d'Angelus Silesius. In: Revue de littérature comparée 18 (1938) S. 494–506. – Henri PLARD: La mystique d'Angelus Silesius. Paris 1943. – Benno von WIESE: Die Antithetik in den Alexandrinern des Angelus Silesius. In: Euphorion 29 (1928) S. 503–522. Wiederabdr. in: Deutsche Barockforschung. Dokumentation einer Epoche. Hrsg. von Richard Alewyn. Köln 1966. S. 260–284.

Catharina Regina von Greiffenberg

Auf die unverhinderliche Art der Edlen Dicht-Kunst

Trutz / daß man mir verwehr / des Himmels milde Gaben /
den unsichtbaren Strahl / die schallend' Heimligkeit /
das Englisch Menschenwerk; das in und nach der Zeit /
wann alles aus wird seyn / allein bestand wird haben /
das mit der Ewigkeit / wird in die wette traben /
die Geistreich wunder-Lust / der Dunkelung befreyt;
die Sonn in Mitternacht / die Strahlen von sich streut /
die man / Welt-unverwehrt / in allem Stand kan haben.
Diß einig' ist mir frey / da ich sonst schier Leibeigen /
aus übermachter Macht des Vngelücks / muß seyn.
Es will auch hier mein Geist / in dieser Freyheit zeigen /
was ich beginnen wurd / im fall ich mein allein:
daß ich / O Gott / dein' Ehr vor alles würd' erheben.
Gieb Freyheit mir / so will ich Ewigs Lob dir geben.

Abdruck nach: Catharina Regina von Greiffenberg: Geistliche Sonnette / Lieder und Gedichte. Nürnberg: Endter, 1662. S. 88. [Erstdruck.] Repr. Darmstadt: Wissenschaftliche Buchgesellschaft, 1967.

Ferdinand van Ingen

Poetik und »Deoglori«. *Auf die unverhinderliche Art der Edlen Dicht-Kunst* von Catharina Regina von Greiffenberg

Die Dichtungen der Greiffenberg gehören zu den relativ wenigen lyrischen Erzeugnissen aus dem 17. Jahrhundert, die moderne Leser noch unmittelbar anzusprechen vermögen. Sicher, auch sie bedient sich der gedanklichen und formalen Konventionen ihrer Zeit, und ihr Sprachstil ist unverkennbar der des Barock-Jahrhunderts, dessen Eigenheiten, eine glanzvolle Metaphorik, eine ›klingende‹ Sprache und ausdrucksstarke Wortzusammensetzungen, ihr vertraut waren. Dennoch wirken ihre Gedichte im ganzen unkonventionell. Das Charakteristische erhalten sie durch eine spezifische Färbung, eine auffällige Wendung, durch auf individuelle Erfahrung verweisende Bezüge.

Die Greiffenberg, am 7. September 1633 auf Schloß Seisenegg in Niederösterreich geboren, gehörte dem ständischen österreichischen Adel an, der, lutherischen Glaubens, von der Gegenreformation stark bedrängt wurde. Als noch die Drohung der Türkengefahr hinzukam, verließen immer mehr protestantische Familien das Land und siedelten sich im Reich an, vor allem in Regensburg und Nürnberg. Auch Catharina fand in Nürnberg einen Zufluchtsort (zuerst 1663, endgültig ab 1680), wo sie, von Gleichgesinnten umgeben, in Ruhe arbeiten konnte. Sie ist dort am Ostersonntag 1694 gestorben. – Unter den Freunden nimmt Sigmund von Birken, seit 1662 Präses des »Pegnesischen Blumen-Ordens«, die erste Stelle ein. Mit ihm stand Catharina jahrelang im Briefwechsel, er war ihr engster Vertrauter, er teilte ihre innige Religiosität, geprägt von einem mystischen Erlebnis in der Jugend (das »Deoglori licht«). Birken war auch in literarischen Dingen ihr Ratgeber; er verfaßte die *Vor-Ansprache* zum Gedichtband von 1662. Mit Bezug auf die Greiffenbergschen Gedichte heißt es darin:

Die rechte und echte Dichtkunst / bestehet / in nutzbarem Kerninnhalt / und in ungemeinem belustbaren Wortpracht. Solche Gedanken und solche Worte / führt allhier unsre Teutsche Uranie / deren zart-schöne Hände auf der himmlischen Dichter-harffe nur lauter-unvergleichlich zu spielen wissen. [...] Diß thut unsre Himmelklingende Uranie: Sie brennet von Göttlicher Lobbegierde / und von Verlangen nach Tugend und Weißheit; Sie flammet in himmlischer Liebesglut gegen ihrem ewigen Seelen-Liebhaber / deme zu Ehren sie allhier / nicht Worte / sondern lauter Geistes-funken ausseuffzet.

Das Sonett *Auf die unverhinderliche Art der Edlen Dicht-Kunst* hat mit dem Motiv von der die Zeit überdauernden Kunst (1–5) an einer breiten Tradition teil, die in der Antike wurzelt (Senecas berühmte Formel »ars longa, vita brevis«). Im neuzeitlichen europäischen Humanismus wurde der Gedanke zu einem gewichtigen Argument in den Legitimierungsversuchen der Dichtkunst. Für die Entwicklung in Deutschland ist von Bedeutung, daß Martin Opitz, den Gottsched den »Vater der deutschen Dichtkunst« nannte (*Gedächtnisrede*, 1739), in seiner repräsentativen Sammlung *Acht Bücher Deutscher Poematum* (1625) das Thema aufgriff. In der Elegie *Gedancken bey Nacht / als er nicht schlaffen kundte* (Opitz, *Gesammelte Werke*, S. 625) ist »ein kluger Geist / gelehrt vnd wol erfahren« der Garant für das Weiterleben des Werkes nach dem Tod des Dichters: »Vnd wer' er zehn mal todt / so soll er dennoch leben.« In einem anderen Gedicht dagegen ist es die Liebesdichtung, die den ewigen Ruhm verbürgt; das Überlisten der Vanitas gibt dem Dichter Anlaß zu der stolzen Feststellung: »Daß die Poeterey vnsterblich sey« (Opitz, *Gesammelte Werke*, S. 645). Letzteres Gedicht weist in den Eingangsversen die typische Trutzgebärde auf, mit der die »Neider« zurechtgewiesen werden:

Was wirffstu / schnoder Neid / mir für die Lust zu schreiben
Von Venus / vnd mit jhr die Jugend zu vertreiben?
  Ich achte deiner nicht / du liebest Eitelkeit:
  Mein Lob vnd Name wird erklingen weit vnd breit.

Die Frage, ob tatsächliche Gegner der Dichtkunst bzw. der Liebesdichtung gemeint sind, ist gegenstandslos. Handelt es sich in dieser allgemeinen Form doch um eine Wendung, die als rhetorischer »locus communis« bereits bei Opitz im heutigen Sinn Gemeinplatz-Charakter angenommen hat. Das wird um so deutlicher, wenn man noch Philipp von Zesens Behandlung des gleichen Motivs heranzieht: *Sieges-lied der himmelsflammenden Deutschen Dichtmeister; daß sie oben / ihre Neider aber unten / schweben* (1642, zit. in der Fassung von 1670: *Gedichte des Barock*. S. 136 ff.). In fünf Strophen wird mit Hilfe von bekannten emblematischen Bildern (beschwerte Palme, Adler, Quelle) die »hochfliegende« Dichtkunst von den der schmutzigen Erde zugewandten Feinden der Poesie abgehoben, bis die Schlußstrophe die gedankliche Aufgipfelung (›peroratio‹) und damit den ›Beweis‹ der im Titel enthaltenen ›propositio‹ (Themenstellung) bringt:

Wo die güldne saat der sterne
sich bewegt / und stille steht;
wo der sonnen licht aufgeht /
und der mohn uns scheint von ferne:
da sol unser Nahme stehn /
und den sternen gleich aufgehn;
wan die Neider kleben werden
am beschlamten koht der erden.

In diese Zusammenhänge ist das Gedicht der Greiffenberg einzuordnen. Statt auf den traditionellen »Neidhard« (Zesen, Fassung 1642) scheint es auf persönliche Erfahrungen der Dichterin Bezug zu nehmen (Frank, S. 38), denen es mit dem siegesgewissen »Trutz« – als Gedichteinsatz stark betont – energisch begegnet. Der übliche Gegensatz Dichter – Kunstfeind wird übergangen, das volle Licht fällt auf die »Edle Dicht-Kunst«, die in immer neuen Wendungen umspielt und als Himmelsgabe gefeiert wird. Daß als erstes auf den himmlischen Ursprung der Kunst verwiesen wird, mag zunächst denjenigen überraschen, der sein Verständnis von barocker Dichtkunst aus der Herrschaft der Regelpoetik herleitet. Es stimmt schon, daß zu keiner Zeit so viele und so detaillierte Dichtungslehren veröffentlicht worden sind. Anfangend mit Opitzens *Buch von der Deutschen Poeterey* (1624), mit seinem bescheidenen Umfang eher Abriß als Handbuch, erobern die Poetiken von Zesen (1640, 1641, 1649, 1656), Harsdörffer (1647–53), Schottelius (1656), Birken (1679), Morhof (1682), Weise (1692) und vielen anderen den deutschen Literaturmarkt. Ihnen allen liegt die Überzeugung zugrunde, daß die Dichtkunst lehr- und lernbar ist. Daneben werden aber Theoretiker und Dichter nicht müde, auf die göttliche Inspiration der Kunst hinzuweisen. Ovids Spruch: »Est deus in nobis, agitante calescimus illo« (*Fasti* 6,5), wurde stolz zitiert, lateinisch und deutsch, wie etwa bei Justus Georg Schottelius: »Es ruht ein Gott in uns / ein Gott / wenn der sich reget / | Wird unser Sinn wie Gott ermuntert und beweget« (S. 143). Man war sich des Spannungsverhältnisses zwischen regelhafter Dichtungslehre und Inspirationslehre durchaus bewußt. Wer den »furor poeticus«, die dichterische Raserei, nicht kennt, bringt es allenfalls zum »Reimeschmied«, ein Dichter wird er nie. Balthasar Kindermanns dickleibige Poetik mit dem sprechenden Titel *Der Deutsche Poët/Darinnen gantz deutlich und ausführlich gelehret wird / welcher gestalt ein zierliches Gedicht [...] in gar kurtzer Zeit / kan wol erfunden und ausgeputzet werden* (1664) bringt die unabdingbare Voraussetzung, daß ein Dichter »Von oben her entzündet« werden müsse, im rührend naiven Titelkupfer zum Ausdruck. »Von oben muß die gluth das innre Hertzens-fach / | Entzünden / soll man sonst erwünschte Lieder singen«, versichert noch gegen Ende des Jahrhunderts ein selber wenig inspirierter Dichter (*Schlesischer Helicon*, T. 1, S. 473). Die Zeit sah keinen Widerspruch zwischen Lehre und Praxis, weil sie nie die schon den Griechen und Römern geläufige Maxime vergessen hat, daß der Dichter nicht gemacht, sondern geboren wird. Auch Opitz sagt deutlich: »[...] bin ich doch solcher gedancken keines weges / das ich vermeine / man könne iemanden durch gewisse regeln vnd gesetze zu einem Poeten machen« (*Buch von der Deutschen Poeterey*, S. 11). Das Übergewicht der poetologischen Lehrbücher läßt sich aus der besonderen Rolle der Dichtkunst im 17. Jahrhundert begreifen. Als Gelegenheitsdichtung erhob sie private Ereignisse wie Hochzeit, Taufe, Begräbnis, Erlangung der Magister- oder Doktorwürde zu einem öffentlichen oder halböffentlichen Akt und erhöhte damit das gesellschaftliche Ansehen, das in einer Zeit, die Privates nur als Öffentliches kannte und anerkannte, über die Bedeutung eines Menschen entschied. Dem Zwang der Kasualdichtung konnte sich kein Gebildeter entziehen, sei es mit einem selbstverfaßten oder im Auftrag gedichteten Carmen. Die Würde wahrhaft inspirierten Dichtertums wurde dadurch aber nicht beeinträchtigt.

Vor diesem Hintergrund profiliert sich das Gedicht der Greiffenberg als selbstbewußte Inanspruchnahme eines Dichteramtes, das sein spezifisches Moment als »des Himmels milde Gaben« ansieht und die Inspiration, »den unsichtbaren Strahl« (2), als die Quelle der künstlerischen Produktion betrachtet. Ein solches Dichtertum greift über den Bereich der Kunstfertigkeit hinaus, übersteigt aber auch, weil sein Ursprung in jener der Ratio entzogenen Sphäre liegt, in seinen Möglichkeiten das beschränkte menschliche Verstehen. Der Geist des himmlisch inspirierten Dichters reicht in Tiefen, die ihm sonst verschlossen wären, er zieht Verborgenes ans Licht und bringt es zum Klingen. Darauf deutet die »schallend' Heimligkeit« (2) hin: Geheimnisse, wie sie von jeher nur den Be-geisterten offenbart werden. Auch das ist antikes Gedankengut, in der vorliegenden Form humanistisches Erbe. Zesen, der im Zusammenhang mit dem »furor poeticus« ebenfalls die göttliche Eingebung hervorhebt, benutzt nahezu die gleiche Wendung:

Des Tichters stränger Geist / die süßen wühtereyen /
die eifer-folle Brunst / die Ihn der Wält entfreihen /
wan er so klüglich ras't / entmuhtet seinen muht /
entherzt sein irdisch Herz / und nichts als Götlichs tuht;
bestähn auf viererley; auf Liebe / Kunst und Deuten
was künftig sol geschähn / und tieffen Heimligkeiten. (S. 244 f.)

Es gibt für das Deuten des Zukünftigen und der Geheimnisse aber noch einen zweiten Traditionsstrang: die himmlische Sophia aus dem biblischen Buch der Weisheit. Von ihr heißt es (Kap. 8,7): »Begehret einer viel dings zu wissen / so kan sie errathen / beyde / was vergangen und zukünfftig ist / sie verstehet sich auff verdeckte wort / und weiß die rätzel auffzulösen. Zeichen und wunder weiß sie zuvor / und wie es zun zeiten und stunden ergehen sol« (nach der Übersetzung Luthers). Zesen hat sich Sophia zur Braut gewählt, sie ist seine Muse, die er in seinen Sophia-Gedichten anruft. Wie aus dem angeführten Zitat hervorgeht, lassen sich beide Traditionsstränge, der antike und der biblische, mühelos verbinden. Es ist aber auch möglich, die Weisheit auf Gott, Christus und den Heiligen Geist zu übertragen, eine Verbindung, die im Weisheitsbuch selbst schon angelegt ist (Kap. 7,25.26). In diesem Sinn bittet die Greiffenberg den Heiligen Geist:

Komm schönster Seraphin / berühre meinen Mund!
mich woll der Flammen-Fluß / die Gottes weißheit / tränken.
(*Geistliche Sonette*, S. 8.)

Und in diesem Kontext ist die »Heimligkeit« in Catharinas Dichtkunst-Sonett zu verstehen. Die »Himmlische Vorsehung« wird in ihrem Werk apostrophiert als »du unerschätzter Schatz der tieffen Heimlichkeiten«, von Gott heißt es, sein Auge durchdringe »der heimlichkeit geheim / im wunder-Berg versteckt« (*Geistliche Sonette*, S. 13,60). Deutlicher noch sind die Zusammenhänge zwischen dem Dichtkunst-Sonett und dem Lobpreis des Heiligen Geistes in dem Sonett *Uber das unaussprechliche Heilige Geistes-Eingeben*:

Du ungeseh'ner Blitz / du dunkel-helles Liecht /
du Herzerfüllte Krafft / doch unbegreifflichs Wesen
Es ist was Göttliches in meinem Geist gewesen /
daß mich bewegt und regt: Ich spür ein seltnes Liecht.
Die Seel ist von sich selbst nicht also löblich liecht.
Es ist ein Wunder-Wind / ein Geist / ein webend Wesen /
die ewig' Athem-Krafft / das Erz-seyn selbst gewesen /
das ihm in mir entzünd diß Himmel-flammend Liecht.
(*Geistliche Sonette*, S. 191.)

Mit diesen Versen, die im Reim (»schallend«) Licht und Wesen identifizierend aufeinander beziehen, ist die Verbindung beider Arten von Eingebung gut erkennbar. Nicht nur klingt die Horaz-Zeile (»est deus in nobis ...«) nach, sondern es wird der Vorgang der Eingebung, der religiösen wie der poetischen, mit fast gleichen Bildern dargestellt: ein »ungeseh'ner Blitz« meint nichts anderes als »den unsichtbaren Strahl«. Dichterische In-spiration und religiöse Erleuchtung erweisen sich unverkennbar als identisch.
Geht man von hier aus zur Betrachtung des folgenden Bildes über (3: »das Englisch Menschenwerk«), wird dieses in seiner verweisenden Funktion um so durchsichtiger. Obwohl die protestantische Theologie kaum eine Engelslehre ausgebildet hat, begegnet bei Catharina die Vorstellung – wohl an katholisches Ideengut oder an den Spiritualismus von Weigel und Böhme angelehnt –, daß die Beseligung durch den Heiligen Geist und die Vereinigung mit Christi Leib und Blut im Abendmahl den Menschen in den Stand der Engel setzen können – »Die Englische Natur / durch dein vereinen / blühet« (*Geistliche Sonette*, S. 183). Im engelgleichen Zustand schaut der Mensch die Geheimnisse des Alls:

Ungreifflichkeit fühlt' ich anjetzo im Mund.
Die alles-erfüllende Göttlichkeit schwebet
mir jetz' auf der Zungen / die sonsten nicht kund
(dieweil sie im Englischen Jubel-Thron lebet)
begreiffen das Irdisch und Himmlische Rund.
nun Glori / Lob' / Ehr'/ Preiß und Glauben ihm gebet!
(*Geistliche Sonette*, S. 182.)

Aufgrund seiner Engelsnatur obliegt es dem Menschen, mit den Engeln Gottes Lob zu singen; das ist sein »Engel-Zweck« (»zu diesen Engel-werk bist du von GOtt erkohren«; *Geistliche Sonette*, S. 1,6). Dieser Aufgabe ist Catharinas Werk gewidmet, es ist als ganzes ein »Englisch Menschenwerk«. Nun scheint auch hinter dem humanistischen Verewigungstopos (3–5) die andere, religiöse Bedeutung

auf. Das Werk, das »mit der Ewigkeit / wird in die wette traben«, hat deshalb Bestand, weil es von der göttlichen Weisheit durchtränkt ist. Hat die Dichterin eine »Englische Natur« – als Vorwegnahme der Ewigkeit in der Erleuchtung –, verleiht diese ihr eine überirdische Erkenntnis, die ihrem Wesen nach zeitlos ist, »in und nach der Zeit« (3) ihre Gültigkeit besitzt. Trotz gleichlautender Formulierung in der Tradition humanistischer Kunstlehre wird hier eine tiefere Schicht freigelegt. Der Bräutigam der himmlischen Sophia aus dem Buch der Weisheit ist das Vorbild: »Ich werde einen unsterblichen Namen durch sie bekommen / und ein ewiges Gedächtniß bey meinen Nachkommen lassen« (Kap. 8).
Die die Oktave abschließenden Verszeilen verweisen noch einmal auf den Offenbarungscharakter der inspirierten Dichtkunst – »die Geistreich wunder-Lust / der Dunkelung befreyt« (6) – und nennen ihre Wirkung: In Augenblicken der Erleuchtung empfangen, durchwirkt vom göttlichen Licht, führt sie nun auch ihrerseits aus dem Dunkel der Weltnacht – »die Sonn in Mitternacht / die Strahlen von sich streut« (7). Sie ist eine leuchtende Sonne, die eine andere Welt-Ordo jenseits der gesellschaftlichen Ordnung sichtbar macht: »die man / Welt-unverwehrt / in allem Stand kan haben« (8). Catharinas Poetik hat sich hier weit von der standesorientierten Regelpoetik mit ihren Vorschriften zum »decorum« (dem »Angemessenen«) entfernt.
Aber es geht im vorliegenden Gedicht keineswegs um eine lyrische Darlegung poetologischer Ansichten. Der Struktur des barocken Sonetts entsprechend, ist die Aussagemitte in den Terzetten enthalten, die den zweiten Teil bilden. Alles ist auf diese Mitte zugeschnitten, und so sind die Verse mit der charakteristischen Inspirationspoetik auf diesen Kern konzentriert. Erst hier wird denn auch der Grund angegeben, weshalb Catharina dem Widerstand gegen ihre Dichtarbeit trotzt. Das Dichten ist ihre einzige Freiheit, während sie sonst infolge eines widrigen Geschicks »schier Leibeigen« (9) sei. Als Freifrau von Seisenegg wußte Catharina zweifel-

los, was Leibeigenschaft bedeutete, und sie wird den Begriff zur Umschreibung ihrer Lage nicht zufällig im Kontrast zur Freiheit verwendet haben. Worauf die Unfreiheit und Abhängigkeit anspielen, läßt sich nur ungefähr bestimmen. Aus zahlreichen Gedichten geht hervor, daß die Dichterin gegen »vielfältige Widerwärtigkeiten« zu kämpfen hatte (so *Geistliche Sonette*, S. 71, 215; dazu Frank, S. 38 ff.). Mit einiger Sicherheit ist aber zu vermuten, daß sich das hier als Leibeigenschaft artikulierende ohnmächtige Gefühl auf familiäre Ereignisse bezieht, die Catharina schwer bedrückt haben. Ihr Onkel Hans Rudolph, der seit ihrer frühen Jugend die Stelle des Vaters angenommen hatte (Catharinas Vater starb, als sie sechs oder sieben Jahre alt war), hatte sich, gut sechzigjährig, in sie verliebt und versuchte eine Heirat, aus Gründen der Blutsverwandtschaft in Österreich unmöglich, durchzusetzen. Der Umstand, daß Catharina ihren Onkel »Ehrengebührlich zu gegenlieben sich in ihrem Herzen« nicht bereit finden konnte (Birken, zit. nach Frank, S. 44), die aus Hans Rudolphs Bemühungen um Einwilligung in diese Ehe bei evangelischen wie katholischen Geistlichen entstehenden Demütigungen und Gewissensnöte (sogar von erzwungener Konversion zum katholischen Glauben war die Rede), schließlich die durch Catharinas Weigerung hervorgerufene Krankheit des Onkels, die mit ihren »Leib- und Seelgefährlichen effectûs und affectûs« (zit. nach Frank, S. 42) Catharina so sehr ängstigte, daß sie ihren Widerstand aufgab (durch Vermittlung einflußreicher Freunde kam die Heirat 1664 zustande) – das alles dürfte der gefühlsmäßige Hintergrund der Bitte um Freiheit sein. Freilich ist der Umweg über die Biographie nicht unbedingt notwendig, die »aus übermachter Macht des Ungelücks« erwachsenden Nöte als Bedrängnis zu verstehen. Die Greiffenberg steht aber in so einzigartiger Schreibsituation, daß ein Versuch, die sich ihr in den Weg stellenden Hindernisse einigermaßen zu konkretisieren, in keinem Fall als überflüssig anzusehen ist. So hatte Catharina beim religiösen Durchbruchserlebnis, der »Geburtsstunde der geistlichen Dichte-

rin« (Frank, S. 21), gelobt, ihr Leben dem »Deoglori licht« zu weihen: »Ja: Selbiges Ihme ganze Aufzuopfern und Zum dihnst Der himmlischen Deoglori zu widmen« (zit. nach Frank, S. 21). Sich diesem Dienst freizuhalten, gilt ihre Anstrengung. »Diß einig' ist mir frey« (9): Nur in den selbstvergessenen Stunden des Dichtens erfährt Catharina die innere Freiheit. Aus jener Spannung der Unfreiheit der Person, die sie als Frau erleidet, und der geistigen Freiheit, die ihr die poetische Weltentrückung gewährt – im Schlußteil kontrastiv beleuchtet –, lebt das Gedicht. Im gedanklichen Schwerpunkt des Sonetts stehen die Begriffe »frey« und »Freyheit« eng beisammen, sie hämmern sich gleichsam als Stichworte ein. Die dichterische Arbeit schafft einen Freiraum, der als Existenzbedingung betrachtet wird. Das macht die Greiffenberg und ihr Werk zum Ausnahmefall im 17. Jahrhundert. Hinter barocker Sprachgewalt und Metaphorik leuchtet ein Dichtungsverständnis auf, das unbarocke, moderne Züge aufweist.
Allerdings setzt die Schlußzeile, als Pointe des Sonetts die Spitze der Gedankenführung, andere Akzente. Die Freiheit, die sich die Dichterin ausbittet, soll ausschließlich dem »Engel-werk« des Gotteslobs dienen. Catharinas Lyrik findet ihren Grund allein in dieser Aufgabe – »zu deiner hohen Ehr mein Spiel und Ziel ich richt«, das ist ihr »Christlicher Vorhabens Zweck« (*Geistliche Sonette*, S. 1). Im Zentrum ihrer Religiosität steht die »Deoglori« (die Wortprägung stammt von Catharina), die letztlich auf die Bekehrung des Kaisers zum Luthertum gerichtet ist und der sich ihr Leben und Werk unterordnet:

Ach aller Ehren Zweck! laß mich mein Ziel erreichen /
dein Lob! ich lebe nur / wann dieses in mir lebt.
(*Geistliche Sonette*, S. 8.)

In diesem Licht betrachtet, ist die Bitte um die Freiheit, ihrer poetischen Tätigkeit ungehindert nachzugehen, weniger auf Catharina selber als vielmehr auf die »Deoglori«

bezogen – »so will ich Ewigs Lob dir geben«. Von der pointierten Schlußzeile her erweist sich die Ewigkeit, im Kontrast zur flüchtigen Zeit (3–5), als die gedankliche Klammer zwischen den beiden Teilen des Gedichts, und nun bekommt auch der Passus über die verewigende Macht der Dichtkunst, die Quartette der Oktave verzahnend, einen über die traditionelle Bedeutung hinausgehenden Sinn. Weil himmlisch inspirierte Dichtkunst »mit der Ewigkeit / wird in die wette traben«, ist das in ihr angestimmte Gotteslob ein »Ewigs Lob«. Damit gelangt die »Deoglori« an ihr Ziel.

Zitierte Literatur: Horst-Joachim FRANK: Catharina Regina von Greiffenberg. Leben und Welt der barocken Dichterin. Göttingen 1967. – Gedichte des Barock. Hrsg. von Ulrich Maché und Volker Meid. Stuttgart 1980. – Catharina Regina von GREIFFENBERG: Geistliche Sonette. [Siehe Textquelle.] – Martin LUTHER: Biblia, Das ist / Die gantze Heilige Schrifft. Wittenberg 1696. – Martin OPITZ: Buch von der Deutschen Poeterey (1624). Hrsg. von Cornelius Sommer. Stuttgart 1970 [u. ö.]. – Martin OPITZ: Gesammelte Werke. Krit. Ausg. Hrsg. von George Schulz-Behrend. Bd. 2,2. Stuttgart 1979. – Schlesischer Helicon. T. 1. Frankfurt/Leipzig 1699. – Justus Georg SCHOTTELIUS: Teutsche Sprachkunst. Braunschweig 1641. – Philipp von ZESEN: Sämtliche Werke. Unter Mitw. von Ulrich Maché und Volker Meid hrsg. von Ferdinand van Ingen. Bd. 1,1. Berlin / New York 1980.
Weitere Literatur: Ingrid BLACK / Peter M. DALY: Gelegenheit und Geständnis. Unveröffentlichte Gelegenheitsgedichte als verschleierter Spiegel des Lebens und Wirkens der Catharina Regina von Greiffenberg. Bern / Frankfurt a. M. 1971. – Peter M. DALY: Die Metaphorik in den Sonetten der Catharina Regina von Greiffenberg. Diss. Zürich 1964. – Peter M. DALY: Emblematische Strukturen in der Dichtung der Catharina Regina von Greiffenberg. In: Europäische Tradition und deutscher Literatur-Barock. Hrsg. von Gerhart Hoffmeister. Bern/München 1973. S. 189–222. – Ferdinand van INGEN: Philipp von Zesens Gedichte an die Weisheit. In: Rezeption und Produktion zwischen 1570 und 1730. Festschrift für Günther Weydt. Bern/München 1972. S. 121–136. – Ruth LIWERSKI: Ein Beitrag zur Sonett-Ästhetik des Barock. Das Sonett der Catharina Regina von Greiffenberg. In: Deutsche Vierteljahrsschrift für Literaturwissenschaft und Geistesgeschichte 49 (1975) S. 215–264. – Leo VILLIGER: Catharina Regina von Greiffenberg (1633–1694). Zu Sprache und Welt der barocken Dichterin. Zürich 1952. – Max WEHRLI: Catharina Regina von Greiffenberg – Über das unaussprechliche Heilige Geistes-Eingeben. In: Schweizerische Monatshefte 45 (1965) S. 577–582. – Conrad WIEDEMANN: Engel, Geist und Feuer. Zum Dichterselbstverständnis bei Johann Klaj, Catharina von Greiffenberg und Quirinus Kuhlmann. In: Literatur und Geistesgeschichte. Festgabe für Heinz-Otto Burger. Berlin [West] 1968. S. 85–109.

Christian Hoffmann von Hoffmannswaldau

Sonnet
Vergänglichkeit der schönheit

Es wird der bleiche tod mit seiner kalten hand
Dir endlich mit der zeit umb deine brüste streichen /
Der liebliche corall der lippen wird verbleichen;
Der schultern warmer schnee wird werden kalter sand /
Der augen süsser blitz / die kräffte deiner hand /
Für welchen solches fällt / die werden zeitlich weichen /
Das haar / das itzund kan des goldes glantz erreichen /
Tilgt endlich tag und jahr als ein gemeines band.
Der wohlgesetzte fuß / die lieblichen gebärden /
Die werden theils zu staub / theils nichts und nichtig werden /
Denn opfert keiner mehr der gottheit deiner pracht.
Diß und noch mehr als diß muß endlich untergehen /
Dein hertze kan allein zu aller zeit bestehen /
Dieweil es die natur aus diamant gemacht.

Abdruck nach: Benjamin Neukirchs Anthologie. Herrn von Hoffmannswaldau und andrer Deutschen auserlesener und bißher ungedruckter Gedichte erster theil. Hrsg. von Angelo George de Capua und Ernst Alfred Philippson. Tübingen: Niemeyer, 1961. (Neudrucke deutscher Literaturwerke. N. F. 1.) S. 46f.
Erstdruck: Herrn von Hoffmannswaldau und andrer Deutschen auserlesene und bißher ungedruckte Gedichte / nebenst einer Vorrede von der deutschen Poesie. Leipzig: Thomas Fritsch, 1695.

Christian Wagenknecht

Memento mori und Carpe diem.
Zu Hoffmannswaldaus Sonett *Vergänglichkeit der schönheit*

Zum schmalen Bestand der Gedichte aus dem Zeitalter des Barock, die durch Sammlungen und Darstellungen dem Gedächtnis der Gegenwart überkommen sind, gehört von Hoffmannswaldau neben wenigen anderen auch das hier zu erörternde Sonett. Dabei ist es um die Überlieferung dieser Verse nicht einmal zum besten bestellt. Nachdem nämlich Hoffmannswaldau sie von der Ausgabe seiner *Übersetzungen und Gedichte* ausgeschlossen hatte, die im Jahr seines Todes, 1679, zu erscheinen begann, ist die erste Veröffentlichung erst anderthalb Jahrzehnte später, 1695, erfolgt: im ersten Band der zunächst von Benjamin Neukirch besorgten und seither nach ihm benannten Anthologie. Sie führt den Titel *Herrn von Hoffmannswaldau und andrer Deutschen auserlesene und bißher ungedruckte Gedichte* und ist noch im 18. Jahrhundert mehrfach aufgelegt worden. Neukirchs Druckvorlage hat sich nicht erhalten – wohl aber eine handschriftliche Sammlung Hoffmannswaldau'scher (und anderer) Gedichte, die am Schluß unter 33 *Poemata Hofmannia in lucem non edita* auch das Vergänglichkeits-Sonett enthält. Die Überschrift lautet da *In eandam* und bezieht sich auf die »Lesbia« des vorangehenden Gedichts. Obwohl aber die beiden Fassungen auch sonst nicht in jeder Einzelheit übereinstimmen, scheint mir die Handschrift doch nur an einer Stelle eine bessere Lesart zu bieten: wo im sechsten Vers statt »solches« »alles« steht. Im übrigen kann das Gedicht im Wortlaut seines ersten Drucks durchaus Hoffmannswaldau zugeschrieben werden.
Es kennzeichnet die Lyrik Hoffmannswaldaus, die Neukirch in der Vorrede um ihrer »lieblichen schreibart« willen rühmt (Neukirch, Bd. 1, S. 13), daß sie weder in sprachli-

cher noch in sachlicher Hinsicht eines umfangreichen Kommentars bedarf. In der Sprache der Zeit heißt »endlich« auch ›am Ende‹ und »zeitlich« auch ›mit der Zeit‹. Ebenso gebräuchlich sind »für« für ›vor‹, »itzund« für ›jetzt‹, »denn« für ›dann‹ und »dieweil« für ›weil‹. Die vergleichungsweise angeführten Pretiosen – Korall, Gold, Diamant – verstehen sich heute wie dazumal. »Gottheit« bedeutet im 17. Jahrhundert auch ›Göttlichkeit‹; »blitz« heißt damals auch ›Blick‹. Ein Problem bildet allenfalls die Wendung »als ein gemeines band« im achten Vers. Das Adjektiv steht in der Zeit sowohl für ›allgemein‹ wie für ›gewöhnlich‹. Soll also »tag und jahr« hier metaphorisch als ›allgemeines Schicksal‹ (Stöcklein, S. 84) bezeichnet sein? Bequemer denkt man sich das goldene Haar verglichen: mit einem ›gewöhnlichen Haarband‹. So hält in einem anderen Gedicht von Hoffmannswaldau der Verliebte »Ein haar / ein altes band« (Neukirch, Bd. 2, S. 73) für seinen besten Besitz. Auch alles übrige, das dem heutigen Leser befremdlich vorkommen mag, bleibt im Üblichen barocker Poesie – von der Paragoge »hertze« bis zur Inversion »des goldes glantz«. Erst recht besagt es nichts über Hoffmannswaldaus Verse, daß Neukirch (oder der Verleger) es für gut befunden hat, die Gedichte der Anthologie nach den Regeln der ›gemäßigten Kleinschreibung‹ zu behandeln.

Auch in metrischer Hinsicht stechen die Verse nicht sonderlich hervor. Das Ganze bildet ein Sonett – ist also abgefaßt in jener dem Zeitalter höchst geläufigen Gestalt, in der die Dichter des Barock nach italienischen und französischen Mustern geistliche und weltliche Dinge bündig zu verhandeln pflegen. Den Vorschriften, die Martin Opitz 1624 für deutsche Sonette aufgestellt hat, folgt Hoffmannswaldau genau. Die vierzehn Verse gliedern sich den Reimen nach in das Oktett aus zweimal vier und das Sextett aus zweimal drei Versen; zunächst wird Blockreim (abba abba), dann Schweifreim (ccd eed) verwandt; die Reimgeschlechter (männlich und weiblich) wechseln einander ab. Nicht minder vorschriftsmäßig hat Hoffmannswaldau die Wahl des

Versmaßes getroffen. Statt des in Sonetten weniger üblichen Vers commun bedient er sich des Alexandriners: aus sechs Jamben mit Zäsur nach dem dritten Fuß. Freilich behandelt Hoffmannswaldau dieses Maß mit sehr viel leichterer Hand als unter seinen Altersgenossen besonders Andreas Gryphius – der den Einschnitt in der Mitte syntaktisch zu bekräftigen und die Senkungen mit Silben zu besetzen sucht, die auch imstande wären, eine Hebung zu tragen:

So greifft der Todt nach vns / so bald wir sind gebohren.
(*Gedichte*, S. 80.)

Demgegenüber sind in Hoffmannswaldaus Versen nicht nur die Senkungen, sondern auch die Hebungen insgesamt leichter besetzt. Auch wird die Zäsur immer wieder überspielt:

Der liebliche corall der lippen wird verbleichen.

Ein übriges tun Wortstellung und Satzbildung. Wie von selber fügen sich die bisweilen noch im Prosaton gehaltenen Sätze ins Maß des Verses. Umstellungen, wie sie der Reimzwang sonst entschuldigen muß, sind kaum je zu finden. Und jedenfalls in dieser Hinsicht zeichnen sich die Gedichte Hoffmannswaldaus auch noch vor den Gedichten seiner Schüler aus.
Die Form des Sonetts prägt wesentlich den Charakter des Gedichts. Im Unterschied zu ›Arien‹ und ›Oden‹, Liedern aus beliebig vielen Strophen in ein und demselben Maß, ist das Sonett zum Gesang weder geeignet noch bestimmt. Im festen Rahmen der vierzehn Zeilen läßt sich nur *sprechen*; ja es ist darin im Grunde nur für *einen* Gedanken Raum. Und dieser Gedanke gliedert sich der Ordnung gemäß, die mit dem Reimschema des Sonetts gegeben ist, am besten in ›protasis‹, den ›Vorsatz‹, und ›apodosis‹, den ›Nachsatz‹. Es vollzieht sich da also eine Argumentation – dazu bestimmt, den Adressaten für eine Meinung zu gewinnen oder zu einem Handeln zu bewegen. Aber so verhält es sich doch

nur im allgemeinen. Die Sonett-Dichtung des Spätbarock, das von der italienischen Poetik und Poesie das Stilideal der ›argutezza‹, der witzigen Spitzfindigkeit, übernommen hat, verlegt das ›concetto‹ der Pointe, die den Gedankengang überraschend schließen soll, gern ans äußerste Ende des Gedichts: ins zweite Terzett oder gar erst in den letzten Vers. Um dieser Zuspitzung willen greift die Protasis oft über den Punkt des Reimwechsels hinaus und findet sich die Apodosis oft in ein abschließendes Reimpaar gespannt. Auch das Sonett von Hoffmannswaldau, des gelehrigsten Schülers von Giovanni Battista Marino, der diesem Stil seinen Namen gegeben hat, zielt solchermaßen auf das epigrammatische ›acumen‹ des Gedankens ab.

Nach seiner inneren Form bildet das Sonett eine Anrede. Weder spricht ein Ich sich aus, noch wird ein Es besprochen – was in anderen Sonetten Hoffmannswaldaus (*Er liebt vergebens*, *Beschreibung vollkommener schönheit*) durchaus der Fall sein kann. Das angesprochene Du ist eine Frau; der Handschrift zufolge heißt sie Lesbia. Man hat sie sich außer als schön auch als jung zu denken; schon weil die poetische Konvention Schönheit und Jugend ineinssetzt. Der Ausnahmefall würde eigens angezeigt – wie in Weckherlins Sonett *An eine / sich alt zu werden beklagende / Schönheit*, das dem Herbst den Vorzug vor dem Frühling gibt. Wer aber redet in Hoffmannswaldaus Versen die jugendliche Schöne an? Gewiß spricht hier nicht der Verfasser selbst – wie allerdings in den *Gedancken bey Antretung des funffzigsten Jahres* und wie vollends Gryphius in seiner *Trawrklage des Autoris / in sehr schwerer Kranckheit*. Das Ich des Gedichts hat so wenig wie das Du eine historische, beide haben nur eine exemplarische Existenz. Immerhin wird man sich den Sprecher als einen Mann, und wohl als einen jungen, vorzustellen haben, der einer gleichfalls jungen Frau die Vergänglichkeit ihrer Schönheit vor Augen zu stellen sucht.

Das Lob dieser Schönheit reiht nach hergebrachter Weise Bild an Bild. Anders aber als in einigen Anakreonschen

Liedern (Nr. 16 und Nr. 17), nach deren Muster auch Horaz (*Amores* 1,5) einmal verfährt, geht der Blick des Betrachters hier nicht den geradesten Weg: von oben nach unten. Statt wie in vielen ähnlichen Gedichten auch des 17. Jahrhunderts, auch von Hoffmannswaldau selbst, zunächst die Haare und zuletzt sei's die Hände, sei's die Füße ins Auge zu fassen, blickt der Betrachter hier, wie es scheint, abwechselnd auf- und abwärts (Ryder, S. 99). Nachdem er seinen Ausgang von den Brüsten genommen hat, kehrt er am Ende, wo das Herz in Rede steht, auf dieselbe Höhe zurück. Daß dabei die heimlicheren Partien des weiblichen Körpers ausgespart bleiben, erklärt sich leicht aus der Sprechsituation, die eben dieser Sachverhalt zugleich näher bestimmt: mehr als allenfalls den Busen gibt die Mode nicht frei. Einer sonderlichen Prüderie wird man den Sprecher also nicht zu zeihen brauchen.

Die Schönheiten der Frau, aus denen ihre Schönheit sich zusammensetzt, werden nach barocker Manier vergleichungsweise vorgestellt. Korallen ist der Mund, golden das Haar. Konventionell wie diese Kennzeichnungen sind auch die sprachlichen Figuren: Genetiv-Metapher (3: »corall der lippen«) und Cedat-Formel (hier abgeschwächt 7: »kan des goldes glantz erreichen«). Wie in vielen anderen Gedichten reimen sich die Lobsprüche auf das Grundwort: »vergleichen«. Aber freilich geht es hier nicht allein um das Lob der Schönheit. »Verbleichen« und »weichen«: das tun hier eben nicht die Kostbarkeiten der Natur, die den Reizen der Schönen sonst nicht »das Wasser reichen« oder vor ihnen »die Segel streichen« (*Gedichte*, S. 348); vielmehr fallen diese Reize hier ja selber dahin, um so tiefer, je höher sie vordem zu schätzen waren. Um diesen Nachweis ist es dem Sprecher eigentlich zu tun.

Kräftig genug setzt die Rede ein. Statt des Alterns wird sogleich das Sterben ins Auge gefaßt, und statt des Sterbens erscheint sogleich der Tod in Person: bleich von Aussehen, mit Händen bewehrt, zum Greifen bereit. In dieser Gestalt war der Tod dem Zeitalter nur allzu gut bekannt. Anders als die Künstler des Altertums, die ihn Lessing zufolge als »Zwillingsbruder des Schlafes«, als jungen Genius mit umgestürzter Fackel, vorgestellt haben (S. 412), zeigen die Künstler des Mittelalters und der Neuzeit den Tod mit Vorliebe als Knochenmann: mit Stundenglas und Sense. Vielfach auch führt er, mit allerlei musikalischem Gerät versehen, die Menschen zum letzten Tanz. Obwohl ihm dabei keine Geste so geläufig ist wie der Griff nach der Hand, mag sie nun dem Kaiser gehören oder dem Bauern, tritt er zumal die Frauen gern auch näher an: gibt sich als Liebhaber und faßt sie um die Brust. In dieser Haltung zeigen ihn der Berner Totentanz des Niklas Manuel und zwei Federzeichnungen von Hans Baldung gen. Grien. Manuel hat seinem Bild die Strophen beigegeben:

Tochter ietz ist schon hie die stund,
bleich wirt werden dein rohter mund:
dein leib, dein angesicht, dein haar vnd brüst,
mus alles werden ein fauler mist.

O todt wie greüwlich greiffst mich an,
mir wil mein hertz im leib zergan:
ich waß verpflicht einem iungen knaben,
so wil mich der todt mit im haben.
(Zinsli, Taf. XVIII.)

Diese Vorstellungen greift noch hundert Jahre nach Hoffmannswaldau Matthias Claudius wieder auf – wobei sich freilich der Knochenmann der christlichen als Morpheus-Bruder der heidnischen Mythologie zu erkennen gibt:

Der Tod und das Mädchen

Das Mädchen:

Vorüber! Ach, vorüber!
Geh, wilder Knochenmann!
Ich bin noch jung, geh Lieber!
Und rühre mich nicht an.

Der Tod:
Gib deine Hand, du schön und zart Gebild!
Bin Freund, und komme nicht, zu strafen.
Sei gutes Muts! ich bin nicht wild,
Sollst sanft in meinen Armen schlafen!
(Claudius, S. 100.)

Wieder anders behandelt Hoffmannswaldau das Motiv. Wenngleich auch hier der Tod als Liebhaber erscheint, der Jugend und Schönheit sich zu eigen macht, soll sein Stachel doch nichts gegen das »hertze« vermögen: »Dieweil es die natur aus diamant gemacht« (14). Das kann, beim Wort genommen, heißen: Sei unbesorgt, im Grunde wird dir nichts geschehen, dein Wesen bleibt gewahrt. Es kann im gleichen Geist auch die Mahnung ausgesprochen sein: Setze deine Hoffnung statt auf die »Schalen«, die am Ende vergraben werden, auf den »Kern«, der allein bestehen kann. So will es Hoffmannswaldau selber im Altersgedicht der *Gedancken bey Antretung des funffzigsten Jahres* (*Gedichte*, S. 297–299). Mit besonderem Eifer hat zumal Andreas Gryphius seine Dichtung auf diesen Ton gestimmt – getreu dem Jesus-Wort: »Was hülfe es dem Menschen, wenn er die ganze Welt gewönne und nähme doch Schaden an seiner Seele?« Da klingt das Memento mori dann so:

Vber die gebaine der ausgegrabenen Philosetten

[...]
Ist jemand der noch kan behertzt vnd sonder grawen
Der ohren kahlen ortt / der augen lucken schawen?
Ist jemandt / der sich nicht für dieser stirn entsetzt?
Der dencke wie sich doch sein Geist den wird befinden
Wen er in kurtzem wird auff gleichen schlag verschwinden /
Weill schon der todt auff ihn die schnellen pfeile wetzt.
(Gryphius, S. 51 f.)

In diesem Sinn, als Darlegung der »Scheinhaftigkeit des Körperlichen« (Jentzsch, S. 25), läßt auch Hoffmannswaldaus Sonett sich lesen. Freilich nur in erster Näherung. Wer das

Hans Baldung Grien: Der Tod und das Mädchen. Federzeichnung 1515

Gedicht im Zusammenhang mit den übrigen Gedichten liest, die Hoffmannswaldau verborgen gehalten und Neukirch dann in Druck gegeben hat, der wird die Schlußwendung nicht wohl für bare Münze nehmen können. Insbesondere hat es ja mit dem Diamanten, aus dem die »natur« das Herz gemacht haben soll, eine eigene Bewandtnis. Er steht nämlich in der Emblematik der Zeit außer für die Stärke auch für die Härte des Herzens, also für eine Eigenschaft, die dem Besitzer keineswegs zum Lob gereicht (Stöcklein, S. 323; Rotermund, S. 201). Dem verwandten Bild des Steins gewinnen Hoffmannswaldaus Liebesoden nur mehr diese Deutung ab: indem sie darüber Klage führen, daß die Geliebte sich dem Liebenden versagt.

Caliste sey nicht felß und stein /
Soll ich im leben schon verderben?
(Neukirch, Bd. 1, S. 388.)

Laurette bleibstu ewig stein?
Soll forthin unverknüpffet seyn
Dein englisch-seyn und dein erbarmen?
(Neukirch, Bd. 1, S. 407.)

Ich rede nur mit steinen.
Dein stoltzes ohre hört mich nicht /
Und deiner augen feurig licht
Will mir nur ewig grausam scheinen.
(Neukirch, Bd. 1, S. 415.)

In eben dieser Bedeutung greift Hoffmannswaldau in einer anderen Ode auch das Bild vom Diamanten auf:

Wiltu den diamanten gleichen /
So kan dich nichts als blut erweichen.
(Neukirch, Bd. 1, S. 423.)

Von solchen Wendungen ist die petrarkistische Liebeslyrik des 17. Jahrhunderts voll. Philipp von Zesen weiß seiner Orthographie gar ein Wortspiel abzugewinnen: nennt das

»härts« seiner Trauten »härter« noch als hart (*Gedichte*, S. 158). Was da beanstandet wird, ist überall dasselbe; namentlich spricht es Christoph Eltester am Schluß des Sonetts *An die vollkommenheit seiner Solime* aus:

Ein fehler bleibt dir nur / der ist die grausamkeit.
(Neukirch, Bd. 1, S. 51.)

Natürlich findet sich auch dieses Motiv, und in dieser Stellung, nicht nur in der Lyrik des Barock. Ein besonders apartes Beispiel steht im *Buch der Lieder* von Heinrich Heine:

Auf meiner Herzliebsten Äugelein
Mach' ich die schönsten Kanzonen.
Auf meiner Herzliebsten Mündchen klein
Mach' ich die besten Terzinen.
Auf meiner Herzliebsten Wängelein
Mach' ich die herrlichsten Stanzen.
Und wenn meine Liebste ein Herzchen hätt',
Ich machte darauf ein hübsches Sonett.
(Heine, S. 71.)

Der Sinn des Vorwurfs nun, den in der Verkleidung des Tugendlobs, ironisch, auch Hoffmannswaldaus Sonett-Sprecher erhebt, ist aus demselben Zusammenhang zu erschließen. In derlei »Galanten Gedichten« wirbt allemal ein Liebender um die Gunst der Geliebten. Sie soll ihr Herz erweichen und den Tag genießen. Aber während sich der Liebhaber zumeist nur auf den Widerspruch beruft, in dem die Göttlichkeit der Schönen zu ihrer Grausamkeit steht, macht er sich in Hoffmannswaldaus Sonett das ungleich stärkere Argument zunutze, das in der Vergänglichkeit der Schönheit gelegen ist. Auch diese Verknüpfung beider Devisen, des Memento mori und des Carpe diem, bildet einen Topos der barocken Liebespoesie – von Martin Opitz:

Das Mündlein von Corallen
Wird vngestallt.

Die Händ / alß Schnee verfallen /
Vnd du wirst Alt.

Drumb laß vns jetz geniessen
Der Jugent frucht /
Eh dann wir folgen müssen
Der Jahre flucht.
(*Gedichte*, S. 56.)

bis zu Hoffmannswaldau:

Albanie / gebrauche deiner zeit /
Und laß den liebes-lüsten freyen zügel /
Wenn uns der schnee der jahre hat beschneyt /
So schmeckt kein kuß / der liebe wahres siegel /
Im grünen may grünt nur der bunte klee.
Albanie.
(Neukirch, Bd. 1, S. 70.)

Drastischer und bündiger führt denselben Gedanken ein Sonett des spanischen Dichters Luis de Góngora vor, das in Christian Henrich Postels vortrefflicher Übersetzung lautet:

Weil noch der Sonnen Gold mit allen Strahlen weichet
Dem ungemeinen Glantz auf deinem schönen Haar.
Weil noch vor deiner Stirn der Liljen Silber-Schaar
In blasser Furcht und Scham die weissen Segel streichet.
Weil noch das Sähnen nach den Nelcken sich nicht gleichet
Der brünstigen Begier nach deiner Lippen Paar.
Ja weil dem Halse noch des Marmors blancke Wahr
Mit allem Schimmer nicht einmahl das Wasser reichet /
Laß Haare / Halß und Stirn und Mund gebrauchet sein /
Eh' das was in dem Lentz der Jugend war zu ehren
Vor Gold / vor Lilien / vor Nelcken / Marmorstein /
Sich wird in Silber-grau und braune Veilgen kehren.
Ja eh' du selbst dich mit dem Hochmuht dieses Lichts
Verkehrst in Erde / Koht / Staub / Schatten / gar in Nichts.
(*Gedichte*, S. 348.)

In diesem Sinn will auch Hoffmannswaldaus Sonett verstanden sein. Unter »dem Schein stoizistischer Ostentation«, der die Schönheit angesichts ihrer Vergänglichkeit auf die Tugend zu verpflichten sucht, redet auch dieses Gedicht, im Hinblick auf dieselbe Vergänglichkeit, vielmehr der »erotischen Passio« das Wort (Rotermund, S. 202). Nur darum soll sich die Schöne der Hinfälligkeit ihrer Reize vergewissern, um daraus die Lehre zu ziehen, daß ihr nichts als der Genuß der Jugend bleibt. Laß statt des Knochenmanns, so lautet die sinnreich verkleidete Botschaft, lieber mich um deine Brüste streichen.

So will es der Sprecher des Gedichts, und so soll ihn die Hörerin verstehen. Der Dichter aber hat mit dem Leser etwas anderes im Sinn. Sie verständigen sich miteinander gleichsam über die Köpfe der Figuren hinweg: nicht im Medium des Lebens, sondern in dem der Poesie. In dieser Beziehung geht es weder um die Hinfälligkeit der Jugend noch um deren Genuß im Augenblick; vielmehr bilden beide Motive, Memento mori wie Carpe diem, nur die Marken in einem Spiel, das sie geschickt und gefällig zu verbinden weiß. Da nun ist der Diamant des letzten Verses »nur der gut sitzende Schlußwitz eines federleichten Scherz-Sonetts« (Stöcklein, S. 323), nicht mehr, aber auch nicht weniger, und das Ganze stellt sich dar als ein Kunstgebilde jener echt barocken Art, von der sich ein anderer Dichter der Neukirchschen Sammlung (Eucharius Gottlieb Rinck; Neukirch, Bd. 1, S. 61) Unterhaltung noch im Grabe verspricht. Ein Scherz auch das:

Wenn ich gestorben bin / so merckt den letzten willen /
Scharrt mich / wie ihr mich findt / in Hofmanns schrifften ein /
Denn dadurch werdet ihr den eintzgen wunsch erfüllen:
Ich werde aufferweckt und nicht begraben seyn.
Vielleicht wirds ziemlich lang / biß jener tag erscheinet /
So bleibt mir dieses buch der beste zeitvertreib /
Der wird mir unrecht thun / der meinen tod beweinet.
Wisst: Hoffmanns hoher geist beseelt den kalten leib.

Zitierte Literatur: Matthias CLAUDIUS: Werke. Hrsg. von Urban Roedl. Stuttgart 1954. – Epochen der deutschen Lyrik. Bd. 4: Gedichte 1600–1700. Nach den Erstdrucken in zeitlicher Folge hrsg. von Christian Wagenknecht. München ³1982. [Zit. als: Gedichte.] – Andreas GRYPHIUS: Frühe Sonette. Hrsg. von Marian Szyrocki. Tübingen 1964. – Heinrich HEINE: Sämtliche Werke. Hrsg. von Ernst Elster. Bd. 1. Leipzig/Wien 1890. – Peter JENTZSCH: Die Lyrik des 17. Jahrhunderts aus der Sicht der Schule. In: Das 17. Jahrhundert in neuer Sicht. Stuttgart 1969. S. 5–28. – Gotthold Ephraim LESSING: Werke. Hrsg. von Herbert G. Göpfert. Bd. 6. München 1974. – Benjamin Neukirchs Anthologie. [Siehe Textquelle.] T. 1. Tübingen 1961. T. 2. Tübingen 1965. [Zit. als: Neukirch.] – Erwin ROTERMUND: Affekt und Artistik. Studien zur Leidenschaftsdarstellung und zum Argumentationsverfahren bei Hofmann von Hofmannswaldau. München 1972. – Frank G. RYDER: The design of Hofmannswaldau's »Vergänglichkeit der schönheit«. In: Monatshefte 51 (1959) S. 97–102. – Paul STÖCKLEIN: Vom barocken zum Goethischen Liebesgedicht. In: P. S.: Wege zum späten Goethe. Hamburg ²1960. S. 316–330. – Paul ZINSLI: Manuels Totentanz. 2., durchges. und erw. Aufl. Bern 1979.

Weitere Literatur: Hedwig GEIBEL: Der Einfluß Marinos auf Christian Hofmann von Hofmannswaldau. Gießen 1938. – Rudolf IBEL: Hofmann von Hofmannswaldau. Studien zur Erkenntnis deutscher Barockdichtung. Berlin 1928. Repr. Nendeln 1967. – Wolfdietrich RASCH: Lust und Tugend. Zur erotischen Lyrik Hofmannswaldaus. In: Rezeption und Produktion zwischen 1570 und 1730. Festschrift für Günther Weydt. Bern/München 1972. S. 447–471. – Erwin ROTERMUND: Christian Hofmann von Hofmannswaldau. Stuttgart 1963.

Christian Hoffmann von Hoffmannswaldau

So soll der purpur deiner lippen
  Itzt meiner freyheit bahre seyn?
Soll an den corallinen klippen
  Mein mast nur darum lauffen ein /
Daß er an statt dem süssen lande /
Auff deinem schönen munde strande?

Ja / leider! es ist gar kein wunder /
  Wenn deiner augen sternend licht /
Das von dem himmel seinen zunder /
  Und sonnen von der sonnen bricht /
Sich will bey meinem morrschen nachen
Zu einen schönen irrlicht machen.

Jedoch der schiffbruch wird versüsset /
  Weil deines leibes marmel-meer
Der müde mast entzückend grüsset /
  Und fährt auff diesem hin und her /
Biß endlich in dem zucker-schlunde
Die geister selbsten gehn zu grunde.

Nun wohl! diß urthel mag geschehen /
  Daß Venus meiner freyheit schatz
In diesen strudel möge drehen /
  Wenn nur auff einem kleinen platz /
In deinem schooß durch vieles schwimmen /
Ich kan mit meinem ruder klimmen.

Da will / so bald ich angeländet /
  Ich dir ein altar bauen auff /
Mein hertze soll dir seyn verpfändet /
  Und fettes opffer führen drauff;
Ich selbst will einig mich befleissen /
Dich gött- und priesterin zu heissen.

Abdruck nach: Benjamin Neukirchs Anthologie. Herrn von Hoffmannswaldau und andrer Deutschen auserlesener und bißher ungedruckter Gedichte erster theil. Hrsg. v. Angelo George de Capua und Ernst Alfred Philippson. Tübingen: Niemeyer, 1961. (Neudrucke deutscher Literaturwerke. N. F. 1.) S. 449 f.
Erstdruck: Herrn von Hoffmannswaldau und andrer Deutschen auserlesene und bißher ungedruckte Gedichte / nebenst einer Vorrede von der deutschen Poesie. Leipzig: Thomas Fritsch, 1695.

Uwe-K. Ketelsen

»Die Liebe bindet Gold an Stahl und Garn zu weisser Seyde«. Zu Hoffmannswaldaus erotischem Lied *So soll der purpur deiner lippen*

Traditionellen Orientierungsmaßstäben muß dieses Gedicht Hoffmannswaldaus einigermaßen anstößig erscheinen: Schon die Autorschaft an dem Text, der 1695 mit der Sigle »C. H. v. H.« in der Neukirchschen Sammlung veröffentlicht wurde, ist philologisch nicht gesichert (wenngleich die Hoffmannswaldaus Werk gewidmete Textkritik sie ihm auch nicht abgesprochen hat). Auch ist er innerhalb des Hoffmannswaldauschen Œuvres nicht unzweifelhaft zu datieren; vermutlich ist er wie die anderen etwa 40 erotischen Gedichte (die der Anthologist unter der Bezeichnung *Verliebte Arien* zusammenfaßt) in den vierziger Jahren des 17. Jahrhunderts entstanden (Rotermund, *Hofmannswaldau*, S. 33). Am Ende läßt sich noch nicht einmal die vom Autor intendierte Textgestalt sicher ausmachen, beleuchtet doch Neukirch selbst – durchaus im Stile der Zeit – seine Herausgeberarbeit mit dem Vermerk, er habe sich »die kühnheit genommen / [. . .] in den Hoffmannswaldauischen sachen / [. . .] dasjenige / was unrecht geschrieben war / zu verbessern / das ausgelassene zu ersetzen / und etliche hohe gedancken / so sie [Hoffmannswaldau und Lohenstein] vielleicht ihrer damahligen jugend wegen nicht recht bedacht / in ordnung zu bringen« (Neukirch, S. 21). Und wirklich heißt es in der 3. Auflage des 1. Bandes der Sammlung in Vers 26 des vorliegenden Gedichts »Ich dir ein altar bauen auff«, wo in den ersten beiden noch »Dir einen altar bauen auff« gestanden hatte (eine Änderung, die einen in der Tat nicht überzeugenden Satz durch einen kaum überzeugenderen ersetzt, so daß möglicherweise der erste so wenig wie der zweite original ist). Eine authentische Fassung des Textes ist jedenfalls nicht bekannt.

Eine solche philologische Laxheit erweist sich allerdings erst dann als bedenkliche Weitherzigkeit, wenn der Begriff vom geistigen Eigentum und dessen poetologisches Seitenstück, der Originalitätsanspruch, zur alles bestimmenden Richtschnur werden. Insofern trägt die positivistische Literaturgeschichtsschreibung (die sich im Hinblick auf Hoffmannswaldaus Texte gerade mit Verfasser- und Datierungsfragen gemüht hat) anachronistische Probleme an Poeme wie dieses heran; zumindest Neukirch und seine Leser der neunziger Jahre des 17. Jahrhunderts dachten den Text nicht auf die Individualität eines Dichters oder die Gestalt eines Œuvres bezogen; für sie war »Hoffmannswaldau« in erster Linie ein Schlagwort für eine bestimmte Spezies Literatur.

Aus der vermutlich fünfzigjährigen Distanz zwischen Abfassung und Druck kann man nun durchaus nicht schließen, daß das Gedicht mit den anderen erotischen Liedern Hoffmannswaldaus in einer finsteren Schublade versteckt gelegen hätte. In der Gesamtvorrede zu seinen *Deutschen Übersetzungen und Getichten*, 1679, begründet der Autor ihr Fehlen in dieser Ausgabe u. a. damit, daß sich seine »poetischen Kleinigkeiten« bereits in »unterschiedenen Händen« befänden. Das weist auf Geselligkeits- und Verkehrsformen hin, wie sie in der höfischen und in der an ihr orientierten höheren städtischen Kultur des 17. Jahrhunderts geläufig waren; hier war man durchaus nicht unbedingt auf den öffentlichen Druck angewiesen, vielmehr fand der gesellige Verkehr auch in Abschriften und handschriftlichen Zir-

kularen seinen Stoff. Wenn also Neukirch etwas druckte, was bislang – absichtlich! – im Schoße einer ständisch und regional weitgehend geschlossenen Gesellschaft zugreifender ›Aneignung‹ durch eine breitere Öffentlichkeit entzogen gewesen war und wenn er damit im Titel seiner Sammlung auch noch ausdrücklich Reklame machte, dann berührte er die Grenze eines spezifischen Kulturmusters der Epoche. Der öffentliche Druck verschaffte Texten wie diesem nicht allein größere Leserzahlen, sondern er rückte sie vor allem in ganz andere Verständigungs- und Wertungszusammenhänge.
Wie Neukirchs Vorwort zur Sammlung beweist, war sich der Herausgeber dessen durchaus bewußt: Wie schon Hoffmannswaldau selbst, der 1679 in der Vorrede zu seinen *Deutschen Übersetzungen und Getichten* befürchtet hatte, öffentlich gedruckt könnten seine Lieder anderen Beurteilungskriterien unterworfen werden als die Gelegenheitsgedichte und die geistlichen Oden, so sah auch Neukirch die Schwierigkeiten voraus, die sich mit einer solchen Öffnung ergeben würden: »Allzu-freye gedancken habe ich in dieses werck nicht rücken wollen und dafern sich ja einige darinnen finden / so sind sie wider meinen willen mit eingeschlichen« (Neukirch, S. 21). Da sich diese vorsorgliche Bemerkung dann als unzureichend erweisen sollte, schob er im Vorwort zur 2. Auflage die Schuld an der tatsächlich einsetzenden Kritik dem Verlag in die Schuhe, indem er noch einmal ausdrücklich behauptete, die monierten ›Freiheiten‹ seien gegen seinen Willen in die Sammlung gelangt. Vor allem aber versicherte er hoch und heilig, niemals auch nur eine einzige Zeile des Hoffmannswaldau abgeschrieben zu haben; ausdrücklich distanzierte er sich also davon, an der für die höfische Gesellschaft kennzeichnenden Verbreitungsweise solcher Materien teilgehabt zu haben.
Daß es den Lesern aber gerade um diese ihnen bislang verschlossenen Themen ging, zeigt die Politik des Verlags: Nachdem in der zweiten Auflage die im Sinn der bürgerlich-christlichen Moral frivolsten Stücke gestrichen worden

waren (zu denen übrigens dieser Text nicht gehört), wurden sie in die 3. Ausgabe klammheimlich wieder eingerückt – Neukirchs Distanzierung in der Vorrede aber nicht getilgt! Wie weitsichtig diese Entscheidung war, bewies der Erfolg der Sammlung. Ihre ersten Bände waren nicht nur ein Markterfolg, sie wurden auch zum Fundament einer Moderichtung, die sich zwar den geistigen Entwicklungen des 18. Jahrhunderts anpaßte, aber noch etwa Goethe in seiner Leipziger Zeit eifrig beschäftigte. Ob die neuen Leser die Texte allerdings noch im Sinne ihres Verfassers lasen, mag dahinstehen; schon die ästhetische Vergröberung, mit der Neukirch die Thematik seines Vorbildes behandelte, mag berechtigte Zweifel wecken.
Mit dieser Öffnung durch die Neukirchsche Sammlung sind die Hoffmannswaldauschen Texte – wie vorausgesehen – einem sehr charakteristischen Argumentationsmechanismus ausgesetzt worden, der ihr Verständnis bis heute nachhaltig bestimmt. In der nun schon drei Jahrhunderte andauernden Beschäftigung damit lassen sich an der Oberfläche zwar manche Veränderungen erkennen, in den Grundsätzen bewegt sich die Diskussion aber fast zwanghaft in vorgezeichneten Linien (denen auch wir uns nicht willkürlich entziehen können). Dabei geht es um zwei Dinge: Zum einen wird die Lockerung der Beziehung zwischen Wort und bezeichneter Sache festgestellt und zumeist verständnislos getadelt (»Er pflanzt Metaphoren aus metaphorschen Worten«, wie Johann Jakob Bodmer 1734 in seinem Lehrgedicht *Character Der Teutschen Gedichte* formuliert); zum anderen aber werden seine erotischen Gedichte einer strikt moralischen Beurteilung unterworfen (so, wenn es in Gottscheds *Critischer Dichtkunst*, S. 111 f., heißt: »Hofmannswaldau und Lohenstein aber sind [...] in die Fußtapfen der geilen Italiener getreten, die ihrer Feder so wenig, als ihren Begierden, ein Maaß zu setzen wissen«); ja Hoffmannswaldau wurde nachgerade zum Synonym für eine ganze Epoche, deren Ende eine *Sittengeschichte* in ihren abschließenden Sätzen pathetisch zu einer Weltenwende stilisierte:

»Man wollte die Gelegenheit nützen, so lange sie sich noch bot. Der letzte Reigen mußte getanzt sein, bevor der Tag anbrach, ein neuer Tag in der Geschichte« (Fuchs, S. 484).
Aber auch als im Zeichen des geistesgeschichtlichen Historismus solche selbstgerechten Attitüden gemieden wurden, versagte der moralisierende Abwehrmechanismus nicht; über Hoffmannswaldaus erotische Dichtung ließ sich erst reden, wenn sie in tiefgründige Worte außerordentlicher Erhabenheit gekleidet wurde: Hoffmannswaldau bleibe angesichts des Themas Sexualität überlegen aufgrund einer »Unberührbarkeit des Letzten, des Echten, wir dürfen beinahe sagen: des Transzendenten«. So finde der Dichter eine »geheimnisvolle Mitte«, und die Einsichten ins menschliche Altern und Sterben mache »ein volles Ernstnehmen der Geschlechterliebe unmöglich« (Müller, S. 111). Und da man doch zu viel rhetorisch-artistische Unverantwortlichkeit in seinen Gedichten fand, mußte man extra eine »barocke Ironie« (Paul Hankamer) erfinden. Und selbst die neuere gattungstheoretisch-geschichtsphilosophische Perspektive lenkt das Auge unverwandt auf denselben Punkt, wo der lähmende Anblick des Schreckens, den Sexualität einjagt, wortreich schützend zugehängt wird: »Diese außerhalb der erotischen Gattung aufgestellten Wertungen dringen in die erotischen Gedichte selbst ein: als Resignation gegenüber der Vergänglichkeit, als betonte Trennung des erotischen Jetzt von einem unerotischen Später (das dann nur mehr religiös gegen die Verzweiflung abgestützt werden kann), als begrenztes, heiter-törichtes Spiel [. . .]« (Schlaffer, S. 172).
Sicher, diese Abwehr bedrohlicher Sexualität mit den Mitteln der gelehrten Interpretation läßt sich durch die Einsicht in ihre historische Bedingtheit nicht zurücknehmen; aber dennoch hilft diese Erkenntnis, einige der Abwehrmechanismen zu vermeiden und einen Text wie *So soll der purpur deiner lippen* nicht sogleich mit der Absicht zu lesen, ihn verallgemeinernd der Idee einer Hoffmannswaldauschen Weltsicht zu subsumieren und damit beruhigend in einen größeren Zusammenhang einzubetten. Nimmt man das

Gedicht zunächst einmal so, wie es dasteht, dann zeigt sich, daß es sich jener angedeuteten Interpretationslinie nur unter sehr speziellen Interpretationsvorgaben einordnet.
Der Text ermöglicht aufgrund seiner metaphorischen Redeweise mehrere Lesarten des erotischen Themas, ohne daß die eine sich gegenüber der anderen als die wahre ausweisen könnte; die eine ist die Palinodie der anderen. Die Leser, in deren Horizont die Neukirchsche Veröffentlichung den Text stellte, aktualisieren die – vor allem in der ersten Strophe – dünn verschleierte pornographische, welcher dann die moralisierende Abwehrreaktion korrespondiert; so sah der zeitgenössische Poetologe Erdmann Neumeister in den *Brunst-Gedichten* »res profanas, ne dicam lascivas« behandelt und brachte damit eine Aktualisierungsvariante auf das gebührliche Stichwort. Vor dem Hintergrund der dichten Tradition erotischer Literatur lassen sich die Metaphern aber auch als eine Variation auf die klassischen »fünf Linien« des ›erotischen Aktionsmusters‹ (vom Augenflirt ... zum Koitus) entschlüsseln. Unter historischem Vorzeichen ist aber möglicherweise die ethisch-theologische Lesart die affektionierendere: liest man das Gedicht nämlich angeleitet durch Neumeisters Hinweis, in Hoffmannswaldaus weltlichen Oden würden nicht selten »sententiae Biblicae« verwendet (vgl. Rotermund, *Affekt und Artistik*, S. 176), dann entschlüsseln sich die Metaphern auf einer noch anderen Ebene. Hoffmannswaldau deutet das Triebschicksal (wie wir modern sagen würden), indem er es in das durch eine alte christliche Tradition religiös besetzte und im Barock vielfältig so benutzte Metaphernfeld von der Seefahrt einkörpert (vgl. Jöns, S. 191–203; Rusterholz, S. 280 f.). Unvermeidlich – so in dieser Entschlüsselung – wird das zerbrechliche Lebensschiff auf die Klippen der Lust geworfen, so daß alles Heil dahin ist (Str. 1); deren unwiderstehlichem Sog zu entgehen, ist gerade deswegen unmöglich, weil die körperliche Lust den Glanz der himmlischen usurpiert; die Schönheit der Liebe, die der Vor-Schein des Heils zu sein verspricht, ist so nur eine magische Täuschung; dieser

Abgrund von Trug, daß das Unheil im Schein des göttlichen Lichts glänzt, faßt die Bildersprache des Autors im Oxymoron des »schönen Irrlichts« zusammen (Str. 2). Wenn nun schon das Heil dahin ist, dann will der darum Betrogene wenigstens im sexuellen Genuß Ersatz finden; im Schoß der Frau feiert der Gescheiterte den (heidnischen!) Götzendienst, dessen Opfer – wie er in der letzten Strophe gleich zweimal sagt – am Ende er selbst ist. Man mag dieser letzten Strophe möglicherweise noch eine poetologische Wende geben und im »fetten Opfer« die der Frau und der Sexualität gewidmeten »verliebten« Lieder sehen.
Diese Mehrdeutigkeit der Metaphorik, die den Sinn des Gedichts für mehrere Perspektiven durchsichtig macht, ohne doch einen zentralen Fluchtpunkt festzulegen, verrät ein Höchstmaß an artistischer Könnerschaft. Diese erschöpft sich kaum in der sicheren Behandlung von Metrum und Reim und in der glatten Beherrschung der Verssprache; da hält der Autor nur die literarischen Standards des Hochbarock, auf die Neukirch in der Vorrede zu seiner Sammlung mit berechtigtem Stolz hindeutet. Hoffmannswaldaus Virtuosität erweist sich vor allem in der schwerelosen Leichtigkeit, mit der er das erotische Thema in einem durch die Tradition eng abgesteckten Raum behandelt: Versschema und Strophenform (vierhebiger alternierender Vers mit dem Reimschema ababcc) sind seit Opitz vorgegeben, die Bilder und Metaphern wie das Schema der Darstellung der Frau stammen teils aus der petrarkistischen Tradition (wie »purpur deiner lippen«; erotische Topographie nach Augen, Lippen, Körper, Vagina), teils aus der Marino-Imitation (»schönes Irrlicht«). Höchste Bewunderung verdient vor allem aber des Autors Variationsfähigkeit. Die intellektuelle Spannung in der Mehrdeutigkeit der Tropen (so, wenn in der ersten Strophe das »süße Land« das Paradies meint, welches das Lebensschiff [»Mast« als Synekdoche für »Schiff«] nicht erreicht, und zugleich die Vagina, zu welcher der Penis [»Mast« als Metapher] nicht gelangt) wird noch gesteigert durch die überraschende Umkehr, die

in diesem Gedicht dem petrarkistischen Grundmotiv der erotischen Qual gegeben wird: droht der Mann in der petrarkistischen Lyrik unterzugehen, weil die Frau ihm ihren Körper verweigert, so zerschellt hier sein Schiff gerade weil – wenn (zumindest nach einer möglichen Lesart) auch in ›perverser‹ Umkehrung – wahr wird, wozu er sie ansonsten nur mit äußerster Eleganz und Geistesschärfe überreden kann.

So baut Hoffmannswaldau gegen die bedrohlichen Fluten, über denen nur Irrlichter Wege weisen zu den steinernen Klippen, in welche der Frauenkörper sich auflöst, einen intellektuell-artistischen Wall, der die anarchische Gewalt der Sexualität schützend eindämmt. Am Ende hat die virtuose Artistik (deren umkehrendes Spiel mit den Motiven und mehrdeutigen Tropen Hoffmannswaldaus angestammten Leser aufgrund ihrer formalen und literarischen Bildung durchaus zu goutieren wußten) eine ähnliche Bedeutung wie das bürgerliche Moralisieren; sie ist eine in die höfische Kultur eingebettete Technik der Triebabwehr, freilich eine elegantere als das derbe Moralisieren, welchem das neugierige Schielen nach Frivolem entspricht, das die Neukirchsche Sammlung bei seinem breiteren Lesepublikum erfolgreich unterstellt.

Sucht man für die abgründig finstere Lesart des Gedichts eine Parallele im Werk Hoffmannswaldaus, dann findet man sie am ehesten in den *Helden-Briefen* (1663/1679); im Brief Eginhards an Emma faßt der Autor etwa die alle Ordnung der Welt stürzende Gewalt der sexuellen Leidenschaft in die emblematische Bildreihe:

Der Stände gleichheit ist der Liebe Possenspiel;
Sie bindet Gold an Stahl und Garn zu weisser Seyde /
Macht daß ein Nesselstrauch die edle Rose sucht /
Zu Perlen legt sie Graus / zu Kohlen legt sie Kreyde /
Und propft auf wilden Baum offt eine süsse Frucht.

(Zit. nach: *Die deutsche Literatur*, S. 463.)

In neueren sozial- und kulturgeschichtlich argumentierenden Analysen solcher Entwürfe ist viel von einer »Emanzipation der erotischen Leidenschaft« gegen protestantische Sexualfeindschaft und bürgerliche Lustunterdrückung die Rede (vgl. z. B. Rotermund, *Affekt und Artistik*, S. 142 u. ö.). Unbeschadet der Frage, ob »Emanzipation« sich überhaupt anders als in einem öffentlichen (politischen und gesellschaftlichen) Zusammenhang vollziehen kann – endet nicht die Navigatio amoris gerade deswegen im Naufragium libertatis, weil die Sinnlichkeit eben nicht in einen verantworteten Lebenszusammenhang befreit wird? Losgelöst von den Menschen, als »Venus« notdürftig mythologisch eingekörpert, beherrscht sie dämonisch die Leiber und das männliche Herz. Nur als heidnische Opferpriesterin, die ihren eigenen Kult zelebriert, erscheint die Frau dem Mann noch als Person; reduziert auf nichts als ihren lockenden Körper, der zudem zerrissen ist in fetischisierte Sexualzonen, reduziert sie den Mann auf nichts als sein Begehren. In der auf kluge, ›politische‹ Selbstbeherrschung gegründeten höfischen Kultur, welche alle Leidenschaft intellektuell bannt, erscheint so die vertriebene Natur im Schimmer lockender, dämonisch-irrlichternder Weiblichkeit – als dunkle Palinodie der (geistigen) Lust am Trieb.

Zitierte Literatur: Die deutsche Literatur. Texte und Zeugnisse. Bd. 3: Barock. Hrsg. von Albrecht Schöne. München 1963. – Eduard FUCHS: Illustrierte Sittengeschichte vom Mittelalter bis zur Gegenwart. Die galante Zeit. München 1910. – Johann Christoph GOTTSCHED: Versuch einer critischen Dichtkunst [...]. 4., verm. Aufl. Leipzig 1751. Repr. Darmstadt 1962. – Dietrich Walter JÖNS: Das ›Sinnen-Bild‹. Studien zur allegorischen Bildlichkeit bei Andreas Gryphius. Stuttgart 1966. – Günther MÜLLER: Geschichte des deutschen Liedes vom Zeitalter des Barock bis zur Gegenwart. München 1925. Repr. Darmstadt 1959. – Benjamin Neukirchs Anthologie. [Siehe Textquelle. Zit. als: Neukirch.] – Erwin ROTERMUND: Affekt und Artistik. Studien zur Leidenschaftsdarstellung und zum Argumentationsverfahren bei Hofmannswaldau. München 1972. – Erwin ROTERMUND: Christian Hofmann von Hofmannswaldau. Stuttgart 1963. – Peter RUSTERHOLZ: Der Liebe und des Staates Schiff. Christian Hoffmann von Hoffmannswaldaus ›Verliebte Arie‹: »So soll der purpur deiner lippen ...«. In: Deutsche Barocklyrik. Gedichtinterpretationen von Spee bis Haller. Hrsg. von Martin Bircher und Alois M. Haas.

Bern/München 1973. S. 265–289. – Heinz Schlaffer: Musa Iocosa. Gattungspoetik und Gattungsgeschichte der erotischen Dichtung in Deutschland. Stuttgart 1971.

Weitere Literatur: Norbert Elias: Die höfische Gesellschaft. Darmstadt ^{4}1979. – Franz Heiduk: Die Dichter der galanten Lyrik. Studien zur Neukirchschen Sammlung. Bern/München 1971. – Klaus Günther Just: Zwischen Poetik und Literaturgeschichte. Christian Hofmann von Hofmannswaldaus »Gesamtvorrede«. In: Poetica 2 (1968) S. 541–557.

Christian Hoffmann von Hoffmannswaldau

Die Welt

Was ist die Welt / und ihr berühmtes gläntzen?
Was ist die Welt und ihre gantze Pracht?
Ein schnöder Schein in kurtzgefasten Gräntzen /
Ein schneller Blitz bey schwartzgewölckter Nacht.
5 Ein bundtes Feld / da Kummerdisteln grünen;
Ein schön Spital / so voller Kranckheit steckt.
Ein Sclavenhauß / da alle Menschen dienen /
Ein faules Grab / so Alabaster deckt.
Das ist der Grund / darauff wir Menschen bauen /
10 Und was das Fleisch für einen Abgott hält.
Komm Seele / komm / und lerne weiter schauen /
Als sich erstreckt der Zirckel dieser Welt.
Streich ab von dir derselben kurtzes Prangen /
Halt ihre Lust vor eine schwere Last.
15 So wirstu leicht in diesen Port gelangen /
Da Ewigkeit und Schönheit sich umbfast.

Abdruck nach: Christian Hofmann von Hofmannswaldau: Gedichte. Ausw. und Nachw. von Manfred Windfuhr. Stuttgart: Reclam, 1969. (Reclams Universal-Bibliothek. 8889/90.)
Erstdruck: C. H. v. H.: Deutsche Übersetzungen und Gedichte. Breslau: Fellgibel, 1679.

Urs Herzog

»Weiter schauen«. Zu Hoffmannswaldaus *Die Welt*

Wie leichtlich läst sich doch des Menschen Auge blenden!
Du weist, wie schwach es ist, es kombt aus deinen Händen.
C. H. v. H.

Das Gedicht gibt kein Rätsel auf. Es sei denn das seiner großen Schönheit.
»Was ist die Welt?« In der Mitte des 17. Jahrhunderts (das Gedicht läßt sich auf 1647/48 datieren), zu Ende des großen Krieges ist die Frage gänzlich rhetorisch. Und sie ist es seit Jahrhunderten. Aber eben als solche, als hundert- und aberhundertmal schon beantwortete, stellt sie eine literarische Herausforderung dar. Frage und Antwort sind fast nur mehr zu variieren, einem gegebenen musikalischen Thema vergleichbar. »Die Welt« – die »falsche«, die »eitle«, die »schnöde« ... die »zu fliehende« Frau Welt –, barocker Gemeinplatz wie kaum ein anderer, aktualisiert sich der Gedanke in seiner Form, oder er ist trivial. Derart ein Vor- und Aufgegebenes (Tradition) neu und überraschend zu ›formulieren‹, Bekanntes ins Eigene zu verfremden: in Hoffmannswaldaus Gedicht erscheint das Grundproblem barokker Dichtung aufgehoben in jener Heiterkeit, die über *reiner* Eleganz der Charme ist, leuchtend wie nur solches, das sich selber nicht ansieht.

I

Was ist die Welt / und ihr berühmtes gläntzen?
Was ist die Welt und ihre gantze Pracht?

Der zweimaligen Frage antworten die sechs folgenden Verse, von denen die ersten drei sich auf die erste, die zweiten drei auf die zweite Frage beziehen: »Schein«, »Blitz« und »bundtes Feld«, das ist das »*gläntzen*« (1) der

Welt – »Spital«, »Sclavenhauß« und »Grab«, darin enthüllt sich die *»Pracht«* (2), das Pracht-*Gebäude* der Welt. Zwei Fragen, zweimal drei Antworten, damit ist die genaue Mitte des Gedichts erreicht. Mit dieser augenfälligeren Disposition des ersten Teils verschränkt sich eine zweite, innere: der doppelten Frage des Anfangs folgt mit den Versen 3 und 4 die doppelte kategoriale Bestimmung der Welt als einer Erscheinung in Raum und Zeit, eine Bestimmung, auf die im zweiten Teil die Verse 12 und 13 zurückkommen (den »kurtzgefasten Gräntzen« entspricht der »Zirckel dieser Welt«, dem »schnellen Blitz« das »kurtze Prangen« der Welt).

Der zweite Teil, im Umfang von wiederum acht Versen, schließt sich dem ersten an, indem er aus diesem zunächst die Bilanz zieht. ›Rechenschaft‹ wird gegeben:

Das ist der Grund / darauff wir Menschen bauen /
Und was das Fleisch für einen Abgott hält.

Dann wird mehrmals die Seele angesprochen, und das mit Aufforderungen, die viel zu sachte bittend sind, als daß man sie ›Imperative‹ nennen möchte. Die jenseitige Verheißung der beiden Schlußverse ist rückbezogen auf die Eingangsverse 9 und 10: denn der Un-»Grund«, auf den wir Menschen bauen, tritt zum Schluß neu ins Bild des Meeres als des abgründigen Orts menschlicher Navigatio vitae, während dem »Abgott« der Welt die Evokation des Himmels, »Da Ewigkeit und Schönheit sich umbfast« (16) – Ort des wahren Gottes – entgegensteht.

Dergestalt zwar subtil und zugleich strikte gefügt, bewegt sich das Gedicht doch ungleich freier als ein Sonett, eines von Fleming oder Gryphius, was als Formidee am ehesten zum Vergleich sich anbietet. Auch der Vers ist in seinem Gestus sehr viel gelassener als der übliche Alexandriner des deutschen Barock. Daß auf die Darstellung, die sogenannte Narratio des ›Rede‹-Gegenstandes »Welt«, wie der erste Teil sie bringt, mit dem zweiten Teil die Überredung, die Persua-

sio des ›Publikums‹ (Seele) folgt, damit ist das Ganze im ursprünglichsten Sinne des Wortes rhetorisch gedacht. Doch wie nun diese rhetorische Schematik in dem fast liedhaften Gang der sechzehn Verse langsam wieder untergeht, das beweist noch einmal dieselbe spielerische Kunst, halb aufzurufen, was als Norm (Sonett, Alexandriner, rhetorische Disposition) gegeben sein könnte, und es doch dann zu lassen. Läßlichkeit ist dafür ein Wort.
Ungezählte barocke Vanitas-Gedichte setzen ein mit der Frage »Was ist die Welt«. Die Frage in dieser schon fast rituell festgelegten Form zu wiederholen heißt das Gedicht ebenso aufs Typische festlegen, wie es die anschließende Reihung der sechs Antworten ihrerseits auch tut. Auch in der Metaphorik ist nichts Außergewöhnliches gesucht. Bis auf die »Kummerdisteln« (5) begegnet kein einziges Bild, das im Wortschatz barocker Vanitas-Klage nicht völlig geläufig wäre; auch das Bild des »schönen Spitals« (6) ist es – »Die Welt ward ein Spittal an tausend / tausend Krancken« (*Gedichte*, S. 49) –, auch das des »Sclavenhaußes« (7) – »wie wir Lust und Zeit als Sclaven dienen müssen«, heißt es in Hoffmannswaldaus zweitem *Welt*-Gedicht (*Gedichte*, S. 111). Das »faule Grab / so Alabaster deckt« läßt an das Bibelwort von den »übertünchten Gräbern» (Matth. 23,27) denken. Einzig in den »Kummerdisteln« – Hoffmannswaldau spricht auch von »KummerDorn« (*Gedichte*, S. 101) und »FeindschaftsNesseln« (*Gedichte*, S. 97) –, allenfalls in dieser einen Neubildung wird man eine jener »Metaphorae dictionis valde mirabiles« sehen dürfen, die nach Erdmann Neumeisters Urteil dem Dichter für immer zum Ruhm gereichen (S. 56). »Kummerdisteln«, letztlich ist wohl auch dieses Wort biblisch angeregt: »Verflucht sey der Acker vmb deinen willen / mit *kummer* soltu dich drauff neeren dein Leben lang / Dorn vnd *Disteln* sol er dir tragen« (1. Mose 3,17 f., in Luthers Übersetzung). Auch im zweiten Teil ist das Gedicht sprachlich in keiner Weise gesucht; keine Superlative, keine »Zentnerwörter«, nichts »Witziges« und auch nicht die Spur von dem »Schwulst«, den das 18. und

19. Jahrhundert Hoffmannswaldau hat gemeint vorwerfen zu müssen.
Neben die Oden und Sonette eines Gryphius gehalten, nimmt der Text sich elegant aus, beinahe schon ›klassizistisch‹. Merklich ist mit im Spiel jene romanische, zumal die französische Formkultur, an der Hoffmannswaldau, der Übersetzer des Théophile de Viau, vorzüglich geschult ist: »Frankreich mit seiner lieblichen Feder«, wie Lohenstein in der Grabrede auf den Dichter sagen wird (Hübner, S. 78). Leicht tritt dieses Gedicht auf. Etwas Läßliches und Urbanes ist an ihm. Von dem Dunkel und dem schweren und schwermütigen Pathos des Freundes Gryphius hält Hoffmannswaldau seinen Abstand.
Ist Hoffmannswaldau darum weniger ›ernst‹? Oder ist das Gedicht gar nur mehr gespielt, unverbindlich, elegant verspielt?

II

»Hinter dem Tod steht kein geistig-übersinnliches Jenseits, sondern ein Land, wo ›Ewigkeit und Schönheit sich umfaßt‹, wo die Lust ewig geworden ist«, hat Manfred Windfuhr gemeint (*Gedichte*, S. 145). Der Himmel, zu dem Gryphius noch gläubig aufschaut, wäre nun ausgeräumt? Der Himmel, »wo Leben sich und Ewigkeit verschworen« – so schreibt Gryphius an Hoffmannswaldaus Gemahlin (S. 116) –, dieser Himmel würde für Hoffmannswaldau nicht mehr gelten? Das Gedicht weiß es anders.
Allerdings versteht Hoffmannswaldau auch zu spielen. Auch mit dem Thema der Vergänglichkeit. Einmal so:

Was ist der schönheit gläntzen /
  Als ein geschwinder blitz?
  Sein zubereiter sitz
Besteht in engen gräntzen.
  Kein fluß verrauscht so bald /
  Als schönheit und gestalt.
        (*Gedichte*, S. 107.)

Die Strophe, in der wie Versatzstücke sich Bilder aus unserem Gedicht einstellen, drängt diesmal, statt zum frommen Weltverzicht, ein Mädchen zum unbekümmerten »Pflücken des Tages«. Angesichts aller Vergänglichkeit wird die »Lust« der Liebe um so dringlicher. Das heißt auf galant-erotische und denkbar unpaulinische Weise »die Zeit ausgekauft« (Eph. 5,16).
Hoffmannswaldau kennt auch die stoische Wendung: den erhabenen Gleichmut, die weise, bei noch so »dornenreichem Ungelücke« (*Gedichte*, S. 128) bleibende Gelassenheit. Denn:

Diesem / der mit gleichem Hertzen
Trägt die Schmertzen /
Wird der Himmel endlich hold.
(*Gedichte*, S. 129.)

Heiter sich selber genügen, wenn doch rundum in der Welt nichts Bestand hat. »Vergnüge dich an dir«, sagt Paul Fleming (*An sich*); »Du must dich in dir ergetzen«, rät Hoffmannswaldau (*Gedichte*, S. 130). Nicht immer ist leicht zu sagen, wo da stoische Weltweisheit überholt ist und dann eine christlich gläubige Ergebenheit in den Willen Gottes spricht. Oder soll man von einer ›christlichen Stoa‹ reden? In einem Gedicht wie dem *Wider das ungeduldige murren* (*Gedichte*, S. 130 f.) ist die Position klar: Wenn einen »das zorn-gericht | Des herren will bestrafen«, dann hat er willig zu leiden, »was er leiden muß«. Wie aber möchte diese folgende Strophe gelesen sein (*Ermahnung zur Vergnügung*)?

Auff O Seele! du must lernen
Ohne Sternen /
Wenn das Wetter tobt und bricht /
Wenn der Nächte schwartze Decken
Uns erschrecken /
Dir zu seyn dein eigen Licht.
(*Gedichte*, S. 129.)

Jedenfalls, man soll das eine nicht gegen das andere ausspielen, nicht den Stoiker gegen den kirchlich Frommen, auch nicht den (angeblich) frivolen Dichter der *Lust-Getichte* gegen diese beiden. Von den erotischen Stücken ist inzwischen wieder bekannt, daß sie weitgehend nur spielerisch-rollenhaften Charakters sind und nicht Dokumente eines wild ausschweifenden Lebens (das der Dichter auch nicht im mindesten geführt hat). Aber auch im Bereich des Weltanschaulichen ist nicht immer jedes Wort bare Konfession. Es gibt, ohne daß drum bereits zynische Skepsis herrschen müßte, im 17. Jahrhundert auch so etwas wie ein Rollenspiel des Denkens, ein Beziehen und wieder Verlassen und Neubesetzen von Positionen: ständiger Wechsel der Perspektiven angesichts einer proteisch wandelbaren Welt. »Nichts ist feste«, weiß Hoffmannswaldau; »Baldanders« ist eine der mythischen Gestalten seines Zeitalters. Einem Gedicht, das beredt die Tugend preist, kann eines gegenüberstehen, das ebenso zur Wollust rät. Hoffmannswaldau redet so nicht bald der Tugend das Wort (»Die Tugend bleibet doch der Menschen höchstes Gutt«, *Gedichte*, S. 124) und bald wieder der Wollust (»Die Wollust bleibet doch der Menschen höchstes Guth«, *Gedichte*, S. 123), vielmehr ist das erste Gedicht nicht ohne das zweite zu lesen, eines beleuchtet in dialektischem Wechsel das andere: »barocker Perspektivismus, der den Gegenstand von mehreren Seiten her zeigt« (Rotermund, S. 51).
Daß daraus Spiele im Dunkeln werden könnten, darüber war gerade Hoffmannswaldau sich nicht im unklaren. Daß dann mehr als nur die Sicherheit des Tages auf dem Spiel und aufs unheimlichste wirklich radikal nichts mehr »feste« stehen könnte, dessen war der Mann sich bewußt, von dem das Wort stammt, das Erdmann Neumeister, eigenartig divinatorisch, an den Schluß seines Hoffmannswaldau-Porträts gesetzt hat (S. 56): »Ich bette stets: O Gott / behüte mich vor mir.«
Was Lohenstein am Grab des Freundes gesprochen hat, das ist, ohne Zweifel, in vielem förmlich, wie ein barockes

Epicedium es eben verlangt hat. Und doch gibt uns wiederum nichts das Recht, die beispielhafte »Freundlichkeit« – »sie war auch in seinem Herzen gewurzelt« (Hübner, S. 81) – oder auch die »Andacht« und »Gottesfurcht«, in denen der Dichter soll gelebt haben, in Zweifel zu ziehen oder gar sie in Abrede zu stellen. Es ist nicht irgendwer, der da als Zeuge aufgetreten ist; es ist Lohenstein. Trotzdem sollte Hoffmannswaldau – da doch, mit Nietzsche, alle Lust »Ewigkeit will« – ein Land sich geträumt haben, »wo die Lust ewig geworden ist«? Dieses »Land« anstelle des christlichen Himmels? Hoffmannswaldau hätte sich bedankt. Kurz vor seinem Tod hat er die *Lust-Getichte*, ohne sie drum förmlich widerrufen zu wollen, in die Sammlung seiner Werke nicht mehr aufnehmen mögen, befürchtend, sie könnten »zu ungleichem Urtheil« Anlaß geben (er meinte, sie könnten mißverstanden werden, und das besonders, so vermutet Neumeister, »weil biblische Sprüche nicht selten auf Weltliches, um nicht zu sagen Laszives, übertragen werden«, S. 191).

Wie immer – Hoffmannswaldau hat »bey Antretung des funffzigsten Jahres« dieses kleine Gebet geschrieben, an dessen Wahrhaftigkeit kein Zweifel rühren sollte:

Hielff / das mein Geist zum Himmel sich geselle /
  Und ohne Seyd und Schmüncke heilig sey;
Bistu doch / Herr / der gute reine Quelle;
  So mache mich von bösen Flecken frey.
Wie leichtlich läst sich doch des Menschen Auge blenden!
Du weist / wie schwach es ist / es kombt aus deinen Händen.

(*Gedichte*, S. 133.)

III

Aufs Letzte gesehen, ist diese Welt Blendwerk, »schnödes blendwerck« (*Gedichte*, S. 108). »Was ist die Lust der Welt?« – »nichts als ein Fastnachtspiel« (*Gedichte*, S. 111) – »eine schwere Last« (14), gibt unser Gedicht zur Antwort. Und das nicht nur des Wortspiels, der witzigen Adnomina-

tio »Lust«/»Last« wegen; das Gedicht schließt mit der Vorstellung der Lebensfahrt über das offene Meer der Welt. Ist der Ballast der Welt-»Lust« über Bord, wird das Schiff »leicht« in seinen »Port« einlaufen (15): den Ort der letzten, den »Port der rechten Ruhe« (*Gedichte*, S. 99.)
Und doch – Hoffmannswaldau, der tätig und gerne im Leben gestanden hat, weiß es –, der Mensch hängt mit Leib und »Fleisch« und »Seele« an dem schönen schnöden Blendwerk; oft geradezu abgöttisch (10). Die Welt nur finster zu schmähen und zu verachten liegt Hoffmannswaldau nicht. Und erst recht ist der Ingrimm ihm fremd, mit dem Gryphius sie verflucht hat:

Ade / verfluchte welt: du see voll rawer stürme:
Glück zu mein vaterlandt / das stätte ruh' im schirme
  Vnd schutz vndt friden hält / du ewiglichtes schlos.

So Gryphius mit dem Schlußterzett des Sonetts *An die Welt* (S. 62). Um wieviel anders nun die Zärtlichkeit – »Komm Seele / komm« – und die Schonung, mit der Hoffmannswaldau die Seele einlädt, »weiter zu schauen« und über die irdischen Grenzen von Ort und Zeit hinauszuverlangen (11 f.). Die Seele soll diesen Ausblick in die Ewigkeit »*lernen*«, allmählich, von Mal zu Mal besser, »weiter«. Der Dichter spricht, als möchte er, werbend und lockend, sie der Welt und »ihrer gantzen Pracht« liebevoll entführen – dorthin, wo »Ewigkeit und Schönheit sich umbfast« (16). Von ferne hat, noch einmal, auch dieses letzte Wort einen biblisch geheiligten Klang, erinnernd an die Psalm-Verheißung (Ps. 85,11), daß dereinst »Güte vnd Trewe einander begegen / Gerechtigkeit vnd Friede sich küssen« werden.
In der Vorrede zu den *Deutschen Übersetzungen und Gedichten*, deren Erscheinen Hoffmannswaldau nicht mehr gesehen hat, findet sich das Wort »weltliebend«. Weltliebend – vielleicht ist der menschliche und geschichtliche Rang dieses Gedichts entscheidend darin gelegen, daß in ihm, noch ohne einen Verlust an innerer Substanz, das heroisch

angestrengte Pathos barocker Frömmigkeit sich mildert dank einer Menschenfreundlichkeit, die nicht vergessen mag, wie sehr die Welt, dieses endlich zu lassende »große Nichts«, dem Menschen doch lieb ist – lieb zu Unrecht und auch zu Recht.

Zitierte Literatur: Andreas GRYPHIUS: Sonette. Hrsg. von Marian Szyrocki. Tübingen 1963. (Gesamtausgabe der deutschsprachigen Werke. Bd. 1.) – Christian Hofmann von HOFMANNSWALDAU: Gedichte. [Siehe Textquelle.] – Christian Hofmann von HOFMANNSWALDAU: Gedichte. Hrsg. von Johannes Hübner. Berlin [West] 1962. [Zit. als: Hübner.] – Erdmann NEUMEISTER: De Poetis Germanicis. Hrsg. von Franz Heiduk in Zusammenarb. mit Günter Merwald. Bern/München 1978. – Erwin ROTERMUND: Christian Hofmann von Hofmannswaldau. Stuttgart 1963.
Weitere Literatur: Franz HEIDUK: Unbekannte Gedichte von Hoffmannswaldau. In: Daphnis 7 (1978) S. 697–713. – Arthur HÜBSCHER: Neue Untersuchungen zur Chronologie Hofmannswaldaus. In: Euphorion 26 (1925) S. 185–197. – Ferdinand van INGEN: Vanitas und Memento mori in der deutschen Barocklyrik. Groningen 1966. – Peter RUSTERHOLZ: Theatrum vitae humanae. Funktion und Bedeutungswandel eines poetischen Bildes. Studien zu den Dichtungen von Andreas Gryphius, Christian Hofmann von Hofmannswaldau und Daniel Casper von Lohenstein. Berlin [West] 1970. S. 91–127.

Daniel Casper von Lohenstein

Auff das absterben Seiner Durchl. Georg Wilhelms / Hertzogs zu Liegnitz / Brieg und Wohlau

1

So bricht der glantz der welt!
Die zeit kan auch den purpur bleichen;
Die reinste sonne muß zu bald den west erreichen:
Die säule reich an ertzt wird zeitlich hingefällt.
5 Des himmels spruch ist nicht zu widerstehen /
Und wer ist groß genug demselben zu entgehen?

2

Diß / was man ewig schätzt /
Das wird in kurtzer zeit begraben;
Wer weiß / wo ihrer viel itzt ihre gräber haben?
10 Die sich lebendig selbst den sternen beygesetzt.
Mich deucht / wie die natur manch ding verlohren /
Das die vergänglichkeit zu trotzen sich verschwohren.

3

Des Nimrods grosses reich /
Da haupt und herrschafft gülden waren /
15 Ist / wie von wenig flut der spröde thon / zerfahren /
Und seine macht ist itzt den todten-knochen gleich.
Das feste land / der grundstein der palläste /
Der schweren berge fuß steht selber nicht gar feste.

4

Von Artaxerxes thron
20 Ist schwerlich noch ein stein zu zeigen;
Wer weiß / wo ringe sich um schlechte finger beugen /
Aus derer golde vor bestund die königs-kron.
Der moder hat den theuren zeug zerbissen /
Den meinen ahnen hat manch sieger küssen müssen.

5

Wie alles diß geht ein /
Wie gantze reiche sich versetzen /
Der rost den stahl / die zeit den marmel kan verletzen:
So muß geschlecht und mensch dem tod' auch zinßbar seyn.
Kein alterthum der häuser und der würden /
Weiß fürsten von der schuld des sterbens zu entbürden.

6

Mein graues hauß verfällt /
Das nun neunhundert jahr gestanden /
Doch ist Gott lob! kein grauß von hohn und spott vorhanden!
Weil es die welt zum theil / theils GOtt in ehren hält.
Es fällt durch mich; jedoch wird niemand schliessen /
Daß ich durch meine schuld den grund hätt' eingerissen.

7

Des Allerhöchsten hand /
So cedern setzt und wieder fället /
Und an Pyastus stamm zum gipffel mich gestellet /
Die bricht mich ab / und setzt mich in ein ander land;
Wer dieser hand sich müht zu widerstreben /
Der liebt sein ungelück / und haßt sein eigen leben.

8

Vorhin herrscht' ich mit lust /
Itzt folg' ich noch mit grössern freuden.
Und muß ich gleich von ihr / durchlauchte mutter / scheiden /
So sey ihr doch / und auch / frau schwester / ihr bewust:
Daß ich nur sey voran dahin geschritten /
Wo die vergnügung uns wird stets zusammen bitten.

9

Hier lebt man gantz befreyt
50 Von dem / was zufall pflegt zu heissen.
Die steine / so itzund in meinen haaren gleissen /
Sind reiner sternen glantz / und gold der ewigkeit.
Die leibwacht / die mich hier bestellt ist zu bedienen /
Sind freunde sonder falsch / und heissen Seraphinen.

10

55 Lebt all' in guter ruh!
Wie ihr mir freund und treu im leben;
So seyd des Käysers huld und GOttes schutz ergeben;
Diß bitt' ich noch von euch: Schliest hinter mir nun zu /
Und lebt also den kurtzen rest der erden /
60 Daß ihr / wie ich / gekrönt / von GOtt bekräntzt mögt werden.

Abdruck nach: Benjamin Neukirchs Anthologie. Herrn von Hoffmannswaldau und andrer Deutschen auserlesener und bißher ungedruckter Gedichte erster theil. Hrsg. von Angelo George de Capua und Ernst Alfred Philippson. Tübingen: Niemeyer, 1961. (Neudrucke deutscher Literaturwerke. N. F. 1.) S. 164–166.
Erstdruck: Herrn von Hoffmannswaldau und andrer Deutschen auserlesene und bißher ungedruckte Gedichte / nebenst einer Vorrede von der deutschen Poesie. Leipzig: Thomas Fritsch, 1695.

Uwe-K. Ketelsen

»Die Lebenden schlüssen den Sterbenden die Augen zu / die Todten aber öffnen sie den Lebenden«. Zu Lohensteins Gedicht über den Tod des letzten Piasten, Georg Wilhelms von Liegnitz

Einem heutigen Leser ist ein Text wie dieses Gedicht über den Tod des letzten Piasten, des Herzogs Georg Wilhelm von Liegnitz, Brieg und Wohlau (1660–75), in allen seinen wichtigen Aspekten zutiefst fremd; zwei einschneidende Zäsuren im literarischen und kulturellen Traditionszusammenhang – die eine zu Beginn des 18. Jahrhunderts, die andere in den Jahrzehnten um 1800 – liegen zwischen uns und ihm. Daß sich die Fremdheit nicht überdies noch zur Aversion steigert, ist vielleicht sogar erst das Ergebnis von Veränderungen, die im Hinblick auf unsere leitenden Anschauungen und ästhetischen Erfahrungen in den letzten zehn, zwanzig Jahren stattgefunden haben.
Womit dieses Poem zuallererst eine gewisse Aufmerksamkeit erregen könnte, ist die artistische Handwerklichkeit, die seine Struktur, die Entwicklung seines leitenden Gedankens und überhaupt die literarische Machart verraten. Allerdings befremden die charakteristischen schriftstellerischen Techniken, mit deren Hilfe es – wörtlich – produziert worden ist, auch gegenwärtige Auffassungen vom poetischen Herstellungsverfahren einigermaßen. Obwohl das Sujet, der Tod, und der – wie sich noch zeigen wird: scheinbare – Anlaß, das Sterben eines Menschen, für unsere Vorstellung einen individuellen, ja vielleicht sogar persönlichen Ausdruck verlangen, ist dieses Gedicht ganz schematisch verfaßt, ja es realisiert nachgerade ein schon lange festgelegtes Muster, das durch eine Unmenge von Beispielen und Vorbildern wie durch ein ganzes poetologisches Lehrgebäude vorgezeichnet war; es tritt geradezu ein in einen starr vororganisierten Raum.

Obwohl Lohensteins Gedicht nach den Vorschriften der geltenden rhetorischen Normen geschrieben ist, weist es doch eine Abweichung auf, die ihm eine besondere Wendung gibt. Üblicherweise besteht nämlich ein Epicedium (so der rhetorische Ausdruck für ein Trauergedicht) aus drei großen Abschnitten: der Trauerklage (›lamentatio‹), dem Totenlob (›laudatio‹), dem Trost für die Hinterbliebenen (›consolatio‹). Davon weicht Lohensteins Text ab; das Gedicht über den Tod Georg Wilhelms besteht aus einer sehr langen Trauerklage (Str. 1–9) und einem sehr kurzen Trost (wenngleich die Lamentatio – etwa in den Strophen 8 und 9 – bereits tröstende Argumente enthält). Die Laudatio fehlt also. So bekommt – vor allem auch aufgrund der besonderen Ausgestaltung der Klage – das Trauergedicht Merkmale eines Lehrgedichts. Diese Strukturvariante (die aber gattungstheoretisch durchaus im Horizont des Genregesetzes liegt) steht im innigsten Zusammenhang mit der Gesamtanlage des Textes; denn der Autor setzt nicht einen Lebenden – etwa einen Kondolenten – als Sprecher ein, der klagt und tröstet, sondern den Toten (und der kann sich selbst ja schlecht loben); der Verstorbene spricht aus dem Jenseits und macht – lehrend und tröstend – sein Schicksal zum Exempel menschlicher Existenz.
Den Grund für diese Strukturvariante in der Privatperson des Betrauerten, im Herzog Georg Wilhelm, zu suchen würde auf einem anachronistischen Mißverständnis beruhen, das Prinzipien bürgerlicher Lebensmaximen in den Horizont feudalen Selbst- und Weltverständnisses trüge. Der Tote, den Lohenstein hier mit den sagenumwobenen Herrschern Nimrod und Artaxerxes, an anderer Stelle mit Arminius in Verbindung setzt, war ein fünfzehnjähriger Knabe; und welche Verdienste – so fragt ein durch die bürgerliche Leistungsethik geprägtes Bewußtsein – hätte man ihm schon in einer Laudatio zuschreiben sollen? Die Bedeutung des Toten beruht aber gar nicht auf seinen privaten Eigenschaften und Taten, sie beruht allein und ausschließlich auf seiner repräsentativen Stellung in dieser Welt

und auf der besonderen Konstellation, in der sein Leben gestanden hat. Georg Wilhelm ist ein Fürst (und als solcher ist er sichtbar herausgehoben, so daß an ihm das Gesetz menschlicher Existenz im Extrem klar heraustritt, das ansonsten unter dem Schleier der Alltäglichkeit verborgen liegt), und er ist überdies der Letzte einer traditionsreichen Dynastie, der ältesten polnischen Herrscherfamilie, der Piasten, die seit der Zeit um 750 belegt ist und mit diesem Knaben nach 900 Jahren erlosch. Weil der Tote in der Ordnung der Welt auf solche substantielle Weise herausgehoben ist, kann Lohenstein die berühmte Lobrede, die er 1676 nach dem Tod des Herzogs auf den Toten verfaßte und die als eine repräsentative Prachtausgabe im gleichen Jahr gedruckt wurde, mit der Sentenz beginnen: »Die Lebenden schlüssen den Sterbenden die Augen zu / die Todten aber öffnen sie den Lebenden« (Bl. A). Der Tote weist nämlich als Herrscher über seine private Person hinaus auf allgemeine Gesetze der Welt, so daß an ihn eine allgemeingültige Aussage angeknüpft werden kann. In ähnlicher Weise verfährt der Autor, wenn er – im viel engeren Rahmen selbstverständlich – sein Gedicht auf den Herzog einleitend mit einem hinweisenden »So« eröffnet und damit die exemplarische Bedeutung des Textes sogleich demonstrativ herausstellt. Der verstorbene Herzog, der Sprecher des Gedichts, kann das Gesetz menschlicher Existenz, der Gewalt der Zeit unterworfen zu sein, formulieren und gleichzeitig, da er ja auch der Gegenstand des Gedichts ist, als überzeugendes Beispiel dafür eintreten; und er kann, auf diese Art beglaubigt, auch – im Trost – Grenzen dieses Gesetzes deutlich machen; es gilt in seiner unwiderruflichen Strenge nur in dieser Welt, in der jenseitigen gilt es nicht. So ist das Gedicht im Grunde ein (philosophisches) Lehrgedicht.
Abgesehen von dieser bedeutsamen Variante hält Lohenstein sich aber genau an das Muster. Daher – und nicht etwa, weil es eine einmalige Schöpfung ihres Verfassers wäre – bekommt das Gedicht für die Zeitgenossen seinen Wert. Die Lamentatio ist nach einem der Zeit geläufigen Dispositions-

schema geordnet: zunächst (Str. 1–5) wird ihr Grundgedanke (›sic transit gloria mundi‹) allgemein abgehandelt, dann (Str. 6–9) in seiner speziellen Ausprägung; Lohenstein wendet damit das in jener Zeit überaus viel benutzte Major-minor-Schema an. Auch die einzelnen Teile sind in sich nicht minder formal organisiert; so liefert der generelle Teil der Lamentatio in der ersten Strophe eine These (die Zeit ist unwiderstehlich); diese wird in der zweiten Strophe durch Parallelbeispiele ausgeweitet (die Rhetorik nannte diese Verfahrensweise eine ›amplificatio‹). Die dritte Strophe setzt noch einmal neu an, nur nimmt sie ihre Bilder nicht aus der Natur, sondern aus der Geschichte: Nimrod, der sagenhafte Gründer Babylons, auch er mußte dahin (wobei Bilder aus dem Traum Nebukadnezars [Dan. 2,32] verwendet werden); dem fügt dann die vierte Strophe – auf den Perserkönig Artaxerxes verweisend – in einer parallelen Duplikation ein zweites historisches Beispiel an. Zugleich aber fungieren diese beiden Strophen (nach dem Verfahren der ›aetiologia‹) als Beweise (›rationes‹) für die Richtigkeit der in den beiden vorausgegangenen Strophen vorgetragenen Behauptung, indem sie Beispiele anführen (›rationes ab exemplo‹). Schließlich folgt aus alledem in der fünften Strophe der Schluß (die ›conclusio‹), wo alles bisher Ausgebreitete zusammengefaßt wird: nichts, weder weltlicher Glanz, noch das Alter des Geschlechts wendet den Tod ab. Aber auch die einzelnen Strophen sind nach einem genauen Schema ordnungsgemäß gearbeitet: So amplifiziert die erste etwa den Grundgedanken zu vier parallelen Sinnbildern, die dann in den letzten beiden Zeilen zu einer allgemeinen Aussage zusammengefaßt werden; und in dieser Weise durch den ganzen Text hindurch. Und ein Blick auf die übrigen gestalterischen Mittel würde die bisherigen Beobachtungen ergänzen.

Solche Technik des Schreibens ist dem Gedanken, den das Gedicht ausfaltet, konform. So wie der Tote seine Bedeutung aus seiner generalisierenden Repräsentativität erhält, gewinnt das ihm gewidmete Poem seine Eindrücklichkeit aus der Virtuosität, mit welcher der Autor die Kunst beherrscht. Der gedankliche Kern, daß aller Glanz dieser Welt ein Opfer der Zeit werde, der nichts widerstehe, und daß allein das Jenseits dauernden Reichtum verheiße, wäre kaum ausreichend, den Text zu tragen. (Im übrigen deutet Lohenstein in diesem Gedicht eines der zentralen Probleme seines Geschichtsbildes, die Frage nämlich, welchen Spielraum menschliches Handeln in der Welt angesichts durchwaltender geschichtlicher Gesetze überhaupt habe, allenfalls flüchtig an, wenn er in der sechsten Strophe das dies- und jenseitige Glück des Piastenhauses auf das Prinzip gestellt sein läßt, teils die Welt und teils Gott in Ehren zu halten.) Das Gedicht bekommt seine Überzeugungskraft nur durch die kunstvolle, und das heißt normenkonforme Darbietungsweise. Diese ist vor allem durch ein zentrales Prinzip gekennzeichnet: durch den Grundsatz der Häufung; sie wird über das syllogistische Dispositionsschema und mit Hilfe der Amplifikationen in dessen einzelnen Partien erreicht. Ihr kommt nach Meinung der Rhetoriker eine besondere Überzeugungskraft zu, weil in dieser Figur aus einem Widerspruch heraus operiert wird: die Häufung zeigt in der Verschiedenheit und Zersplitterung der einzelnen Gegenstandsbereiche doch immer wieder dasselbe Prinzip. Im bleichenden Purpur, in der untergehenden Sonne, in der berstenden Säule wie im rostenden Stahl und im zerbrökkelnden Marmor offenbart sich die unwiderstehliche Kraft der Zeit. Gerade im Disparaten und Heterogenen tritt das Ähnliche ans Licht; die unterschiedenen Dinge sind nur die Masken, hinter denen sich das Gemeinsame kenntlich verbirgt. Dem wird noch ein weiterer Stilzug hinzugefügt; Lohenstein häuft vor allem Bilder an. Sie lassen die Wahrheit des vorgetragenen Gedankens zum einen unmittelbar in den Sinn fallen, sie bestätigen zum andern aber den Gedanken in einer Realität, die außerhalb des bloß Gedachten wirklich existiert.

Nun sind im 17. Jahrhundert Gedichte, die aus bestimmten Anlässen heraus entstehen, normalerweise keine Produkte aus abgeschlossenen Gelehrtenstuben; sie sind im Gegenteil unmittelbar eingebunden in den Zusammenhang ritueller Repräsentation der höfisch-feudalen Welt oder zumindest einer daran orientierten Sphäre. Sie sind Teil von deren Handlungsmustern. Die Schriftsteller spielten ihre Rolle im zeremoniellen Spiel auf der Bühne dieser Welt, deren Ort (oder doch zumindest deren Orientierungspunkt) der Hof war. Nicht anders Lohenstein. Als etwa 1675 Herzog Anton Ulrich von Braunschweig dem Herzog Georg Wilhelm einen Besuch abstattete, da wurde ihm ein Exemplar der repräsentativen Folio-Ausgabe des Lohensteinschen Schauspiels *Ibrahim Sultan* geschenkt, was er mit eigener Hand auf dem Titelblatt vermerkte (Martino, Abb. 8). Lohenstein, der mit den führenden Juristen des Piastenhofes befreundet war, widmete eine Reihe seiner Texte Herrschern dieses Hauses, so 1653 den *Ibrahim Bassa* den Brüdern Georg III., Ludwig und Christian (dem Vater von Georg Wilhelm); Luise von Anhalt, der Frau Christians und Mutter Georg Wilhelms, dedizierte er 1665 die *Agrippina* und 1676/79 die schon erwähnte Lobschrift auf Georg Wilhelm, zu dessen Herrschaftsantritt 1672 er Graciáns *El Politico Fernando* übersetzte, und er lieferte schließlich die Idee für das Piasten-Mausoleum in Liegnitz. Literatur bildete so pragmatisch wie inhaltlich einen wichtigen Teil der politischen Aktivitäten Lohensteins; als Jurist wie als Autor fand er seinen Platz in der höfisch-feudalen Gesellschaft Schlesiens. Den Höhepunkt dieser politischen Tätigkeit eines Schriftstellers stellt die große Lobrede auf Georg Wilhelm dar; sie begründete den bedeutenden Ruhm, den Lohenstein als politischer Redner noch bis in die Mitte des 18. Jahrhunderts genoß. Der Fürst war am 21. November 1675 an den Folgen eines Jagdvergnügens gestorben, die Leichenfeier wurde am 30. Januar 1676 in Brieg gehalten; Lohenstein verfaßte ein großes Enkomion, das zunächst in repräsentativem Folio-Format und dann 1679 noch einmal für ein größeres Publikum in Quart erschien. In großer Breite – die 1679er Ausgabe umfaßt (einschließlich der Widmung an die Mutter des

Herzogs) zwölf Bogen – entfaltet Lohenstein die Pracht barocker weltlicher Rhetorik: In wichtigen Teilen den *Annales seu Cronicae Incliti Regni Poloniae* des Joannes Dlugossius (1415–80) folgend, stellt er, in weitem Bogen die gesamte Weltgeschichte typologisch einbeziehend und das riesige Arsenal gelehrter Bildung verwendend, die Geschichte des Piastenhauses dar, in welche er den toten Georg Wilhelm rühmend einordnet. Diese Schilderung der Geschichte des Hauses und das Porträt seines letzten Vertreters sollen Trost stiften und zugleich ein Vorbild entwerfen: »So aber muß [...] das in Helffenbein und Agat zu etzen würdige Bild Unsers verstorbenen Hertzogs ein Vor-Bild aller künfftigen Fürsten seyn« (Lohenstein, Bl. K 3).

Wenn Benjamin Neukirch 1695 im ersten Band seiner berühmten Anthologie *Herrn von Hoffmannswaldau und andrer Deutschen [...] Gedichte* mit dem vorliegenden Gedicht auf Georg Wilhelm die Rubrik der *Begräbniß-Gedichte* eröffnete – es also nach zeitgenössischem Verständnis an einen besonders herausragenden Ort stellte – und wenn es eine für damalige Verhältnisse bei solchen Gelegenheiten übliche und geläufige Überschrift trug, dann zog er es mit Selbstverständlichkeit in diesen politisch-pragmatischen Zusammenhang. Allerdings läßt sich aus dieser Behandlung des Textes zunächst nichts anderes schließen, als daß er nach Neukirchs Auffassung in diesem rituell repräsentativen Handlungszusammenhang hätte stehen können, daß es somit zumindest im Spielraum des Möglichen lag (vor allem auch, was die beobachtete Inklination zum Lehrgedicht anlangt). Den einzig sicheren Beweis, daß es wirklich aus Anlaß des Todes des Herzogs geschrieben und bei Gelegenheit seiner Leichenfeier benutzt worden ist, könnte nur ein Exemplar des Gelegenheitsdrucks selbst erbringen, der meines Wissens nicht bekannt ist; jedenfalls findet sich keines im *Castrum Doloris Georgi Wilhelmi*, einer Breslauer Sammlung von Texten, die im Zusammenhang mit der Totenehrung für Georg Wilhelm stehen (Spellerberg, S. 650).

Nun verweist allerdings die Überlieferungsgeschichte des Textes noch in einen anderen Zusammenhang (vgl. *Neukirch*, S. 163, Anm.). Es gibt von diesem Epicedium, das sich übrigens nicht in Lohensteins *Blumen* (1680) findet, wo die meisten seiner Gelegenheitsgedichte versammelt sind, neben dem Druck in Neukirchs Anthologie noch eine – minimal variierende – Fassung, die in einer Sammelhandschrift der Berliner Staatsbibliothek steht; dort trifft man das Gedicht allerdings in einem ganz neuen Zusammenhang: es folgt da nämlich unmittelbar auf ein siebenstrophiges Poem des schlesischen Barockpoeten Christian Hoffmann von Hoffmannswaldau, *Uber Das Absterben Herrn Georg Wilhelms / Des Letzten Pyastischen Hertzogs* (das seinerseits in einer Handschrift und vor allem in Hoffmannswaldaus *Deutschen Übersetzungen und Getichten*, 1679, gedruckt vorliegt), und trägt – ohne daß sein Verfasser angegeben wird – die Überschrift *Parodia auff vorhergendeß*.
Im strengen Sinn ist Lohensteins Text nun allerdings keine Parodie (welche die Reimworte durchgehends behält und den Inhalt ändert, wie Harsdörffer in seinem *Poetischen Trichter*, S. 98, definiert). Lohenstein übernimmt nicht Hoffmannswaldaus Reimwörter, sondern nur das Reimschema (abbacc) und die Versstruktur (3-, 4-, 6-, 6-, 5-, 6-hebige Jamben pro Zeile); vor allem aber übernimmt er die ganze erste Strophe, wobei er nur minimale Veränderungen einfügt (»Die reinste sonne muß« statt »Die reine Sonne wil«, »Des himmels spruch« statt »Des Himmels Schluß«); er übernimmt auch die Sprechsituation, die zu der bemerkenswerten Abweichung vom üblichen Bauschema des Epicediums führt: schon bei Hoffmannswaldau spricht der Tote selbst, bereits hier fehlt also die Laudatio; auch hier deutet Georg Wilhelm seine Situation im Sinne eines Lehrgedichts, das er allerdings entschieden zugespitzter als Lohensteins Sprecher auf eine Pointe bringt, wenn er sich selbst im Stile der Zeit eine das Gedicht abschließende Grabschrift entwirft: »Man kann die Tugend nicht mit Haut und Bein vergraben« (vgl. Hofmannswaldau, S. 112 f.). So ist Lohen-

steins Gedicht mehr eine Variation über ein Thema Hoffmannswaldaus als dessen Parodie. Die Abwandlung besteht vor allem darin, daß Lohenstein im Argumentationsgang andere Spannungsverhältnisse bestimmend werden läßt und insofern die Aussage tiefgreifend verändert: Die Nichtigkeit der Welt ergibt sich bei Hoffmannswaldau aus der harten Konfrontation von Diesseits und Jenseits (von dem dann auch hauptsächlich die Rede ist); bei Lohenstein entspringt die Nichtigkeit der Welt aber in erster Linie aus der Welt selbst; der Hinweis aufs Transzendente folgt erst am Schluß und kann insofern im Sinne einer Consolatio des traditionellen Epicedien-Schemas wirken. So ist denn bei Lohenstein viel mehr Raum für die historische Situation, während bei Hoffmannswaldau der Hinweis auf den Piasten überaus beiläufig bleibt.

Die Pointe der Beobachtung, daß das Lohensteinsche Gedicht eine Parodie eines Hoffmannswaldauschen ist, liegt nun allerdings weniger darin, die in den beiden Gedichten vorgetragenen Welt-Ansichten miteinander zu vergleichen (und daraus vorschnell generalisierend Entwicklungstendenzen der Geistesgeschichte des Spätbarock, etwa im Sinne einer Verweltlichung, abzulesen); die Pointe liegt mehr in den poetologischen Zusammenhängen. Der unmittelbare Anlaß des Gedichts war nicht das Ereignis selbst, sondern das Gedicht Hoffmannswaldaus. Lohenstein leistet weniger Dienst am Grabe des Toten, er demonstriert vielmehr seinen Poetenstatus; er stellt nicht allein seine Fähigkeit glänzend unter Beweis, logische Verknüpfungen zu spinnen und im Unterschiedenen Ähnliches zu erkennen, er zeigt nicht nur seine große Gelehrsamkeit, indem er aus dem großen Schatz seiner literarischen und historischen Kenntnisse imitierend und variierend schöpft; er setzt nach dem poetologischen Verständnis der Zeit dem noch die virtuose Spitze auf, wenn er zu einem Sujet, das schon seine adäquate Formulierung gefunden hat, ein neues Thema findet, das er dann parodierend – also mit gebundenen Händen gleichsam – ausformuliert. In äußerster Steigerung seiner Kunstfertigkeit präsentiert sich der Poet als der Homo eloquens, als Artist, möchte man mit einem modernen Ausdruck sagen, der aus eigenem – nämlich ›gelehrtem‹ – Anspruch demonstrativ seinen Platz auf der Bühne des höfischen Theaters behauptet.

Zitierte Literatur: Georg Philipp HARSDÖRFFER: Poetischer Trichter. T. 1. Nürnberg 1650. – Christian Hofmann von HOFMANNSWALDAU: Gedichte. Ausgew. von Helmut Heißenbüttel. Frankfurt a. M. / Hamburg 1968. – Daniel Casper von LOHENSTEIN: Dem Fürsten, Herrn George Wilhelms, Hertzogens in Schlesien, gefertigte Lob-Schrifft (1676). Breslau 1679. – Alberto MARTINO: Daniel Casper von Lohenstein. Geschichte seiner Rezeption. Bd. 1 (1661–1800). Tübingen 1978. – Benjamin Neukirchs Anthologie. [Siehe Textquelle. Zit. als: Neukirch.] – Gerhard SPELLERBERG: Lohensteins Beitrag zum Piasten-Mausoleum in der Liegnitzer Johannis-Kirche. In: Daphnis 7 (1978) S. 647–687.
Weitere Literatur: Bernhard ASMUTH: Daniel Casper von Lohenstein. Stuttgart 1971. – Emblemata. Erg. Neuausg. Hrsg. von Arthur Henkel und Albrecht Schöne. Stuttgart 1976. – Gelegenheitsdichtung. Hrsg. von Dorette Frost und Gerhard Knoll. Bremen 1977. – Uwe-K. KETELSEN: Poesie und bürgerlicher Kulturanspruch. Die Kritik an der rhetorischen Gelegenheitspoesie in der frühbürgerlichen Literaturdiskussion. In: Lessing-Yearbook 8 (1976) S. 89–107. – Albrecht SCHÖNE: Kürbishütte und Königsberg. Modellversuch einer sozialgeschichtlichen Entzifferung poetischer Texte. Am Beispiel Simon Dachs. München 1975. – Wulf SEGEBRECHT: Das Gelegenheitsgedicht. Ein Beitrag zur Geschichte und Poetik der deutschen Lyrik. Stuttgart 1977.

Johann Christian Günther

Abschieds-Aria

Schweig du doch nur, du Helffte meiner Brust!
Denn was du weinst, ist Blut aus meinem Hertzen:
Ich taumle so und hab an nichts mehr Lust,
Als an der Angst und den getreuen Schmertzen;
Womit der Stern, der unsre Liebe trennt,
Die Augen brennt.

Die Zärtlichkeit der innerlichen Quaal
Erlaubt mir kaum ein gantzes Wort zu machen:
Was dem geschieht, um welchen Keil und Strahl
Bey heisser Lufft in weitem Felde krachen,
Geschieht auch mir durch dieses Donner-Wort:
Nun muß ich fort.

Ach harter Schluß! der unsre Musen zwingt,
Des Fleisses Ruhm in fremder Lufft zu gründen,
Und der auch mich mit Furcht und Angst umringt,
Welch Pflaster kan den tieffen Riß verbinden?
Den tieffen Riß, der mich und dich zuletzt
In Kummer setzt.

Der Abschieds-Kuß verschliest mein Paradieß,
Aus welchen mich Zeit und Verhängniß treiben:
So viel bißher dein Antlitz Sonnen wieß,
So mancher Blitz wird ietzt mein Schrecken bleiben.
Der Zweiffel wacht und spricht von deiner Treu:
Sie ist vorbey.

Verzeih mir doch den Argwohn gegen dich,
Wer brünstig liebt, dem macht die Furcht stets bange.

7 *Zärtlichkeit:* Empfindlichkeit. 9 *Keil und Strahl:* Donnerkeil, Blitz. 13 *Schluß:* Schicksalsschluß. 26 *brünstig:* innig, leidenschaftlich.

Der Menschen Hertz verändert wunderlich,
Wer weiß, wie bald mein Geist die Post empfange:
Daß die, so mich in Gegenwart geküst,
30 Entfernt vergist.

Gedenck einmahl wie schön wir vor gelebt,
Und wie geheim wir unsre Lust genossen:
Da hat kein Neid der Reitzung widerstrebt,
Womit du mich an Halß und Brust geschlossen:
35 Da sah uns auch bey selbst erwünschter Ruh,
Kein Wächter zu.

Genug! ich muß, die Marter-Glocke schlägt,
Hier liegt mein Hertz, da nimm es aus dem Munde,
Und heb' es auf, die Früchte, so es trägt,
40 Sind Ruh und Trost bey mancher bösen Stunde,
Und ließ, so offt dein Gram die Leute flieht,
Mein Abschieds-Lied.

Wohin ich geh, begleitet mich dein Bild,
Kein fremder Zug wird mir den Schatz entreissen:
45 Es macht mich treu und ist ein Hoffnungs-Schild,
Wenn Neid und Noth Verfolgungs-Steine schmeissen,
Bis daß die Hand, die uns hier Dörner flicht,
Die Myrten bricht.

Erinnre dich zum öfftern meiner Huld,
50 Und nehre sie mit süssen Angedencken:
Du wirst betrübt, diß ist des Abschieds Schuld,
So muß ich dich zum ersten Mahle kräncken,
Und fordert mich der erste Gang von hier,
So sterb ich dir.

55 Ich sterbe dir, und soll ein fremder Sand
Den offt durch dich ergetzten Leib bedecken,

27 *verändert:* verändert sich. 28 *Post:* Nachricht. 31 *vor:* früher. 44 *Zug:* Gesichtszug. 48 *Myrten bricht:* die Hochzeit vergönnt.

So gönne mir das letzte Liebes-Pfand,
Und laß ein Creutz mit dieser Grab-Schrifft stecken;
Wo ist ein Mensch, der treulich lieben kan?
Hier liegt der
Mann.

Abdruck nach: Sammlung von Johann Christian Günthers, aus Schlesien, bis anhero edirten deutschen und lateinischen Gedichten, Auf das neue übersehen, Wie auch in einer bessern Wahl und Ordnung an das Licht gestellet. [...] Breßlau/Leipzig: Michael Hubert, 1735. S. 908–910.
Erstdruck: Sammlung von Gedichten Johann Christian Günthers [...] Vierdter Theil oder Dritte Fortsetzung. Breßlau/Leipzig: Michael Hubert, 1735.
Weiterer wichtiger Druck: Johann Christian Günthers Sämtliche Werke. Hist.-krit. Gesamtausg. Hrsg. von Wilhelm Krämer. Bd. 1: Liebesgedichte und Studentenlieder in zeitlicher Folge. Leipzig: Hiersemann, 1930. (Bibliothek des Literarischen Vereins. 275.) Repr. Darmstadt: Wissenschaftliche Buchgesellschaft, 1964.

Jürgen Stenzel

»Welch Pflaster kan den tieffen Riß verbinden?« Johann Christian Günthers *Abschieds-Aria*

»Abschied ist Einssein, dessen einziges Thema die Entzweiung ist; Nähe, die nur noch die Ferne vor Augen hat, die darauf zustrebt, wie verhaßt sie ihr auch sei; Verbundenheit, welche die Trennung, ihren Tod, indem sie Abschied ist, selber vollzieht« (Szondi, S. 32). Daß dieses Abschiedslied seinem Thema wahrhaft gerecht wird, macht seine Größe aus und läßt es nicht nur die Situation überdauern, der es entstammt, sondern auch die Zeit seiner Entstehung, die, man muß es zugeben, vom Geist der Poesie sonst nicht allzutief berührt war. – Im Oktober 1715 verabschiedet sich mit diesem Lied der zwanzigjährige Arztsohn und Dichter Johann Christian Günther auf dem schlesischen Gute

Roschkowitz von seiner um sechs Jahre älteren Geliebten, Magdalena Eleonore Jachmann, um ein Medizinstudium an der Universität Wittenberg zu beginnen. Da war es nicht so teuer.

Seine Überschrift hat das Gedicht von einem späteren Herausgeber bekommen. Die Bezeichnung ›Arie‹ wurde damals nicht nur für die Gesänge innerhalb der gerade entwickelten Kantatenform verwendet, sondern auch für Lied oder (gleichbedeutend) Ode (vgl. Neumeister, S. 216 f.). In Benjamin Neukirchs berühmter Anthologie galanter Lyrik (seit 1695) fand man eine Abteilung mit *Verliebten Arien*, desgleichen in den Gedichten des seinerzeit sehr beliebten Christian Friedrich Hunold (Menantes). Und unter eben diesen verliebten und galanten Arien tauchte die Strophenform auf, die Günther für sein Gedicht verwendet hat: jambische Fünfheber mit fester Zäsur nach der zweiten Hebung, die ›gemeinen Verse‹ nach den französischen Vers communs; und diese so geordnet, daß einem Kreuzreim ein abschließendes Reimpaar folgt, dessen letzter Vers jedoch mit der Zäsur bereits endet. Dann gab es da noch ein Kunstmittel, das Günther hier nur am Schluß (dagegen ganz im Seitenstück zu diesem Gedicht: I,201 f.) aufgegriffen hat. Erdmann Neumeister, der für Neukirchs Sammlung eines der Exempel geliefert hatte, beschrieb es in seiner von Hunold herausgegebenen Poetik so:

> Endlich ist dieses eine Galanterie, welche aber schweer fällt, wenn man die folgende Strophe mit eben den Worten anfängt, mit welchen sich die vorhergehende endet, daß gleichwol auch allemahl ein anderer Sensus heraus kömmt. (S. 119.)

Alle Beispiele für die beschriebene Strophenform kommen aus dem Bereich der verliebten und galanten Arien. Eine erotisch besetzte und sehr moderne Form war es also, die Günther wählte, um seiner Geliebten sein »Abschieds-Lied« zu schreiben.

Die galante Lyrik kannte wohl den Treueschwur, und der

Gedanke an den Tod wurde oft von ihr beschworen. Aber etwa so, wie in der letzten Strophe eines Gedichtes *An Margaris*, das Neumeister in seiner Poetik vorführte:

Nichts schöners weiß, nichts angenehmers hegt,
Nichts edlers ehrt, als dich mein gantzes Leben.
Und wenn der Tod den Leib ins Grab gelegt,
So soll um dich der Treue Geist noch schweben.
Doch sterb ich nicht, weil du, wenn du mich küst,
Mein Leben bist. (S. 149.)

Am Ende steht die witzig-werbende Pointe des galanten Verführungskünstlers. Die galante Lyrik hatte die alte Tradition des Petrarkismus, dessen Kunstmittel sie weithin beibehielt, umgewandelt, indem sie an die Stelle der obligatorisch unerfüllten Liebe die erfüllbare oder auch erfüllte rückte. Was dem Petrarkismus wie der galanten Lyrik gemeinsam blieb, war das strikte Gegenüber von klagendem oder werbendem Liebhaber und angebeteter, aber stummer Geliebter, die als reaktionsloses Anredeobjekt verharrt. – So etwa sah der Assoziationshof aus, den die Strophe für Günther haben konnte. Um nicht nur das noch konkreter zu zeigen, sei, einer Anregung Krämers (S. 381, Anm. 246) folgend, ein gleichgebautes Abschiedslied des schon erwähnten Hunold hier vollständig mitgeteilt. Nur so läßt sich Günthers Leistung in seiner Zeit wirklich augenscheinlich machen.

An Thalestris, als er von ihr Abschied nahme

1

Ein treuer Knecht erkühnet sich zuletzt,
Dir, schönstes Kind, das Blat zu überreichen.
Du hast mich ja der Gnade werth geschätzt,
Dein schönes Hertz durch Seufftzer zu erweichen;
Drum gönne doch ein gnädig Angesicht
Der letzten Pflicht.

2

Es grünet jetzt der Blumen Lust-Revier,
Wie lachen nicht die bunt bemahlten Auen?
Nur meine Lust, ja meine schönste Zier
Läst mir der Tod auff seiner Bahre schauen,
Und dieses ist, was den gequälten Geist
Fast sterben heist.

3

Man stösset mich aus meinem Paradieß,
Und habe nicht Verbothnes angerühret:
Das Engels-Kind, das mich erst kommen hieß,
Ist auch allein, das mir den Schmertz gebieret.
Ach daß ich doch nur in die Wüsteney
Verstossen sey.

4

Ich werde nun mein allzu herbes Leyd
In steter Traur mit matter Stimme lallen,
Doch denck' ich nur an deine Lieblichkeit,
Und an den Mund von tausend Nachtigallen,
So schweig' ich still und seufftze nur bey mir
Allein nach dir.

5

Ach öffne denn die Schwanen-weisse Brust,
Und laß' es hier gewünschte Ruhe finden.
Vergönne mir zum Troste diese Lust,
Daß ich mich kan in deinem Hertzen gründen,
So hab' ich doch die gröste Quaal besiegt
Und bin vergnügt.

6

So lebe denn zu tausend mahl beglückt,
Geniesse stets der höchst erwünschten Freuden.
Dein Knecht, der sich zu deinen Füssen bückt,
Muß nun von dir und dem Vergnügen scheiden.
Mein Freuden-Stern, und du mein Ander ich
Verbergen sich.

7

Ich bleibe dir, Annehmlichste der Welt!
Vor alle Gunst in Ewigkeit verbunden,
Dein' Anmuths-Pracht, die mich gefangen hält,
Hat mich durchs Garn der Dienstbarkeit ümwunden,
Die Sonne muß, die ich bey dir gesehn,
Stets mit mir gehn.

8

Ach Weissenfels! du höchst-beliebter Ort!
Talestris Ach! du allerliebste Seele!
Das Schicksal rufft mich nun nach Jena fort,
Drüm ruff auch noch aus deiner Pupur-Höle
Das letzte Wort, das meine Schmertzen macht,
Zu guter Nacht.
(Hunold, S. 67 f.)

Da sind manche Motive zu erkennen, die, wenngleich in tief verwandelter Weise, auch in Günthers Gedicht erscheinen: die Geste des Überreichens (Hunold, Str. 1 – Günther, V. 38), der Abschiedsschmerz natürlich (Str. 2 – V. 4), die Verstoßung aus dem Paradies (Str. 3 – V. 19), die Schönheit der Frau im Bild der Sonne (Str. 7 – V. 21), das Schicksal als Urheber der Trennung (Str. 8 – V. 13) und das Treueversprechen (Str. 7 – V. 43 ff., 59 f.). Hunolds Gedicht, das einen realen Anlaß zu haben scheint wie Günthers Lied, dient einem völlig anderen Zweck. Der Liebhaber stellt ja seinen Abschiedsschmerz nur deshalb vor, um damit die Frau in letzter Minute noch zur Hingabe zu überreden. (Heine erwähnt in der *Harzreise* – in den Passagen über Goslar – jene »Zauberformel«, durch welche die Soldaten »die Herzen der Frauen bezwingen: ›Ich reise morgen fort und komme wohl nie wieder!‹«.) Die fünfte Strophe und insbesondere der zweideutig umschreibende Schluß zeigen, daß mit der sexuellen Vereinigung aller Schmerz in Nichts sich auflösen würde. Dieser Abschied ist nur Anlaß und Vorwand, nicht Grund und Essenz des Gedichtes; die Frau ist real Sexual- und literarisch bloßes Anredeobjekt einer Verführungsrhetorik, zu welcher von seiten des Mannes die petrarkistische Rolle des dem Tode nahen, ewig treuen Knechtes gehört.

Günthers Gedicht artikuliert den Abschied aus erfüllter Liebe (31–36), eine jener großen Trennungen, von denen Goethe in den *Maximen und Reflexionen* sagt, es liege in ihnen ein Keim des Wahnsinns, den nachdenklich auszubrüten und zu pflegen man sich hüten müsse. Schon der Anfang des Liedes mit seiner wunderbaren Anhebung der ersten Silbe ist Antwort auf etwas, das die Geliebte unter Weinen gesprochen hat. Du und Ich verschränken sich in dem Gedicht auf stets neue Weise und beschwören Gemeinsamkeit, die dem Abschiedsschmerz überhaupt seinen Grund verleiht. Freilich ist es der Mann, der spricht, aber er antwortet ihr, spricht für sie mit, nimmt ihre Reaktion wahr (25). Es ist eine bezeichnende kleine Geste, wie er die konventionelle Überreichungsformel (vgl. Hunolds Str. 1) in der siebenten Strophe verwandelt: »nimm es«, »heb' es auf«; und zwar »mein Hertz«, »mein Abschieds-Lied« – nicht »das Blat«, die »letzte Pflicht«. Ohne die wahre Personalität der liebenden Frau nämlich würde das Gedicht seinen Sinn verfehlen: der Veränderung des Schicksals die Dauer des Gefühls entgegenzusetzen. Das Abschiedslied soll wirkendes Zeugnis der fortdauernden Gegenwärtigkeit der Liebe sein. Diese Gegenwärtigkeit gründet sich in Erinnerung und wird erhalten durch Zukunftshoffnung. Die nach dem Vorbild des Properz (2,13,35 f.: »Der hier ruht als kalter Staub, einer Liebe Diener war er einst«) gebildete Grabschrift, mit der das Lied endet, will sagen, daß selbst der Tod als die tiefste Veränderung nichts der Gemeinsamkeit anhaben kann, wenn das Ganze einer vollendeten Existenz für sie eingetreten ist. Die Geliebte ist es, die die Grabschrift stiften soll: nur sie kann wahr machen, daß es um die gemeinsame Liebe zweier Menschen geht, nicht um das Begehren nur des einen. Daher tritt denn auch der Schönheitspreis der Frau hier gänzlich zurück.

Sowenig zu jener Zeit ausgefeilte Form als Verrat an der

unmittelbaren Wahrheit des Gefühls erfahren wurde, denn dieses hatte sich noch nicht in den heimeligen Raum der Innerlichkeit zurückgezogen – sowenig konnte der beziehungsreiche poetische Einfall als Dementi subjektiver Wahrhaftigkeit gelten. Immerhin begann sich das damals zu ändern. Die Abschiedsaria dokumentiert in dieser Hinsicht ein älteres Entwicklungsstadium als etwa das ungefähr vier Jahre später entstandene Parallelstück *An Leonoren bey dem andern Abschiede* (I,201 f.). Freilich erscheinen uns jene spätbarocken poetischen Scharfsinnigkeiten angesichts des Eindrucks von Authentizität, der sich im Ganzen einstellt, in einem gedämpfteren Licht, ohne daß man ihnen gleich die Aura taufrischer Neuschöpfungen zusprechen sollte. Die Tränen der Frau identifiziert mit dem Herzblut des Mannes (1 f.), paradoxe Lust an Angst und Schmerzen (4; noch kein empfindsamer Joy of grief übrigens, und außerdem auch psychologisch sehr genau), Unfähigkeitsbeteuerung des Beredten (7 f.), der hyperbolische Vergleich mit dem Donnerwetter (9 ff.), postfigurale Vertreibung aus dem Paradies (19 f.), die petrarkistische Sonnenmetapher antithetisch zum Blitz der Eifersucht (21 f.), der Zweifel in allegorischer Personifikation (23), die Antithese von Gegenwart und Entfernung (29 f.), die Komposita von Marterglocke (37), Hoffnungsschild (45) und Verfolgungssteinen (46) und antikisierende Periphrase wie in den Versen 47 f., vor allem aber die emblematische Redeweise der siebenten Strophe – das alles ist unverkennbar dem spätbarocken Stil verpflichtet. Aber was uns fremdartig und verstaubt erscheint, war für Günther hochmodern. Die gröbsten Übertreibungen des Concettismus waren ohnehin auf dem Rückzug, seit die deutschen Boileau-Schüler Canitz, Besser, Neukirch die Stilideale der Natürlichkeit und Vernünftigkeit entdeckt hatten; aber man kannte andererseits auch noch nicht jene allergische Empfindlichkeit, mit welcher später Gottsched und sein Anhang auf den kleinsten Schritt vom Wege verstandeskontrollierter Wahrscheinlichkeit reagierten.

Zwei Sachverhalte vor allem erzeugen gleichwohl für heutige Ohren den Eindruck von ›Echtheit‹ (und die ist immer ein Ergebnis der Kunst, der Umschlag der Mittelbarkeit in den gelungenen Schein der Unmittelbarkeit): einmal beruhigt sich die Sprache in einzelnen Versen sowohl wie in ganzen Strophen (etwa der 5., 6. und 9.) immer wieder zu natürlicher Rede nahezu ohne Schmuck und stimmt sich zum intimen, öffentlichkeitsfernen Kammerton. Zum andern, davon habe ich schon gesprochen, verantwortet alle Äußerung die Gemeinsamkeit beider Liebenden. Was sie bedroht, ist die Zeit: die Notwendigkeit eines Lebenslaufes und die Veränderlichkeit des menschlichen Herzens. Jene ist unabwendbar, dieser stemmt das Lied sich entgegen. Deshalb nimmt es die Gelegenheit des letzten Augenblicks der Gegenwart wahr, der Antizipation eifersuchtserfüllter Zukunft noch das Gedenken an die liebeserfüllte Vergangenheit entgegenzuhalten.
Freilich wird auch das äußere Schicksal als besonderes erfaßt: »unsre Musen« sind gezwungen, in die Fremde zu ziehen. Es ist die Besonderheit seiner poetischen Ambitionen, was die Trennung erzwingt. »Der Zug des Herzens ist des Schicksals Stimme« (Schiller, *Die Piccolomini*, V. 1840) – oder im harten Urteil des alten Günther: sein Sohn sei »fortunae suae sinistri faber« selbst gewesen, der Schmied seines Unglücks. Warum mußte er ein Dichter werden! Das Paradies, aus dem er selbst sich vertreibt, ist Symbol eines Raumes ohne Zeit und einer Zeit ohne Raum, wie ihn die sechste Strophe erinnert, reine und erfüllte Gegenwart. Deren Verlust soll das Lied tröstend überwinden. Es tritt so in den realen Lebenszusammenhang von Vergangenheit, Gegenwart und Zukunft ein. Gerade die siebente Strophe, die diesen Zusammenhang vollzieht, bietet alle Feierlichkeit bedeutender Rede auf. Fast wie im letzten Abendmahl: »Nehmet, esset: das ist mein Leib« (Matth. 26,26):

Hier liegt mein Hertz, da nimm es aus dem Munde,
  Und heb' es auf, die Früchte, so es trägt,

Sind Ruh und Trost bey mancher bösen Stunde,
Und ließ, so offt dein Gram die Leute flieht,
Mein Abschieds-Lied.

Der Anspielungsraum dieser Verse ist von verwirrender Weite. Da ist einmal die aus ungezählten Redewendungen, Sprichwörtern, Gesangbuchversen und Bibelstellen bekannte Verbindung von Herz und Mund. ›Das Herz auf der Zunge tragen‹, sagt man z. B. In Luk. 6,43–45 erscheinen die Worte »Frucht«, »Herz« und »Mund« in einem Zusammenhang: »Denn es ist kein guter Baum, der faule Frucht trage. [...] Ein jeglicher Baum wird an seiner eigenen Frucht erkannt. [...] Ein guter Mensch bringt Gutes hervor aus dem guten Schatz seines Herzens. [...] Denn wes das Herz voll ist, des geht der Mund über.« Auch die Verbindung von »Herz« und »Lied« gibt es, wie in Psalm 45,2: »Mein Herz dichtet ein feines Lied«. In der emblematischen Literatur und ihren Quellen kennt man die Vorstellung vom im Herzen wurzelnden Baum (*Emblemata*, Sp. 145) und, hier wahrscheinlich noch wichtiger: das Essen des eigenen Herzens als Sinnbild verzehrenden Grames (*Emblemata*, Sp. 1025 f.). Vor diesem Hintergrund gelesen, würden diese Verse darum bitten, daß die Geliebte das Zeichen des Grames, sein Lied, von ihm nimmt – im doppelten Sinne der Annahme und der Befreiung – und mit ihm, »so offt dein Gram die Leute flieht«, ihre eigene Trauer tröstet. Und das wäre das Siegel der Unzerstörbarkeit ihrer Liebe – das Abschiedslied. Sprache gewordener Schmerz beider Liebenden und Zeichen ihrer Hoffnung, das »Pflaster«, das »den tieffen Riß verbinden« kann (16). Auch, denke ich, ein Kunstwerk hohen Ranges, geschwisterlich verwandt in vielem der etwa achtzig Jahre später von Goethe geschriebenen Elegie *Alexis und Dora*, deren Schluß lautet:

Nun, ihr Musen, genug! Vergebens strebt ihr zu schildern,
Wie sich Jammer und Glück wechseln in liebender Brust.
Heilen könnet ihr nicht die Wunden, die Amor geschlagen;
Aber Linderung kommt einzig, ihr Guten, von euch.

Zitierte Literatur: Emblemata. Handbuch zur Sinnbildkunst des 16. und 17. Jahrhunderts. Hrsg. von Arthur Henkel und Albrecht Schöne. Stuttgart 1967. – Johann Christian Günthers Sämtliche Werke. [Siehe Textquelle. Zit. mit Band- und Seitenzahl.] – Christian Friedrich Hunold: Galante, Verliebte Und Satyrische Gedichte, Erster Und Anderer Theil, Von Menantes. Hamburg 1704. – Wilhelm Krämer: Das Leben des schlesischen Dichters Johann Christian Günther 1695–1723. Mit Quellen und Anm. zum Leben und Schaffen des Dichters und seiner Zeitgenossen. Unter Mitw. von Reiner Bölhoff. Stuttgart 1980. (2., um einen Anm.-Teil verm. Aufl. der Ausg. 1949.) – [Erdmann Neumeister]: Die allerneueste Art, Zur Reinen und Galanten Poesie zu gelangen [...] ans Licht gestellet, Von Menantes [d. i. Christian Friedrich Hunold]. Hamburg 1707. – Peter Szondi: Versuch über das Tragische. Frankfurt a. M. ^{2}1964.
Weitere Literatur: Reiner Bölhoff: Johann Christian Günther. 1695–1975. Kommentierte Bibliographie, Schriftenverzeichnis, Rezeptions- und Forschungsgeschichte. Bd. 1. Köln/Wien 1980. – Hans Dahlke: Johann Christian Günther. Seine dichterische Entwicklung. Berlin [Ost] 1960. S. 60–65. – Wolfgang Preisendanz: Präsente Bedrängnis. Über ein Gedicht von Johann Christian Günther [»An Leonoren bey dem andern Abschiede«]. In: Jahrbuch der deutschen Schillergesellschaft 18 (1974) S. 221–234. – Text und Kritik. H. 74/75: Johann Christian Günther. München 1982.

Johann Christian Günther

Als er unverhofft von etlichen Gönnern aus Breßlau favorable Briefe erhielt

Es dörffte mir ein Freund noch manch Gedächtniß weyhn,
Ich würd im Tode mehr als ietzt im Leben seyn:
Der stille Rosen-Thal ergetzte meinen Schatten,
Und läßt sich ihn vielleicht mit Flemmings Geiste gatten;
5 Ja wenn auch ohngefehr in Lieb' und Einsamkeit
Nach viel Veränderung der Länder und der Zeit
Ein Lands-Mann hier herum der Liebsten Sträusse bände,
Und etwann noch von mir den letzten Knochen fände;
Ich weiß er grüb' auch den in Blumen, Sand und Bast
10 Und schnitte diese Schrifft an jenem nächsten Ast:
»Hier starb ein Schlesier, weil Glück und Zeit nicht wolte,
»Daß seine Dichter-Kunst zur Reiffe kommen solte;
»Mein Pilger! ließ geschwind und wandre deine Bahn,
»Sonst steckt dich auch sein Staub mit Lieb' und Unglück an.
15 Diß dörfft ein Landsmann thun. O daß ich ietzo stürbe
Und durch der Jahre May den grünen Ruhm erwürbe!
Mein Wunsch ist stets umsonst, es kommt mir nicht so gut,
Da nichts mehr auf der Welt mir was zu Liebe thut,
So will mich auch so gar der karge Tod nicht haben,
20 Aus Furcht, er möcht' an mir mehr Schimpff als Fleisch begraben.
Ach GOtt! ach Lieb! ach Carl! ach Weißheit! ach Eugen!
Ihr hört mein Saiten-Spiel zu eurem Dienste stehn,
Ihr seyd die Mächtigsten im Himmel und auf Erden,
O last doch meine Noth nicht etwann grösser werden!

Überschrift: favorable: günstige, willkommene. 3 *Rosen-Thal:* Park bei (heute in) Leipzig. 4 *Flemmings:* Der Dichter Paul Fleming (1609–40) hatte in Leipzig studiert. 7 *Lands-Mann:* Schlesier. 19 *karge:* geizige. 20 *Schimpff:* Unehre. 21 *Carl:* Kaiser Karl VI. *Eugen:* Prinz Eugen von Savoyen.

25 Was kostets euch vor Müh mein Glücke zu erhöhn?
Es wär um einen Blick, so könnt ich sicher stehn,
Und euer Sieges-Lied mit aufgelösten Schwingen
Biß an das äuserste des Erden-Kreisses bringen.
Verlassne Poesie! wie geht es immer zu?
30 Dein Spielen wiegt den Geist der Traurigkeit in Ruh,
Macht wilde Sitten zahm, kan Leichen Blut und Leben,
Den Helden Ewigkeit, der Tugend Kronen geben;
Hingegen uns dein Volck verläst du in der Noth,
O welche Mutter gönnt den Kindern nicht das Brod?
35 Du läst die Deinigen kein schlechtes Guth erwerben,
Und offt durch fremden Ruhm mit Ehren Hungers sterben.
Verlassne Poesie! so war es ehmahls nicht,
Man weiß wohl, was Corinth vor Ehren-Kräntze flicht,
Man hört noch vom August und Welschland göldnen
Jahren,
40 Wo Flaccus und Virgil des Hofes Zierde waren.
Wo lebt ietzt Constantin, der Räth aus Dichtern macht?
Wo hat in deutscher Lufft ein solcher Blick gelacht,
Als Franckreichs *Ludewig* den freyen Künsten schenckte,
So sehr es offtermahls den tummen Hochmuth kränckte?
45 Ein Schreiber sieht uns ietzt kaum über Achsel an,
Und keinem wird die Thür im Winter aufgethan,
Er müste denn zuvor bey seinem Krantze schwören,
Der Magd zur Danckbarkeit die Stuben auszukehren.
Was nützt der dürre Zweig, der Haar und Platte deckt,
50 Wenn unterdeß die Haut durch Schuh und Strümpffe
bleckt?
Was hilfft die Götter-Kost, womit die Musen laben,
Wenn unsre Finger nichts als welcke Rüben schaben?
Im Wasser wächst kein Vers, der ewig grünen soll,
Wenn Flaccus spielt und jauchzt, so ist er satt und voll
55 Vom Weine, nicht vom Gram. Zerreisst ihr mürben Saiten!
Nun mag ich länger nicht mit so viel Elend streiten.

35 *schlechtes:* schlichtes. 39, 102 *vor:* für. 39 *Welschland:* Italien. 40 *Flaccus:* Horaz. 43 *Ludewig:* Ludwig XIV. 47 *Krantze:* Lorbeerkranz, Zeichen des Dichterruhms.

Zerreisst und knüpfft mich auf und schnürt den Jammer zu!
Denn eh ich künfftig mehr vergebne Wünsche thu,
Eh soll mein siecher Leib (was würd ich viel verliehren?)
Den Nagel und die Wand der Welt zur Schande zieren.
So sprang Selintes auf und hätte was gethan,
Jedoch ein schneller Schlaff hielt Arm und Unmuth an,
Und warff ihn, wie er war, auf Stroh und Leinwand nieder,
Da wiegt ein sanffter Traum die Sinnen und die Glieder
Mit süssen Bildern ein. Der Phöbus kam ihm vor
Und gab ihm nebst Gedult ein neu geschnittnes Rohr,
Und sagte: Spiele fort und nimm dir diß zum Zeichen,
Die Hoffnung wird dich noch zu rechter Zeit erreichen;
Budorgis hört dein Flehn und um den schönen Fluß,
Wo Hofmanns Laute noch das Ufer schlagen muß,
Erschallt dein Klage-Lied in aufgeweckten Ohren,
Die Schlesien der Kunst zu Hülff' und Trost gebohren.
Sechs Tage sind vorbey, ietzt geht der Traum erst aus.
Wie schnell erhohlt sich ietzt mein dürrer Lorbeer-Strauß,
Da viel an Glück und Geist berühmte Mäcenaten
Der armen Ungedult in milder Zuschrifft rathen!
Ihr Kenner rechter Kunst! Ihr Väter einer Stadt,
In welcher Phöbus noch erlaubten Zutritt hat,
Empfangt nach eurer Huld ein Blat voll Wunsch und Seegen
Mit Augen, die das Hertz mehr als den Wehrt erwegen.
So wie nach Näß' und Wind ein tieff gebücktes Kraut,
Wenn Wärm und Sonnenschein den Erdkreiß wieder schaut,
Den müden Gipffel hebt und nach dem Orte steiget,
Woher ihm Licht und Lufft des Trostes Aufgang zeiget,
So muntert euer Blick die blöde Schwachheit auf;
Der Reim beschleuniget den sonst verstockten Lauff,
Begierd und Feder glühn und Blut und Adern springen,

61 *Selintes:* Dieser Name war 1712 in einem medizinischen Werk (Christian Weißbach) und 1716 in einer Abhandlung Johann Lorenz von Mosheims über Poesie als Pseudonym verwendet worden. Aus beiden könnte der dichtende Medizinstudent ihn im Ohr gehabt haben. 65 *Phöbus:* der Dichtergott Apollo. 69 *Budorgis:* Breslau. 70 *Hofmann:* Christian Hoffmann von Hoffmannswaldau (1617–79). 85 *blöde:* furchtsam.

Am deutschen Helicon den Schwänen nachzudringen,
Die nicht mehr sterblich sind. Ich seh, wie Hofmanns Geist
90 Auch meinen heissen Trieb durch Klipp- und Wolcken reist.
O! würd mir eure Gunst durch keinen Neid gestohlen,
So hofft' ich gantz gewiß den Opitz einzuhohlen.
Getrost Calliope! die Saiten angefaßt!
Denn da du ietzt so viel und kluge Väter hast,
95 So darff man dich nicht mehr ein armes Mägdgen nennen,
Ihr Zuschuß wird dich ja noch wohl ernehren können.
Hört diese Zuversicht! seht Gönner reicher Hand!
So plötzlich ändert ihr den unvergnügten Stand,
So scharff entzündet mich die Ehrfurcht und die Liebe
100 Mit einer Zärtlichkeit vergnügter Hoffnungs-Triebe,
Die ietzt nach Breßlau gehn. Verzeiht nur, wo mein Lied
Vor dißmahl nicht so gleich dem Wetter ähnlich sieht;
Die Freud ist ein Affect, der, wenn er hefftig treibet,
Mehr in Gedancken sagt, als mit der Feder schreibet.
105 Bald soll es besser gehn, wenn Nothdurfft, Ruh und Lust
Des Geistes Freyheit schützt, ietzt ätzt ich meiner Brust
Die theuren Nahmen ein, und muß auch die verwesen,
So soll sie doch die Welt auf meinem Lorbeer lesen.
Erlaub es mir nunmehr du Lorbeer-reiche Schaar!
110 Virgil, Horaz, Petrarch, Secundus, Sannazar,
Und alle, die ihr mir viel Spuren hinterlassen,
Den besten nechsten Weg am Pindus abzupassen,
Erlaubt mir, daß mein Fuß in eure Stuffen tritt!
Ich bringe von Natur den stummen Zunder mit,
115 Und will, wie ehmahls ihr, in süß' und hohen Schrifften
Den Seelen seltner Art ein ewig Denck-mahl stifften.
Es ist kein Hochmuths-Trieb, es ist ein Hochmuths-Zug,
Der Lust zur Weißheit trägt und durch den Sternen-Flug,

88 *Helicon:* Musenberg. *Schwänen:* Sinnbild der Dichter. 93 *Calliope:* Muse der epischen Dichtung und der Wissenschaft. 100 *Zärtlichkeit:* Empfindlichkeit. 105 *Nothdurfft:* Existenzsicherung. 110 *Secundus, Sannazar:* neulateinische Dichter; Johannes S. (1511–36), Jacopo Sannazaro (um 1456–1530). 112 *Pindus:* Musenberg. 117 *Hochmuths-Trieb, -Zug:* Wortspiel mit ›superbia‹ und ›magnanimitas‹ (›Hochmut‹ und ›hoher Mut‹).

Zu dem mir *Breßlers* Huld die Feder mitgetheilet,
Den blinden Pöbel läst und nach den Bühnen eilet,
Allwo das Helden-Hauß, das dort den Milch-Weg ziert,
Den Gönnern meines Spiels nicht minder Glantz gebiehrt,
Weil Häupter, die den Ruhm der Wissenschafften schützen,
So grosse Dinge thun, als die im Helme blitzen.

Abdruck nach: Sammlung von Johann Christian Günthers, aus Schlesien, bis anhero edirten deutschen und lateinischen Gedichten, Auf das neue übersehen, Wie auch in einer bessern Wahl und Ordnung an das Licht gestellet. [...] Breßlau/Leipzig: Michael Hubert, 1735. S. 770–774.
Erstdruck: Sammlung von Gedichten Johann Christian Günthers [...] Vierdter Theil oder Dritte Fortsetzung. Breßlau/Leipzig: Michael Hubert, 1735.
Weiterer wichtiger Druck: Johann Christian Günthers Sämtliche Werke. Hist.-krit. Gesamtausg. Hrsg. von Wilhelm Krämer. Bd. 2: Klagelieder und geistliche Gedichte in zeitlicher Folge. Leipzig: Hiersemann, 1931. (Bibliothek des Literarischen Vereins. 277.) Repr. Darmstadt: Wissenschaftliche Buchgesellschaft, 1964.

Jürgen Stenzel

Pegasus im Joche. Johann Christian Günthers Dankepistel *Als er unverhofft von etlichen Gönnern aus Breßlau favorable Briefe erhielt*

»Dem Temperamente nach«, urteilte der Arzt Johann Günther über seinen jung verstorbenen Sohn, »war [er] ein Sanguineo-Melancholicus« (Steinbach, S. 123). Der hatte allen Grund dazu gehabt: die unfreiwillige Existenz eines vogelfreien Schriftstellers zu einer Zeit, die einen literarischen Markt, von dem sich allenfalls hätte leben lassen, noch

119 *Breßlers:* Ferdinand Ludwig von Breßler, hoher kaiserlicher Beamter in Schlesien und Gönner Günthers. 121 *Milch-Weg:* Die Milchstraße galt mythologisch als die ›Helden-Straße, auf welcher die vergötterten Menschen in den Himmel aufsteigen‹ (*Zedlers Universallexikon*, Bd. 21, 1739, S. 163).

nicht kannte. Ein Versuch, mit den grandiosen 50 Strophen seiner heroischen Ode *Auf den zwischen Ihro Kayserl. Majestät und der Pforte An. 1718 geschloßnen Frieden* am Wiener Hof Aufmerksamkeit zu erregen, war folgenlos geblieben. Zu Hause in Schlesien braute sich ein Unwetter gegen den Leipziger Studenten zusammen, dessen Lebenswandel und Satiren nicht jedermann erbaulich waren. Krank war er, und das Geld scheint ausgegangen zu sein, denn die überflüssige Dichterkrönung hatte einiges gekostet. Aber Breslauer Bewunderer seines Talentes und eben dieser Ode hatten Geld gesammelt und mit einem Begleitschreiben ihm zugesandt – »in milder Zuschrifft« (76; »mild« heißt hier noch ›freigebig‹). Es würde nicht verwundern, wenn sie in Alexandrinern abgefaßt worden wäre und Günther deren Reime dann in seiner Erwiderung (teilweise vielleicht) beibehalten hätte. – Ob man nun, wie Krämer (S. 170), aus den Versen 65–73 schließen kann, Günther habe ein »Klage-Lied« (71) nach Breslau gesandt, einen Bettelbrief, der sich auf dem Postwege mit der »Sechs Tage« (73) später eintreffenden Geldsendung gekreuzt hätte, mag dahingestellt bleiben. Mir scheint, mit dem »Klage-Lied« seien eher die Verse 1–60 dieses Gedichtes gemeint. Überhaupt neigt Krämer, wie auch sonst, gerade bei diesem Gedicht dazu, manche seiner hyperbolischen Umschreibungen allzu wörtlich und die »welcken Rüben« (52) als Auszug aus Günthers Speisezettel zu nehmen.

Es ist immer nützlich, sich den Dichter eines Gedichtes vorzustellen, wie er vor dem noch leeren Bogen Papier sitzt, den Gänsekiel frisch geschnitten. Er hat ein privates Stipendium bekommen; es gilt seinem Talent, und also hat er, dankend, es zu beweisen. Eine Dankepistel ist abzufassen. Die Alexandriner verstehen sich von selbst. Welcher ›locus‹ zu verwenden ist (aus welcher Kategorie also die Gedanken stammen sollen), liegt ebenfalls auf der Hand: der ›locus circumstantiarum‹, aus den Umständen der Situation. Es ging ihm schlecht, nun geht's ihm gut, Dank den Mäzenaten, ich werde mir alle Mühe geben, das in mich gesetzte

Vertrauen nicht zu enttäuschen, die Begabung ist ja da. Die Dankbarkeit verlangt auch, den miserablen Zustand recht wirkungsvoll herauszustreichen, damit die Abhilfe desto durchgreifender, der ihr zu verdankende Wechsel der Affekte um so eindrucksvoller erscheint. Auch wird man die Gönner nicht ungelobt lassen dürfen; der Dichtergott selbst hat ihre Hilfe angekündigt; ohne sie, die »Kenner rechter Kunst« (77), könnte der Beschenkte gar nicht mehr dichten; wenn etwas aus ihm wird, dann ist es allein ihr Verdienst. Er wird es zu würdigen wissen.

Die Disposition des Ganzen, obwohl frei von jedem schulmäßigen Schematismus, der in einer Epistel auch nicht unbedingt am Platze gewesen wäre, ist klar genug: die unvermittelt einsetzende Klage steigert sich bis zu Selbstmordgedanken. Sie werden durch eine überraschende Wendung ins Epische (61) abgebrochen, mit der zugleich der Wechsel der Affekte eingeleitet wird. Im Traum erscheint der Gott der Dichtung und spricht dem Verzweifelten Trost zu. Die Rückkehr zum Präsens (73) nimmt umstandslos auch wieder die erste Person auf. In Apostrophen an die »Kenner rechter Kunst« (77) – eingelagert die Anrufung der Muse »Calliope« (93) – und an die »Lorbeer-reiche Schaar« (109) seiner großen Vorbilder dankt der Dichter für die empfangene Wohltat und bezeugt seine erneuerte poetische Begeisterung.

Jene Wendung ins Epische fast genau in der Mitte des Gedichtes »So sprang Selintes auf und hätte was gethan« (61) kommt in der Tat sehr überraschend. Sie holt die unvermittelte Klage eines Ich, das durch eine Reihe von Details als das des Autors festgelegt wird, gewaltsam in die Funktion zurück, die ihr nach lehrmäßiger Disposition zukommt: in die der Narratio, Erzählung des Sachverhalts. Es scheint deutlich, daß der Tribut an die von der Dispositio geforderte epische Distanz nur pflichtschuldig gezahlt wird, punktuell nur und erst dann, wenn die subjektive Klage ungedämpft verklungen ist. Die ihr nachgetragene Bestimmung einer Narratio hebt in Wahrheit ihre eigentliche Sprechhaltung

um so provozierender hervor: daß da ein in Leipzig lebender, junger schlesischer Dichter von großem Talent und beginnendem Ruhm, einer, der Kaiser Karl VI. und den Prinzen Eugen mit kühner Stimme besungen hat, ein Poeta laureatus, kurzum, kein Selintes, sondern Johann Christian Günther aus Striegau seine Klagen und Anklagen herausschleudert. Die nachträgliche Fiktionalisierung dessen ist ein allzu durchsichtiger Schleier der Wahrheit; sie ist fast nackt.
Allerdings sollte noch einmal daran erinnert werden, daß die Klagen der ersten Gedichthälfte mit Blick auf die zuhörenden Adressaten intoniert sind. Allzu sehr hat man sich von der Tatsache, daß die Grabschrift der Verse 11–14 so gut als Summe der gesamten Güntherschen Existenz zu dienen geeignet schien, faszinieren lassen. Immerhin war sie der Gattung nach ein Kunstmittel, das Günther, angeregt etwa durch Ovid, *Tristia* 3,3,71 ff., wiederholt verwendet hat. Sie ist hier aber nicht vornehmlich als die Quintessenz gemeint, als die sie sich gibt, sondern vor allem als Appell. Und der hat seinen Grund nicht nur in einer schwierigen Lebenssituation, sondern auch in der Selbstbewußtheit des Autors: es geht um die Vollendung eines großen poetischen Talentes. Schon die ersten Zeilen trauen dem Nachruhm mehr als dem Erfolg, und daß der 1640 gestorbene Paul Fleming die Gesellschaft des verstorbenen Günther nicht verschmähen würde (»vielleicht«). Vorzeit und Nachruhm also sind ihm ziemlich sicher. Wie steht es mit der Mitwelt? Nicht einmal ihr prominentestes Mitglied, der Tod, will ihn haben – ein kunstbewußter Einfall, mit dem in Vers 20 der Eingangsteil schließt. Günther fährt fort mit einer Apostrophe: »Ach GOtt! ach Lieb! ach Carl! ach Weißheit! ach Eugen!« (21). Diese Anreden sind ein von ihm gern verwendetes Mittel; sie führen dem Gedicht neue Dynamik des Sprechens zu und scheinen auch als Impulse für neue Gedankenreihen zu dienen. Eine seltsame Adressatenreihe hier (die Stellung der »Weißheit« zwischen Kaiser Karl und Prinz Eugen ist ihr wohl vom Alexandriner angewiesen worden); in Prosa über-

tragen, charakterisiert Günther die Gattungen und Inhalte seiner Poesie: religiöse Lyrik, Liebesdichtung, Dichtung aufgeklärt-philosophischen Gehalts und Panegyrik auf die Habsburger Monarchie. Allerdings richtet sich die Aufforderung der Verse 24 f. natürlich nicht an Gott, die Liebe und die Philosophie, sondern einzig an die Potentaten dieser Welt. Zu diesen allein paßt ja auch realiter der Vorsatz, ihren Ruhm poetisch verbreiten zu wollen. Einzig poetische Heldenverehrung, Preis der Mächtigen ist das Angebot, auf das der Dichter zu pochen vermag. In den Versen 30 ff. werden auch noch andere Fähigkeiten der Poesie genannt: Heilmittel gegen Melancholie und Beitrag zur Kultivierung der Gesellschaft zu sein; aber auch diese Aufzählung endet mit der Eigenschaft, vergegenwärtigende Erinnerung und dauerhafte Überhöhung stiften zu können. Das oxymorisch zugespitzte Paradox, die Dichter müßten »offt durch fremden Ruhm mit Ehren Hungers sterben« (36), verlangt nach praktischer Auflösung durch die Vermögenden. Ihnen wird – hier ist der ›locus comparatorum inter similia et dissimilia‹ zuständig – in den Exempeln der antiken und der jüngeren französischen Vergangenheit (zu Vers 43 vgl. II,90, V. 46 f.: »was Ludwigs Gnadenglanz in Franckreich aufgeweckt, | Im Boileau, Racine und Moliere steckt«) der Spiegel vorgehalten. Die deutschen Höfe sind uninteressiert, der Poet auf die allerunterste soziale Stufe gedrückt; Anspruch der kaiserlichen Dichterkrönung – sie hatte den gerade einundzwanzigjährigen Günther 1716 in Wittenberg einen versifizierten lateinischen Lebenslauf und 10 bis 15 Taler gekostet, den abzuhaltenden Festschmaus nicht gerechnet – und Wirklichkeit klaffen trostlos auseinander. Not lehrt vielleicht beten, aber nicht dichten, allen Legenden zum Trotz.

Die gesellschaftliche Geltung der Dichter war schon in der Gründungsurkunde der neueren deutschen Poesie, in Opitzens *Buch von der Deutschen Poeterey* (1624), ein Thema gewesen – nicht aber die Klage darüber, daß man davon nicht leben könne. Gerade Günthers Zeitgenossen waren stolz auf ihren ordentlichen bürgerlichen Beruf bzw. ihr

höfisches Amt. Der Poesie sollten allein dessen ›Nebenstunden‹ gewidmet sein. Vom Beruf eines freien Schriftstellers hat sich auch Günther natürlich nicht einmal träumen lassen, wie sollte er auch; wohl aber davon, daß seine Dichtung ihm wenigstens nicht die Einordnung in die bürgerliche Gesellschaft verwehrte und die Gabe, die der Poesie traditionell zukam, nicht völlig unerwidert blieb. Oder vom Amt eines Hofpoeten. – Trotz allem darf man nicht vergessen, daß Günther, als er dies schrieb, immerhin erst 23 Jahre zählte und noch nicht einmal sein Studium beendet hatte. Man muß der Versuchung widerstehen, dies Gedicht allzusehr ins Licht der späteren Schicksale Günthers zu tauchen. So spricht auch wenig dafür, die Selbstmordgedanken (55 ff.) als Äußerung realer Suizidabsichten zu nehmen. Zu scharfsinnig bot sich der Einfall, die Saiten der unnützen Leier als Draht an einem in die Wand geschlagenen Nagel dienen zu lassen, an dem sich der verzweifelte Dichter aufhängt. Anders denn als hyperbolisches Kunstmittel würden die Breslauer Gönner, denen der Gedanke an Selbstmord sonst gewiß einen frommen Schauder eingejagt hätte, diese Verse kaum akzeptiert haben. Auch in diesem Zusammenhang mag wohl die epische Fiktionalisierung zu sehen sein, von der bereits die Rede war. Mit ihr, wie gesagt, vollzieht sich der Wechsel der Affekte – nicht in scharfem Kontrast, sondern über das Zwischenstadium eines hoffnungsvollen Traumes, in dem der Gott der Dichtkunst die Hilfe aus Breslau ankündigt, wo der Geist Hoffmannswaldaus (der dort 1679 gestorben war) noch gegenwärtig ist. (Die »sechs Tage« in Vers 73 verstehe ich als, vielleicht symbolischen, Zeitraum zwischen dem Eintreffen der »milden Zuschrifft« und der Dankepistel; jetzt erst vermag der Empfänger das Wunder als Realität zu begreifen.)
Die Depression hat ein Ende, alles in dem Dankbaren richtet sich aufwärts, zu den Gönnern – hoffentlich bleiben sie es (91) – und zu den großen Vorbildern: Hoffmannswaldau abermals, dem (nicht nur) lokalen Heroen, und Opitz, der noch Vater der deutschen Poesie hieß. Hochgegriffen also.

Die Bescheidenheitsformeln, mit denen dieser Teil garniert ist, einmal beiseite gelassen, darf das Selbstbewußtsein, das sich hier äußert, nicht bloß als Ausdruck individuellen Gefühls aufgefaßt werden. Denn vom Rang des Angestrebten hängt auch die Größe und Dauerhaftigkeit des Ruhms ab, den der Beschenkte seinen Gönnern zu stiften gelobt. Was wäre ihnen gedient, erschiene ihr Name in den ärmlichen Produkten eines Winkelskribenten? Die besten Vorbilder der antiken und der neulateinischen Renaissancepoesie sind gerade gut genug, um die Gönner unter die Heroen zu versetzen. Ihnen wird am Ende des Schreibens bestätigt, ihr Verdienst um die Künste (sprich: um den ehrgeizigen, aber armen Johann Christian Günther) sei ebenso hoch einzuschätzen wie das der Helden des absolutistischen Staatswesens, also etwa des habsburgischen Kaisers und seines savoyischen Marschalls. Antike Vorstellungen von der Würde des Dichters übertragen auf eine Welt, die die Blütezeit des Absolutismus erlebt und in welcher ein begabter junger Mann aus kleinen Verhältnissen einen Platz sucht, an dem er ein bürgerliches Auskommen mit dem unstillbaren Drang zum Dichten vereinigen kann. Vergeblich, wie sich zeigen sollte. Er mag geglaubt haben an das, was er hier schrieb. Wie hätte er ahnen können, daß die Lazarusklapper seiner späteren Klagelieder den größten Teil seines Ruhmes ausmachen würde und daß die Nachwelt seine Gestalt an ganz anderen Zielen messen würde als denen, die ihm die erhabensten schienen. Sein Bild ist dadurch wahrlich nicht kleiner geworden, aber gehabt hat er nichts davon: »im Tode mehr als ietzt im Leben«.

Zitierte Literatur: Johann Christian Günthers Sämtliche Werke. [Siehe Textquelle. Zit. mit Band- und Seitenzahl.] – Wilhelm Krämer: Das Leben des schlesischen Dichters Johann Christian Günther 1695–1723. Mit Quellen und Anm. zum Leben und Schaffen des Dichters und seiner Zeitgenossen. Unter Mitw. von Reiner Bölhoff. Stuttgart 1980. (2., um einen Anm.-Teil verm. Aufl. der Ausg. 1949.) – [Christian Ernst Steinbach]: Johann Christian Günthers, Des berühmten Schlesischen Dichters, Leben und Schriften. [Breslau] 1738.

Weitere Literatur: Reiner Bölhoff: Johann Christian Günther. 1695–1975. Kommentierte Bibliographie, Schriftenverzeichnis, Rezeptions- und Forschungsgeschichte. Bd. 1. Köln/Wien 1980. – Hans Dahlke: Johann Christian Günther. Seine dichterische Entwicklung. Berlin [Ost] 1960. S. 122 f. – Text und Kritik. H. 74/75: Johann Christian Günther. München 1982.

Johann Christian Günther

Als er durch innerlichen Trost bey der Ungedult gestärcket wurde

Gedult, Gelaßenheit, treu, fromm und redlich seyn,
Und wie ihr Tugenden euch sonst noch alle nennet,
Verzeiht es, doch nicht mir, nein, sondern meiner Pein,
Die unaufhörlich tobt und bis zum Marcke brennet,
Ich geb euch mit Vernunft und reifem Wohlbedacht,
Merckt dieses Wort nur wohl, von nun an gute Nacht;
Und daß ich euch gedient, das nenn ich eine Sünde,
Die ich mir selber kaum jemahls vergeben kan.
Steckt künftig, wen ihr wollt, mit euren Strahlen an,
Ich schwöre, daß ich mich von eurem Ruhm entbinde.

Ihr Lügner, die ihr noch dem Pöbel Nasen dreht,
Von vieler Vorsicht schwazt, des Höchsten Gnad erhebet,
Dem Armen Trost versprecht und, wenn ein Sünder fleht,
Ihm Rettung, Rath und Kraft, ja, mit dem Maule gebet,
Wo steckt denn nun der Gott, der helfen will und kan?
Er nimmt ja, wie ihr sprecht, die gröbsten Sünder an:
Ich will der gröbste seyn, ich warthe, schrey und leide;
Wo bleibt denn auch sein Sohn? Wo ist der Geist der Ruh?
Langt jenes Unschuldskleid und dieses Kraft nicht zu,
Daß beider Liebe mich vor Gottes Zorn bekleide?

Ha, blindes Fabelwerck, ich seh dein Larvenspiel.
Dies geb ich auch noch zu: es ist ein ewig Wesen,
Das seine gröste Macht an mir nur zeigen will
Und das mich obenhin zur Marter auserlesen;
Es führt, es leitet mich, doch stets auf meinen Fall,
Es giebt Gelegenheit, damit es überall
Mich rühmlich strafen kan und stets entschuldigt scheine.

11 *Nasen dreht: betrügt.* 12 *Vorsicht:* Vorsehung. 19 *jenes, dieses:* Genitive. 21 *Larvenspiel:* Gaukelspiel. 24 *obenhin:* ohne Überlegung.

Bisweilen zeigt es mir das Glücke, recht zu gehn,
Bald läst es mich in mir dem Guten widerstehn,
30 Damit die frömmste Welt das Ärgste von mir meine.

Aus dieser Quelle springt mein langes Ungemach:
Viel Arbeit und kein Lohn als Kranckheit, Haß und
Schande.
Die Spötter pfeifen mir mit Neid und Lügen nach,
Die Armuth jagt den Fuß aus dem und jenem Lande,
35 Die Eltern treiben mich den Feinden vor die Thür
Und stoßen mich – o Gott, gieb Acht, sie folgen dir –
Ohn Ursach in den Staub und ewig aus dem Herzen.
Mein Wißen wird verlacht, mein ehrlich Herz erdrückt,
Die Fehler, die ich hab, als Laster vorgerückt,
40 Und alles schickt sich recht, die Freunde zu verscherzen.

Ist einer in der Welt, er sey mir noch so feind,
An dem ich in der Noth kein Liebeszeichen thäte,
Und bin ich jedem nicht ein solcher wahrer Freund,
Als ich mir selbst von Gott, erhört er andre, bethe,
45 Hat jemand auf mein Wort sein Unglück mehr gefühlt,
Hat boßheitsvoller Scherz mit fremder Noth gespielt
Und hab ich unrecht Gut mit Vorsaz angezogen,
So greife mich sogleich der bösen Geister Bund
Mit allen Martern an, wovon der Christen Mund
50 Schon über tausend Jahr den Leuten vorgelogen.

Was wird mir nun davor? Ein Leben voller Noth.
O daß doch nicht mein Zeug aus Rabenfleisch entsproßen,
O daß doch dort kein Fluch des Vaters Lust verboth,
O wär doch seine Kraft auf kaltes Tuch gefloßen!
55 O daß doch nicht das Ey, in dem mein Bildnüß hing,
Durch Fäulung oder Brand der Mutter Schoos entgieng,
Bevor mein armer Geist dies Angsthaus eingenommen!

44 *bethe:* erbitte. 47 *angezogen:* an mich gezogen. 51 *davor:* dafür. 52 *Zeug:* Stoff, Materie. 54 *Kraft:* zeugender Samen. 56 *Brand:* Absterben von Körperteilen. 57 *Angsthaus:* die Welt (wie ›Jammertal‹).

Jezt läg ich in der Ruh bey denen, die nicht sind,
Ich dürft, ich ärmster Mensch und göstes Elendskind,
60 Nicht stets bey jeder Noth vor größrer Furcht umkommen.

Verflucht sey Stell und Licht! – – Ach, ewige Gedult,
Was war das vor ein Ruck von deinem Liebesschlage!
Ach, fahre weiter fort, damit die große Schuld
Verzweiflungsvoller Angst mich nicht zu Boden schlage.
65 Ach Jesu, sage selbst, weil ich nicht fähig bin,
Die Beichte meiner Reu; ich weis nicht mehr wohin
Und sincke dir allein vor Ohnmacht in die Armen.
Von außen quälet mich des Unglücks starcke Fluth,
Von innen Schröcken, Furcht und aller Sünden Wut;
70 Die Rettung ist allein mein Tod und dein Erbarmen.

Abdruck nach: Johann Christian Günthers Sämtliche Werke. Hist.-krit. Gesamtausg. Hrsg. von Wilhelm Krämer. Bd. 2: Klagelieder und geistliche Gedichte in zeitlicher Folge. Leipzig: Hiersemann, 1931. (Bibliothek des Literarischen Vereins. 277.) Repr. Darmstadt: Wissenschaftliche Buchgesellschaft, 1964. S. 123–125.
Erstdruck: Johann Christian Günther: Gedichte. Hrsg. von Berthold Litzmann. Leipzig: Reclam, [1880]. (Reclams Universal-Bibliothek. 1295/96).

Jürgen Stenzel

Ein anderer Hiob. Johann Christian Günthers Klagegedicht *Als er durch innerlichen Trost bey der Ungedult gestärcket wurde*

Vorläufer gehören in die Heilsgeschichte, nicht in die der Literatur. Zeitgenossen nannten Günther den deutschen Ovid: sie begriffen als Imitatio, was späteren Betrachtern als ungehobelte Frühform der Erlebnisdichtung erschien. In

61 *Stell und Licht:* Geburtsort und -tag.

beiden Fällen wird das irritierend Unableitbare der bemerkenswertesten Züge dieses Werkes und das an ihm, was sich einer kontinuierlichen Entwicklung der deutschen Lyrik in den Weg stellt, unter Dach und Fach gebracht. Unser Gedicht zeigt solche Züge.

Es ist wahrscheinlich im Frühsommer des Jahres 1720 entstanden, als Günther auf einer seiner Wanderungen krank und verarmt bei den Eltern eines Freundes im Armenhaus der schlesischen Stadt Lauban untergekrochen war. Veröffentlicht hat es erst Berthold Litzmann 1880. Er gab die Breslauer Abschrift nicht nur ohne Überschrift wieder, sondern auch ohne die sechste Strophe (wobei um des Anschlusses willen das Wort »Stell« in Vers 61 in »Welt« geändert wurde). Der Herausgeber glaubte sie wegen ihres blasphemischen Tons und vor allem ihres Inhaltes wegen unterdrücken zu müssen. Sie habe, so vermutete er, dem Gedicht die Aufnahme in die Ausgaben des 18. Jahrhunderts verwehrt.

Die Prüderie des 19. Jahrhunderts braucht uns hier nicht zu beschäftigen; auch nicht die Frage, wieviel davon ins frühe 18. Jahrhundert zurückprojiziert werden darf, das immerhin ganz andere Sachen zu lesen gewohnt war. Angst dürften den Leuten viel eher die gotteslästerlichen ersten drei Strophen gemacht haben. Gewiß, sie werden in der Schlußstrophe gleichsam dementiert und als »große Schuld | Verzweiflungsvoller Angst« (63 f.) verurteilt, und die Überschrift ordnet sie gleich anfangs in einen theologisch erträglichen Zusammenhang. Dennoch, gesagt bleibt gesagt. Und wie gesagt! Weder in Günthers Werk noch in dem seiner Zeitgenossen weit und breit ist Verzweiflung jemals mit so vehementer Vorbehaltlosigkeit, so sprachgewaltig, so aggressiv zu Wort gekommen wie hier (erst in Bürgers *Lenore* bekommen wir Ähnliches wieder zu lesen).

Vermutungen bloß. Es ist ja nicht einmal ausgemacht, daß die Überschrift (deren Typus, zahllosen Gelegenheitsgedichten nachgeprägt, mehr als 50 Mal in Günthers Werk verwendet worden ist) von ihm selbst stammt. Jedenfalls rückt sie das ganz und gar Präsentische des Gedichts, das am prägnantesten zu Beginn der Schlußstrophe sich zeigt, in die imaginäre Reihe vergangener biographischer Gelegenheiten; das unmittelbar und gegenwärtig sich äußernde Ich wird in ein episches und vergangenes Er zurückgebannt. Auch spricht die Überschrift zuerst von Trost und bestimmt Stärkung als den eigentlichen Inhalt des Gedichts; die Ungeduld, um bei diesem harmlosen Wort zu bleiben, erscheint als fast beiläufige Veranlassung. Kurzum, die Überschrift beschwichtigt und sucht das Gedicht zu domestizieren.

Günther, wie so oft, kommt sofort zur Sache. Die Absage an christliche (Geduld) und stoische (Gelassenheit) Tugenden, an den Inbegriff der damaligen moralischen Ordnung, wird ausgelöst durch das verzweifelnde Existenzgefühl eines einzelnen (3: »meiner Pein«), dessen Individualität später – mit dem Motiv des verstoßenen Sohnes – jede Abstraktion in eine bloße Rolle verhindert. Zwar scheint die Bitte um Verzeihung (3; vgl. auch II,52) die Gültigkeit jener Ordnung noch anzuerkennen. Aber die anakoluthisch angeschlossene fünfte Zeile beharrt dann darauf, daß die Absage keine Äußerung des Affekts ist, sondern im Zeichen von »Vernunft« und Überlegung erfolgt, als philosophische Konsequenz aus der Befindlichkeit des anklagenden Subjekts. In einem früheren Gedicht hatte für Günther die Vernunft das genaue Gegenteil gefordert:

Nicht aus Ungedult im Jammer, sondern mit Gelaßenheit,
Weil mich dies die Weißheit lehret, jenes die Vernunft verbeuth.
(II,35, V. 7f.)

Jetzt stellt das Leiden des Vereinzelten die moralische Weltordnung auf den Kopf und nennt deren Inbegriff eine unvergebbare Sünde, vollzieht also die Umwertung der Werte mit Hilfe einer theologischen Kategorie, blasphemisch.

Die zweite Strophe, Anrede wie die erste, zieht alle Register eines Stiles, den als niederen zu bezeichnen den Zeitgenossen wohl als Euphemismus gegolten haben dürfte. »Fluch auf Fluch gehäuft«, heißt es später einmal (II,221, V. 89).

Frühaufklärerische Theorie vom Pfaffentrug scheint hereinzuspielen. Vor allem aber richtet sich die rebellierende Provokation gegen die Dreifaltigkeit selbst, *Gott* Vater, *Sohn* und heiligen *Geist.* Die lutherische Rechtfertigungslehre, die dem Sünder Erlösung allein durch den Glauben verheißt (vgl. hier auch II,225 f.), zerbricht an der Folgenlosigkeit eines aus der Tiefe individueller Verzweiflung herausgeschrienen Glaubens: »ich warthe, schrey und leide« (17). Auch die dritte Strophe bedient sich der Lautstärke, welche die Apostrophe gewährt. Religon ist eine betrügerische Erfindung. Gott nur ein »ewig Wesen«, ein sadistischer Gott, der sein Opfer willkürlich herausgreift, »obenhin« (24). Dafür steht in Vers 37 »Ohn Ursach«; so spricht der Psalmist (Ps. 35,7.19) und vor allem Hiob: »Denn er fähret über mich mit Ungestüme, und machet mir der Wunden viel ohn Ursach« (9,17). Hiob, der zu Gott sagt »Du bist mir verwandelt in einen Grausamen« (30,21), tritt von nun an immer deutlicher als Modellfigur des Gedichts hervor. Aber jener Hiob sprach noch zu Gott, hier wird dagegen über Gott gesprochen, als wäre er nur noch Objekt, nicht mehr anredefähige Person. Dieser Gott »führt« und »leitet«, wie fromme Glaubensgewißheit sagt, aber stets in Sünde und Unglück; dieser Gott entzieht sich der Rechtfertigung seines Handelns durch einen Schein, der auf Kosten des moralischen Subjekts exekutiert wird, dessen er sich bedient: »Bald läst es mich *in mir* dem Guten widerstehn« (29). Am Leiden dieses Subjekts entlarvt sich die Theodizee, die Rechtfertigung Gottes, als dessen Ideologie, und Frömmigkeit als Deckmantel der Bosheit. Leibniz hatte die Rechtfertigung Gottes angesichts des Übels in der von ihm geschaffenen Welt mit der Überlegung vollzogen, diese Welt sei immerhin doch, kraft der Weisheit und Güte Gottes, die beste aller möglichen Welten, die mit den geringsten der von jeder Endlichkeit unabtrennbaren Übel. Aus solchen Gedankengängen stammt unser Ausdruck ›Optimismus‹. Aber unser Gedicht zeigt, daß nicht erst das Erdbeben von Lissabon im Jahre 1755 diesem Optimismus einen Stoß versetzt hat; hier unterliegt er dem persönlichen Leiden eines einzelnen, dem die Übel dieser Welt sich nicht nur im reflektierenden Bewußtsein, sondern in unmittelbarer Erfahrung bezeugen.

Die vierte Strophe summiert diese Erfahrung zur verzweifelten Kurzbiographie. Auch hier klingt (neben Ovids *Tristia*, etwa 3,6,35 f. in Vers 39) Hiobs Klage hindurch: »Er hat meine Brüder ferne von mir gethan, und meine Verwandten sind mit fremde worden. Meine Nächsten haben sich entzogen, und meine Freunde haben mein vergessen« (19,13 f.). Aber die Verstoßung durch die Eltern, Günthers Vater vor allem, der sich wieder und wiederum weigerte, den durch sein Dichten und das Mißlingen bürgerlicher Seßhaftigkeit verloren geglaubten Sohn wieder anzunehmen, ist als literarisches Motiv doch singulär, durch keine Tradition geschützt; das autobiographische Moment sperrt sich gegen die Generalisierung ins jederzeitlich Allgemeine. Die Rolle des verlorenen Sohnes gab es, nicht die des verstoßenen.

Auch Hiob wehrt sich, wie Günthers fünfte Strophe, mit der Beteuerung seiner Rechtschaffenheit, und zwar gleichfalls in hypothetischer Selbstverfluchung: »hab ich ..., so ...«. Eine Reihe von Stellen namentlich aus dem 31. Kapitel des Buches Hiob sind hier anverwandelt. Abermals treten Schicksal und moralisches Bewußtsein auseinander. Durchdrungen von der Gewißheit der eigenen Gutwilligkeit, ist es die moralisch definierte Innerlichkeit dieses Individuums, die – trotz der Absage zu Beginn des Gedichts – dem Risiko ewiger Verdammnis Trotz bietet, wenn auch die Ausmalung der Höllenqualen ad hoc einer aufgeklärten Polemik verfällt (50: »vorgelogen«).

Die Verfluchung der eigenen Empfängnis und Geburt in der sechsten Strophe führt die Klage auf ihren tiefsten Punkt und höchsten Grad. Auch hier eine Abkehr von eigenen und im Luthertum verbreiteten Überzeugungen. In früheren Gedichten hatte Günther die Wiederholung von Hiobs Selbstfluch ausdrücklich und im Einklang mit Auffassungen der damaligen lutherischen Theologie (vgl. dazu Dahlke, S. 163 f. und 234, Anm. 30) mißbilligt; Hiobs Fluch komme dem Verworfenen zu:

Ein solche verworfner Mensch, ja nicht viel mehr als Vieh,
Hat Ursach, spät und früh
Die Stunde der Geburth mit Hiobs Fluch zu seegnen.
(II,77, V. 55 ff.; vgl. VI,7, V. 29.)

Sünde der Verzweiflung, Desperatio; und hält man Günthers Konkretheit gegen Hiobs Flüche, so nehmen sich diese geradezu verhalten aus: »Der Tag müsse verlohren seyn, darinnen ich gebohren bin, und die Nacht, welche sprach: Es ist ein Männlein empfangen. [...] sie hoffe auffs Liecht [...]. Daß sie nicht verschlossen hat die Thür meines Leibes [den Leib meiner Mutter], und nicht verborgen das Unglück vor meinen Augen. Warum bin ich nicht gestorben von Mutter-Leibe an? Warum bin ich nicht umkommen, da ich aus dem Leibe kam? [...] So läge ich doch nun und wäre stille, schlieffe und hätte Ruhe [...] wie eine unzeitige Geburt verborgen und nichts wäre, wie die jungen Kinder, die das Liecht nie gesehen haben« (Hiob 3,3–16). Eine doppelte Aggression entlädt sich in dieser Strophe: gegen die eigenen Rabeneltern, den Vater zumal, und gegen die eigene Existenz. Der Aufstand eines persönlichen Schicksals gegen die göttliche Weltordnung endet mit dem hilflos irrealen Wunsch, es möge dieses Schicksal von seinem Ursprung her nie gegeben haben. Der Versuch der fünften Strophe, die eigene Existenz wenigstens noch in der einsamen Innerlichkeit moralischer Integrität zu bewahren, bricht in völliger Kapitulation zusammen – mit den Worten eines auf solche Situationen zurückblickenden Gedichtes aus dem Jahre 1720:

Wie kan es anders seyn? Wo Hunger die Gedult,
Wo Schmach die Kräfte schlägt, da hat der Geist nicht Schuld,
Wenn endlich Fleisch und Blut bey Hiobs schweren Plagen
Mit Hiobs Raserey den tauben Himmel schlagen. (IV,213, V. 57 ff.)

Günther zieht diese Selbstaufgabe mit bewußter Inszenierungskunst in die Schlußstrophe hinüber, um dem nun sich ereignenden »Ruck von deinem Liebesschlage« (62) das mimetische Äquivalent zu geben: den zunächst durch Gedankenstriche und dann erst verbal erfaßten Einbruch in das von der Alexandrinerzeile repräsentierte Zeitkontinuum. Die »ewige Gedult« (61) tritt ein für die im ersten Wort des Gedichtes aufgegebene menschliche. Damit wird aber weder die innere noch die äußere Bedrängnis des Subjekts aufgehoben. Da hat kein pietistischer ›Gnadendurchbruch‹ stattgefunden, dem nun ein beseligendes Erlösungsgefühl folgen würde. Kein Bußkampf, wie ihn der Hallische Pietismus vorsah, ist voraufgegangen, sondern ein Prozeß gegen einen Gott, der nicht zu rechtfertigen war und der Klage nicht standhielt.
Hiob hatte nicht nur gesagt »Ich begehre nicht mehr zu leben« (7,16), sondern auch: »Aber ich weiß, daß mein Erlöser lebet« (19,25) – aber nicht im selben Atemzug wie Günthers letzte Zeile. Dort Verzweiflung bis zuletzt über dieses »Angsthaus« (57); der irreale Wunsch nach Nichtexistenz verwandelt in einen realisierbaren, den nach dem eigenen Tod. Dennoch eröffnet sich in unverfälschter lutherischer Kreuzestheologie hinter aller Ausweglosigkeit das Erbarmen Christi, das die Verzweiflung auffängt.

Kein Zweifel, daß dieses Gedicht, wie viele andere von Günther, als biographisches Zeugnis gelesen werden kann. Denkbar sogar, daß die »Tröstliche Vorstellung, daß Hoffnung und Creuz oft unverhoft zum gewünschten Ende und Ziel kommen« (II,143; vgl. dazu Krämer, S. 472–478, Anm. 580, 581), ein Gedicht mit unverkennbar autobiographischen Zügen, auf eben die Situation sich bezieht, die unser Gedicht evoziert. Das mag auch für Verse gelten wie diese:

O wie oft hat Fleisch und Blut durch ein ungeduldig Schmollen,
Weil kein Retter kommen will, der Verzweiflung rufen wollen!

Doch ein Strahl von höherm Lichte und die kämpfende Vernunft
Stärckten mich im grösten Wetter mit des Trostes Wiederkunft.
(II,204, V. 177 ff.)

Oder an anderer Stelle:

Ich fiel, du hobest mich; ich sanck, du fingst mich wieder.
(II,225, V. 11.)

Freilich, sie sprechen in iterativen Vergangenheitsformen, während unser Gedicht eine Situation im vollsten Sinne der Vergegenwärtigung präsentiert. Es suggeriert den Eindruck unmittelbarer Ich-Aussage, in welcher biographische und poetische Zeit zusammenfallen. Mit Recht hat Preisendanz von »präsenter Bedrängnis« gesprochen. Äußerungs- und Vorgangszeit fallen zusammen auch in jenen fortströmenden Alexandrinern epistelhaften Charakters, die Günther zu jener Zeit in großer Zahl herausschleuderte, in denen Vers und poetische Diktion als, kraft Begabung und Übung, zweite Sprachnatur erscheinen und in denen die Mittelbarkeit verwendeter Regeln nahezu vernichtet zu sein scheint. Dies Gedicht dagegen trägt keinerlei briefähnliche Züge, und es bedient sich darüber hinaus einer großräumigen und, trotz Günthers vielfach erwiesener Virtuosität, nicht gerade von selbst sich fügenden Strophe. Die Alexandriner haben sich siebenmal einer Kombination von Kreuzreim und Schweifreim (beide jeweils mit männlichem Ausgang beginnend) zu unterwerfen. Im April 1718 hatte Günther noch behauptet:

Geht, fragt bey David nach, die Angst macht kurze Psalmen,
Und Hiob, der nur krazt, flucht beßer als er reimt.
(IV,95, V. 37 f.)

Hier reimt der andere Hiob ebensogut wie er flucht. Mit einem Wort: die völlige Gegenwärtigkeit des Gedichts ist Fiktion. Die oft bekundete Erschütterung ihm gegenüber müßte sich als eine vermittelte verstehen und nicht, als ob sie unmittelbarer Augenzeugenschaft entspränge.

Weil ich aber doch nicht weis, welche Stunde mich entrücke,
Brauch ich die Gelegenheit und das säumende Geschicke
Und entwerfe die Gedancken, die vielleicht ein Leser liebt [...].
(II,36, V. 33 ff.)

Die man sich selber macht, ist wohl die beste Lust.
Dies fühlet meine Brust
Bey innerlicher Angst und eußerlichen Plagen.
Denn fällt mir Zeit und Fleiß und aller Umgang schwer,
So komm ich ohngefehr
Auf etwas, das mich stärckt, die Grillen wegzuschlagen.
(II,76, V. 1 ff.)

Diese beiden Zitate aus wohl früher zu datierenden Klagegedichten Günthers dokumentieren einmal das Bewußtsein, daß Gedichte nicht nur Ausdruck, sondern Rede sind; zum andern die Überzeugung von der heilenden Kraft des Dichtens. Diese aber kommt ihr zu aus der Mittelbarkeit, die sie dem distanzschaffenden Gebrauch von Regeln verdankt. So auch in diesem Gedicht. Darüber hinaus tritt Günther, mit seinem Leben vielleicht, sicherlich schreibend, in ein Muster ein, das er der Tradition entnehmen konnte – ein anderer Hiob nicht nur im biographischen, sondern auch im literarischen Sinne. Das unterscheidet ihn wohl noch von späterer Erlebnislyrik. So auch die Tatsache, daß nicht nur das Motiv der Hiobschen Selbstverfluchung mehrfach in Günthers Werk erscheint (etwa II,67, V. 7–12), sondern auch der hier zu beobachtende Vorgangstypus, der aus ununterbrochener geistlicher Überlieferung stammt (z. B. in den Gedichten II,116, II,215, II,225 und auch in dem zuvor interpretierten Gedicht).
Ebenso aber unterscheidet ihn von der Dichtung des Barock, daß seine Individualität nicht im Muster aufgehoben wird, sondern dieses sich in seinem Gedicht auf unverwechselbare Weise neu konkretisiert. Ob dieser schwer faßbare Umstand erlaubt, dem Werk Günthers mit jener einfühlenden Stimmungspsychologie beizukommen, auf der bis heute ein großer Teil der Rekonstruktion seiner Biographie und

der Chronologie seiner Gedichte beruht, muß bezweifelt werden.
Hiob starb, so berichtet die Bibel, »alt und Lebens satt« (42,17), Günther aber mit 28 Jahren weniger drei Wochen und drei Tagen am 15. März 1723 in Jena unter den elendesten Umständen.

Zitierte Literatur: Biblia, Das ist Die gantze Heilige Schrifft Altes und Neues Testaments / Teutsch D. Martin Luthers. Leipzig 1694. – Hans Dahlke: Johann Christian Günther. Seine dichterische Entwicklung. Berlin [Ost] 1960. – Johann Christian Günthers Sämtliche Werke. [Siehe Textquelle. Zit. mit Band- und Seitenzahl.] – Wilhelm Krämer: Das Leben des schlesischen Dichters Johann Christian Günther 1695–1723. Mit Quellen und Anm. zum Leben und Schaffen des Dichters und seiner Zeitgenossen. Unter Mitw. von Reiner Bölhoff. Stuttgart 1980. (2., um einen Anm.-Teil verm. Aufl. der Ausg. 1949.) – Wolfgang Preisendanz: Präsente Bedrängnis. Über ein Gedicht von Johann Christian Günther. In: Jahrbuch der deutschen Schillergesellschaft 18 (1974) S. 221–234.
Weitere Literatur: Reiner Bölhoff: Johan Christian Günther. 1695–1975. Kommentierte Bibliographie, Schriftenverzeichnis, Rezeptions- und Forschungsgeschichte. Bd. 1. Köln/Wien 1980. – Helga Bütler-Schön: Dichtungsverständnis und Selbstdarstellung bei Johann Christian Günther. Bonn 1980. – Ernst Osterkamp: Das Kreuz des Poeten. Zur Leidensmetaphorik bei Johann Christian Günther. In: Deutsche Vierteljahrsschrift für Literaturwissenschaft und Geistesgeschichte 55 (1981) S. 278–292. – Text und Kritik. H. 74/75: Johann Christian Günther. München 1982.

Autorenregister